ALLEN COUNTY PUBLIC LIBRARY
ACPL ITEM
DISCARDED
S0-BWT-324
RU F
Puzo,
Arena mraka

JUL 2 4 2001

МАРИО ПЬЮЗО

АРЕНА МРАКА

Роман

СЧАСТЛИВАЯ СТРАННИЦА

Роман

МОСКВА
«ТЕРРА»—«TERRA»
1997

УДК 82/89
ББК 84 (7 США)
П96

Перевод
О. АЛЯКРИНСКОГО, А. КАБАЛКИНА

Разработка серии художника
С. ГЕРАСКЕВИЧА

THIS BOOK CAN BE ORDERED
FROM THE "RUSSIAN HOUSE LTD."
253 FIFTH AVENUE
NEW YORK, NY 10016
TEL: (212) 685-1010

Пьюзо Марио

П96 Арена мрака; Счастливая странница: Романы / Пер. с англ. О. Алякринского, А. Кабалкина. — М.: ТЕРРА, 1997. — 528 с. — (Библиотека литературы США).

ISBN 5-300-01193-2

Новая книга серии знакомит читателей с творчеством Марио Пьюзо, автором нашумевшего романа «Крестный отец».

Через непростые судьбы и сложные взаимоотношения героев романа «Арена мрака» показана послевоенная разрушенная Германия. В «Счастливой страннице» рассказывается о жизни итальянцев в Америке в период великой Депрессии.

УДК 82/89
ББК 84 (7 США)

ISBN 5-300-01193-2
© Издательский центр «ТЕРРА», 1997

АРЕНА МРАКА

Роман

Перевод с английского
О. Алякринского

«Отцы и учители, мыслю: «Что есть ад?» Рассуждаю так: «Страдание о том, что нельзя уже более любить»... О, есть и во аде пребывшие гордыми и свирепыми, несмотря уже на знание бесспорное и на созерцание правды неотразимой; есть страшные, приобщившиеся сатане и гордому духу его всецело. Для тех ад уже добровольный и ненасытимый; те уже доброхотные мученики. Ибо сами прокляли себя, прокляв Бога и жизнь. Злобною гордостью своею питаются, как если бы голодный в пустыне кровь собственную свою сосать из своего же тела начал. Но ненасытимы во веки веков и прощение отвергают, Бога, зовущего их, проклинают. Бога живаго без ненависти созерцать не могут и требуют, чтобы не было Бога жизни, чтоб уничтожил себя Бог и все создание свое. И будут гореть в огне гнева своего вечно, жаждать смерти и небытия. Но не получат смерти...»

«Братья Карамазовы»

ГЛАВА 1

Уолтер Моска ощутил прилив восторга и щемящее чувство одиночества, как то всегда бывает перед возвращением домой. Эти руины в предместьях Парижа ему хорошо запомнились, и теперь, на последнем этапе своего путешествия, он с нетерпением ждал прибытия в пункт назначения — в самое сердце обезображенного войной континента, в разрушенный город, который, как он думал, ему уже никогда больше не увидеть. Эти мрачные вехи, отмечавшие его путь в Германию, ему были даже больше знакомы, чем предместья родного городка.

Поезд мчался, сотрясаясь на стыках рельсов. Это был воинский состав, в котором ехало пополнение во франкфуртский гарнизон, но половину его вагона занимали гражданские служащие, которых завербовали в Штатах. Моска потрогал свой шелковый галстук и улыбнулся. Так непривычно ощущать его на шее! Ему было бы куда привычнее оказаться сейчас там, в солдатском отсеке вагона — и не только ему, но и его соседям, двум десяткам штатских.

Вагон освещался двумя тусклыми лампами — по одной в каждом конце. Окна были плотно зашторены, словно пассажирам этого вагона не хотели показывать руин страны, которую они пересекали. Пассажиры занимали длинные деревянные полки, установленные поперек вагона, так что между ними и противоположной стеной оставался лишь узкий проход.

Моска вытянулся на своей полке и подложил голубую спортивную сумку под голову вместо подушки. При слабом освещении он с трудом мог различать лица соседей.

Все они плыли в Европу на военном транспортном корабле и, как и он, тоже с восторгом предвкушали приезд во Франкфурт. Они громко разговаривали, чтобы перекрыть стук вагонных колес, и голос мистера Джеральда звучал громче прочих. В этой группе мистер Джеральд занимал самую высокую гражданскую должность. Он вез с собой набор клюшек для гольфа и рассказал всем на корабле, что его должность соответствует воинскому званию полковника. Мистер Джеральд был оживлен, и Моска ясно представил себе, как он играет в гольф посреди руин: площадка для гольфа расчищена между сровненных с землей улиц, меж гигантских куч мусора и щебня, а он загоняет мячик в осклабившийся полуистлевший череп.

Подъезжая к маленькой безлюдной станции, поезд замедлил ход. За окнами была ночь и неосвещенный вагон почти поглотил мрак. Моска клевал носом, и до его слуха доносились неясные голоса соседей. Но, миновав станцию, поезд снова набрал скорость, и от усилившейся тряски Моска окончательно проснулся.

Штатские теперь тихо переговаривались. Моска сел и стал смотреть на солдат в дальнем конце вагона. Некоторые солдаты спали, растянувшись во всю длину полок, но во тьме были видны три светлых пятнышка огня: там играли в карты, — язычки пламени отбрасывали на вагонные стены приветливые блики. Он почувствовал легкую тоску по жизни, которую он так долго вел и от которой удрал несколько месяцев назад. Пламя освещало их лица, и Моска видел, что они прикладываются к фляжкам — там была явно не вода, и вскрывают пакеты с НЗ, чтобы достать оттуда шоколад. Солдат всегда готов, подумал Моска с усмешкой, — одеяло в скатке, свечки в вещмешке, вода или что получше во фляжке, и непременный гондон в бумажнике на все случаи жизни. Всегда готов к добру или к худу.

Моска опять растянулся на полке и попытался уснуть. Но тело одеревенело, и сон не шел. Поезд уже набрал скорость и летел, как на крыльях. Он посмотрел на часы. Почти полночь, а до Франкфурта еще добрых восемь часов пути. Он сел, достал из голубой спортивной сумки бутылку и, прислонившись затылком к оконному стеклу, стал пить из горлышка, чувствуя, как оттаивает его тело. Он, должно быть, заснул, потому что, взглянув снова в солдатский отсек вагона, увидел лишь одно пятнышко пламени, а во тьме по-прежнему слышались голоса, среди которых выделялся голос мистера Джеральда. Они скорее всего пили, потому что в голосе мистера Джеральда слышались покровительственные нотки: он хвастливо разглагольствовал о своем растущем могуществе, о том, как он утвердит в этой стране свою бумажную империю.

Вдруг в дальнем конце вагона от огненного пятна отделились два язычка пламени и, трепеща, стали перемещаться по проходу. Когда солдаты поравнялись с Моской, он окончательно стряхнул с глаз сон и заметил, что на лице одного солдата написано выражение злобной ненависти. Яркое, светло-желтое пламя окрасило и так уже побагровевшее от спиртного лицо красными бликами, отчего его угрюмый взгляд сделался пугающе бессмысленным.

— Эй, солдат! — окликнул его мистер Джеральд, — не дадите ли нам огонька?

Свечка послушно опустилась возле мистера Джеральда, и сидящие рядом с ним штатские тут же оживились и заговорили громче, словно мерцающее пламя придало им мужества. Они стали приглашать солдата присоединиться к их беседе, но он, лишившись своей свечки, окутанной мраком, ничего не ответил. Они тут же о нем забыли и продолжали беседу, и только один раз мистер Джеральд, склонившись поближе к пламени, словно приглашая своих слушателей заглянуть в его честное лицо, сказал снисходительно:

— Мы ведь все служили в армии, — и добавил, засмеявшись: — Слава Богу, что это уже позади.

Кто-то из штатских возразил:

— Напрасно вы так уверены. Русские-то еще не утихомирились.

И они снова забыли о военных делах и заговорили каждый о своем, как вдруг, перекрывая и их голоса, и стук колес летящего в слепой ночи поезда, солдат, до сих пор лежавший не раскрывая рта, заорал с пьяным гонором и как будто чего-то испугавшись:

— Заткнитесь! Хватит болтать! Заткните свои чертовы глотки!

Наступило неловкое молчание, после чего мистер Джеральд снова склонил голову к свече и мягко сказал солдату:

— Ты бы лучше шел в свой отсек, приятель.

Солдат не ответил, и мистер Джеральд как ни в чем не бывало продолжал свой прерванный рассказ.

Вдруг он осекся, вскочил на ноги, и его осветило пламенем нескольких свечей. И потом он сказал тихо, с каким-то испуганным недоверием:

— Господи, больно-то как. Этот солдат что-то мне сделал.

Моска сел и стал всматриваться во тьму. Еще несколько темных фигур тоже встали со своих полок, и кто-то сбил локтем свечку на пол. Она тут же погасла. Мистер Джеральд — теперь его едва можно было различить в кромешном мраке — сказал тихим дрожащим голосом:

— Этот солдат пырнул меня ножом, — и рухнул во тьме на скамейку.

По проходу из солдатского отсека вагона прибежали двое. При слабом свете свечек, которые они держали в руках. Моска увидел у одного из них офицерские нашивки.

Мистер Джеральд все повторял:

— Меня пырнули ножом. Этот солдат меня пырнул.

В его голосе уже звучал не страх, а удивление. Моска увидел, что он сидит на полке, освещенный пламенем трех свечек, а на его брючине, чуть пониже пояса расплывается темное пятно. Над ним склонился лейтенант, приблизил свечку к брюкам и что-то приказал сопровождающему его солдату. Солдат побежал в конец вагона и принес одеяло и пакет первой помощи. Они расстелили одеяло на полу и попросили мистера Джеральда лечь. Солдат хотел было отрезать брючину, но мистер Джеральд воспротивился:

— Нет, лучше закатай. Я залатаю дырку.

Лейтенант осмотрел рану.

—Ничего серьезного, — сказал лейтенант. — Заверните его в одеяло.

Ни на его молодом лице, ни в голосе не было ни тени сострадания — только безразличная, формальная вежливость.

— Нас во Франкфурте должна ждать санитарная машина. Так что на следующей станции я отправлю телеграмму. — потом обернулся к остальным и спросил: — Где он?

Пьяный солдат исчез. Моска, вглядевшись во тьму, увидел темную фигуру, скрючившуюся на соседней скамейке. Он промолчал.

Лейтенант пошел в солдатский отсек и вернулся, перепоясанный ремнем с портупеей и кобурой. Он осветил фонариком вагон и увидел скрючившегося на нижней полке человека. Он направил на него луч фонарика, одновременно достав из кобуры пистолет и спрятав его за спину. Солдат не шевельнулся.

Лейтенант грубо толкнул его.

— Поднимайся, Малруни!

Солдат открыл глаза, и, когда Моска увидел этот бессмысленный, как у животного, взгляд, ему вдруг стало его жалко.

Лейтенант, не отводя от глаз солдата слепящий луч фонарика, заставил его встать. Удостоверившись, что у того в руках ничего нет, он убрал пистолет в кобуру. Потом резким движением развернул солдата к себе и обыскал его. Ничего не найдя, он перевел луч фонарика на полку. Моска увидел окровавленный нож. Лейтенант взял нож и, толкнув солдата, повел его в конец вагона.

Поезд опять замедлил ход и остановился. Моска пошел в тамбур, открыл дверь и выглянул. Он видел, что лейтенант идет на станцию, чтобы отправить телеграмму во Франкфурт и вызвать санитарную машину. Больше на станции не было ни души. Французский городок, начинавшийся сразу же за станцией, был объят мраком и покоем.

Моска вернулся на свое место. Приятели мистера Джеральда, склонившись над ним, ободряли его, а мистер Джеральд нетерпеливо повторял:

— Да сам знаю, что это пустяковая царапина, но почему? Почему он это сделал?

А когда лейтенант вернулся и сообщил, что во Франкфурте их будет ждать санитарная машина, мистер Джеральд сказал ему:

— Поверьте, лейтенант, я его не провоцировал. Спросите любого. Я ничего не сделал ему, ничего. Почему он меня пырнул?

— Он просто чокнутый, вот и все, — ответил лейтенант. И добавил: — Благодарите Бога, сэр, Малруни, насколько я его знаю, метил вам в яйца.

Эти слова почему-то всех развеселили, словно серьезность намерений Малруни придала этому инциденту интересный оборот, а царапина мистера Джеральда превратилась в опасную рану. Лейтенант принес свой матрас и помог мистеру Джеральду улечься на него.

— В каком-то смысле вы оказали мне услугу. Я пытался избавиться от этого Малруни с самого первого дня его появления в моем взводе. Теперь он пару лет побудет в безопасном месте.

Моска не мог заснуть. Поезд тронулся, и он опять пошел в тамбур к двери, прислонился к стеклу и стал смотреть на проносящиеся мимо темные предместья, поля и леса. Он вспомнил, что почти такой же пейзаж медленно проплывал у него перед глазами, когда он ехал на броне танка или в кузове грузовика, или шел пехом, или полз на брюхе. Он считал, что никогда больше не увидит эту страну, и теперь ему было непонятно, почему же все так скверно вышло. Он же так долго мечтал о возвращении домой, а теперь вот снова на чужбине. И, стоя в полумраке вагона, он стал вспоминать свой первый вечер дома...

Квадратный плакатик, висящий на двери, гласил:

ДОБРО ПОЖАЛОВАТЬ ДОМОЙ, УОЛТЕР!

Моска заметил, что такие же плакатики висят и на дверях обеих соседних квартир. Первое, что он увидел, переступив порог дома, была его фотография, которую он сделал перед самой отправкой за океан. А потом он попал в объятия матери и Глории, и Альф пожимал ему руку.

Они отступили от него на шаг и воцарилось неловкое молчание.

— А ты постарел, — сказала мать, и все засмеялись. — Нет, я хочу сказать, ты повзрослел больше, чем на три года.

3 1833 03941 7305

— Да он не изменился, — сказала Глория. — Он ничуть не изменился.

— Герой-победитель возвращается на родину! — сказал Альф. — Да вы только взгляните на эти нашивки! Ты совершил какой-нибудь подвиг, Уолтер?

— Обычное дело, — ответил Моска, — у многих, кто был ранен, такой же набор наград.

Он снял свой бушлат и отдал его матери. Альф отправился на кухню и вернулся с подносом, уставленном стаканами.

— Господи, — изумился Уолтер. — Я-то думал, ты без ноги!

Он совершенно забыл, что мать писала ему о Альфе. Но брат, похоже, только и ждал этого момента. Он задрал штанину.

— Очень мило, — сказал Моска. — Здорово тебя починили, Альф.

— Черт побери, — пробурчал Альф. — Хотел бы я, чтобы у меня таких две было — ни тебе грибков, ни тебе вросших ногтей...

— Точно! — Моска похлопал брата по плечу и улыбнулся.

— Он одел протез специально к твоему приезду, Уолтер, — сказала мать. — Вообще-то дома он его не надевает, хотя и знает, что я не могу видеть его одноногого.

Альф поднял свои стакан.

— За героя-победителя! — провозгласил он и с улыбкой повернулся к Глории. — И за девушку, которая его ждала.

— За нашу семью, — сказка Глория.

— За моих детей, — сказала мать прочувственно. И обвела взглядом всех, включая и Глорию. Все вопросительно посмотрели на Моску.

— Давайте-ка сначала выпьем по первой, а потом я что-нибудь придумаю.

Все засмеялись и выпили до дна.

— Ну а теперь ужинать, — сказала мать. — Альф, помоги мне накрыть на стол, — и они ушли на кухню.

Моска сел в кресло.

— Ну и долгое же это было путешествие, — сказал он.

Глория подошла к камину и сняла с полочки фотографию Моски. Стоя к нему спиной, она сказала:

— Я приходила сюда каждую неделю и всякий раз смотрела на эту фотографию. Помогала твоей матери готовить ужин, мы ели все вместе, а потом садились здесь, глядели на эту фотографию и говорили о тебе. И так каждую неделю в течение трех лет — словно приходили на кладбище. Но вот ты вернулся, и на ней ты совсем на себя не похож.

Моска встал и подошел к Глории. Положив ей руки на плечи, он взглянул на фотографию и сразу не мог понять, отчего она его так раздражает.

Голова откинута назад — он специально встал так, чтобы были видны черные и белые диагональные нашивки на рукаве. Лицо смеющееся, совсем юное, с наивным, беззаботным выражением. Мундир сидит как влитой. Стоя под палящим южным солнцем, он, подобно тысячам других солдат, позирует для памятной фотографии.

— Что за идиотская улыбочка! — сказал Моска.

— Не издевайся над ним! Ведь все эти три года у нас только и была эта фотография, — она промолчала. — Ах, Уолтер, знал бы ты, как мы плакали над ней иногда, когда ты подолгу не писал, когда до нас доходили слухи о потопленном транспортном корабле или о крупном сражении. В день высадки[1] мы не пошли в церковь. Твоя мать сидела на кушетке, а я не отходила от радиоприемника. Так мы и сидели весь день. Я не пошла на работу. Я все настраивала радио на разные станции. Как только одна станция переставала передавать новости, я находила другую. Но там повторяли все то же самое. А мать сидела, сжимая платок в руке, но не плакала. В ту ночь я спала здесь, в твоей комнате, в твоей кровати, и взяла с собой эту фотографию. Я поставила ее на тумбочку и пожелала тебе доброй ночи, а потом мне приснилось, что тебя нет в живых. Но вот ты вернулся, Уолтер Моска, живой и здоровый, и ты совсем не похож на этого парня с фотографии, — она хотела улыбнуться, но заплакала.

Моска смутился. Он нежно поцеловал Глорию.

— Три года — немалый срок, — сказал он. И подумал: «В день высадки я был в каком-то английском городке и пил. Я пил с малышкой-блондинкой, которая уверяла меня, что впервые в жизни пьет виски, а потом уверяла, что впервые в жизни легла в постель с мужчиной. Так я

---

[1] 6 июня 1944 года войска союзников открыли второй фронт в Европе высадкой американских подразделений. — *Здесь и далее примечания переводчика.*

отмечал день высадки — причем самым большим праздником для меня было то, что я не участвовал в операции».

Его так и подмывало рассказать Глории всю правду — что в тот день он не думал ни о них, ни о том, о чем они сами тогда думали... Но только заметил:

— Мне просто не нравится эта фотография... И еще не понравилось, что, когда я вошел, ты сказала, будто я совсем не изменился.

— А разве не забавно, — сказала Глория, — что, когда ты вошел, ты выглядел совсем как на этой картинке. Но потом я присмотрелась к твоему лицу повнимательнее и оказалось, что мне это только показалось и ты прямо на глазах меняешься.

Мать крикнула им из кухни:

— Все готово! — и они пошли в столовую.

На столе стояли все его любимые блюда: свежий ростбиф, жареная картошка, зеленый салат и здоровенный кусок желтоватого сыра. Скатерть была ослепительно белая, и только покончив с едой, он заметил, что около его тарелки лежит не тронутая им салфетка. Все было хорошо, но не так, как он об этом мечтал.

— Ну что, — спросил Альф, — сильно отличается от солдатской шамовки, а, Уолтер?

— Еще бы! — сказал Моска. Он достал из нагрудного кармана короткую толстенькую сигару и уже собрался раскурить ее, как вдруг заметил, что все — и мать, и Глория, и Альф — смотрят на него с нескрываемым удивлением.

Он ухмыльнулся и сказал:

— Теперь я совсем большой мальчик, — и закурил, получив удовольствие от их недоумения. И тут все сидящие за столом разразились хохотом. И стало ясно, что вся неловкость, вся непривычность обстановки, вызванная его возвращением домой, исчезла окончательно. Их удивление и последовавшее затем веселье по поводу того, что он так просто вытащил из кармана сигару, разрушило последний невидимый барьер, разделявший их. Они отправились в гостиную. Обе женщины обхватили Моску за талию, а Альф взял поднос с виски и джинджер-элем. Женщины сели на софе поближе к Моске, Альф передал им наполненные стаканы, а сам опустился в кресло напротив. Напольная лампа отбрасывала на стены мягкий желтоватый свет. Альф сказал шутливо-официальным тоном:

— А теперь слушайте историю Уолтера Моски.

Моска выпил.

— Сначала подарки, — объявил он и подошел к голубой спортивной сумке, все еще валявшейся на полу. Он достал оттуда три завернутые в коричневую бумагу коробочки и вручил каждому. Пока они разворачивали свои коробочки, он налил себе еще стаканчик.

— О Боже! — воскликнул Альф. — Что это такое, черт побери? Он держал в руке четыре длинных металлических цилиндрика.

Моска расхохотался.

— Это лучшие в мире сигары. Сделаны по спецзаказу Германа Геринга.

Глория раскрыла свою коробочку и задохнулась от восхищения. В черной бархатной коробочке лежало кольцо. В центре кольца сверкал квадратный темный изумруд, вокруг которого поблескивали крошечные бриллианты. Она вскочила, обвила руками шею Моски и потом показала сокровище его матери.

Но мать с изумлением разворачивала многократно сложенное полотнище из красного темного шелка, которое с каждым взмахом ее руки делалось все больше и больше. Наконец мать развернула его во всю длину. Это оказался гигантский квадратный флаг, в середине которого на белом круге была изображена черная свастика. Наступило молчание. Находящиеся в этой комнате впервые видели так близко вражескую эмблему.

— Черт возьми, — сказал Моска, нарушая гробовое молчание. — Это же шутка. Я же хотел, чтобы вы обратили внимание вот на что, и с этими словами он поднял с пола небольшую коробочку. Мать раскрыла коробочку и, увидев белые, отдающие голубизной бриллианты, стала благодарить сына за подарок. Она сложила флаг в плотный сверток, подняла голубую спортивную сумку сына и предложила:

— Давай я распакую твои вещи.

— Такие замечательные подарки, — сказала Глория. — Где ты их взял?

Моска усмехнулся и ответил:

— Моя добыча! — произнеся это слово с комичной интонацией, чем снова вызвал их смех.

Мать вернулась в гостиную, неся огромную кипу фотографий.

— Это было в твоей сумке. Что же ты их нам не показал?

Она села на софу и начала одну за другой рассматривать фотографии, передавая их потом Глории и Альфу. Пока они обменивались впечатлениями и спрашивали у него, что это такое и где это снято, Моска подливал себе виски. Вдруг он увидел, как мать стала пристально вглядываться в одну фотографию, и лицо ее чуть побледнело. Моска замер, пытаясь в страхе вспомнить, не попали ли в эту кучу порнографические открытки, которые он собирал в Германии. Но нет, он вспомнил, что распродал их все еще на корабле. Он увидел, как мать передавала встревожившую ее фотографию Альфу, и даже разозлился на самого себя за то, что так глупо испугался.

— Ну, ну, — сказал Альф. — И что же сие означает?

— Глория подошла к нему и через плечо заглянула на фотографию. Три пары глаз вопросительно уставились на него.

Моска наклонился вперед к Альфу и, увидев, что там, сразу же почувствовал облегчение. Теперь он вспомнил. Он ехал на башне танка, когда это случилось.

На фотографии был изображен поверженный немецкий артиллерист, который лежал скорчившись в снегу, и по снегу от его тела до самой кромки фотографии тянулась черная извилистая ленточка. А на теле убитого, с винтовкой М-1 на плече, стоял сам Моска, устремив взгляд прямо в объектив. Зимняя полевая форма сидела на Моске кургузо и выглядела нелепо. Под курткой виднелось свисающее точно юбка одеяло, в котором он ножом прорезал дырки для головы и рук. Он был похож на удачливого охотника, собравшегося унести домой убитую дичь.

Подбитые танки не попали в объектив. Как не попали и обуглившиеся трупы, разбросанные по белому полю, словно мусор. Немец был метким стрелком.

— Фотографию сделал мой приятель «лейкой», которую мы сняли с этого фрица, — сказал Моска, взял стакан и понял, что он него ждут дальнейших объяснений. — Это моя первая жертва, — добавил он, силясь обратить все в шутку. А получилось так, словно он произнес «Эйфелева башня» или «Египетские пирамиды», чтобы пояснить на фоне чего его снял приятель.

Мать стала рассматривать остальные фотографии.

— А это где? — спрашивала она.

Моска присел рядом с ней.

— Это в Париже. Моя первая увольнительная, — он обнял мать.

— А это? — спросила мать.

— В Витри.

— А это?

— В Аахене.

А это? Это? Это? Он перечислял названия городов и рассказывал забавные истории. Спиртное его взбодрило, и он думал: «А это было в Нанси, где я два часа торчал в очереди в публичный дом, а это в Домбасле, где я наткнулся на убитого фрица — он был совершенно голый, с раздувшимися яйцами, похожими на две дыни. Там на двери висела табличка: «В квартире мертвый немец». Правду говорила табличка. Он и теперь подивился, кому это понадобилось утруждать себя писать такую табличку — хотя бы и ради шутки. А это было в Гамме, где ему досталась первая за три месяца шлюха и где он впервые напился. А это, это и это были бесчисленные немецкие городки, где мужчины, женщины, дети лежали вповалку в полузасыпанных бесформенных могилах и испускали ужасную вонь.

И на всех этих фотографиях он был изображен точно на фоне выжженной пустыни. Он, завоеватель, стоял на обезображенной, голой земле, среди останков фабрик, домов и человеческих костей — среди руин, которые простирались на многие мили, словно песчаные дюны на океанском берегу.

Моска сел на софу, покуривая свою сигарку.

— Как насчет кофе? — спросил он. — Я бы сам сварил

Он отправился на кухню, Глория пошла за ним. Он достал чашки из буфета, она вытащила из холодильной камеры кекс, украшенный взбитыми сливками, и разрезала его на равные части. Пока на плите закипал кофе, она прижалась к его плечу и шептала:

— Я люблю тебя, люблю, милый!

Они принесли кофе в гостиную, и теперь наступил черед домашних рассказывать Моске о своем житье-бытье. О том, как Глория за все эти три года не ходила ни с кем на свидания, как Альф потерял ногу в автомобильной катастрофе на военных сборах, как мать снова пошла работать — продавщицей в большой универмаг. Со всеми происходили какие-то приключения, но, слава Богу, война закончилась, и все семейство Моска благополучно ее пережило, если не считать потери одной ноги.

Правда, как сказал Альф, при современном уровне развития средств передвижения — что там какая-то нога! Главное, что все они наконец-то встретились в этой маленькой комнате.

Далекий враг был разбит наголову и больше не внушал им страха. Враг окружен и завоеван, и теперь умирает с голоду и от болезней, и утратил свою былую физическую и моральную мощь, не в силах им больше угрожать. И, когда Моска заснул, сидя в кресле, все, кто любил его, несколько минут молча смотрели на него с тихой, почти слезной радостью, как бы и не веря, что он проделал столь долгий путь во времени и пространстве, каким-то чудом вернулся домой и, невредимый, снова обрел полную безопасность.

Лишь в третий вечер Моска сумел остаться с Глорией наедине. Второй вечер они провели у нее дома, где мать и Альф обсуждали с ее сестрой и отцом все детали предстоящей свадьбы — не из обывательской мелочности, а просто радуясь, что все так хорошо складывается. Они пришли к взаимному решению, что свадьба состоится как можно скорее, но не раньше, чем Моска подыщет себе постоянную работу. Моске эта идея пришлась по душе. Альф даже удивил его, робкий Альф возмужал и превратился в уверенного, рассудительного мужчину, который с успехом играл роль главы семьи.

А в третий вечер мать с Альфом собирались куда-то, и брат ухмыльнулся ему на прощанье.

— Следи за часами, мы вернемся в одиннадцать

Мать вытолкала Альфа за дверь и предупредила.

— Если вы с Глорией захотите пойти куда-нибудь не забудь запереть дверь.

Моску даже позабавила нотка сомнения в ее голосе, словно, оставляя его с Глорией одних в квартире, она поступала против своей воли. «О Боже!» — подумал он и растянулся на софе.

Моска попытался вздремнуть, но сон не шел, и он поднялся, чтобы налить себе стаканчик. Он стоял у окна и улыбался, думая, как оно все будет. Перед его отправкой за океан они с Глорией провели несколько дней в небольшом отеле, но как им там было, он теперь даже и не помнил. Он подошел к радиоприемнику, включил его и пошел на кухню взглянуть на часы. Почти половина девятого. Эта сучка уже на полчаса опаздывает. Он снова подошел к окну, но на улице уже было темно, и он ничего не смог рассмотреть. Он отвернулся, и тут в дверь постучали — это была Глория

— Привет, Уолтер! — сказала она, и Моска заметил, что ее голос чуть задрожал. Она сняла пальто. На ней была блузка с большими пуговицами и широкая плиссированная юбка.

— Ну, наконец-то одни! — сказал он с улыбкой и вытянулся на софе — Налей-ка нам по стаканчику!

Глория села на край софы и наклонилась, чтобы его поцеловать. Их поцелуй длился очень долго, и он положил ей руку на грудь.

— Сейчас прибудет выпивка! — сказала она, отпрянув от него.

Они выпили. Из радиоприемника доносилась приятная мелодия, и напольная лампа, как обычно, отбрасывала на стены мягкий желтоватый свет. Он закурил две сигареты и передал ей одну. Они молчали. Затушив окурок, он увидел, что она все еще не докурила. Он вытащил у нее изо рта сигарету и тщательно затушил ее в пепельнице.

Моска притянул Глорию к себе, и она навалилась на него всем телом. Он расстегнул ей блузку, просунул руку под бюстгальтер и поцеловал в грудь. Потом скользнул рукой ниже, под юбку.

Глория выпрямилась и метнулась от него прочь. Моска сначала удивился, а потом насторожился.

— Я не хочу, чтобы было до самого конца! — сказала Глория. Типичная девчачья фраза его рассердила, и он нетерпеливо потянулся к ней. Она встала и отошла от софы.

— Нет-нет, я же сказала.

— Что за черт? — спросил Моска. — Перед тем как меня отправили в Европу, было можно. А теперь нельзя. Почему же?

— Да, правда, — сказала Глория и нежно ему улыбнулась, отчего его внезапно обуял гнев. — Но тогда все было по-другому. Ты уезжал, я тебя любила. Если бы я сейчас согласилась, ты бы первый меня перестал уважать. Не сходи с ума, Уолтер, знаешь, я советовалась с Эмми. Ты был такой чужой, когда я тебя позавчера увидела, что мне захотелось с кем-нибудь посоветоваться. И мы обе решили, что так будет лучше.

Моска закурил.

— Твоя сестра просто дура.

— Пожалуйста, не говори так, Уолтер. Я этого не сделаю, потому что действительно люблю тебя.

Моска чуть не подавился виски и еле сдержал смех.

— Слушай, да если бы мы не спали с тобой тогда, перед отправкой на фронт, я бы о тебе даже не вспомнил и писать бы не стал. Ты была бы для меня пустым местом.

Он увидел, как ее лицо залилось краской. Не сводя с него глаз, она отступила к креслу и села.

— А я любила тебя и до этого, — сказала она. Он увидел, как дрожат ее губы, бросил ей пачку сигарет, отпил из стакана и попытался как следует обмозговать ситуацию.

Желание уже прошло, и он даже ощутил от этого облегчение. Почему, он и сам не знал. Он-то не сомневался, что может уговорить или заставить Глорию сделать все, что он захочет. Моска знал, что если бы он ей заявил: «Только так, а не то...» — и она бы уступила. Он решил, что поторопился: при более терпеливом и тонком подходе можно было провести с ней недурственный вечер. Но потом с удивлением понял, что ему просто лень приложить хоть толику усилий для этого. Ему уже ничего не хотелось.

— Ну ладно. Иди сюда.

Она покорно приблизилась.

— Ты не сердишься? — спросила она тихо.

Он поцеловал ее и улыбнулся.

— Нет, это все глупости, — сказал он, и это была чистая правда.

Глория склонила голову ему на плечо.

— Давай просто посидим и поговорим. Со дня твоего возвращения нам ведь ни разу еще не удалось нормально поговорить.

Моска встал с софы и пошел за ее пальто.

— Мы идем в кино, — сказал он.

— Я хочу побыть здесь.

И тогда Моска сказал с нарочито грубой бесцеремонностью:

— Одно из двух: либо мы идем в кино, либо трахаемся.

Она встала и внимательно посмотрела ему в глаза.

— И тебе все равно, что?

— Абсолютно!

Он думал, что она сейчас наденет пальто и уйдет. Но

она покорно ждала, пока он причешется и повяжет галстук. Они пошли в кино.

Месяц спустя, вернувшись около полудня домой, Моска застал на кухне Альфа, мать и Эмми, сестру Глории. Они пили кофе.

— Хочешь кофе? — спросила его мать.

— Ага, только сначала вымоюсь, — Моска отправился в ванную и, вытирая лицо полотенцем, мрачно улыбался.

Они некоторое время пили кофе молча, и наконец Эмми начала наступление:

— Ты плохо обращаешься с Глорией! Она тебя три года ждала, она ни с кем не встречалась и, если хочешь знать, упустила массу возможностей!

— Возможностей для чего? — поинтересовался Моска. Потом рассмеялся. — Да у нас все в порядке. Нужно только время.

Эмми сказала:

— Вчера у вас с ней было назначено свидание, а ты не пришел. И вот ты только сейчас заявляешься домой. Как ты себя ведешь?

Мать, увидев, что Моска начинает злиться, сказала миролюбиво:

— Глория ждала тебя до двух утра. Ты бы хоть позвонил.

— Нам всем ясно, что ты собираешься сделать, — сказала Эмми. — Ты бросаешь девушку, которая ждала тебя три года. И ради кого — ради местной шлюшки, у которой было уже три аборта и Бог знает что еще.

Моска передернул плечами.

— Не могу же я встречаться с твоей сестрой каждый вечер.

— О нет, конечно, это ниже твоего достоинства!

Он с удивлением понял, что она сейчас его буквально ненавидит.

— Но ведь мы все решили, что нам надо подождать со свадьбой, пока я не найду постоянной работы, — напомнил Моска.

— Не думала я, что ты такой подонок! Если ты не хочешь жениться, так и скажи Глории. И не беспокойся, она найдет себе кого-нибудь получше!

Тут заговорил Альф.

— Это глупость. Разумеется, Уолтер хочет жениться на ней. Давайте не терять благоразумия. Ему пока что наша жизнь непривычна, но это пройдет. И нам надо ему помочь приспособиться.

Эмми заметила саркастически:

— Если бы Глория стала с ним спать, то все было бы отлично. Он бы приспособился, не так ли, Уолтер?

— Это превращается в черт знает что, — сказал Альф. — Давайте-ка поговорим начистоту. Ты злишься, потому что у Уолтера романчик и он не делает из этого тайны, хотя мог бы без труда это скрыть. Хорошо. Глория слишком любит Уолтера, чтобы дать ему вольную. Я думаю, самое лучшее, что мы можем сделать в такой ситуации, это назначить дату свадьбы.

— А моя сестра, между прочим, работает, в то время как он таскается по девкам, к чему он привык в Германии!

Моска холодно посмотрел на мать: она опустила глаза. Наступило молчание.

— Да, — сказала Эмми, — твоя мать рассказала Глории о письмах, которые ты получаешь от какой-то девки из Германии. Ты бы постыдился, Уолтер, просто постыдился бы, ей-Богу!

— Эти письма ерунда! — отрезал Моска. И увидел, что они ему с облегчением поверили.

— Он найдет работу, — сказала мать, — а пока у них нет квартиры, они могут пожить у нас.

Моска пил кофе. На мгновение он задохнулся от гнева и теперь только и ждал момента улизнуть из этой комнаты. Все это зашло уже слишком далеко. Их болтовня уже начала действовать ему на нервы.

— Но он должен прекратить бегать по девкам, — сказала Эмми.

Моска смиренно вмешался в разговор.

— Одна только загвоздочка. Я не готов назначить дату свадьбы.

Они с изумлением воззрились на него.

— И я не уверен, что хочу жениться, — добавил он с ухмылкой.

— Что? — Эмми опешила. — Что? — Она была так разгневана, что не смогла больше ничего сказать.

— И хватит бубнить про три года. Мне-то какая разница, что ее ни разу не поимели за эти три года? Вы что же, думаете, я только об этом и размышлял бессонными ночами? Что, черт возьми, коли она не пользовалась своей штучкой, она у нее стала золотой? У меня было полно других забот!

— Пожалуйста, Уолтер! — взмолилась мать.

— К черту! — сказал Моска.

Мать вышла из-за стола и отвернулась к плите. Он знал, что она плачет. Все вдруг встали, и Альф, держась рукой за край стола, злобно закричал:

— Хорошо, Уолтер, всю эту болтовню о том, что тебе надо приспособиться, тоже можно прекратить.

— По-моему, с тобой слишком много цацкаются с тех пор, как ты вернулся домой, — сказала Эмми с нескрываемым презрением.

Ему нечего было возразить — разве что сказать все, что он о них думает.

— Поцелуй меня в задницу! — и хотя Моска произнес эти слова, обращаясь к Эмми, он обвел взглядом всех троих. Он встал и собрался уйти, но Альф, все еще держась за стол, преградил ему дорогу и заорал:

— Черт тебя побери, это уж переходит всякие границы. Извинись, слышишь, немедленно извинись!

Моска оттолкнул его и слишком поздно заметил, что Альф без протеза. Альф рухнул и головой ударился об пол. Обе женщины вскрикнули. Моска быстро наклонился, чтобы помочь Альфу подняться.

— Эй, с тобой все нормально? — спросил он.

Альф кивнул, но закрыл лицо руками и продолжают сидеть на полу Моска выбежал из квартиры. Он навсегда запомнил эту картину мать стоит у плиты и плачет, ломая руки.

В день отъезда Моски мать ждала его дома — она с самого утра никуда не выходила.

— Глория звонила. — сказала она.

Моска кивнул, приняв к сведению ее слова.

— Ты сейчас будешь укладывать вещи? — Робко спросила мать.

— Ага, — ответил Моска.

— Тебе помочь?

— Не надо.

Он пошел к себе в спальню и достал из шкафа два новеньких чемодана. Он сунул сигарету в зубы и стал искать спички в кармане, а потом пошел за ними на кухню.

Мать все еще сидела за столом. Она накрыла лицо носовым платком и беззвучно плакала.

Он взял спички и собрался выйти.

— Почему ты со мной так обращаешься? — спросила мать. — Что я тебе сделала?

Ему не было ее жалко, и ее слезы оставили его равнодушным, но он терпеть не мог истерик. Он постарался говорить спокойно и тихо, чтобы унять клокотавшее внутри раздражение.

— Ничего ты не сделала. Я просто уезжаю. Ты тут ни при чем.

— Почему ты вечно говоришь со мной так, будто я тебе чужая?

Ее слова больно резанули по сердцу, но он не смог даже притвориться нежным

— Я просто перенервничал, — сказал он. — Если ты никуда не уходишь, может, поможешь мне собраться?

Она пошла с ним в спальню и аккуратно сложила все его вещи, которые он рассовал по чемоданам.

— Сигареты тебе нужны? — спросила мать.

— Нет, куплю на корабле.

— Все-таки я сбегаю куплю, на всякий случай.

— На корабле они стоят всего двадцать пять центов пачка, — сказал он. Ему ничего не хотелось у нее брать.

— Но лишние сигареты тебе не помешают, — возразила она и ушла.

Моска сел на кровать и уставился на фотографию Глории на стене. Он ничего не чувствовал. Ничего не вышло, подумал он. Очень жаль. И подивился их терпению, осознав, сколько же усилий они приложили, чтобы выносить все его закидоны и сколь мало усилий приложил он. Он подумал, что бы мог сказать матери на прощанье, — попытаться ее убедить, что она бессильна что-либо изменить, что его решение вызвано причинами, над которыми ни он, ни она не властны.

В гостиной зазвонил телефон, и он пошел снять трубку. В трубке послышался бесстрастный, но дружелюбный голос Глории.

— Я слышала, ты завтра уезжаешь. Мне зайти вечером попрощаться или я могу это сделать по телефону?

— Как хочешь, — ответил Моска, — но мне надо уйти около девяти.

— Тогда я зайду чуть раньше, — сказала она. — Не волнуйся. Я только попрощаться, — и он знал, что она не солгала, что ей уже на него наплевать, что он уже не тот, кого она когда-то любила, и что она действительно хочет попрощаться в знак старой дружбы, а вернее сказать, просто из любопытства.

Когда мать вернулась, он уже все решил.

— Мама, — сказал он. — Я уезжаю немедленно. Звонила Глория. Она хочет зайти вечером, а я не желаю ее видеть.

— Как немедленно? Вот прямо сейчас?

— Да, — отрезал Маска.

— Но разве ты не проведешь последнюю ночь дома? — спросила она. — Скоро вернется Альф, ты же можешь хотя бы своего брата дождаться, чтобы попрощаться с ним.

— Счастливо, мама, — сказал он и поцеловал ее в щеку.

— Погоди, — сказала мать, — ты забыл свою спортивную сумку. — И как она всегда делала, когда он уходил играть в баскетбол, и как в тот раз, когда он отправлялся на фронт, взяла небольшую голубую сумку и стала класть туда вещи, которые могли ему понадобиться в дороге. Но только сейчас вместо сатиновых трусов, кожаных наколенников и кед она положила бритвенный прибор, свежую смену белья, полотенце и мыло. Потом взяла кусочек бечевки из ящика комода и привязала сумку к ручке чемодана.

— Ну, — вздохнула она, — уж и не знаю, что люди скажут. Наверно, подумают, что я во всем виновата, что тебе со мной было плохо. По крайней мере, после того как ты обошелся с Глорией, ты мог бы остаться сегодня, увидеться с ней, попрощаться по-человечески, чтобы она не обижалась.

— Мы живем в жестоком мире, мама, — сказал Моска. Он еще раз поцеловал ее, но, прежде чем он ушел, она еще ненадолго задержала его.

— Ты возвращаешься в Германию к той девушке?

И Моска понял, что, скажи он «да», тщеславие матери будет удовлетворено, и она поймет, что он уезжает не по ее вине. Но он не мог лгать.

— Да нет же, — ответил он. — У нее уж, наверное, появился другой солдатик, — и, произнеся эти слова громко и искренне, он удивился тому, насколько фальшиво они прозвучали, словно эта правда была ложью, которую он придумал, чтобы побольнее уколоть мать.

Она поцеловала его и проводила до двери. На улице он обернулся, посмотрел вверх и увидел стоящую у закрытого окна мать с белым носовым платком в кулаке. Он поставил чемоданы на асфальт и помахал ей. Но ее уже не было. Опасаясь, как бы она не спустилась и не закатила сцену прямо на улице, он подхватил чемоданы и быстро зашагал к авеню, где можно было поймать такси.

А мать сидела на софе и плакала. По ее щекам текли слезы стыда, горя и унижения. Но в глубине души она понимала, что, если бы ее сын погиб на каком-нибудь дальнем берегу и был похоронен в чужой стране, в могиле рядом с тысячами безымянных трупов, а над ним стоял бы простой белый крест, ее горе было бы куда горше. Но тогда она не испытывала бы стыда, и со временем смогла бы хоть как-то смириться с этой потерей и не утратила бы гордости.

И не было бы этой щемящей печали, этого осознания того, что он безвозвратно потерян, и, если он теперь где-нибудь умрет, она не сможет оплакать его тела, не сможет похоронить его и приносить цветы к его могильному камню.

В вагоне поезда, который уносил его обратно в страну врагов, Моска в полудреме покачивался из стороны в сторону в такт движению. Он сонно вернулся к своей полке и лег. Он услышал стоны раненого: тот скрежетал во сне зубами. Тело спящего лишь теперь начало протестовать против безумной ярости мира. Моска поднялся и пошел в солдатский отсек. Солдаты спали, и мрак освещался лишь слабым мерцанием трех близко составленных свечек. Малруни, скрючившись на верхней полке, храпел, и двое солдат, зажав карабины между колен, играли в карты и попеременно отпивали из маленькой плоской бутылочки. Моска тихо сказал:

— Ребята, не одолжите одеяло? Тот парень замерзает.

Солдат бросил ему одеяло.

— Спасибо, — поблагодарил его Моска.

Солдат махнул рукой.

— Да все равно мне не спать — сторожить этого чудика.

Моска взглянул на спящего Малруни. На лице у него застыло тупое выражение. Он медленно приоткрыл глаза, уставился на Моску, точно раненое животное, и еще не успел снова погрузиться в сон, как Моска вдруг что-то понял и подумал: «Эх ты, дурень!»

Он пошел по вагону на свое место, накрыл мистера Джеральда одеялом и снова растянулся на полке. На этот раз он уснул быстро. Он спал без сновидений и проснулся, только когда поезд прибыл во Франкфурт и кто-то толкнул его в плечо.

ГЛАВА 2

Утреннее июньское солнце залило все углы вокзала с разрушенной крышей, превратив его в подобие гигантского стадиона. Моска сошел с поезда и глотнул весеннего воздуха, чуть пропитанного едким запахом пыли, который поднимался от высящихся вокруг городских развалин. По всей длине поезда из вагонов высыпали одетые в полевую форму солдаты и строились повзводно. Вместе с другими штатскими он пошел за сопровождающими к автобусу на привокзальной площади.

Они пробирались сквозь толпу, как победители, как в стародавние времена патриции сквозь толпы простолюдинов, не глядя по сторонам, уверенные, что народ расступится перед ними и освободит им проход. Побежденные в потрепанной одежонке с исхудавшими лицами были похожи на людей, привыкших мыкаться по ночлежкам и есть дармовой суп. Они почтительно расступились, бросая на хорошо одетых и упитанных американцев исполненные зависти взгляды.

Выйдя из здания вокзала, они попали на площадь. Напротив вокзала располагалось здание клуба Красного Креста, на ступеньках которого толпились группки солдат в полевой форме. Вокруг площади высились восстановленные отели, где расселили личный состав оккупационных войск и служащих городской управы. По площади сновали трамваи, на прилегающих улицах было полным-полно автобусов и такси. Даже в столь ранний час солдаты усыпали все скамейки вокруг вокзала, и все они находились в обществе молоденьких фройляйн с неизбежными чемоданчиками. Все по-прежнему, подумал Моска, ничего не изменилось. Солдаты встречали прибывающие поезда так же нетерпеливо, как жены встречают своих мужей, приезжающих домой со службы на электричках: приметив в толпе приезжих симпатичную девушку, солдаты бросались к ней с предложениями разной степени грубости. Провести ночь на скамейке холодного грязного вокзала или поужинать в ресторане со спиртным, сигаретами, после чего отправиться в теплую постель. Они могли получить истинное удовольствие, а в худшем случае, если вели себя достаточно осторожно, несколько неприятных минут в течение бессонной ночи. Обычно девушки делали наилучший выбор.

На всех улицах, прилегающих к площади, стояли «жучки» — дельцы черного рынка и дети-попрошайки, расставляющие свои сети для ничего не подозревающих солдат, которые выходили из армейского универмага с пакетами, наполненными конфетами, сигаретами, мылом. В глазах солдат застыло выражение настороженности, словно все они были многоопытными старателями и волокли мешки с золотым песком.

Моска уже собирался влезть в автобус, как вдруг почувствовал прикосновение чьей-то руки к своему плечу. Он обернулся и увидел темное костистое лицо под серой шапкой солдата вермахта — это был стандартный головной убор немецких мужчин.

Молодой парень тихо отрывисто спросил:

— У вас есть американские доллары?

Моска отрицательно покачают головой и отвернулся, но снова ощутил прикосновение той же руки.

— Сигареты?

Моска встал на подножку автобуса. Рука сильно вцепилась в его плечо:

— Что-нибудь продаете? Что-нибудь?

Моска бросил по-немецки:

— Убери руку, быстро!

Парень оторопел и отпустил Моску, но потом его глаза налились гордым презрением и ненавистью. Моска прошел в салон автобуса и сел. Он увидел, что парень смотрит на него сквозь стекло — смотрит на его серый габардиновый костюм, ослепительно белую рубашку, цветастый язык шелкового галстука. И кожей почувствовав этот презрительный взгляд, на мгновение пожалел, что на нем не армейский мундир защитного цвета.

Автобус медленно отъехал и свернул в один из многочисленных переулков. Этот переулок словно перенес его в другой мир. За центральной площадью, которая стояла как крепость посреди пустыни, насколько хватало глаз простирались руины и лишь кое-где попадались останки жилых зданий: одиноко возвышающаяся стена или дверь, за которой был лишь чистый воздух, или тянущийся к небу стальной скелет с обломками кирпичной кладки и стекла, прилипшими к нему точно клочья мяса.

На окраине Франкфурта вышли почти все штатские, и автобус, в котором остались только Моска и еще несколько офицеров, направился к Висбаденскому аэродрому. Моска был единственным штатским, не считая мистера Джеральда, который получил конкретное предписание еще в Штатах. Остальным надо было ждать дальнейших указаний во Франкфурте.

Моска прошел регистрацию и ему пришлось несколько часов ждать своего самолета до Бремена. Когда самолет оторвался от земли, у него даже не возникло ни ощущения, что он взлетел, ни мысли, что самолет может оставить позади твердь континента, или что он может просто упасть. Он смотрел в иллюминатор и видел, как земля косо удаляется от него, и казалось, что сейчас она превратится в сплошную зелено-коричневую стену, а потом самолет набрал высоту, земля внизу стала бескрайней и бездонной долиной. И вся таинственность рассеялась, когда самолет выровнялся и пассажиры стали смотреть вниз, точно с балкона, на плоские, расчерченные аккуратными квадратами, похожие на скатерть поля.

Теперь, когда до пункта назначения было рукой подать и, можно сказать, его возвращение почти уже состоялось, он размышлял о нескольких месяцах, проведенных дома, и ощутил неприятное смутное чувство вины перед родными, терпеливо сносившими его капризы. Но он не хотел их никого видеть и даже ощутил возрастающее чувство раздражения оттого, что самолет, словно неподвижно повис в бескрайнем кристально-чистом небе, и понял, что та правда, которую он сказал матери, была на самом деле ложью, что он возвращается только ради немецкой девушки — мать оказалась права, — но без всякой надежды ее разыскать, без всякого упования на то, что их судьбы смогут вновь соединиться после этих долгих месяцев разлуки, но он должен был сюда вернуться в любом случае. Он не более надеялся на то, что она ждет его, чем если бы оставил ее в непроходимых джунглях, раненую, без оружия, ничем не защищенную от диких зверей. И, думая об этом, он почувствовал, как внутри все сжалось, и яд стыда и печали отравил ему кровь и проступил на языке. Он ясно представил себе ее тело, лицо, цвет волос, вспоминая о ней так подробно и так напряженно впервые за те месяцы, что они не виделись, и наконец, отчетливо, словно произнес его вслух, он вспомнил ее имя.

...В то жаркое летнее утро почти год назад было взорвано полицейское управление, и Моска, сидя в джипе на Хох-аллее, почувствовал, как содрогнулась земля. Офицер, которого он дожидался, молодой лейтенант, недавно прибывший из Штатов, вышел несколько минут спустя, и они поехали обратно в штаб администрации на Контрескарпе. Кто-то крикнул им о случившемся, и они повернули к зданию полиции. Отряды военной полиции уже оцепили район взрыва, и повсюду на улицах, ведущих к площади, виднелись их джипы и белые каски. Лейтенант показал свое удостоверение, и их пропустили.

Массивное темно-серое здание стояло на небольшом пригорке в самом начале Ам-Вальд-штрассе. Здание было квадратным, большим, с внутренним двориком для стоянки служебных машин. Поток немцев-служащих все еще струился из главного входа, их лица и одежда были в пыли и щебенке. Женщины истерически рыдали от пережитого шока. Солдаты пытались оттеснить толпу от здания, которое стояло безмолвно и неколебимо, как обычно.

Моска пошел за лейтенантом к боковому входу. Это был сводчатый проход, почти весь заваленный щебнем. Им пришлось ползти, и наконец они попали во внутренний дворик.

Большой квадрат внутреннего дворика превратился в груду развалин. На гребне этой горы во все стороны торчали покореженные крыши, кузова, автомобильные шасси, точно мачты затонувших на мелководье кораблей. Стены здания, по крайней мере до третьего этажа, были снесены взрывом, и взору открылись столы, стулья и даже настенные часы в служебных кабинетах.

Моска услышал звук, который раньше никогда не слышал, звук, который давно уже стал привычным в больших городах этого континента. В какое-то мгновение ему показалось, что этот звук доносится сразу со всех сторон — низкий, монотонный, какой-то звериный вой, совершенно не похожий на человеческий вопль. Он все-таки установил, откуда доносится этот вой, и бегом, и ползком перебрался через гору развалин в дальний конец двора. Он увидел толстую красную шею, зажатую зеленым воротником мундира немецкого полицейского. Шея и голова были неподвижны и безжизненны, а вой исходил, казалось, откуда-то из глубины тела. Моска и лейтенант попытались разгрести щебенку, но обломки кирпичной кладки все ползли и ползли, засыпая труп. Тогда лейтенант отправился за подмогой.

И тут во двор из здания через все проломы в разрушенных стенах хлынули толпы спасшихся. Появились полевые врачи, приехавшие сюда из лазаретов — как были в халатах, американские солдаты и немецкие уличные рабочие, которые сразу начали разгребать обломки и вытаскивать из-под руин трупы. Моска выполз наружу тем же путем, каким пробрался внутрь.

Снаружи воздух был чистый и свежий. У здания уже стояла вереница санитарных машин, с другой стороны подъезжали пожарные. Рабочие уже расчистили от завалов проходы во внутренний дворик и грузили мусор в кузова грузовиков. На тротуаре напротив здания поставили стол — командный пункт, и он увидел своего полковника и толпящихся вокруг него младших офицеров. Моска, про себя усмехнувшись, отметил, что все они были в стальных касках. Один из офицеров поманил его к себе.

— Иди и охраняй нашего офицера разведки, — приказал он и передал Моске свою кобуру с пистолетом. — Если будет еще взрыв, уноси ноги.

Моска вошел в здание через главный вход. Лестница была сплошь завалена щебнем, и он с опаской поднялся на второй этаж. Он шел по коридору, поглядывая на потолок и стараясь не проходить там, где потолок провис и перекрытия грозили вот-вот рухнуть.

Отдел разведки располагался недалеко от лестницы, но теперь от кабинета осталось лишь полкомнаты; другая половина обрушилась во двор.

Охранять было нечего, кроме запертого шкафа. Но зато он получил возможность созерцать разыгравшуюся у него на глазах драму.

Он удобно устроился в кресле, достал из кармана сигару и закурил. Нога уперлась во что-то твердое на полу и, посмотрев туда, он с удивлением обнаружил две бутылки пива. Он поднял одну: бутылка была исцарапана обломками кирпича. Моска откупорил бутылку о дверную ручку и снова устроился в своем кресле.

Внизу под ним двор был безжизнен и в пропыленном

воздухе казался объятым сном. Немцы-рабочие все еще копошились около мертвого, которого он обнаружил, и неторопливо разгребали щебенку. Над ними возвышалась фигура американского офицера, который стоял скучающе, неподвижно, и его розовые бриджи и зеленая рубашка на глазах покрывались белым налетом пыли. Рядом с ним сержант держал в руке стеклянную колбу с кровяной плазмой. Точно такая же сценка повторялась во многих местах по всему двору. В воздухе висела взвесь бетонной пыли, почти светящейся в лучах солнца, и медленно оседала на лица и волосы людей, окрашивая их белым.

Моска пил пиво и курил сигару. Он услышал шаги в коридоре и вышел из кабинета.

По длинному коридору, который убегал вдаль, где пол и потолок почти соединялись во тьме, из мрачных внутренностей здания двигалась небольшая группа немцев. Они прошли мимо, словно не заметив его, ослепшие и ослабевшие от ужаса и потрясения. Последней шла хрупкая девушка в лыжных штанах цвета хаки и шерстяном свитере. Она споткнулась и упала, и, видя, что никто не спешит ей на помощь, Моска шагнул вперед и помог ей подняться на ноги. Она бы так и ушла, но Моска преградил ей путь, вытянув руку, в которой держал бутылку пива.

Она подняла голову, и Моска увидел ее лицо и шею, мертвенно-бледные, и глаза, в которых застыл ужас. Она жалобно сказала по-немецки:

— Пожалуйста, дайте мне уйти отсюда, пожалуйста.

Моска убрал руку, и она поспешила по коридору дальше. Но она не сделала и нескольких шагов, как вдруг пошатнулась и рухнула на пол.

Моска склонился над ней и увидел, что ее глаза открыты. Не зная, что делать, он приложил горлышко бутылки к ее губам, но она отвернулась.

— Нет, — сказала она по-немецки. — Просто я боюсь идти.

В ее голосе послышались нотки смущения. Он удивился. Зажег сигарету, которую вложил ей в губы, потом поднял легкое тело на руки, отнес ее в кабинет и посадил на стул.

Моска открыл вторую бутылку пива, и на этот раз она отпила немного. А внизу под ними события уже развивались чуть живее. Врачи склонились над распростертыми телами, их руки быстро сновали, солдаты с бутылями плазмы присели на корточки. Мусорщики осторожно пробирались по развалинам, из всех проломов выносили трупы — сплющенные, покрытые белой пылью тела.

Девушка шевельнулась и попыталась привстать со стула.

— Я уже могу идти, — сказала она и уже собралась выйти, но Моска загородил дверь.

На своем ломаном немецком он сказал:

— Подожди меня снаружи.

Она помотала головой.

— Тебе надо выпить, — сказал он. — Чего-нибудь покрепче. Шнапс. Хороший шнапс.

Она снова помотала головой.

— Не бойся, я ничего не замышляю, — сказал он по-английски. — Честно, голову даю на отсечение, — и он шутливо приложил бутылку пива к левой стороне груди.

Она улыбнулась и прошмыгнула мимо него. Он смотрел, как ее маленькая фигурка медленно, но решительно удаляется по коридору к разрушенной лестнице.

Вот как оно все и началось: мертвых, победителей и побежденных уносили, кирпичная пыль оседала на их смеженные веки, а ее хрупкое тело и худенькое личико заставило Моску вдруг ощутить к ней жалость и непонятную нежность. Вечером в его комнате они слушали маленький радиоприемничек, пили мятный ликер, и всякий раз, когда она порывалась уйти, он под разными предлогами ее задерживал, пока, наконец, не начался комендантский час и ей волей-неволей пришлось остаться. За весь вечер она не позволила ему ни разу себя поцеловать.

Разделась она под одеялом, а он выкурил последнюю сигарету, допил последнюю рюмку ликера и лег рядом с ней. Она повернулась к нему и обняла порывисто и страстно, так что он удивился и обрадовался. Спустя много месяцев она призналась ему, что тогда не была с мужчиной уже почти год, а он засмеялся, и она пробормотала с горестной улыбкой:

— Если об этом говорит мужчина, все его жалеют, а если женщина — смеются.

Но он это понял в первую же ночь — это и еще кое-что. Что она боялась его, врага, но — тихая музыка из радиоприемника, согревающий ликер, успокоительные сигареты и бутерброды с мясом, которые он купил в армейском магазине, о чем она уже давным-давно забыла, и ее восторг при виде этих сокровищ подстегнул сексуальное желание, к тому же они оба играли в эту игру — тянули и тянули время, зная, что в конце концов ей будет поздно уходить. Он понял это как-то интуитивно, но, даже осознав вполне, почему она у него осталась, не был разочарован, наверное потому, что они очень подошли друг другу в физическом смысле, и эта ночь обернулась долгим мраком чувственных наслаждений, и в серой предутренней мгле, как раз перед рассветом, когда она еще спала. Моска закурил и вдруг подумал: «Я не расстанусь с ней» — и вспомнил с жалостью, нежностью и даже стыдом о том, как мучил это хрупкое тело, которое неожиданно обнаружило спрятанную в нем упругую силу.

Гелла проснулась поздно. Она испугалась, не сразу сообразив, где она находится, и потом устыдилась того, что сдалась столь легко, столь банально и кому — врагу! Но, сплетя свои ноги с его ногами на узкой постели, она ощутила, как все ее тело наполнилось теплой истомой. Она приподнялась на локте, чтобы взглянуть Моске в лицо, и поняла, еще более устыдившись, что даже не запомнила его внешность и почти уже забыла, какой у него взгляд, какие волосы, нос и губы.

У врага были тонкие, почти суровые губы, лицо узкое и сильное, даже во сне напряженное. Он спал неспокойно, как-то подобравшись всем телом, едва умещаясь на узкой кровати, но спал тихо, почти не дыша, так что она даже подумала, уж не притворяется ли он спящим, не наблюдает ли за ней.

Гелла осторожно и бесшумно встала с кровати и оделась. Она почувствовала голод и, увидев на столе пачку сигарет, вытащила одну и закурила. Сигарета была приятная. С улицы не доносилось шума. Она выглянула в окно и поняла, что еще очень рано. Она хотела уйти отсюда, но надеялась, что у него найдется что-нибудь поесть и он ей предложит. Если когда-нибудь проснется. Она подумала со стыдом и удовольствием, что заслужила этот завтрак.

Она бросила взгляд на кровать и с удивлением увидела, что глаза американца открыты и он молча наблюдает за ней. Она выпрямилась, почувствовав прилив неуместной робости, и протянула ему руку, чтобы попрощаться. Он засмеялся, схватил протянутую руку и притянул девушку к себе. И сказал шутливо по-английски:

— Ну, для этого мы слишком близкие друзья.

Она не поняла, но догадалась, что он над ней смеется, рассердилась и сказала по-немецки:

— Мне надо идти.

Но он не выпускал ее.

— Сигарету, — попросил он.

Она прикурила для него сигарету. Он сел в постели и стал курить. Одеяло сползло с его тела, и она увидела длинный белый изломанный шрам, тянущийся от паха до соска. Она спросила по-немецки:

— Война?

Он засмеялся, показал на нее пальцем и сказал:

— Ты.

Гелле показалось, что он обвиняет лично ее, и отвела взгляд, чтобы не видеть шрама.

Он решил воспользоваться своим ужасным немецким.

— Ты голодна?

Она кивнула. Он, как был, голый, выскочил из постели. Она скромно — хотя Моске это показалось смешным — потупила глаза и сидела так, пока он одевался.

Собравшись уходить, он поцеловал ее на прощанье и сказал по-немецки:

— Марш в постель!

Она сделала вид, что не поняла, но он видел, что поняла, но почему-то отказывается подчиниться.

Он пожал плечами, вышел из квартиры и, сбежав вниз по лестнице, пошел на автостоянку. Он поехал в армейский магазин, где купил фляжку готового кофе и бутерброды с яичницей. Вернувшись, он застал ее сидящей у окна, одетую. Он дал ей поесть, и потом они выпили кофе. Она протянула ему бутерброд, но он отказался. Он заметил, усмехнувшись про себя, что, поколебавшись, она не стала ему предлагать во второй раз.

— Придешь вечером? — спросил он по-немецки.

Она покачала головой. Они смотрели друг на друга: его лицо было совершенно бесстрастно. Она поняла, что он больше не станет спрашивать, что он уже готов вычеркнуть ее из своей памяти и забыть о проведенной вместе ночи. И потому, что ее тщеславие было задето, и еще потому, что он оказался нежным и страстным любовником, она сказала:

— Завтра, — и улыбнулась. Она допила кофе, поцеловала его и ушла.

Но она рассказала ему все это потом. Через три месяца. Или четыре? Спустя долгое время, которое было порой радости, физического наслаждения и покоя. А однажды, придя к себе, он увидел, что она, как хорошая жена, сидит и штопает ему носки.

— Ага! — воскликнул он по-немецки. — Добрая хаусфрау!

Гелла робко улыбнулась и посмотрела на него таким взглядом, словно хотела прочесть его мысли, пытаясь понять, какое впечатление произвела на него эта сцена. Тем она начала свою завоевательную кампанию, чтобы заставить его не бросать ее и остаться во вражеской стране с ней, врагом, и хотя Моска это сразу уяснил, он не счел это посягательством на свою свободу.

А потом она попыталась перейти в решительную атаку, применив смертельное оружие — беременность. Но он не испытывал ни чувства негодования, ни жалости — только досаду.

— Надо избавиться! — сказал он. — Мы сходим к хорошему доктору.

Гелла покачала головой.

— Нет, — сказала она. — Я хочу ребенка.

Моска передернул плечами.

— Я уезжаю домой. Это решено.

— Хорошо, — сказала она. Она не стала его умолять.

Она просто отдала себя ему полностью, без остатка, во всем, что ни делала, пока, наконец, в один прекрасный день он не почувствовал, что должен сказать ей — хотя он и знал, что лжет, — «Я вернусь». Она внимательно посмотрела на него, поняла, что он солгал, и он увидел, что она это поняла. Это и было ошибкой — то, что он вообще об этом заговорил. Потому что он повторял и повторял свою ложь, иногда в пылу пьяной страсти, так что в конце концов они оба поверили в это, причем она — с врожденным упрямством, которое проявлялось во всем, в каждом ее поступке и решении.

В последний день, вернувшись в свою комнату, он увидел, что она уже упаковала его вещи. Вещмешок, похожий на зеленое чучело диковинного животного, стоял у окна. Время было послеобеденное и лимонное октябрьское солнце весело заглядывало в комнату. Грузовик, который должен был доставить его на сборный пункт, отправлялся после ужина.

Он с ужасом представил себе, сколько еще времени придется пробыть с ней в этой комнате, и предложил:

— Давай прогуляемся.

Она отрицательно помотала головой.

Потом метнулась к нему, притянула его к себе, и они быстро разделись. Он увидел, как будущий ребенок слегка вздул ее живот. Он ее не хотел, но мысленно заставил себя возбудиться, устыдившись ее внезапно пробудившейся страсти. Когда пришло время ужина, он оделся и помог одеться ей.

— Я хочу, чтобы ты сейчас ушла, — сказал он. — Я не хочу, чтобы ты ждала мой грузовик.

— Ладно, — послушно согласилась она, собрала свою одежду в охапку и сложила ее в маленький чемоданчик.

Прежде чем проститься с ней, Моска отдал ей все сигареты и германские марки, которые у него оставались. На улице он попрощался с ней и поцеловал. Он видел, что она не может вымолвить ни слова, что по щекам у нее струятся слезы, но она покорно побрела, словно слепая, по Контрескарпе к Ам-Вальд-штрассе.

Он смотрел ей вслед, пока она не исчезла из виду, думая, что видит ее в последний раз в жизни и чувствуя облегчение от того, что все кончилось, да так легко, без скандала. И вдруг вспомнил, что она сказала ему несколько дней назад, причем ее трудно было заподозрить в неискренности.

— Обо мне и о ребенке не волнуйся, — сказала она тогда. — И не чувствуй себя виноватым, если не вернешься. Ребенок станет для меня радостью и, глядя на него, я всегда буду помнить, как мы были счастливы, как нам было хорошо. И если не захочешь, не возвращайся.

Его рассердило ее наигранное, как ему показалось, чувство собственного достоинства, с которым она это ему говорила, но она продолжала:

— Я буду ждать тебя год, может быть, два. Но, если ты не вернешься, я буду все равно счастлива. Я встречу другого мужчину, и у меня все устроится в жизни. Так ведь всегда бывает. И мне не страшно родить и ухаживать за ребенком одной. Ты понимаешь, что мне не страшно?

Он понял. Что ей не страшны ни боль, ни страдание, которые он мог ей причинить, ни его жестокость или недостаток нежности, который в последнее время он за собой ощущал, но она совсем не поняла того, чему он позавидовал, — что она не боится себя, своего внутреннего «я», что она приемлет жестокость и ярость окружающего мира и хранит веру в любовь и что ей больше всего жаль его, а не себя.

Зелено-коричневая стена снизу качнулась перед глазами, надвинулась, и перед его взором возникла косо лежащая ровная поверхность, на которой он увидел скопления зданий и крошечные фигурки людей. Самолет выровнялся, и теперь Моска мог видеть аккуратные очертания аэродрома и дома: ангары и длинные низкие административные здания, сверкающие в солнечных лучах. А вдали, у горизонта, виднелся зубчатый абрис нескольких уцелевших в Бремене высотных домов. Он почувствовал осторожный, словно недоверчивый удар шасси о землю, и его охватило нетерпеливое желание поскорее выбраться из самолета и найти глазами встречающую его Геллу. И в то мгновение, когда Моска уже готовился покинуть самолет, он преисполнился уверенности, что ему удастся найти ее. И что она его ждет.

ГЛАВА 3

Моска отдал немцу-носильщику свои чемоданы и, выйдя из самолета, увидел Эдди Кэссина, который шел по эстакаде аэродрома ему навстречу. Они обменялись рукопожатием, и Эдди Кэссин своим тихим, хорошо модулированным голосом произнес с фальшивой искренностью:

— Рад тебя снова видеть, Уолтер!

— Спасибо, что нашел мне работу и оформил бумаги, — сказал Моска.

— Чепуха! — ответил Эдди Кэссин. — Мне стоило приложить немного усилий, чтобы добиться возвращения хотя бы одного из нашей команды. Ты же помнишь еще старые деньки, Уолтер?

Он подхватил, один из чемоданов, Моска взял второй чемодан и голубую спортивную сумку, и они пошли по эстакаде.

— Сейчас мы поедем ко мне в управление, пропустим по стаканчику, и я тебя кое с кем познакомлю, — сказал Эдди Кэссин. Свободной рукой он похлопал Моску по плечу и произнес своим обычным голосом: — Знаешь, сукин ты сын, я так рад тебя видеть!

И Моска почувствовал то, что ему так и не удалось почувствовать, когда он вернулся к себе домой — настоящее ощущение прибытия, долгожданного достижения конечного пункта путешествия.

Они прошли вдоль забора из колючей проволоки к небольшому кирпичному зданию, которое располагалось чуть поодаль от стальных ангаров базы.

— Здесь я царь и бог, — сказал Эдди. — Управление гражданского персонала, а я — заместитель начальника управления, который все время в разъездах. Пятьсот фрицев считают меня Господом Богом, а сто пятьдесят из них — женщины. Неплохая жизнь, а, Уолтер?

Дом был одноэтажный. В просторном предбаннике взад-вперед сновали немецкие служащие, а толпа безработных немцев терпеливо дожидалась собеседования для приема на работу механиками на автобазу, посудомойками в солдатские столовые, продавцами в армейские магазины Здесь были мужчины с печальными лицами, пожилые женщины, молодые парни и очень много девушек, среди которых попадались хорошенькие. Они проводили Эдди взглядами.

Эдди открыл дверь кабинета. В кабинете стояли два стола впритык, так что их владельцы могли смотреть друг другу прямо в глаза. Один стол был совсем чистый, если не считать бело-зеленой таблички с надписью: «Лейт. Э. Форте. Упр. гражд. перс.» — и аккуратная стопка бумаг на подпись. На другом столе возвышались два переполненных корытца для бумаг. В ворохе бумаг, наваленных на столе, едва виднелась табличка: «М-р Э. Кэссин, зам. нач. Упр. гражд. перс.». В углу кабинета находился стол, за которым сидела высокая страшная девица и печатала на машинке. Она оторвалась от работы и сказала:

— Здравствуйте, мистер Кэссин. Звонил полковник, он просил вас перезвонить.

Эдди подмигнул Моске и начал крутить диск. Пока он разговаривал, Моска закурил и стал ходить по кабинету, пытаясь заставить себя не думать о Гелле и не спуская глаз с Эдди. Эдди совсем не изменился, подумал он. Рот чувственный, как у девушки, а нос длинный и величественный, губы упрямо сжаты, форма нижней челюсти выдавала решительность и упрямство. В глазах таилось нечто похотливое, а седина обильной шевелюры, казалось, придавала его коже смугловатый оттенок. Все же он производил впечатление юноши, и его открытое, приветливое лицо имело почти наивное выражение. Но Моска знал, что, когда Эдди Кэссин напивается, его чувственный, изящно вырезанный рот уродливо кривится, лицо становится серым, старым и злобным. И поскольку злобность Эдди Кэссина была чисто внешней и бессильной, и мужчины, в том числе и Моска, только смеялись над ним, эта злобность, проявлявшаяся в словах и поступках, обычно изливалась на женщин, которые в тот момент находились рядом с ним. Он давно сформировал свое мнение об Эдди Кэссине: подонок в обращении с женщинами и мерзкий пьяница, но вообще-то действительно отличный парень, который для друга, сделает все, что угодно. И Эдди хватило ума не приставать к Гелле. Моске захотелось спросить у Эдди, не видел ли он Геллу, не знает ли он, что с ней, но все никак не мог собраться с духом.

Эдди Кэссин положил трубку и выдвинул ящик письменного стола. Он достал бутылку джина и жестянку грейпфрутового сока. Повернувшись к машинистке, он сказал:

— Ингеборг, сходи помой стаканы.

Она взяла «стаканы» — пустые стаканчики из-под плавленого сыра — и вышла из кабинета. Эдди Кэссин подошел к двери, которая вела в соседнюю комнату.

— Пошли, Уолтер, я хочу тебя представить моим друзьям.

В соседнем кабинете у стола стоял невысокий, плотный, с одутловатым лицом мужчина в таком же, как у Эдди, мундире защитного цвета. Он упирался ногой в сиденье стула, чуть подавшись вперед, так, что его живот покоился на бедре. В руках он держал анкету для устраивающихся на работу. Перед ним, вытянувшись по стойке «смирно», стоял приземистый толстый немец с неизменной серо-зеленой вермахтовской шапкой под мышкой. У окна сидел долговязый американец в гражданском; с длинным лицом и небольшим квадратным плотно сжатым ртом, в котором угадывалась упрямая сила, чем-то он смахивал на молодого фермера.

— Вольф, — обратился Эдди к толстяку, — познакомься, это мой старый приятель Уолтер Моска. Уолтер, Вольф — сотрудник отдела безопасности. Он проводит собеседование с фрицами перед тем, как их допускают к работе на базе.

Эдди подождал, пока они обменяются рукопожатием, и продолжал:

— А этот парень у окна — Гордон Миддлтон. У него нет определенной должности, так что он помогает нам чем может. Полковник все хочет от него избавиться, поэтому ему ничего и не поручают.

Миддлтон не встал со стула, чтобы поприветствовать вошедшего, и Моска просто кивнул ему, а тот в ответ вытянул свою длинную руку и неуклюже, как огородное пугало, помахал ею в воздухе.

Вольф указал пальцем на дверь и сказал все еще стоящему навытяжку немцу, чтобы тот подождал в коридоре. Немец щелкнул каблуками, кивнул и поспешно удалился. Вольф рассмеялся и с презрительной гримасой бросил анкету на стол.

— В партии не состоял, в СА не служил, в гитлерюгенд не был. Черт возьми, увидеть бы хоть одного живого наци!

Все захохотали. Эдди закивал:

— Да, они все повторяют одно и то же. Вольф, вот Уолтер, который придется тебе по душе. Он был беспощаден к фрицам, когда мы с ним работали в Военной администрации.

— Да-а? — Вольф поднял кустистые брови. — Так и надо с ними!

— Во-во! — сказал Эдди. — У нас там вечно возникали проблемы. Фрицы должны были доставлять уголь во все учреждения оккупированной территории, но, когда надо было развозить уголь в лагеря с еврейскими беженцами в Гроне, у них сразу то грузовики ломались, то немец-администратор говорил, что, мол, весь уголь кончился. Но этот парень быстро справился с трудностями.

— Рад слышать, — сказал Вольф. У него была приятная, даже обаятельная, если не сказать масленая манера разговаривать, и он постоянно кивал головой, словно уверял собеседника в своем полнейшем к нему расположении.

Ингеборг принесла стаканы, бутылку и банку грейпфрутового сока. Эдди наполнил четыре стакана, но в один не стал наливать джин. Этот стакан он передал Гордону Миддлтону.

— Единственный человек в оккупационной миссии, который не пьет, не играет в карты и не бегает за девками. Вот почему полковник хочет от него избавиться. Он производит плохое впечатление на фрицев.

— Так что там случилось? — произнес Гордон. В его низком, с сильным южным акцентом голосе прозвучал упрек — но вежливый, невозмутимый.

— Значит так, — сказал Эдди. — Моске пришлось каждую субботу ездить в лагеря еврейских беженцев и следить, чтобы уголь туда доставлялся. Но однажды в субботу он где-то застрял, и грузовики отправились без него. И что же — угля нет! Тут он просто взбесился. Это нельзя забыть. Я отвез его к тому месту, где грузовики вдруг сломались, и он сказал шоферам краткую речь...

Моска сидел за столом и курил сигару, нервно выпуская клубы дыма. Он вспомнил тот случай и знал, как Эдди сейчас изобразит все дело. Выставит его в виде свирепого головореза, а ведь все совсем было не так. Он сказал тогда водителям, что, если они не хотят возить уголь, он поможет им уволиться. Но если они хотят работать, то им лучше доставить весь этот уголь в лагеря, даже если им придется волочь его на спине. Один водитель сразу ушел. Моска записал его имя, а остальным раздал сигареты. Эдди же представил все так, будто Моска устроил тем шестерым хорошенькую взбучку.

— Потом он пошел к управляющему по угледоставке и вел с ним короткий разговор по-английски, который я слышал. Этот фриц буквально в штаны наклал. После состоявшейся беседы он сделал соответствующие распоряжения, и к ужину уголь доставили по назначению. Толковый был служака! — и Эдди радостно закивал.

Вольф тоже кивал, понимающе и одобрительно.

— Вот и нам тут надо так действовать, — сказал он. — А то этим фрицам все их преступления с рук сходят.

— Но теперь так вести себя с ними уже невозможно, Уолтер, — сказал Эдди.

— Это точно, — согласился Вольф. — Мы теперь обучаем фрицев демократии, — добавил он с такой гримасой, что Моска и Эдди засмеялись, и даже Миддлтон не смог сдержать улыбки.

Они попивали из стаканчиков, а Эдди встал, подошел к окну и посмотрел на идущую мимо женщину.

— Тут попадаются такие красотки! — сказал он. — Не хочешь какой-нибудь лакомый кусочек?

— Это вопрос для анкеты, — сказал Вольф и уже собрался еще что-то добавить, как дверь в коридор распахнулась и в комнату втолкнули высокого светловолосого юнца. Он был в наручниках и плакал. За его спиной виднелись двое невысоких мужчин в темных мешковатых костюмах. Один из них шагнул вперед.

— Герр Дольман, — сказал он. — Вот этот воровал мыло.

Вольф расхохотался.

— Мылокрад! — объяснил он Эдди и Моске. — У нас пропадало большое количество мыла, которое поступало от Красного Креста. Мы распределяем его среди немецких детей. А эти ребята — детективы из города.

Один из детективов начал снимать с юнца наручники. Он помахал указательным пальцем перед носом паренька и почти по-отечески сказал:

— И чтобы без фокусов, понял?

Парень кивнул.

— Нет, не снимай! — приказал Вольф сурово. Детектив послушно отступил.

Вольф подошел к пареньку и положил ладонь на его белокурый затылок.

— Ты разве не знал, что это мыло предназначалось для немецких детей?

Мальчик опустил голову и не ответил.

— Ты работал здесь, тебе доверяли. Больше ты не будешь работать на американцев. Однако, если ты письменно признаешься в том, что ты сделал, мы тебя не отдадим под суд. Согласен?

Паренек кивнул.

— Ингеборг! — позвал Вольф.

Вошла машинистка — немка. Вольф взглянул на детективов.

— Отведите его в тот кабинет. Девушка знает, что делать, — он обернулся к Эдди и Моске. — Вот так просто, — и ухмыльнулся вполне дружелюбно, — мы можем избежать лишних хлопот, а парень свои шесть месяцев получит.

Моска — хотя ему было все равно — возразил:

— Черт, но вы же обещали его отпустить!

Вольф пожал плечами.

— Правильно, но немецкая полиция все равно возьмет его — за торговлю на черном рынке. Начальник городского управления полиции в Бремене мой старый приятель, и мы сотрудничаем.

— Правосудие в действии, — пробормотал Эдди. — Ну ладно, спер мальчишка пару кусков мыла — отпусти ты его!

Вольф решительно возразил:

— Тогда они нас без штанов оставят. Не могу! — он надел фуражку. — Ну, у меня впереди трудный вечер. Надо устроить полный обыск всех рабочих кухни, прежде чем они покинут базу. Это что-то, я вам доложу! — он криво усмехнулся. — У нас есть женщина-полицейский из Бремена, она обыскивает девок. И представьте, то пару резиновых перчаток найдет, то кусок солдатского мыла. Знаете, куда эти девки могут засунуть себе пачку масла?! Тьфу! — он сплюнул. — Надеюсь, я никогда так не оголодаю.

Когда Вольф ушел, Гордон Миддлтон встал и произнес низким голосом:

— Полковник его любит, — и добродушно улыбнулся Моске, словно что-то в нем вызвало его симпатию. Собравшись уходить, он сказал Эдди: — Надеюсь поймать ранний автобус, — и Моске, просто и дружелюбно: — Ну, еще увидимся, Уолтер.

Рабочий день закончился. Моска смотрел в окно и видел, как немецкие рабочие толпятся у ворот, дожидаясь, пока военная полиция проверит их документы и обыщет — только после этого они могли покинуть военно-воздушную базу. Эдди подошел к окну и встал рядом с ним.

— Насколько я понимаю, тебе не терпится в город. Ты хочешь найти свою девочку? — сказал Эдди и улыбнулся одними губами, почти по-женски сладко и в то же время вопросительно. — Потому-то я и постарался найти тебе работу здесь. Я подумал, ты приезжаешь из-за нее. Верно?

— Сам не знаю, — ответил Моска. — Отчасти, наверное, да.

— Ты хочешь сначала устроиться в общежитии, а потом отправиться на ее поиски? Или хочешь сначала найти ее?

— Давай-ка сначала в общежитие!

Эдди весело расхохотался.

— Если ты пойдешь прямо сейчас, ты еще застанешь ее дома. А если будешь ждать, пока тебе оформят жилье, то увидишь ее не раньше восьми. А она тогда, может, уйдет куда-нибудь, — при этих словах он внимательно посмотрел на Моску.

— Значит, не повезет, — сказал Моска.

Они подхватили по чемодану и пошли к автостоянке, где Эдди поставил свой джип. Включив зажигание, Эдди повернулся к Моске:

— Ты не спрашиваешь, но я тебе скажу. Я ни разу не видел ее ни в одном офицерском или солдатском клубе. Я вообще ее не видел: — После паузы он добавил хитро. — И думаю, ты бы не очень обрадовался, если бы я стал ее разыскивать.

ГЛАВА 4

Когда они миновали Нойштадт, а потом через мост въехали в старый Бремен, Моска увидел первый хорошо знакомый ему ориентир. Костел — высокое здание с башней, похожее на человеческое тело с лицом, изъеденным страшной болезнью: хрупкая конструкция из камня и штукатурки, поддерживающая устремленный в небо шпиль. Потом они ехали мимо массивного здания управления полиции, на чьих темных зеленых стенах все еще виднелись белые шрамы того взрыва. По Шваххаузерхеер-штрассе они выехали на другой конец города, где когда-то был фешенебельный пригородный район. Дома здесь почти не были повреждены бомбежкой и использовались под квартиры для офицеров оккупационных войск.

Моска размышлял о сидящем рядом человеке. Эдди Кэссин был не романтического склада. Насколько Моска себе мог представить, как раз напротив. Он вспомнил, как в свою бытность солдатом, Эдди нашел в городе молоденькую пышнотелую бельгийку с симпатичным, как у дрезденской куколки, лицом. Он поселил ее в маленькой комнатушке без окон в одном из здешних домов и устроил оргию. Девушка обслуживала тридцать солдат, расквартированных в доме, в течение трех дней кряду. Солдаты, дожидаясь своей очереди, резались в карты на кухне. Девушка была настолько хорошенькая и благовоспитанная, что солдаты обхаживали ее так, как муж обхаживает беременную жену. Они по очереди жарили для нее яичницу с беконом и ветчиной и приносили ей завтрак в постель. Из армейской лавки они притаскивали ей пакеты с едой. Она смеялась и шутила, сидя в кровати голая. В ее комнатушке постоянно кто-то торчал, и она, похоже, любила всех и каждого. Ей приходилось трудно только в одном. Эдди Кэссин раз в день проводил с ней не меньше часа. Она называла его «папулей».

— Она слишком хорошенькая, чтобы хранить мне верность, — повторял Эдди, и Моска не мог забыть, с каким садистским удовлетворением в голосе он произносил эти слова.

Они свернули с Курфюрстен-аллее на Метцерштрассе и поехали по улице, где густая листва высоких лип отбрасывала рваные тени на ветровое стекло. Эдди остановился около восстановленного кирпичного четырехэтажного здания с небольшой лужайкой.

— Ну, вот мы и приехали. Лучший особняк для американцев-холостяков в Бремене.

Летнее солнце придавало кирпичу темно-красный оттенок, улица лежала в глубокой тени. Моска взял оба чемодана и спортивную сумку, а Эдди Кэссин пошел впереди по тропинке. У дверей их встретила немка-домоправительница.

— Это фрау Майер, — сказал Эдди и обнял ее за талию.

Фрау Майер, почти платиновой блондинке, было около сорока. У нее была великолепная фигура, которую она приобрела, много лет преподавая плавание в спортивном клубе. Ее лицо имело добродушное выражение, и взгляд у нее был добродушный, но какой-то глуповатый — возможно, из-за больших белых, похожих на заячьи, зубов.

Моска кивнул ей, и она сказала:

— Очень рада с вами познакомиться, мистер Моска. Эдди много мне о вас рассказывал.

Они поднялись по лестнице на третий этаж, фрау Майер отперла одну из комнат и отдала ключ Моске. Это была очень просторная комната. В одном углу стояла узкая кровать, в другом углу — огромный, крашеный в белый цвет шкаф. Через два больших окна в комнату проникали лучи заката, который уже превращался в долгие летние сумерки. Больше в комнате ничего не было.

Моска поставил чемоданы на пол. Эдди сел на кровать и обратился к фрау Майер:

— Позовите Йергена.

Фрау Майер кивнула:

— Я принесу простыни и одеяла.

Они услышали ее шаги на лестнице.

— Что-то тут не очень, — заметил Моска.

Эдди Кэссин улыбнулся.

— Тут в доме есть один волшебник. Этот Йерген. Он все сделает, — и пока они сидели и ждали, Эдди рассказывал Моске об этом доме. Фрау Майер была хорошей домоправительницей: следила, чтобы всегда была горячая вода, чтобы восемь горничных исправно справлялись со своими обязанностями и чтобы белье было выстиранным и выглаженным. Сама она занимала две уютные комнаты на чердаке.

— Я большую часть свободного времени провожу у нее, — говорил Эдди, — но, наверное, она втихаря трахается и с Йергеном. Моя комната под тобой, так что, слава Богу, мы не будем друг за другом шпионить, а?

Моска, с приближением сумерек ощущая растущую нервозность, слушал болтовню Эдди, который говорил об этом доме так, словно он был его собственностью. Для американцев, расквартированных на Метцер-штрассе, Йерген был незаменимым помощником. Он мог так отрегулировать подачу воды в дом, что даже обитатели четвертого этажа умудрялись принимать ванну. Он делал деревянные ящики, в которых американцы отправляли на родину посылки с фарфором, и так умело запаковывал хрупкую посуду и статуэтки, что они доходили до заокеанских родственников целыми и невредимыми. Это была неплохая парочка — Йерген и фрау Майер. Правда, Эдди знал, что днем они осторожно шарят по всем комнатам. У одного постояльца они могли стянуть пару трусов, у другого носки или носовые платки, еще где-то полотенце. Американцы были рассеянные и никогда не проверяли сохранность своих вещей. Из комнат самых отъявленных лопухов исчезали даже начатые пачки сигарет. Но все это проделывалось с умом. Горничные, убиравшие комнаты, были отлично вымуштрованы и никогда ничего не воровали.

— Черт побери, — сказал Моска, — знаешь, я бы отсюда хоть сейчас съехал. Шли бы эти фрицы в жопу!

Эдди подошел к двери и крикнул:

— Эй, Майер, побыстрее! — и повернулся к Моске. — Очень может быть, что она сейчас там внизу организовала себе коротенький трах с Йергеном. Она это любит.

На лестнице послышались шаги.

Она вошла с охапкой постельного белья, за ней Йерген. В руке он держал молоток, в зубах — гвозди. Это был невысокий худощавый немец средних лет, в самом расцвете сил, одетый в комбинезон и американскую армейскую рубашку. От него веяло спокойной уверенностью и достоинством, которые могли бы вызвать к нему уважение и доверие, если бы не сеточка морщинок в углах глаз, придававших его лицу лукавое и хитроватое выражение.

Он обменялся рукопожатием с Эдди Кэссином и протянул руку Моске. Моска из вежливости пожал ему руку. Отношения между местным населением и оккупационными войсками становятся все более дружелюбными, подумалось ему.

— Я тут мастер на все руки, — сказал Йерген. Он произнес эту фразу с нескрываемым самодовольством. — Когда вам что-то понадобится сделать или починить, зовите меня.

— Мне нужна кровать пошире, — сказал Моска, — какая-никакая мебель, радиоприемник и еще кое-что, о чем я потом скажу.

Йерген расстегнул нагрудный карман рубашки и вынул карандашик.

— Конечно, — сказал он поспешно. — Эти комнаты очень плохо обставлены. Согласно смете. Но я уже помог многим вашим товарищам. Большой или маленький радиоприемник?

— Сколько это будет стоить? — спросил Моска.

— От пяти до десяти блоков сигарет.

— Деньгами, — сказал Моска. — У меня нет сигарет.

— Американскими долларами или купонами?

— Чеками.

— Вот что я вам скажу, — начал Йерген медленно. — Я вижу, вам нужен здесь радиоприемник, настольные лампы, четыре-пять стульев, кушетка и большая кровать. Я вам все это достану, а о цене поговорим потом. Если у вас сейчас нет сигарет, я подожду. Я деловой человек и знаю, кому следует давать кредит. К тому же вы друг мистера Кэссина.

— Ну и отлично, — сказал Моска. Он разделся до пояса и достал из спортивной сумки полотенце и мыло.

— Если вам надо будет что-то постирать, пожалуйста, скажите мне, я дам поручение горничной, — фрау Майер улыбнулась. Ей понравился его длинный мускулистый торс с неровным белым шрамом, тянущимся, как она предположила, до самого паха.

— Сколько это будет стоить? — спросил Моска. Он раскрыл чемодан и достал оттуда свежую смену белья.

— Ничего платить не надо. Давайте мне раз в неделю пару плиток шоколада, и, я уверена, горничные будут довольны.

— Ладно, — сказал Моска нервно и обратился к Йергену. — Постарайтесь завтра же принести мне все это.

Когда оба немца ушли, Эдди покачал головой с печальным упреком.

— Времена изменились, Уолтер. Оккупация вошла в новую фазу. Мы обращаемся с людьми вроде фрау Майер и Йергена с уважением, здороваемся с ними за руку и всегда угощаем их сигаретой, когда обсуждаем с ними дела. Они могут оказать нам немало услуг, Уолтер.

— К черту! — сказал Моска. — Где тут туалет?

Эдди отвел его по коридору в ванную. Это было огромное помещение с тремя умывальниками и гигантской ванной. Около унитаза стоял столик, заваленный журналами и американскими газетами.

— Высший класс! — сказал Моска и стал умываться.

Эдди, сев на стульчак, ждал, пока он помоется.

— Ты приведешь свою подружку сюда? — спросил Эдди.

— Если найду и если она захочет, — ответил Моска.

— Пойдешь к ней сегодня?

Моска насухо вытерся и вставил лезвие в бритвенный станок.

— Да, — ответил он и взглянул на полуоткрытое окно: там догорал последний луч заката. — Постараюсь. Схожу на разведку.

Эдди встал и пошел к двери.

— Если не сложится, зайди к фрау Майер, когда вернешься, выпьем по маленькой, — он хлопнул Моску по плечу. — А если сложится, то увидимся завтра утром на базе, — и вышел.

Оставшись один, Моска почувствовал огромное искушение не добриваться, а вернуться к себе в комнату и завалиться спать или подняться к фрау Майер и весь вечер пить с Эдди. Он почувствовал сильное нежелание куда-то идти искать Геллу — он опять мысленно назвал ее по имени, — но усилием воли заставил себя все-таки покончить с бритьем и причесался. Он подошел к окну и распахнул его. В переулке внизу никого не было. Но вдали, в догорающем отблеске заката, он увидел женщину в черном, которая бродила среди развалин и рвала молодую траву. У нее уже была целая охапка. А чуть ближе к зданию общежития он заметил семейство из четырех человек — мужчину, жену и двух ребятишек. Они возводили стену, которая уже была не меньше фута высотой. Мальчики приносили из тачки обломки кирпичей, которые они привезли из разрушенного центра города, а мужчина и женщина подгоняли их друг к дружке в кладке. Эта сценка рядом со скелетом дома запечатлелась в памяти Моски. Последний лучик дня догорел, и люди превратились в темные пятна, движущиеся на фоне абсолютного мрака. Моска вернулся к себе в комнату.

Он достал из чемодана бутылку и сделал большой глоток. Он тщательно подбирал одежду, думая при этом: «Она впервые увидит меня не в военной форме». Он надел светло-серый костюм и белую рубашку-апаш. Оставив все как есть — раскрытый чемодан, разбросанные по полу вещи, бритвенные принадлежности на кровати, — он глотнул еще раз из бутылки, сбежал вниз по лестнице и окунулся в теплую летнюю ночь.

Моска сел на трамвай, и кондуктор попросил у него сигарету, тут же признав в нем американца. Моска дал ему сигарету и стал внимательно всматриваться в каждый встречный трамвай, думая, что она, может быть, едет сейчас куда-нибудь в одном из них. Всякий раз, когда ему чудилось, что он ее заметил, у него начинало сильно биться сердце и все внутри напрягалось: в какой-то миг он видел ее затылок — или это только казалось, и он понимал, что обознался.

Сойдя с трамвая и идя по знакомой улице, он не мог вспомнить ее дом и вынужден был сверяться по списку имен жильцов у каждого подъезда. Он ошибся лишь единственный раз, потому что, подойдя ко второму дому, показавшемуся ему знакомым, сразу увидел ее имя в списке. Он постучал, подождал какое-то время и снова постучал.

Дверь отворилась, и из бледного полумрака коридора выступило лицо старушки-домоправительницы. Он узнал ее. Седые волосы аккуратно уложены в пучок, черное платье, на плечах шерстяная шаль — все это придавало ей вид типичной старухи, олицетворяющей вселенское горе.

— Вам кто нужен? — спросила она.

— Фройляйн Гелла дома? — спросил он и удивился своему беглому немецкому.

Старуха его не узнала и не поняла, что он не немец.

— Пожалуйста, входите, — пригласила она его, и он пошел за ней по тускло освещенному коридору.

Старуха постучала в дверь и сказала:

— Фройляйн Гелла, к вам посетитель, мужчина.

И вот он услышал ее голос — тихо, с удивлением она спросила:

— Мужчина? — И потом: — Подождите минутку, пожалуйста.

Моска толкнул дверь и вошел в комнату.

Она сидела к нему спиной, торопливо закалывая только что вымытые волосы. На столе лежала большая буханка серого хлеба. У стены стояла узкая кровать и тумбочка.

Он смотрел, как Гелла закалывает волосы, укладывая их вокруг затылка; потом взяла буханку и отрезанный ломоть, собираясь отнести хлеб в шкаф, обернулась и устремила взгляд на стоящего в дверях Моску.

Моска увидел белое, осунувшееся, почти с выпирающими скулами лицо. Тело, казалось, стало еще более хрупким с тех пор, как он видел ее в последний раз. Руки ее разжались, и буханка покатилась на дощатый пол. В ее лице не было удивления, и ему на мгновение показалось, что ее взгляд выражает неприязнь и легкое неудовольствие. И вдруг это лицо превратилось в маску горя и печали. Он шагнул к ней, и ее лицо чуть сморщилось, слезы заструились по щекамии закапали ему на руку, которой он взял ее за подбородок. Она уронила голову и прижалась к его плечу.

— Ну, дай-ка я посмотрю на тебя, — сказал Моска. — Дай-ка я посмотрю, — он попытался поднять ее лицо, но она упиралась. — Да все в порядке, — сказал он. — Я просто хотел сделать тебе сюрприз.

Она плакала, и ему оставалось просто ждать, оглядывая комнату, узкую кровать и старомодный шкаф. На туалетном столике он увидел фотографии, которые ей оставил, — нет, увеличенные копии в рамке. Свет от настольной лампы тускло освещал комнату удручающим желтоватым светом, так что создавалось впечатление, будто стены и потолок словно прогибаются под давящей тяжестью развалин, в которые превратились верхние этажи дома.

Гелла подняла лицо — полусмеющееся, полуплачущее.

— Эх ты! — сказала она. — Что же ты не писал? Что же ты меня не предупредил?

— Я хотел сделать сюрприз, — повторил он.

Он нежно поцеловал ее, а она, все еще прижавшись к нему, сказала тихим срывающимся голосом:

— Когда я тебя увидела, я решила, что ты мертвец и мне это снится или я сошла с ума, не знаю. Я так ужасно выгляжу, я только что голову вымыла.

Она посмотрела на свое поношенное домашнее платье и снова взглянула ему в глаза.

Он увидел темные круги под глазами, словно вся смуглость кожи ее лица исчезла, а остались лишь эти черные пролумесяцы. Волосы, которые он гладил, под его ладонью были безжизненными, мокрыми, а приникшее к нему тело было костлявым и высохшим.

Она улыбнулась, и он заметил черное зияние в углу рта. Он тронул ее за щеку и спросил:

— А это что?

Гелла смутилась.

— Ребенок, — ответила она. — Я во время беременности потеряла два зуба. — Она улыбнулась и спросила как-то по-детски: — Что уродина?

Моска медленно покачал головой.

— Нет, — сказал он. — Нет.

И потом вспомнил:

— А как ребенок? Ты его отдала?

— Нет, — ответила она. — У меня были преждевременные роды, и ребенок прожил всего несколько часов. Я только месяц назад вышла из госпиталя.

А потом, догадываясь, что он ей не верит, она пошла к шкафу и вытащила какие-то бумаги, перетянутые бечевкой. Она выбрала из пачки четыре документа и передала их ему.

— Прочитай, — сказала она, ничуть не обидевшись и не рассердившись, зная, что они живут в таком мире, где необходимо постоянно доказывать свою правоту и где доверия нет и быть не может.

Официальные печати и штампы рассеяли его сомнения. Почти с сожалением он понял, что она не солгала.

Гелла снова пошла к шкафу и достала оттуда сложенные детские вещи. Она показала ему ползунки, кофточки, крохотные штанишки. Моска узнал материал, из которого все это было сшито. И понял, что у нее ничего другого не было, поэтому и пришлось разрезать собственные платья, даже нижнее белье, и перешивать все так, чтобы одежда пришлась малышу впору.

— Я знала, что будет мальчик, — сказала она.

И вдруг Моска разозлился. Он злился, что она такая бледная, что она так исхудала, что у нее выпали зубы, что у нее больше нет ее элегантных платьев, что она лишилась всего, что имела, и не получила взамен ничего. И он знал, что его сюда привела не ее нужда, а его собственная.

— Как же все глупо, — сказал он. — Как чертовски все глупо.

Моска опустился на кровать, Гелла села рядом. Смущенные, они какое-то время сидели молча, уставившись на пустой стол и единственный стул, а потом медленно подались друг к другу и словно древние язычники, отправляющие какой-то священный ритуал, должный скрепить их союз с неведомым и страшным божеством, и не зная еще, принесет им этот ритуал беду или удачу, они легли на кровать, и их тела слились. Они испытали сладостное наслаждение: он со страстью, пробужденной выпитым и чувством вины и раскаяния, а она — с любовью и нежностью, в полной уверенности, что их благая встреча принесет им обоим счастье. Она приняла боль, пронзившую ее все еще не исцеленное тело, жестокость его страсти и его недоверие к самому себе, ко всему на свете, зная ту истину, что, в конце концов, из всех людей, кого он когда-либо знал, ему нужнее всего она и ее вера, ее тело, ее доверие, ее любовь к нему.

ГЛАВА 5

Время в это второе мирное лето мчалось быстро. Работа на военно-воздушной базе была простая и легкая; и, казалось, Моска находится здесь только для того, чтобы составить компанию Эдди Кэссину, слушать его россказни и прикрывать его, когда он напивался и не появлялся на службе. Да и Эдди Кэссину делать особенно было нечего. Каждое утро на минутку заглядывал лейтенант Форте, подписывал бумаги и уходил в управление транспортных операций — посмотреть, как проходят полеты, и потолковать со своими коллегами-пилотами. После работы Моска ужинал с Вольфом и Эдди, иногда к ним присоединялся Гордон — в «Ратскеллере», клубе для американских офицеров и гражданских служащих.

Вечера он проводил с Геллой у себя в комнате. Они читали, слушали радио, настроенное на какую-нибудь немецкую станцию. С наступлением теплых летних сумерек они ложились в постель. Музыка из радиоприемника не смолкала в их комнате до поздней ночи.

На четвертом было тихо, но этажом ниже каждый вечер устраивались шумные гулянки. В летние ночи на Метцер-штрассе из разных окон гремели радиоприемники, и «джипы», в которых сидели американские военнослужащие в защитной форме с симпатичными голоногими немочками, притормаживали у их дома, оглашая всю округу визгом тормозов и девушек. Смех и звон стаканов доносились до слуха случайных прохожих, которые удивленно оглядывали здание общежития и торопливо спешили прочь. А уж совсем под утро можно было услышать пьяную брань Эдди, выяснявшего под окнами отношения с очередной своей подружкой. Иногда гулянки быстро закруглялись, и летний ночной ветерок, который разносил пыльный смрад руин, ерошил листву и шумел в ветках деревьев, окаймлявших улицу.

По воскресеньям Гелла и фрау Майер готовили ужин в чердачных апартаментах домоправительницы — обычно кролика или утку, которых Эдди и Моска покупали на ближней ферме, со свежими овощами оттуда же. Серый хлеб, купленный в армейском магазине, кофе и мороженое довершали меню. Покончив с трапезой, Моска и Гелла оставляли Эдди с фрау Майер наедине и отправлялись на долгие прогулки по городу или в городские предместья.

Они проходили мимо здания полицейского управления, изрезанного серыми шрамами от взрыва, мимо клуба американского Красного Креста: Моска с неизменной сигарой во рту, Гелла — в его застиранной белой рубашке с закатанными выше локтя рукавами. На площади перед клубом толпились ребятишки и клянчили сигареты и шоколад. Исхудавшие мужчины в вермахтовских шапках и перекрашенных армейских гимнастерках спешили подобрать окурки, которые время от времени выбрасывали появлявшиеся в окнах верхних этажей американские солдаты. Солдаты лениво глазели из окон, провожая взглядами женщин и высматривая для себя хорошеньких фройляйн, которые медленно прогуливались под окнами взад и вперед, огибая здание вокруг, так что под конец начинало казаться, что они катаются на невидимой карусели: уже примелькавшиеся лица постоянно маячили перед глазами потешающихся зрителей. А теплыми летними вечерами эта площадь напоминала шумный базар, отчего даже забывалось, что сегодня воскресенье, — уж очень не соответствовала здешняя атмосфера обычной для воскресного дня покойной тишине.

Длинные, защитного цвета армейские автобусы и забрызганные грязью грузовики то и дело подъезжали к площади и высаживали солдат, расквартированных в близлежащих деревеньках. Некоторые приезжали издалека — аж из Бремерхавена. Приезжие солдаты были одеты в отглаженные мундиры, а их бриджи были аккуратно заправлены в до блеска начищенные высокие армейские ботинки. Попадались и англичане, которые вынуждены были париться на жаре в своих шерстяных кителях и беретах. Моряки американского торгового флота, производившие странное впечатление драными штанами, грязными свитерами и всклокоченными кустистыми бородами, мрачно топтались у входа в клуб, дожидаясь, пока военные полицейские проверят их документы.

Иногда немецкие полицейские в перекрашенных солдатских мундирах очищали площадь от несчастных попрошаек-мальчишек, сгоняя их в ближайшие переулки, подальше от клуба, и разрешали им сидеть на ступеньках соседнего дома, где располагалось управление связи. Фройляйн чуть ускоряли шаг, совершая свои карусельные прогулки, но их не трогали.

Моска покупал в клубе Красного Креста бутерброды, и они шли дальше, смешиваясь с толпой спешащих в Городской парк немцев.

По воскресеньям враги отправлялись на традиционный моцион. Немцы чинно, с достоинством вышагивали, всем своим видом давая понять, что они — главы семейств, многие из них посасывали ненабитые трубки. Их жены толкали перед собой детские коляски, а впереди крутились дети постарше — степенные и словно немного усталые. Летнее солнце подхватывало пыль, принесенную легким ветерком с развалин, и делало их видимыми, различимыми, ткало из них невесомую паутину, так что, казалось, на весь город накинута прозрачная золотистая сеть.

А потом, когда они наконец пересекали красноватую пустыню руин, эту равнину превращенного в прах кирпича и железа, они оказывались среди зелени загородных полей и шли, шли до полного изнеможения, пока не садились где-нибудь отдохнуть посреди заросшего луга. Они сидели, ели, спали и, если местечко было уединенное, занимались любовью, притворившись, что одни в пустом мире.

В лучах заходящего солнца они возвращались в город. На пустыню руин ложились сумерки, и, проходя мимо клуба Красного Креста, они видели выходящих из здания солдат. Победители получили свою порцию бутербродов, мороженого, кока-колы, пинг-понга и профессионального бесчувственного гостеприимства официанток. Оказавшись на улице и словно ощутив себя на улице родного городка, солдаты начинали привычно стрелять глазами по сторонам. Стайки прохаживающихся фройляйн редели, враги и победители исчезали в грязных переулках, чтобы уединиться в чудом уцелевших комнатах полуразрушенных домов или, если время поджимало, спускались в подвалы. А на площади, уже полностью растворившейся во мраке, оставались только последние, еще не утратившие надежду, дети-попрошайки. Неясная музыка — словно карнавальный оркестр доигрывал последние такты заказанной мелодии — доносилась из окон клуба и ласково омывала темные фигуры на площади, струилась сквозь руины к Везеру, как будто спешила на свидание с тихой рекой, а Моска и Гелла шли вдоль реки, оставляя позади звуки музыки, и смотрели на освещенный луной городской скелет на противоположном берегу.

На Метцер-штрассе их ждали фрау Майер и Эдди Кэссин, свежезаваренный чай с печеньем. Иногда они находили Эдди на кушетке, упившегося до отупения. Но, заслышав их голоса, он тут же приходил в себя. Они пили чай, тихо разговаривали и наслаждались покоем ласковой летней ночи и медленно подступающей дремотой, которая обещала спокойный сон без сновидении.

ГЛАВА 6

Соседом Моски по этажу был невысокий, крепко сбитый гражданский, носивший, впрочем, полевую форму. На груди у него была бело-голубая нашивка с буквами «КРАДЖ». Моска редко его встречал, никто в доме с ним не был знаком, но поздно вечером за стеной было слышно, как он включает радио и ходит по комнате. Однажды он подвез Моску на своем джипе в «Ратскеллар», куда ехал ужинать. Звали его Лео, он работал в еврейской благотворительной организации «Комитет распределения Американского Джойнта». Те же буквы, что у него на груди, были написаны на дверце его джипа.

По дороге в «Ратскеллар» они разговорились. Голос у Лео был высокий, и говорил он с британским акцентом.

— Мы где-то встречались? Ваше лицо мне знакомо.

— После войны я работал в аппарате военной администрации, — ответил Моска. Он был уверен, что они никогда не встречались.

— А, так это вы приезжали в Грон с углем?

— Да, — удивился Моска.

— Я в то время был там. — сказал Лео. — Вы не очень-то справлялись со своей работой. Очень часто у нас по уикэндам не было горячей воды.

— Да, у нас одно время были кое-какие трудности, — ответил Моска. — Но потом все наладилось.

— Знаю-знаю, — усмехнулся Лео. — Фашистские методы, но, возможно, необходимые.

Они поужинали вместе. В мирное время Лео, наверное, был полноват. У него ястребиный нос, широкое лицо, а левая щека дергалась от нервного тика. Двигался он быстро и нервно, и, глядя на его неуклюжие, нескоординированные движения, можно было заключить, что он никогда не занимался спортом.

За кофе Моска спросил:

— А чем занимается ваша организация?

— Мы распределяем продукты и одежду среди еврейских семей, — ответил Лео, — которые находятся в лагерях и ждут отправки из Германии. Я сам восемь лет провел в Бухенвальде.

Очень давно, в то далекое и уже почти переставшее казаться реальным время, Моска записался добровольцем в армию, думая, что выполняет великую миссию — сражаться против концентрационных лагерей, но на самом деле так думал не он, а юнец с фотографии, которой так дорожили и Глория, и мать, и Альф. Воспоминания об этом пробудили в нем странные чувства смущения и стыда потому что теперь ему было на все наплевать.

— Да, — говорил Лео. — Я попал туда, когда мне было тринадцать, — он закатал рукав рубашки, и Моска увидел на коже чуть пониже локтя красное, словно выведенное чернилами, число из шести цифр и едва заметную букву. — Там был мой отец. Он умер за несколько лет до нашего освобождения.

— Вы хорошо говорите по-английски, — сказал Моска. — Даже и не подумаешь, что вы немец.

Лео посмотрел на него с улыбкой и нервно произнес:

— Я не немец, я еврей. — Он помолчал. — Был я, конечно, немцем, но теперь евреи не могут называть себя немцами.

— Почему вы не уехали? — спросил Моска.

— У меня здесь хорошая работа. У меня все льготы, какие имеют американцы. И хорошее жалование. Потом мне еще надо решить, куда ехать — в Палестину или в Соединенные Штаты. А решить непросто.

Они долго беседовали. Моска пил виски, Лео — кофе. Моска рассказывал Лео о разных спортивных играх, стараясь объяснить, каково это бегать, бросать мяч, прыгать — ведь парень все детство и юность провел в концлагере и безвозвратно упустил свой шанс.

Моска рассказал, как нужно вести мяч, проходить под кольцо, прыгнуть и забросить мяч в корзину, как здорово бывает, если тебе удается сделать финт и увернуться от защитника команды противника, вспорхнуть в воздух и положить мяч в корзину, как легко бежать со скрипом по деревянному настилу баскетбольной площадки и как потом, после игры, весь взмокший и усталый идешь в душевую и ощущаешь волшебный освежающий поток теплой воды. А потом идешь по улице, с голубой спортивной сумкой на плече, все тело дышит, и девчонки дожидаются в кафе-мороженом. И наконец ныряешь в забытье глубокого сна.

На обратном пути Лео сказал:

— Я часто в пути: приходится много ездить по служебным делам. Но с наступлением холода буду больше бывать в Бремене. Так что нам еще предоставится возможность проводить время вместе.

— Я тебя научу играть в баскетбол, — сказал Моска, улыбаясь. — Подготовлю тебя к Штатам. И не говори «в пути» — так немцы говорят. Говори «в разъездах» или «в командировке».

После этого разговора Лео стал к ним захаживать. Они пили чай или кофе, Моска учил его играть в карты — покер, казино, джин-рамми. Лео никогда не рассказывал о своей жизни в концлагере и всегда пребывал в отличном настроении, но ему не хватало терпения подолгу сидеть на одном месте, и их тихая жизнь была ему не по нраву. Лео и Гелла стали хорошими друзьями, и он часто говорил, что Гелла единственная девушка, которой удалось научить его танцевать.

А потом, когда пришла осень и деревья сбросили листья на велосипедные дорожки и устлали коричнево-зелеными коврами темные улицы, Моска почувствовал, что свежий воздух быстрее погнал кровь по жилам и пробудил его от летней летаргии. Он стал неспокоен, чаще пропадал в «Ратскеллере», посещал офицерский клуб — те места, куда не пускали Геллу: ведь она была врагом. Возвращаясь поздно вечером, слегка подвыпивший, он ел густой суп, приготовленный Геллой из консервов, и заваливался спать. Часто по утрам, проснувшись, он смотрел на серые облака, несомые октябрьским ветром по рассветному небу. Из окна было видно, как немецкие работяги спешили на угол, чтобы поспеть на автобус, который вез их до центра.

Однажды утром, когда он по привычке стоял у окна, Гелла встала и подошла к нему. Она была в его длинной майке, которую использовала как ночную рубашку. Она обвила его рукой, и они оба стали смотреть на улицу.

— Тебе не спится? —прошептала она. — Ты стал так рано вставать.

— Знаешь, нам надо чаще бывать на людях. Эта домашняя жизнь начинает мне надоедать.

Моска смотрел на багровый ковер листьев, устлавший Метцер-штрассе и окончательно похоронивший под собой велосипедную дорожку.

Гелла прильнула к нему.

— Нам нужен ребенок. Хорошенький ребенок, — сказала она.

— Черт! — сказал Моска. — Как же крепко вбил фюрер это вам в голову.

— Детей рожали и любили задолго до него, — она

обиделась, что он может смеяться над ее затаенным желанием.

— Я знаю, многие считают, что хотеть ребенка — глупость. Помню, берлинские девчонки часто подтрунивали над нами, крестьянками, из-за того, что мы любим детей и только о них и говорим. — Она отошла от него. — Ладно, иди на работу.

Моска попытался с ней объясниться.

— Ты же знаешь, мы не можем пожениться, пока не отменят запрет[1]. Все, чем мы тут занимаемся, противозаконно, в частности то, что ты находишься в этом доме. Если родится ребенок, нам придется переехать в немецкий район, и тогда это будет нарушением закона с моей стороны. Меня в любой момент могут отправить в Штаты, и я не смогу тебя взять с собой.

Она улыбнулась, но по ее лицу промелькнула тень печали.

— Я знаю, что ты не покинешь меня снова.

Моска удивился и испугался тому, с какой уверенностью она это сказала. Он-то для себя уже твердо решил, что в случае чего скроется от властей и будет жить по подложным документам.

— Ах, Уолтер, — сказала она. — Я не хочу уподобиться нашим соседям внизу: пить, ходить на танцульки в клуб, ложиться в постель и не иметь ничего, что бы нас связывало, кроме нас самих. То, как мы живем... этого недостаточно, — она стояла перед ним в рубашке, доходившей ей только до пупка. Вид у нее был забавный и жалкий, но она не стыдилась. Он попытался улыбнуться.

— Да, чего уж хорошего! — сказал он.

— Послушай меня. Когда ты уехал, я была счастлива, я собиралась родить. Я думала: мне в жизни повезло. Потому что, даже если бы ты не вернулся, у меня было бы живое существо, которое я могла бы любить. Ты это можешь понять? Из всей нашей семьи уцелела одна моя сестренка, но она далеко. Потом появился ты, но ты ушел, и у меня никого не осталось. Никого не осталось. Во всем мире не осталось никого, кому я могла бы приносить радость и сама получать от этого радость, не было никого, кто мог бы стать частью моей жизни. Что может быть ужаснее?

---

[1] Американским военнослужащим в первые годы оккупации Германии запрещалось вступать в брак с немками.

Внизу под окнами загалдели американцы, высыпавшие из дома на холодную улицу. Они снимали противоугонные цепи с колес своих «джипов» и прогревали моторы, чье неровное урчание слабо доносилось сквозь оконное стекло.

Моска обнял ее.

— Ты еще такая слабенькая, — он посмотрел на ее исхудавшее, костлявое полуголое тело. — Я бы не хотел, чтобы с тобой что-нибудь случилось.

И когда он произнес эти слова, его сердце захлестнула волна страха: а вдруг она почему-либо бросит его, уйдет, и серыми зимними утрами он будет просыпаться в этой комнате один, один будет стоять у этого окна, за его спиной будет зиять пустота комнаты, и все это произойдет только по его вине. Резко повернувшись к ней, он сказал нежно:

— Не сердись на меня. Давай немного подождем.

Она не вырвалась из его объятий и тихо сказала:

— Ты же сам себя боишься. И сам знаешь это. Я же вижу, какой ты с другими и какой ты со мной. Все думают, что ты такой неприветливый, такой... — она искала нужное слово, чтобы не обидеть его, — такой колючий. Но я-то знаю, что ты не такой. Другого мужчину мне и не нужно. Фрау Майер и Йерген, когда я говорю что-то хорошее про тебя, только усмехаются. Я-то знаю, что они думают! — в ее голосе послышалась горечь, горечь женщины, которая бросает вызов целому миру за то, что никто не может оценить ее возлюбленного. — Они не понимают.

Он подхватил ее на руки, положил на кровать и накрыл одеялом.

— Ты простудишься, — сказал он, наклонился и поцеловал на прощанье. — У тебя будет все, что ты хочешь, — сказал он и улыбнулся. — Особенно то, что легко достается. И не беспокойся, что я могу уехать.

— Хорошо, — сказал она, засмеявшись. — Я буду ждать тебя.

ГЛАВА 7

В немецком ночном клубе, куда они вошли, оркестр играл быструю танцевальную мелодию. Зал представлял собой длинное прямоугольное помещение с голыми стенами, ярко освещенное оголенными лампочками.

Все было заставлено тяжелыми прямоугольной формы столами без скатертей и такими же тяжелыми складными стульями. Стены были голые, с шероховатой поверхностью, а высокий куполообразный потолок у впервые попавшего в этот зал создавал впечатление бездонной глубины кафедрального собора. Раньше здесь располагалась школьная аудитория, и эта бывшая аудитория была единственным, что осталось от разрушенного взрывом здания.

В переполненном зале посетители теснились, толкались, официанты не могли пробраться к столам и поэтому просили посетителей передавать стаканы из рук в руки. Вольфа здесь хорошо знали, и они направились за его статной фигурой к свободному столу у стены.

Вольф, раздавая сигареты направо и налево, сказал официанту:

— Шесть шнапса, — и с этими словами вложил пачку с оставшимися сигаретами официанту в ладонь. — Настоящего! — официант поклонился и исчез.

Фрау Майер оглядывалась, вертя во все стороны белокурой головой.

— Что-то здесь не слишком красиво, — заметила она.

Эдди похлопал ее по руке.

— Малышка, это ведь для тех, кто проиграл войну.

Моска улыбнулся Гелле. Она покачала головой.

— Неплохо, а?

— Для разнообразия — неплохо, — ответила она. — Должна же я посмотреть, как развлекаются мои соотечественники.

Моска не расслышал оттенка вины в ее интонации, но Эдди понял, и его рот скривился в улыбке. Ну вот, одно оружие мы и нашли, подумал он, и тотчас ощутил возникшее желание.

— Об этом заведении ходит такая история, — сказал Вольф. — Надо было дать на лапу сотруднику управления образования в военной администрации, чтобы он признал это помещение неподходящим для возобновления школьных занятий, потом надо было дать на лапу сотруднику управления культуры, чтобы он позволил открыть здесь увеселительное заведение. Но до сих пор неясно, находится это здание в аварийном состоянии или нет. — И добавил: — В любом случае, очень скоро это все прикроют.

— Почему? — спросила Гелла.

— Погодите — увидите, — сказал Вольф и улыбнулся со знанием дела.

Лео, который, как обычно, находился в хорошем расположении духа, сказал:

— Да вы посмотрите на них, — и обвел рукой зал, — в жизни не видел более печальных лиц. И они еще платят за то, чтобы скучать здесь? — Все рассмеялись.

Официант принес шнапс.

Эдди поднял стакан. Его красивое лицо приняло шутливо-серьезное выражение:

— За счастье наших двух друзей, идеальной пары. Взгляните на них. Она — прекрасная принцесса. Он — суровый витязь. Она будет штопать ему носки и греть тапочки каждый вечер, а в знак благодарности он вознаградит ее парой ласковых выражений и тычком под ребра. Друзья мои, этот брак свершится на небесах и будет длиться сто лет, если он не прикончит ее раньше.

Все выпили, а Моска и Гелла улыбнулись друг другу с таким видом, словно одни знали некий секрет, неведомый никому из сидящих за столом.

Моска и Гелла, Эдди и фрау Майер пошли танцевать перед маленькой сценой в дальнем углу зала. Вольф и Лео остались одни. Вольф деловито озирался по сторонам.

Сигаретный дым висел над головами посетителей и медленно воспарял к куполообразному потолку. Завсегдатаями этого клуба была разношерстная публика: старички-супруги, которые недавно, видимо, распродали старинную мебель и, чтобы как-то развеять томительную скуку будней, решили провести здесь вечерок; молодые деляги с черного рынка, водившие дружбу с начальниками отделов снабжения американских армейских лавок, приходили сюда с девчонками, одетыми в нейлоновые чулки и пахнущими дешевыми духами; люди в возрасте, которые промышляли перепродажей бриллиантов, мехов, автомобилей и прочих предметов роскоши и приходили с небогато одетыми девицами, любовницами со стажем, с которыми у них давно был заключен договор об оплачиваемых отношениях.

В шумном зале беседы велись вполголоса. Дополнительные заказы на выпивку делались с большими паузами, еду не заказывали вовсе. Оркестранты изо всех сил старались изобразить американские джазовые мелодии.

Квадратная голова ударника подергивалась из стороны в сторону: он натужно, но сдержанно пытался имитировать манеру американских исполнителей, не обладая необходимым для этого внутренним чувством ритма.

Вольф кивал каким-то людям, сидящим за соседними столиками — это были жучки с черного рынка, которые имели с ним сигаретные делишки. Как только они сюда входили, их принимали за американцев, думал Вольф, и самое удивительное, это происходило только потому, что у них на шее повязаны галстуки. Прочие посетители тоже были хорошо одеты, но по неизвестной причине на черном рынке отсутствовали галстуки, и мужчины повязывали себе на шею какие-то лоскутки. Вольф отметил про себя этот факт. Еще один легкий способ делать доллары.

Музыканты закончили играть, и танцующие разошлись по своим местам. Эдди, разгоряченный танцем и близостью к телу фрау Майер, не спускал глаз с Геллы, внимательно наблюдая, как она села за стол, склонилась к Моске и положила руку ему на плечо. И он мысленно представил себе упругое белое тело, распростертое на армейском коричневом одеяле, и свое лицо, склоненное над ее бессильно откинутой головой. На мгновение он обрел уверенность в своем успехе, хотя пока не знал, когда это произойдет. А потом это видение исчезло, как только из круга света, в лучах которого сидели оркестранты, раздались три коротких и требовательных сигнала трубы.

Приглушенный гул голосов стих, яркие лампочки потускнели. Зал сразу стал напоминать пещеру, и высокий купол потолка исчез во мраке.

На сцене показалась шеренга девушек, которые танцевали так плохо, что когда они убежали, их даже не вознаградили вежливыми аплодисментами. Их сменил жонглер и акробаты. Потом появилась певица с могучим телом и высоким слабым голосом.

— Господи! — воскликнул Моска. — Пойдем отсюда!

Вольф покачал головой.

— Подождем еще немного.

Зрители ожидали продолжения. Раздался еще один сигнал трубы, свет почти совсем погас, и сцена в дальнем конце зала превратилась в сверкающий желтый квадрат, на который небрежной походкой из-за темных кулис вышел хорошо одетый господин невысокого роста, с полным, словно резиновым, лицом прирожденного комика. Его приветствовали громом аплодисментов.

Он запросто обратился к аудитории, словно со всеми в этом зале был давно знаком.

— Я должен извиниться за то, что мне сегодня не удастся показать весь номер целиком. Пропал мой пес Фредерик, — он замолчал и изобразил на лице печаль, а потом продолжал с наигранным гневом: — Это ужас какой-то! Я выдрессировал десять собак, и все они сбежали. Они всегда сбегают — в Берлине, в Дюссельдорфе и вот теперь здесь. Вечно одна и та же история.

На сцену выбежала девушка и что-то зашептала ему на ухо. Комик закивал и повернулся к зрителям.

— Друзья мои, администрация клуба просит меня объявить вам, что после представления будут розданы бутерброды с мясом, — он подмигнул. — Карточки не требуются, но разумеется, цена соответствующая. А теперь, как я и обещал... — он замолчал. Выражение его лица быстро менялось: на нем можно было прочесть сначала удивление, потом испуг и, наконец, постное понимание происходящего. Зрители разразились неистовым хохотом. — Фредерик, мой Фредерик! — закричал он и бросился прочь со сцены. Он вернулся в круг света, жуя бутерброд. Когда смех стих, он печально произнес. — Увы, слишком поздно. Но он оказался верным другом до последнего мгновения. Очень вкусно! — и в один присест заглотнул весь бутерброд.

Подождав, пока зрители успокоятся, он вытер губы и вытащил из кармана листок бумаги. Он поднял руку, прося тишины, и начал читать:

— Сегодня все озабочены калориями. Вот здесь написано, что нам требуется 1300 калорий в день, чтобы выжить, а в рационе, утвержденном военной администрацией, мы получаем 1550 калорий. Я бы не хотел критиковать власти, но я хочу призвать вас всегда помнить об этих лишних двухстах калориях. А теперь несколько простых советов.

И он стал рассказывать избитые шутки о калориях, но так мастерски, что смех в зале не смолкал. Его байки прервало появление едва одетой девицы, которая танцуя, стала кружиться вокруг него. Он смотрел на нее жадным взглядом, потом достал из кармана морковку, веточку салата и горсть зеленой фасоли. Он что-то посчитал на пальцах, покачал головой и, передернув плечами, сказал:

— Э, да она получит всего-то тысячу калорий.

Девушка запрыгала перед ним. Он жестами объяснил ей, в чем проблема. Она запустила руку между грудей под блузку и выудила оттуда крохотную гроздь винограда. Он жестами сообщил: мало! Тогда она полезла к себе в шортики, но он с выражением праведного гнева возопил:

— Пожалуйста, я не в состоянии!

И, глядя вслед убегающей девушке, он простер к ней руки и печально произнес:

— О если бы мне съесть хоть один бифштекс! — И смех сотряс зал до самого дна купола.

А резиноподобное лицо комика, стоящего на сцене, выражало самодовольство от сознания власти над зрителями. Он стал пародировать разных людей: Рудольфа Гесса, тараторящего без остановки и спасающегося на самолете в Англию; Геббельса, оправдывающегося перед женой за неизвестно где проведенную ночь и нагромождающегося смехотворно неправдоподобные объяснения; Геринга, обещающего, что ни одна бомба не упадет на Берлин и спасающегося под столом от летящих обломков. Когда комик покинул сцену, ему вслед неслись бурные раскаты аплодисментов. Они не смолкали, пока он не вернулся. Зрители успокоились и стали ждать очередного номера.

Теперь его волосы были зачесаны на лоб, а под носом виднелась черная клякса, которая должна была символизировать усики. Он скорчил гримасу, и его резиновое лицо превратилось в маску Гитлера. Он стоял у кулис, и выражение на его лице было полукомичным, полусерьезным. Оно излучало мощь и магнетизм. Он обвел аудиторию горящим взором и громовым голосом, летящим под самый купол, вопросил:

— Хотите, чтобы я вернулся?

Зрители от неожиданности оторопели, и в зале воцарилась гробовая тишина, а на его обсыпанном мукой лице медленно появилась леденящая кровь усмешка торжествующего Антихриста. Зрители — поняли.

И тут же зал взорвался аплодисментами. Кто-то взгромоздившись на стулья и столы, орал:

— Ja! Ja![1]

Женщины неистово хлопали в ладоши. Кто-то громко

---

[1] Да! Да! (*нем.*)

топал ногами, остальные стучали кулаками по столу. Поднявшийся в зале шум сотрясал стены и отдавался в вышине под потолком.

Вольф встал и с мрачной улыбкой смотрел поверх голов на сцену. Моска все понял и, откинувшись на спинку стула, попивал свой шнапс. Фрау Майер уставилась в стол, пытаясь подавить довольную улыбку. Эдди спрашивал ее:

— Что происходит? Да что тут происходит?

Фрау Майер отвечала:

— Ничего, ничего.

Гелла смотрела на Лео. Его лицо было бесстрастно, но щека нервно дергалась. Она покраснела и бессознательно стала качать головой, словно снимая с себя всякую ответственность за происходящее. Лео отвел от нее взгляд и снова стал смотреть на сцену.

Резиновое лицо комика опять приняло обычное выражение. Он откинул волосы со лба назад и поклонился. Иллюзия сходства исчезла, и он принимал эти аплодисменты как должное, как награду за актерское мастерство.

Оркестр заиграл новую мелодию. Вольф сел, кивая, с таким видом, словно теперь ему многое стало ясно. Начались танцы. Многие оглядывались на них. За соседним столиком сидели два парня с девицами, которые довели своими шутками обеих чуть ли не до истерики.

Лео смотрел на них и чувствовал, как лицо его искажает гримаса. В нем закипела ярость, смешанная с болью и бессильным отчаянием. Он только и ждал, когда кто-нибудь предложит уйти.

Моска, глядя на него, все понял и сказал, обращаясь к Вольфу:

— Пойдем отсюда.

Встав, он увидел, что один из парней за соседним столиком развернулся на стуле так, чтобы видеть их компанию и иметь возможность смотреть на Лео прямо в упор. При этом на его губах играла ироническая усмешечка. У него была голова с большими залысинами спереди, мощно очерченное крупное лицо.

Моска сказал Вольфу, кивнув в сторону соседей:

— Давай-ка и того парня захватим.

Вольф изучающе посмотрел на Моску, словно увидел нечто, о чем давно уже догадывался.

— Хорошо, я покажу ему свое удостоверение и выведу отсюда. Ты вооружен — на всякий случай?

— Да, у меня есть венгерский пистолет, — сказал Моска.

Лео поднял голову.

— Нет, не надо ничего делать. Давайте просто уйдем.

Гелла тронула Моску за локоть.

— Да, давай просто уйдем, — сказала она.

Все поднялись. Вольф кивал, словно опять что-то для себя уяснил. Он поглядел на Лео с сожалением и презрением. И увидел, как Моска нахмурился, передернул плечами и направился к выходу. Проходя мимо соседнего столика, Вольф наклонился и посмотрел парню прямо в глаза.

— Громкий смех иногда вреден для здоровья, ты понял меня? — сказал он и махнул перед носом немца своим удостоверением службы разведки. Он вышел, улыбаясь. Смех в зале сразу стих.

Они поехали к Моске. Моска пригласил всех к себе на рюмку. Гелла пошла делать горячие бутерброды на электроплитке.

Все расселись вокруг квадратного стола, только Эдди развалился в большом мягком кресле в углу. Моска отпер дверцу крашеного белого шкафа и достал бутылку виски и сигареты.

Эдди подал голос из своего угла:

— И как этим сволочам все сходит с рук?

— А им не сходит, — ответил Вольф. — Этот шутник всегда что-нибудь откалывает, но сегодня он зашел слишком далеко. А как вам понравилась реакция публики, а? — Вольф иронически-удивленно покачал головой. — Фрицы так ничему и не научились. Глядя на них, можно подумать, что стоит им спокойно прогуляться по улице, как они уже потеряют всякую охоту надевать военную форму. Но нет — у них руки так и чешутся. Это в крови!

Моска сказал Лео шутливо:

— Тебе бы лучше поскорее решить, куда ехать — в Палестину или в Штаты.

Лео пожал плечами и стал пить кофе.

Вольф спросил:

— А вы можете поехать в Штаты?

— Да, — ответил Лео. — Я могу туда поехать.

— Тогда поезжайте! — Вольф бросил на него испытующий взгляд.

Лео приложил ладонь к левой щеке.

— Перестань! — сказала Моска.

— Нет-нет. Поймите меня правильно, Лео. Я хочу сказать, что главное несчастье вашей нации в том, что вы никогда не даете сдачи. Кому-то это кажется трусостью. Но это на мой взгляд, происходит оттого, что вы слишком цивилизованы. Вы не верите в силу. Возьмем сегодняшний инцидент. Если бы мы вывели того парня на улицу и отделали его как следует, это имело бы благие последствия, хотя бы и незначительные. Если вы, евреи, когда-нибудь создадите свою страну, то должны будете благодарить свои террористические организации. Террор и сила — вот главное оружие. Во всех странах этим оружием успешно пользуются и не недооценивают его значение. Мне странно, что после всего, что вы пережили, вы этого до сих пор не поняли.

Лео медленно произнес:

— Я не боюсь ехать в Палестину и даже понимаю, что это мой долг. Но я также знаю, как там будет трудно. А я сейчас нуждаюсь только в приятном. Это единственное, о чем я могу думать. Хотя мне и стыдно за эти мысли. Но я все равно уеду.

— И не откладывайте это в долгий ящик, — сказал Вольф. — Этих фрицев могила исправит. Это же у них в крови. Да вы это сами видите каждодневно.

Лео, словно не слыша его слов, продолжал:

— А в террор и в силу я не верю. Мой отец был вместе со мной в лагере. Он был, между прочим, немец. Моя мать была еврейка. А отец — политический заключенный, и он попал туда задолго до меня.

У Лео снова задергалась щека, и он схватился за нее чтобы унять нервный тик.

— Он умер там, но перед смертью научил меня кое-чему. Он сказал, что в один прекрасный день меня освободят и самое ужасное, что может со мной тогда произойти, это если я уподоблюсь людям, которые нас туда упрятали. Я до сих считаю, что он прав. В это трудно верить, но я верю.

Вольф закивал:

— Я знаю. Я знаю таких людей, как ваш отец, — но его голос остался совершенно бесстрастным.

Гелла и фрау Майер раздали горячие бутерброды. Лео отказался.

— Пойду-ка я спать, — сказал он. Он ушел, а Моска и его гости услышали, как он за стеной включил радио и настроил его на немецкую станцию, которая передавала струнную музыку.

Фрау Майер подошла к Эдди и шутливо толкнула его в плечо:

— Хватит спать! — сказала она.

Эдди улыбнулся, и на его красивом лице засияла сонная нежность. Когда Гелла присела над электроплиткой, он смотрел на нее сквозь свой стакан и думал: «Все произойдет в этой самой комнате», — и его взору вдруг очень отчетливо предстал каждый предмет обстановки, точно в комнате никого не было. Он часто этим занимался: фантазировал, придумывая сцены любви с женщинами, к которым он не осмеливался даже близко подойти.

Вольф жевал свой бутерброд.

— Все-таки какими странными идеями люди забивают себе голову! — сказал он, понизив голос. — Те, кто заправлял делами в лагере, где сидел Лео, наверняка были обыкновенными парнями вроде нас с вами. Они просто исполняли приказы. Во время войны я был в контрразведке, и вот, когда к нам попадали пленные, наш майор смотрел на часы и говорил: «Так, к двум часам вы должны получить такую-то информацию». И мы ее получали! — Вольф принял протянутую ему Моской сигару и закурил. — Я вернулся в Штаты в отпуск и посмотрел несколько так называемых военных фильмов. Знаете: герой умирает под пыткой, но ничего не говорит проклятому врагу, — при этих воспоминаниях Вольф гневно помахал сигарой. — Разумеется, нельзя даже намекнуть на то, как оно бывало в действительности. — Он помолчал и внимательно посмотрел на Моску. — Им просто стыдно признаться. А человек не в состоянии себя контролировать, если с ним обращаться определенным образом. Ни один не сможет!

Моска наполнил стаканы. Все, за исключением Вольфа, уже клевали носом. Фрау Майер свернулась калачиком на коленях у Эдди, а Гелла растянулась на кушетке у стены.

Вольф усмехнулся.

— У меня была своя метода. Я никогда не задавал ни единого вопроса — сначала я их слегка наказывал. Как в той старой шутке о новобрачных. Как только молодые остаются наедине, муж смазывает жене по морде и говорит: «Это пока просто так. Впредь будь внимательнее». Тут то же самое, — он обезоруживающе улыбнулся, и его лицо засветилось добродушием. — Знаю-знаю, о чем вы думаете. Вот, мол, каков сукин сын. Но кому-то всегда приходится выполнять такую работу. Без этого войны не выиграешь. Поверьте, я ни разу не испытывал садистского удовольствия, как показывают в кино. Но это было просто необходимо. Черт, меня даже за это наградили. — И он добавил поспешно и, похоже, искренне: — Но мы, конечно, никогда не творили того, что выделывали немцы.

Эдди зевнул.

— Все это очень интересно, но я, пожалуй, пойду к себе.

Вольф засмеялся так, словно оправдывался.

— Да, уже довольно поздно для лекции! — Он подождал, пока Эдди с фрау Майер уйдут, и допив свой стакан, сказал Моске: — Проводи меня вниз, мне надо поговорить с тобой.

Они вышли на улицу и сели в «джип» Вольфа.

— У этого Эдди одни девки на уме! — сказал он зло.

— Да он просто хотел спать, — возразил Моска.

— Слушай, а откуда у тебя оружие? — спросил Вольф.

Моска пожал плечами.

— Привык, знаешь ли, иметь всегда при себе. Да и война только-только закончилась.

Вольф кивнул.

— Да, я вечерами тоже предпочитаю выходить из дому с пушкой.

Он замолчал, и Моска нетерпеливо пошевелился.

— Я хотел поговорить с тобой с глазу на глаз, — сказал Вольф, попыхивая сигарой, — потому что у меня есть одно соображение, как сделать хорошие бабки. Я думаю, все в оккупационных частях имеют свои маленькие гешефты. У меня тут образовались кое-какие контакты: бриллианты за сигареты и тому подобное. Я могу тебя подключить к делу

— Черт! — сказал Моска раздраженно. — Где же я достану столько сигарет?

Вольф что-то промычал и продолжал:

— Сам знаешь, придет день, когда тебе понадобятся бабки. Например, застукают тебя с Геллой в комнате — и тебе шандец, тут же отошлют обратно в Штаты, — он поднял руку. — Я знаю, ты, конечно, пустишься в бега — так многие ребята делают. Но тебе понадобятся деньги. Или, допустим, другой вариант — тебе надо будет вывезти ее из Германии. Можно достать фальшивые документы, но это тебе знаешь во сколько обойдется? И куда бы вы ни поехали, в Скандинавию, во Францию, куда угодно, жизнь везде дорогая. Ты об этом думал?

— Нет, не думал, — произнес Моска медленно.

— Ну вот, а у меня есть идея. И мне нужен помощник. Поэтому я тебе и предлагаю. Это не просто филантропия. Так тебе интересно?

— Говори! — сказал Моска.

Вольф выдержал паузу, попыхивая сигарой.

— Ты знаешь, какими деньгами мы пользуемся — армейскими купонами. Ребята с черного рынка готовы себе шею сломать, лишь бы добыть их. Они перепродают их солдатам за чеки банковских переводов. Но это очень медленно проворачивается. А мы можем сразу поменять армейские купоны на банковские чеки — раньше, когда ходили оккупационные марки, это было невозможно.

— Ну и? — сказал Моска.

— А вот тут вся штука и начинается. За последние две недели немцы-«жучки» набрали хренову кучу купонов. Я обмениваю их на чеки и получаю за это кое-какую мелочишку. Кстати, я и тебя в это дело всуну. Но это не самое главное. Мне стало любопытно, и я начал вынюхивать. И вот что я узнают — офигеть можно! Из Штатов пришел груз с купонами, и корабль поставили на прикол в доке Бремерхавена. И хотя вся операция проходила под грифом «сов. секретно», там случился странный прокол, и один ящик с купонами, на миллион «зеленых», исчез. Армейские в рот воды набрали, потому что, если кто об этом узнает, им крышка. Как тебе это нравится? — Вольф даже пришел в возбуждение от собственного рассказа. — Миллион зеленых! — повторил он.

Моска усмехнулся, услышав с какой страстью Вольф произнес последние слова.

— Да, деньги приличные.

— И вот я об этом скумекал. Купоны, наверное, уже разошлись по всей стране. Но где-то здесь должна быть банда, в чьих руках осел хороший куш. Если нам удастся их найти, представляешь, что это будет? Выстрел в десятку!

Моска спросил:

— А как мы их найдем и как получим эти деньги?

— Как найти деньги — это моя забота, — сказал Вольф, — но ты должен мне помочь. Это не трудно. И запомни: я человек опытный. У меня масса знакомств. Я буду водить тебя с собой, знакомить с людьми и выдавать за большого босса из отдела почтовых пересылок, который хочет загонять ворованные сигареты по три-четыре «зеленых» за блок. Они офигеют от такой цены. Мы сбросим двадцать или тридцать блоков. Я могу это устроить. Пойдут слухи. Тогда мы объявим, что хотим загнать еще пять тысяч блоков сразу. Это будет грандиозная сделка! Сразу пойдут разговоры — тут уж мы постараемся. Если дело выгорит, нас обязательно найдут — и мы ударим по рукам. А потом они придут к нам с купонами на двадцать тысяч. Мы их возьмем и — привет. Они же не могут пойти заявить в полицию! Ни в нашу, ни в свою. Так мы их и облапошим! — Вольф замолчал, сделал последнюю затяжку и выбросил окурок сигары на мостовую. Потом сказал тихо: — Работенка будет не из легких — два раза в неделю по ночам шакалить по всему городу. Но конечный результат стоит этих усилий.

— Прямо-таки боевик про мафию! — сказал Моска, и Вольф усмехнулся в ответ. Моска посмотрел на темные развалины. Далеко-далеко, словно между ними расстилалось озеро или дикая прерия, он увидел желтый глаз одинокого трамвая, который медленно тащился в городской тьме.

Вольф сказал тихо и серьезно:

— Нам надо готовиться к будущему. Иногда мне кажется, что вся моя прошлая жизнь до настоящего момента была только сном, игрой. Может быть, и у тебя такое же ощущение. А теперь пришла пора подумать о настоящей жизни, и эта жизнь будет суровой, очень суровой. У нас есть последний шанс приспособиться к ней.

— О'кэй, — сказал Моска. — Но, по-моему, все это чертовски сложно.

Вольф помотал головой.

— Все еще может сорваться. Но в любом случае я подключу тебя к этим обменным операциям. Что бы ни случилось, ты сможешь заработать пару-тройку сотен. Если нам повезет, хоть чуть-чуть повезет, мы отобьем себе пятнадцать или двадцать тысяч. Может быть, и больше.

Моска вылез из «джипа», Вольф завел мотор и укатил. Посмотрев наверх, Моска увидел лицо Геллы, темнеющее на фоне светлого стекла. Он помахал ей, вошел в дом и побежал вверх по лестнице.

ГЛАВА 8

Моска съежился и присел на пол «джипа», пытаясь спрятаться от пронизывающего холодного октябрьского ветра. От соприкосновения с ледяным металлическим полом все тело задеревенело.

Неподалеку был оживленный перекресток, по которому сновали туда-сюда трамваи и где армейские машины чуть притормаживали на мгновение, пока шоферы ориентировались в белых стрелках, указывающих направление к различным городским учреждениям. Руины, похожие на давно не кошенное пастбище, простирались во все стороны, и за перекрестком, где возвышались одинокие дома, маленький кинотеатрик уже открыл свои двери для зрителей, медленно заходивших внутрь длинной вереницей.

Моска был голоден и испытывал нетерпеливое возбуждение. Он видел, как мимо проехали три крытых грузовика с немецкими военнопленными и остановились на перекрестке. Может быть, военные преступники, подумал он. За грузовиками двигались два «джипа» с вооруженной охраной. Из дверей ателье вышел Лео, и Моска опять сел на сиденье.

Они одновременно увидели женщину на другой стороне улицы: она бежала и что-то кричала. Женщина спустилась с тротуара и, неуклюже припрыгивая, побежала по мостовой к перекрестку, что есть сил махая рукой и выкрикивая одно имя, которое невозможно было разобрать. Из кузова последнего грузовика ей махал рукой какой-то человек. Грузовик набрал скорость. От него, словно гончий пес, не отставал «джип». Женщина поняла, что бежать бесполезно и остановилась. Она рухнула на колени и упала ничком на асфальт, блокировав движение на улице.

Лео залез в «джип». Урчание и легкое подрагивание мотора создавало иллюзию тепла. Они подождали, пока женщину отнесли на тротуар, и после этого Лео снял с тормоза. Они не обменялись впечатлениями о только что виденном. Это их не касалось, но тут Моска почувствовал, что какой-то неясный, но знакомый образ проступает сквозь туман памяти.

Как раз перед концом войны он был в Париже и попал в жуткую толчею. Он помнил, что отчаянно пытался выбраться оттуда: это был сущий кошмар. Но, как он ни сопротивлялся, его несло в самую гущу людей. А там, медленно протискиваясь сквозь наводнившие улицы толпы, тащился караван грузовиков с французами — недавно выпущенными на свободу военнопленными и заключенными трудовых лагерей.

В ликующих криках толпы тонули радостные возгласы обитателей грузовиков. Но они низко перегибались через борта и протягивали руки, их целовали, бросали им белые цветы. И вдруг какой-то парень спрыгнул с кузова прямо в толпу, прямо на головы людей и упал на мостовую. Какая-то женщина, расталкивая всех, бросилась к нему и заключила его в свои объятия. А из кузова вслед этому парню полетел костыль и непристойно-насмешливый возглас, который в другое время заставил бы женщину покраснеть. Но она смеялась вместе со всеми.

Боль и стыд — вот что тогда почувствовал Моска. То же самое чувство охватило его и теперь.

Когда Лео остановился перед баром «Ратскеллар», Моска вылез из «джипа».

— Что-то мне не хочется сеть, — сказал он. — Увидимся вечером дома.

Лео, который в этот момент надевал противоугонную цепь на колесо, удивленно вскинул голову:

— Что-нибудь случилось? — спросил он.

— Голова разболелась. Пойду пройдусь.

Он продрог и закурил сигару. Тяжелый табачный дым обдал лицо теплой волной. Он зашел в узкий переулок, куда не сворачивали машины, потому что проезжая часть была завалена обломками зданий. Он пробирался через горы щебня, осторожно ступая, чтобы не упасть.

Придя к себе в комнату, он и в самом деле почувствовал себя неважно. Лицо горело. Не зажигая свет, он разделся, свалил одежду на кушетку и лег в постель. Но и под одеялом ему все равно было холодно, и ноздри неприятно щекотал запах тлеющей сигары, которую он положил на край стола. Он скрючился, поджал ноги, чтобы было теплее, но все равно его бил озноб. Во рту пересохло, в висках стучало, и скоро это монотонное пульсирование стало нестерпимым, болезненным.

Он услышал, как в двери повернулся ключ и вошла Гелла. Зажегся свет. Она подошла к кровати и села.

— Ты нездоров? — спросила она взволнованно. Она еще не видела его в таком состоянии.

— Простуда — только и всего, — ответила Моска. — Дай мне аспирину и выброси ты эту сигару!

Она пошла в ванную принести стакан воды и, дав ему запить таблетку, провела ладонью по его волосам и промурлыкала:

— Как странно видеть тебя больным. Может, мне сегодня спать на кушетке?

— Нет, — сказал Моска. — Я страшно замерз. Ложись рядом.

Она выключила свет и стала раздеваться. В полумраке он видел, как она вешает одежду на спинку стула. Его тело горело в лихорадке озноба и страсти, и когда она легла рядом, он прижался к ней. Ее груди, бедра и рот были прохладными, щеки ледяные, и он изо всех сил сжал ее в объятиях.

...Откинувшись на подушку, он почувствовал, как струйки пота стекают у него по спине и между ляжек. Головная боль прошла, но начало ломить кости. Он перегнулся через нее к тумбочке, чтобы взять стакан.

Гелла провела ладонью по его горящему лицу.

— Милый, надеюсь, от этого тебе не стало хуже?

— Нет, мне лучше, — ответил Моска.

— Может быть, мне все-таки спать на кушетке?

— Нет-нет, останься.

Он потянулся за сигаретой, закурил, но после нескольких затяжек затушил сигарету о стену и смотрел, как сноп красных искорок падает на одеяло.

— Постарайся заснуть, — сказала она.

— Не спится. Какие новости?

— Никаких. Я ужинала с фрау Майер. Йерген видел, как ты вернулся, и пришел сказать мне. Он заметил, как ты плохо выглядишь, и я подумала, может быть, ты хочешь, чтобы я пришла. Он очень милый человек.

— А я видел сегодня кое-что забавное, — сказал Моска и рассказал ей про женщину на улице.

Во мраке комнаты он остро ощущал воцарившееся молчание. Гелла размышляла над его рассказом. Если бы я была с ним в «джипе», думала она, я бы подошла к ней и успокоила, помогла бы ей прийти в себя. Мужчины черствее — в них меньше жалости.

Но она ничего не сказала. И лишь медленно, как и в предыдущие такие же темные ночи, водила пальцами по его телу, по длинному извилистому рубцу шрама. Она водила пальцем по этому бугристому шву, как ребенок возит игрушечный грузовичок взад и вперед по тротуару, и это медленное монотонное движение действовало на него гипнотически.

Моска сел в кровати и уперся плечами в край спинки. Он сложил ладони на затылке и сказал тихо:

— Мне повезло, что этот шрам там, где его не видно.

— Мне он виден.

— Да, но я имею в виду другое — слава Богу, что он не на лице.

Она продолжала водить пальцем по шраму.

— Мне все равно, — сказала она.

Лихорадка раздражала Моску. И лишь ее пальцы немного его успокаивали, и он понял, что она спокойно отнесется к тому, что он когда-то сделал.

— Не засыпай, — попросил он. — Я давно уже хочу тебе кое-что рассказать, да все никак не мог решить, интересно ли это тебе будет. — И он стал имитировать певучие интонации, с какими рассказывают ребенку сказку на ночь. — А сейчас я расскажу тебе одну историю, — сказал он и потянулся к тумбочке за пачкой сигарет.

...Полевой склад боеприпасов простирался на многие мили, снаряды в траншеях были сложены аккуратными штабелями, словно связки черных поленьев. Моска сидел в кабине и наблюдал, как пленные нагружают кузов стоящего впереди грузовика. На пленных были зеленые саржевые робы, а на головах — плоские кепки из того же материала. Если бы не огромная буква «П», намалеванная белой краской у них на спинах и на каждой штанине, в лесу они могли бы без труда скрыться в листве.

Откуда-то из чащи раздались три пронзительных свистка — отбой. Моска выскочил из кабины и крикнул:

— Эй, Фриц, иди-ка сюда!

Пленный, которого он назначил старшим над грузчиками, подошел к его грузовику.

— Вы успеете закончить погрузку?

Немец, коротконогий мужчина лет сорока, с морщинистым лицом старичка-мальчика, который держался с Моской без всякого подобострастия, пожал плечами и ответил на ломаном английском:

— Мы быть поздно к ужин.

Они оба усмехнулись. Любой другой пленный стал бы уверять Моску, что погрузку непременно закончат — лишь бы не впасть в немилость.

— Ладно, кончай, — сказал Моска. — Пусть эти гады передохнут. Он дал немцу сигарету, и тот сунул ее в карман своей зеленой куртки. Курить на территории склада не разрешалось, хотя, разумеется, и Моска, и другие американские солдаты нарушали этот запрет.

— Пусть фрицы загружаются, а ты сосчитай всех и доложи мне.

Немец ушел, и пленные стали залезать в кузова грузовиков.

Они медленно продвигались по проселку через лес. Время от времени проселок пересекался с другими лесными дорогами, встречные грузовики пристраивались в хвост, и скоро длинная колонна открытых грузовиков выехала из леса и двинулась по полю в лимонно-желтых лучах весеннего солнца. И для охранников, и для пленных война осталась где-то далеко. Им уже ничего не угрожало, все споры между ними разрешились. Ехали тихо и вроде бы довольные друг другом. Их путь лежал от лесного массива, где располагался полевой склад, к баракам за колючей проволокой.

Охранники, американские солдаты, получившие тяжелые ранения на фронте и признанные негодными для строевой службы, достаточно натерпелись на войне. А пленные горевали о своей доле лишь вечерами, глядя, как их сторожа садятся по машинам и катят в ближайший городок. Лица пленных за колючей проволокой выражали жалобную зависть детей, наблюдающих сборы родителей на вечеринку к друзьям.

А потом, с первым проблеском зари, и те и другие отправлялись на лесосеку. Во время утренних перекуров пленные разбредались по лесу, жуя припрятанный с завтрака хлеб. Моска позволял своим подопечным прохлаждаться больше, чем положено. Фриц сидел с ним рядом на штабеле снарядов.

— Чем плохая жизнь, а, Фриц? — спросил Моска.

— Могло быть хуже, — ответил немец. — Тут спокойно.

Моска кивнул. Ему нравился этот немец, хотя он не потрудился даже запомнить его настоящее имя. Они относились друг к другу дружелюбно, но ни тот ни другой ни на минуту не забывали, кто из них победитель, а кто побежденный. Даже теперь Моска сжимал в руке карабин — как красноречивый символ. Но патронов в нем не было, а иногда Моска даже забывал вставлять в него обойму.

Немец был по своему обыкновению в расстроенных чувствах. Внезапно он начал изливать на своем родном языке поток речи, которую Моска с трудом мог разобрать.

— Разве это не странно, что вот вы тут стоите и смотрите, как мы еле шевелимся. И это работа для разумных существ? И как мы убиваем друг друга и калечим. А ради чего? Скажи-ка, если бы Германия завоевала Африку и Францию, разве мне достался бы от этого хоть лишний пфеннинг? Мне-то лично какая разница от того, что Германия завоюет весь мир? Даже если мы завоюем весь мир, мне достанется только военная форма, в которой предстоит шагать до конца дней. В детстве нам доставляло такое удовольствие читать про золотой век нашей родины, про то время, когда Германия, Франция и Испания повелевали миром. Понастроили статуй героям, которые умертвили миллионы людей. Почему так? Мы же ненавидим друг друга, убиваем друг друга. Я бы мог понять это, если бы мы что-то от этого получали. Вот если бы нам сказали: эй, ребята, вот вам земля, которую мы оттяпали у французов, идите, берите себе по кусочку! А вот вы: ну, мы-то знаем, что вы победители. Да только что вы от этого получите?

Пленные лежали на травке под теплым солнцем и дремали. Моска слушал, понимая с грехом пополам, недовольный и невозмутимый. Этот немец говорит, как побежденный, так, пустая болтовня. Он топал по улицам Парижа и Праги, по городам Скандинавии самодовольно и гордо, а тут вдруг за колючей проволокой у него пробудилось уязвленное чувство справедливости.

Немец в первый раз положил ладонь Моске на локоть.

— Друг мой, — сказал он. — Мы с тобой убиваем, глядя друг другу в глаза. Наши враги стоят за нашими спинами, — он опустил руку. — Наши враги остались за нашими спинами, — повторил он горько, — и они совершают преступления, за которые мы расплачиваемся своей жизнью.

Но в другое время немец был весел и бодр. Он показывал Моске фотографии своей жены и детей и фотографию, на которой он был изображен с друзьями у ворот фабрики. И еще он любил разговаривать о женщинах.

— Ага! — говорил немец с каким-то жалобным пылом. — Вот я был в Италии, я был во Франции — женщины там просто замечательные! И должен признаться, мне они нравятся куда больше, чем немки, — что бы там ни говорил фюрер. Женщины никогда не примешивают политику к более важным вещам на свете. Так было на протяжении столетий, — его голубые глаза хитро поблескивали на морщинистом лице. — Жаль, что мы так и не добрались до Америки. Там такие длинноногие девушки, и щечки у них как марципан. Потрясающе! Я помню, какие они в ваших фильмах и журналах. Очень жаль!

Моска, подыгрывая ему, отвечал:

— Э, да они бы даже не взглянули на вас, колбасников несчастных.

Немец решительно качал головой.

— Женщины — существа расчетливые! — говорил он. — Думаешь, они будут с голоду умирать, но не отдадутся врагу? В таких вещах женщины всегда очень трезво все обдумывают. У них есть фундаментальные ценности. О да, служба в оккупационных войсках в Нью-Йорке — да об этом только можно мечтать!

Моска и немец переглядывались, усмехались и потом Моска говорил:

— Давай, поднимай своих фрицев на работу.

В последний вечер, когда раздался сигнал отбоя, пленные в мгновение ока собрались на поляне и залезли в кузовы грузовиков. Водители завели моторы.

Вот тут Моску едва не одурачили. По привычке он стал искать глазами Фрица. Все еще ничего не подозревая, он подошел к ближайшему из трех грузовиков и, только когда увидел растерянные лица пленных, понял, что произошло.

Он побежал к проселку и попросил шоферов заглушить моторы. На бегу он вогнал обойму в карабин и снял с предохранителя. Потом достал из кармана свисток, которым до сих пор ни разу не пользовался, и шесть раз коротко свистнул. Он подождал и снова шесть раз свистнул.

Он приказал всем пленным вылезти из кузова и сесть в кружок на траве. А сам стоял неподалеку и во все глаза смотрел на них хотя был уверен, что никто не попытается сбежать.

К вырубке через лес мчался «джип» службы безопасности: Моска слышал, как его мощные шины крушили сухой кустарник. Рядом с водителем сидел здоровенный сержант с густыми и длинными, на английский манер, усами. Увидев открывшуюся его глазам сцену, он вылез из «джипа» и направился к Моске. Из «джипа» выпрыгнули два солдата и побежали на дальний конец вырубки. Водитель «джипа» уже установил на станину ручной пулемет и теперь сидел на изготовку, опершись одной ногой о землю.

Сержант стоял перед Моской и ждал объяснений.

Моска сказал:

— Один пропал. Мой старший группы. Но я их еще не пересчитывал.

На сержанте была отглаженная полевая форма, на поясе болтался пистолет, а его живот перепоясывал ремень с сумочками для обойм. Он двинулся к сидящим пленным и приказал им выстроиться в группы по десять. Они образовали пять групп, и еще двое встали чуть поодаль. У этих двоих были виноватые лица, словно они несли всю ответственность за пропавших пленных.

— Итак, сколько сбежало? — спросил сержант.

— Четверо, — ответил Моска.

Сержант взглянул на него.

— Что же ты, мудак, наделал?

И в первый раз после обнаружения пропажи пленных Моска ощутил чувство стыда и страха. Но ярости он не почувствовал.

Сержант вздохнул.

— Все шло хорошо, пока оно шло. Теперь знаешь, что тут начнется? — И добавил мягко: — Вставят тебе, парень, по первое число, ты понимаешь?

Оба стояли, молча глядя друг на друга, и думали о беззаботной жизни, которая им тут выпала, — ни побудок на заре, ни строевой подготовки, ни инспекций, ни вечного страха — почти как на гражданке.

Сержант расправил плечи и свирепо взглянул на пленных.

— Ладно, давай поглядим, что нам делать с этими гадами. Ахтунг! — заорал он и стал ходить перед выстроившимися по стойке смирно немцами. Некоторое время он молчал, а потом начал говорить с ними по-английски.

— Ну, ладно. Теперь ясно, что к чему. Праздник закончился. С вами, ребята, обращались тут по-человечески. Неплохо кормили, мягко стелили. Работой не утруждали. Когда кто-то из вас чувствовал недомогание, мы говорили: ну полежи, полежи в бараке, оклемайся. У кого есть какие-нибудь жалобы — шаг вперед! — сержант сделал паузу, словно ждал, что кто-то и впрямь выйдет из строя. — О'кэй, а теперь посмотрим, как вы нас за это сумеете отблагодарить. Кто-то ведь знает, куда ушли эти четверо. Скажите нам. Мы запомним и в долгу не останемся, — сержант остановился и оглядел строй.

Он ждал, пока те перешептывались, переводя друг другу его слова. Но когда они успокоились, никто не вышел вперед.

Тогда сержант изменил тон.

— Ну ладно, скоты! — он повернулся к «джипу» и сказал водителю: — Поезжай к баракам и привези двадцать штыковых лопат и двадцать совковых. Возьми еще четырех человек и «джип». Если офицеры про это не прознают, может, и пронесет. А если этот мудачок — сержант из хозснабжения будет гавкать, скажи ему, что я вернусь и прошибу ему башку.

И он жестом приказал водителю выполнять приказ.

Потом усадил пленных на траву.

Когда приехали оба «джипа» с дополнительными людьми и прицепом, груженным лопатами, сержант выстроил пленных в две колонны лицом друг к другу. Он раздал лопаты и, поскольку на всех не хватило, приказал лишним пойти на дальний край вырубки и лечь там на траву ничком.

Никто не проронил ни слова. Пленные стали рыть длинную траншею: те, у кого были штыковые лопаты, копали грунт, те, у кого были совковые, уносили землю в сторону. Они работали очень медленно. Охранники разбрелись по вырубке и стояли, подперши деревья и показывая своим видом, что им все безразлично.

Сержант подмигнул Моске и громко сказал:

— Умелый блеф всегда помогает. Смотри, что сейчас будет.

Он подождал, пока они выроют траншею поглубже и приказал прекратить.

— Кто хочет что-нибудь сказать? — спросил он с мрачной усмешкой.

Все молчали.

— Ладно, — сержант махнул рукой. — Продолжайте копать.

Один из пленных бросил лопату. Он был молодой, розовощекий.

— Пожалуйста, — сказал он. — Я хочу сказать.

Он зашагал прочь от своих соплеменников к охранникам.

— Валяй! — сказал сержант.

Немец молча стоял и смотрел на него. Он с опаской оглянулся на пленных. Сержант понял. Он взял немца под руку и повел его к «джипу». Там они тихо переговаривались под напряженными взглядами пленных и охранников. Сержант слушал, склонившись всем своим могучим телом над пленным, которому он по-отечески положил руку на плечо. Потом он кивнул и помог парню забраться в «джип».

Пленные залезли в кузовы трех грузовиков, и караван двинулся через опустевший лес. В замыкающем колонну «джипе» ехал сержант. Его пышные усы трепал встречный ветер. Они выехали из леса и оказались в открытом поле. Было странно видеть знакомый пейзаж в непривычном освещении — в лучах яркого, красноватого предвечернего солнца.

Повернувшись вполоборота к Моске, сержант сказал:

— Твой приятель уже давно это замыслил. Но ему не повезло.

— Где он? — спросил Моска.

— В городе. Я знаю, где именно.

Караван въехал в лагерь, а оба «джипа» резко развернулись и помчались в город. Они ехали друг за другом, словно связанные коротким тросом, по главной улице и на углу перед кирхой, свернули направо и остановились у небольшого каменного дома. Моска с сержантом пошли к двери. Двое солдат из второго «джипа» обошли дом сзади. Остальные солдаты остались сидеть в машинах.

Дверь распахнулась прежде, чем они постучали. Перед ними стоял Фриц. На нем были поношенные синие штаны, белая рубашка и темный пиджак. Он неуверенно улыбнулся.

— Остальные наверху, — сказал он. — Они боятся спуститься.

— Позови их, — сказал сержант. — Поднимись к ним и скажи, что им ничего не будет.

Фриц подошел к лестнице и крикнул по-немецки вверх:

— Все в порядке. Спускайтесь. Не бойтесь.

Наверху хлопнула дверь, и трое пленных медленно

спустились по лестнице. Они были одеты в потрепанную цивильную одежду. На их лицах был написан испуг.

— Идите в «джип», — сказал им сержант и спросил у фрица. — Чей это дом?

Немец поднял глаза. В первый раз он посмотрел на Моску.

— Одной моей знакомой. Не трогайте ее, она это сделала, потому что... она одинока. Война тут ни при чем.

— Выходи! — сказал сержант.

Все вышли из дома. Сержант свистнул двум солдатам, все еще сторожившим заднюю дверь. «Джипы» тронулись. По улице шла женщина и волокла огромный сверток. Увидев пленных в «джипе», она повернулась и заспешила обратно. Сержант криво усмехнулся и сказал Моске:

— Ох уж эти бабы!

На пустынном участке дороги, на полпути к лагерю, сержантский «джип» притормозил у обочины. Другой «джип» встал за ним. Справа от дороги тянулось каменистое пастбище, за которым метрах в двухстах темнел лес.

— Всем вылезти из машин! — приказал сержант.

Пленные соскочили на дорогу и встали, неуверенно переминаясь с ноги на ногу. Сержант некоторое время пребывал в раздумьях. Он покрутил усы и сказал:

— Вы, ребята, отвезите этих фрицев в лагерь, выгрузите лопаты из прицепа и возвращайтесь! — Он указал пальцем на Фрица: — А ты останься.

— Я тоже поеду, — сказал Моска поспешно.

Сержант смерил его взглядом и, медленно проговаривая слова, сказал с пренебрежением:

— Послушай, ты, сукин сын, ты останешься здесь. Если бы не я, вставили бы тебе пистон. Я же не собираюсь, черт побери, гоняться за этими фрицами по всей стране, когда у них в заднице засвербит. Ты остаешься здесь.

Двое охранников безмолвно пошли, подталкивая троих пленных. Они залезли в «джип» и скрылись из виду. Фриц проводил их взглядом.

Четверо солдат в полевой форме смотрели на одиноко стоящего на дороге немца. Сержант теребил усы. Лицо немца было серым, но он стоял вытянувшись словно по стойке смирно.

— Беги! — сказал сержант. Он махнул рукой в сторону пастбища.

Немец не двинулся с места. Сержант толкнул его в грудь.

— Беги! — сказал он. — Мы тебе дадим шанс.

Он подтолкнул немца к самому пастбищу, развернул его лицом к лесу. Солнце уже зашло, и земля, лишившись своего разноцветья, подернулась серым налетом ранних сумерек. Далеко вдали лес стоял мрачной стеной.

Немец повернулся к американцам лицом. Его ладонь дернулась к груди, словно этим жестом он пытался вернуть себе утраченное достоинство. Он поглядел на Моску, потом на остальных, сделал шаг им навстречу и вышел на дорогу. Колени у него дрожали, все тело тряслось, но голос был твердым. Он сказал:

— Герр Моска, у меня жена и двое детей.

На лице сержанта появилось выражение ненависти и ярости.

— Беги, сволочь, беги! — он подскочил к немцу и ударил его по щеке. Немец стал падать, но сержант подхватил его и толкнул к пастбищу. — Беги, сучий фриц, беги! — он прокричал это трижды.

Немец упал, поднялся, обратил к ним лицо и снова сказал, на этот раз не умоляюще, а как бы объясняя:

— У меня жена и двое детей.

Один из охранников шагнул к немцу и ткнул прикладом карабина в пах, потом перехватил карабин одной рукой, а другой ударил его кулаком в лицо.

На морщинистом лице показалась кровь. И, прежде чем отправиться через каменистое поле к мрачной стене леса, он в последний раз бросил на них взгляд. Это был взгляд утраченной надежды и более, чем страха смерти. Это был взгляд ужаса, словно его взору только что предстало нечто кошмарное, позорное, невероятное.

Они смотрели, как он медленно идет по пастбищу. Они ждали, когда он побежит, но он шел очень медленно. Через каждый шаг он поворачивался к ним и смотрел по-детски недоверчиво, словно они предложили ему поиграть в какую-то непонятную игру. В сумерках они видели, как белеет его рубашка.

Моска заметил, что всякий раз, когда немец оборачивался, траектория его маршрута отклонялась вправо. Он увидел, что там был небольшой пригорок, который уходил в лес. Хитрость немца была ясна. Солдаты припали на одно колено и вскинули карабины к плечу. Моска направил свой ствол в землю.

Когда немец неожиданно метнулся к гребню пригорка, сержант выстрелил, и тотчас загремели еще выстрелы, и немец на бегу прыгнул. Его тело в прыжке изогнулось и исчезло за гребнем пригорка, но ноги остались торчать.

После резких нестройных хлопков карабинных выстрелов, наступила гробовая тишина. Серый пороховой дымок вился над головами стрелявших, которые застыли, припав на одно колено и сжимая карабины в руках. Потом едкий запах пороха растворился в вечернем воздухе.

— Идите, — сказал Моска. — Я дождусь «джипа» с прицепом. Идите, ребята.

Никто не заметил, что он не стрелял. Он повернулся и зашагал по дороге.

Он слышал, как «джип» с ревом укатил, подошел к дереву и прислонился к его стволу, глядя на каменистое пастбище, на торчащие над гребнем пригорка ноги и на непроницаемо-мрачную стену леса. В быстро сгущающихся сумерках лес казался очень близким. Он закурил. Он ничего не чувствовал — только легкую тошноту и слабость. Он стал ждать, надеясь, что «джип» поспеет еще до наступления темноты.

Во мраке комнаты Моска протянул руку над Геллой и взял с тумбочки стакан с водой. Он попил и откинулся на подушку. Ему захотелось быть с ней предельно откровенным.

— Меня это совершенно не трогает, — сказал он. — Только когда я вижу что-нибудь похожее на то, что видел сегодня — как та женщина бежала за грузовиком, я вспоминаю его слова. Он дважды повторил: «У меня жена и двое детей». Тогда это для меня ровным счетом ничего не значило. Не могу объяснить, но это то же самое, как мы старались потратить все деньги, когда подворачиваются случаи — все равно их было бессмысленно копить.

Он замолчал, дожидаясь, что скажет Гелла.

Потом продолжил:

— Позже я пытался это осмыслить. Мне было страшно стрелять, и, наверное, я боялся сержанта. Но ведь тот был немцем, а немцы творили Бог знает что — не то, что мы. Но, самое главное, мне не было его жаль и когда его били, и когда он умолял, и когда его пристрелили. А после я чувствовал стыд и удивление, но жалости не чувствовал, и это — ужасно.

Моска дотронулся до лица Геллы и, проведя пальцами по ее щекам, нащупал влагу на впадинах под глазами. Ему стало совсем невмоготу, и по всему телу пробежал озноб. Он хотел рассказать ей, как все это было, что это было ни с чем не сравнимо, что это было словно сон, словно гипноз, какой это был кошмар. Как в незнакомых покинутых городах на улицах лежали мертвые люди, и над их неприсыпанными могилами шли бои, как сквозь черепа разрушенных домов струился вверх к небу черный дым, и потом повсюду была эта белая лента, ею были обмотаны подбитые вражеские танки: лента служила предупреждением того, что это место еще не разминировано, а у дверей домов, словно в детской игре, на тротуаре были меловые линии, через которые нельзя было переступать, и опять, словно знак ведьмовского заговора, белая лента опоясывала здание церкви, опоясывала площадь с неубранными трупами, опоясывала бутыли с вином в фермерском амбаре, а в открытом поле виднелись черепа и грудные клетки мертвых животных — коров и тягловых лошадей, раскуроченных взрывами мин, с выпущенными кишками, гниющими под лучами весеннего солнца. А однажды утром незнакомый городок был тихим и безмятежным, и его почему-то обуял страх, хотя линия фронта проходила в нескольких милях. И потом внезапно где-то вдалеке зазвонили церковные колокола, на площадь высыпал народ, и стало ясно, что сегодня — воскресенье. И в тот же день, когда его страх исчез, — там, где не было видно ни черепов, ни обветренных костей, где неизвестный ребенок забыл прочертить на земле меловой полукруг, где из-за какой-то ошибки таинственная белая лента отсутствовала, он впервые познал боль своей страдающей плоти и понял значение и ужас уничтожения.

Он ничего не сказал. Он услышал, как Гелла перевернулась, легла на живот и уткнула лицо в подушку. Он слегка тронул ее за плечо и сказал:

— Иди спать на кушетку.

Он пододвинулся к стене и почувствовал ее прохладу: штукатурка впитала в себя жар его тела. Он сильнее прижался к холодной стене.

Во сне он видел, как караван грузовиков мчится по

неведомой стране. Бесчисленные женщины вылезали из-под земли, стояли на цыпочках вдоль тротуаров и жадными глазами искали кого-то среди солдат. Истощенные солдаты плясали, точно огородные пугала, в диком радостном экстазе, и тогда женщины заплакали и склонились к ним, ожидая поцелуев. Белая лента опоясывала солдат, грузовики, женщин, весь мир. Безотчетный ужас, порожденный чувством вины, казалось, пронизывает всё и вся. Белые цветы на глазах вяли и высыхали.

...Моска проснулся. Комната утопала в тенях — последних призраках ночи, и он с трудом разобрал в сумерках очертания шкафа. Было холодно, но лихорадка и озноб уже не мучили его тело. Он ощутил приятную усталость. Он был страшно голоден и подумал, как здорово будет позавтракать утром. Он протянул руку и дотронулся до спящей Геллы. Зная, что она никогда не покинет его, он прижался к ее теплой спине и снова уснул.

ГЛАВА 9

Гордон Миддлтон смотрел, как мимо дома колоннами по двое маршируют дети. В такт песне, едва доносившейся до слуха Гордона сквозь оконное стекло, они размахивали бумажными фонариками. Потом хвост колонны смешался с передними рядами: ребята образовали прямоугольник и зажгли желто-красные фонарики, которые в холодных и бледных октябрьских сумерках были похожи на светлячков. Гордона охватило вдруг тоскливое чувство: он вспомнил о своей родной деревеньке в Нью-Хэмпшире, давным-давно им покинутой, холодную скупую красу ее окрестностей, ночной воздух, в котором мерцали звездочки светлячков и где, как и здесь, с наступлением зимы все, казалось, умирало.

Не поворачивая головы, Гордон спросил профессора:

— О чем поют эти дети с фонариками?

Профессор сидел у шахматного столика, удовлетворенно глядя на учиненный им противнику разгром. В его кожаном портфеле лежало два бутерброда, которые он захватил из дому, и две пачки сигарет — двухнедельное жалование за уроки немецкого языка Гордону Миддлтону. Сигареты он отдаст своему сыну, когда поедет навестить его в Нюрнберг. Ему придется опять выправлять себе разрешение на приезд. В конце концов, если великие мира сего могут иметь посетителей, чем его сын хуже?

— Они поют песенку об октябрьском празднике, — сказал профессор задумчиво. — О том, что ночи становятся длиннее.

— А почему фонарики? — спросил Гордон.

— Сам не знаю, это какой-то древний обычай. Чтобы освещать путь, — профессор подавил раздражение. Ему хотелось призвать этого американца вернуться к игре и довершить бойню. Но, хотя американец никогда не вел себя, как победитель, профессор ни на мгновение не забывал, что он — побежденный, и в глубине души таил затаенный стыд за собственного сына.

Гордон Миддлтон открыл окно, и в комнату, наполнив ее кристально чистым звоном и свежестью, словно октябрьский ветер воспарив над улицей, ворвалась песня. Он слушал внимательно, пытаясь применить свои новые познания в немецком, что ему удалось без труда: дети пели ясно, проговаривая простые слова. Они пели:

Brenne auf mein Licht,
Brenne auf mein Licht,
Aber nur meine Liebe lanterne nicht[1].

— Как будто у их родителей нет более существенных вещей, чем клеить для них эти фонарики, — сказал Гордон, разобрав слова песни.

Da oben leuchten die Sterne
Nier unten leuchten wir[2]

— и потом на длинной ноте веселый припев, который в сумерках звучал довольно печально:

Mein Licht is aus, wir geh' nach Haus
Und kommen morgen wieder[3].

Гордон Миддлтон увидел, как по Курфюрстен-аллее Моска идет сквозь гущу фонариков и поющих детей.

— Идет мой приятель, — сказал Гордон профессору.

Гордон подошел к шахматному столику и указательным пальцем повалил своего короля.

---

[1] Гори, гори мой огонек, Только моя любовь не загорается (*нем.*).
[2] На небе пылают звезды, А мы горим на земле (*нем.*).
[3] Мой огонек угас, И мы идем домой, А завтра утром мы вернемся (*нем.*).

Профессор улыбнулся и вежливо сказал:

— У вас была возможность выиграть. — Профессор побаивался всех молодых людей — суровых, грубоватых немецких парней, у которых за плечами были годы войны и поражение, но еще больше этих вечно пьяных молодых американцев, которые могут без лишних слов убить, просто по пьянке, зная, что им за это ничего не будет. Но друзья этого Миддлтона, конечно же, не опасны. В этом его убедил сам герр Миддлтон, и сам герр Миддлтон действовал на профессора успокаивающе. Он был своеобразной карикатурой на янки — с этим его длинным, неловким, плохо склеенным туловищем, и выдающимся кадыком, и длинным костистым носом, и квадратным ртом. Он некогда учительствовал в небольшом городке в Новой Англии. Профессор подавил улыбку, думая про себя, как в прошлом эти жалкие провинциальные учителя пресмыкались перед герром профессором, а теперь его титул и ученость ничего не значат. Пресмыкаться приходится ему.

В дверь позвонили, и Гордон пошел открывать. Профессор встал, нервно одернул пиджак, поправил галстук. Всем своим коротким телом с отвисшим животиком он вытянулся по стойке смирно и стал смотреть на дверь.

Профессор увидел высокого смуглого парня, на вид ему было не больше двадцати четырех — не старше его собственного сына. Но у этого парня были серьезные карие глаза и суровое, даже угрюмое лицо, которое можно было назвать едва ли не уродливым. На нем был надет офицерский зеленый мундир, на рукаве бело-голубая нашивка, говорившая о его гражданской должности. Двигался он упругой легкой походкой спортсмена, которая со стороны могла бы показаться даже расхлябанной.

Когда Гордон представил их друг другу, профессор сказал:

— Очень рад с вами познакомиться, — и протянул руку.

Он старался сохранять достоинство, но сразу понял, что произнес эти слова подобострастно и улыбкой выдал свое волнение. Он заметил, что глаза парня посуровели, и заметил, как резко тот отдернул ладонь после короткого рукопожатия. Поняв, что он чем-то оскорбил этого юного воина, профессор затрепетал, сел и стал расставлять шахматные фигуры.

— Не хотите ли сыграть? — спросил он Моску и попытался подавить извиняющуюся улыбку.

Гордон подвел Моску к столику и сказал:

— Давай посмотрим, на что ты способен, Уолтер. Мне с профессором не справиться.

Моска сел за столик напротив профессора.

— Не ждите от меня чего-то сверхъестественного. Гордон научил меня играть в шахматы месяц назад.

Профессор понимающе кивнул и пробормотал:

— Пожалуйста, играйте белыми. — И Моска сделал первый ход.

Профессор углубился в игру и перестал нервничать. Все они применяют простейшие дебюты, эти американцы, но, если провинциальный учителишка играл осторожно, умно, хотя и без вдохновения, этот играет с юношеской горячностью. Небесталанный, подумал профессор, и в несколько тонких ходов разбил стремительную атаку белых, а затем быстро и хладнокровно атаковал незащищенных слонов и ладью и уничтожил выдвинувшиеся вперед, но не имеющие поддержки пешки.

— Вы слишком сильный противник, профессор, — сказал парень, и профессор облегченно отметил, что в его голосе не было угрожающих ноток.

Но потом без всякого перехода Моска сказал по-немецки:

— Я бы хотел, чтобы вы давали уроки английского моей невесте два раза в неделю. Сколько это будет стоить?

Профессор покраснел. Как же это унизительно — словно он какой-то торгаш.

— Сколько вы сочтете нужным, — сказал он сухо. — Но вы ведь неплохо говорите по-немецки, почему вы не учите ее сами?

— Я пробовал, — ответил Моска, — но она хочет выучить структуру языка, грамматику, все как положено. Пачка сигарет за два урока — этого будет достаточно?

Профессор кивнул.

Моска попросил у Гордона карандаш и стал писать на клочке бумаги. Он передал записку профессору и сказал:

— Это вам на тот случай, если вас не будут пропускать в дом, где я живу. Там же адрес.

— Спасибо, — профессор почти поклонился ему. — Завтра вечером вам удобно?

— Конечно, — ответил Моска.

Под окнами пронзительно засигналил «джип».

— Это, наверное, Лео, — предположил Моска. — Мы едем в офицерский клуб. Не хочешь с нами, Гордон?

— Нет, — сказал Гордон. — Это тот парень, что сидел в Бухенвальде? — и когда Моска утвердительно кивнул, добавил: — Пусть он зайдет на секунду. Я хочу с ним поговорить.

Моска подошел к окну, распахнул ставни и крикнул: «Зайди!» Было уже совсем темно, и дети с фонариками скрылись из виду.

Лео вошел в комнату, поздоровался с Гордоном и сухо бросил профессору: «Angenehm»[1]. Профессор поклонился, взял свой портфель и сказал Гордону:

— Мне пора.

— Гордон проводил его до двери, и они обменялись рукопожатием. Потом Гордон пошел на кухню.

Его жена сидела там за столом и обсуждала с Йергеном цены на какие-то товары черного рынка. Йерген держался вежливо, уверенно и с чувством собственного достоинства: оба понимали, что она сейчас сделает выгодную покупку. Йерген любил иметь дело с качественным товаром. На стуле лежал внушительный, почти в фунт толщиной, отрез красной, богатой на вид шерстяной ткани.

— Чудесно, не правда ли, Гордон? — спросила его Энн Миддлтон сладким голосом. Это была пухленькая женщина с добродушным лицом, хотя и решительным подбородком и хитроватыми глазами.

Гордон в свойственной ему манере промычал что-то нечленораздельное в знак согласия и потом сказал:

— Если ты закончила дела, я хочу, чтобы ты познакомилась с моими друзьями.

Йерген торопливо заглотнул кофе и стал набивать свой портфель мясными консервами, которые стояли на столе.

— Ну, я пошел, — сказал он.

— Не забудьте принести шерсть на костюм мужу, — строго сказала ему Энн Миддлтон.

Йерген развел руками.

— Конечно, нет, дорогая леди. Самое позднее — на следующей неделе.

Энн Миддлтон заперла дверь черного входа за Йерге-

---

[1] Здесь: Здравствуйте (*нем.*).

ном, потом открыла ключом дверцу буфета, достала оттуда бутылку виски и несколько бутылочек кока-колы.

— Приятно делать дела с Йергеном, он никогда не приносит барахла, — сказала она, и они пошли в гостиную.

Представив присутствующих друг другу, Гордон погрузился в глубокое кресло, не вслушиваясь в болтовню жены. Он почти мучительно ощущал чужую атмосферу этой комнаты в реквизированном доме, где ему приходится жить среди вещей, не имеющих памяти, не вызывающих никаких ассоциаций, где никто не знает, кто повесил эти картины или кто садился к этому фортепьяно у стены, где мебель была наскоро и бессистемно расставлена по комнатам. Но эти предательские ощущения были ему вовсе не внове. Он уже ощущал нечто подобное, когда приезжал навестить родителей перед отправкой на фронт. В отчем доме, где стояла мебель, принадлежавшая его старинным предкам, целуя сухие щеки матери и отца, щеки, задубевшие в суровом северном климате, он уже знал, что не вернется назад, как не вернутся другие молодые ребята, ушедшие на войну или в большие города на фабрики, и что эту землю, закованную в зимнюю красоту, будут населять лишь старики с волосами, белыми, как тот снег, что лежит на острых зазубренных гребнях ближних гор. В его спальне висел большой портрет Маркса, который его мать принимала за картину неведомого художника. Он гордился своей эрудицией, и его немного раздражала ее необразованность. Наверное, портрет до сих пор висит там на стене.

Энн наполнила стаканы слабыми коктейлями: виски выдавалось по карточкам, и она время от времени обменивала спиртное на черном рынке. Гордон спросил Лео:

— Это не в вашем концлагере заключенные погибли при налете авиации союзников?

— Да, — ответил Лео. — Я помню этот налет. Но, поверьте, мы не осуждали ваших летчиков.

— Я читал, что во время этого налета погиб Тельман, лидер коммунистов. Вы знали его? — голос Гордона впервые за весь вечер прозвучал громко и даже звонко.

— Это странный случай, — сказал Лео. — Тельмана привезли в лагерь через два дня после бомбежки, во время которой, как считается, он погиб. Потом его быстро увезли. А потом мы услышали о его смерти. Кое-кто даже шутил по этому поводу.

Гордон взволнованно вздохнул.

— А вы с ним встречались?

— Нет, — ответил Лео. — Я знаю об этом потому, что многие Kapos, «старики», были коммунистами. Их первыми отправляли в лагеря, и, конечно, они потом неплохо устраивались. Я даже слышал, что они умудрились припрятать какие-то деликатесы и спиртное, чтобы устроить маленький банкет в честь Тельмана. Но ничего не вышло. Он был постоянно под особым наблюдением.

Гордон с печально-торжественным видом кивал головой. Он сказал жене тихо, еле сдерживая гнев:

— Тебе ясно, кто был подлинным врагом фашизма?

Лео раздраженно возразил:

— Коммунисты вовсе не были мучениками. Один «старик» находил удовольствие в том, что забивал самых немощных до смерти. Он много чего еще делал, о чем я не могу рассказывать в присутствии вашей жены.

Гордон прямо-таки рассвирепел при этих словах, и его обычно спокойное лицо исказила гримаса. Энн поспешно сказала, обращаясь к Моске:

— Приходите как-нибудь к нам на ужин со своей девушкой. И вы, Лео! — они стали обговаривать дату встречи, чтобы дать возможность Гордону немного остыть. Вдруг Гордон сказал Лео:

— Я не верю, что этот человек был коммунистом. Может быть, когда-то он и состоял в партии. Но он был либо ренегатом, либо провокатором.

При этих словах Энн и Лео расхохотались, а Моска обратил свое смуглое лицо к Гордону и сказал:

— Этот парень просидел в лагере черт знает сколько. Ты понимаешь, как это могло на него подействовать?

И Лео добавил почти примирительно:

— Да, он был один из самых старосидящих.

В комнате наверху заплакал ребенок, и Гордон пошел туда и принес ребенка-здоровячка, выглядевшего много старше своих шести месяцев. Гордон ловко поменял ему пеленки, демонстрируя всем свою сноровку.

— Ему это удается лучше, чем мне, — сказала Энн. — И он любит это делать — не то, что я.

— Ребята, почему бы вам не провести вечер с нами, вместо того чтобы тащиться в клуб? — спросил Гордон.

— Да, — подхватила Энн. — Оставайтесь!

— Мы еще посидим немного, — сказал Моска, — но в

десять мы должны встретиться с Эдди Кэссином в клубе. Он пошел в оперу.

Энн Миддлтон фыркнула:

— О да, могу спорить, он сейчас слушает оперу!

— Кроме того, — добавил Моска, — сегодня в клубе «мальчишник», и шоу обещает быть потрясающим. Лео никогда еще не был на армейском «мальчишнике». Он должен обязательно там побывать.

Проводив их до двери, Гордон сказал Моске:

— Мы никогда не выбираем полностью свою норму по карточке. Если тебе понадобится что-нибудь из круп или консервов, скажи мне, я отдам тебе неиспользованные талоны.

Гордон запер за ними дверь и вернулся в гостиную.

Энн сказала ему:

— Как не стыдно, Гордон! Ты был так груб с Лео.

Гордон, понимая, что в ее устах это замечание звучало самым суровым выговором, заметил решительно:

— И все же я уверен, что тот человек был провокатором.

На этот раз жена не улыбнулась.

Мягкие, розоватые огни угасли. Эдди Кэссин подался вперед в кресле и зааплодировал вместе со всеми, когда старый седовласый дирижер появился за пультом и постучал палочкой по пюпитру. Занавес раздвинулся.

Зазвучала музыка — тихо, но проникновенно. Эдди сразу забыл, что находится в школьной аудитории, что вокруг сидят немцы и два рослых русских офицера загораживают спинами сцену. Теперь он лишь созерцал знакомые персонажи на сцене и рукой обхватил челюсть, чтобы сдержать чрезмерно эмоциональную мимику.

На сцене мужчина и женщина, которые вначале признавались в любви, теперь пели о том, как ненавидят друг друга. Мужчина в крестьянском костюме выражал свою ярость мощно и красиво то на высоких, то на низких нотах, оркестр, не заглушая его голоса, вел мелодию, и звук накатывал и опадал, словно волна прибоя, в некоторых местах затихая вовсе. Пронзительный голос певицы прорезывал его арию, и оркестр эхом повторял пропетые ими музыкальные фразы. Мужчина оттолкнул от себя женщину с такой силой, что она, повернувшись вокруг своей оси, упала на пол, буквально ударившись лбом о дощатое покрытие сцены. Она тут же встала на ноги, выражая свою обиду и негодование пронзительно, но мелодично, и, когда мужчина стал ей угрожать, она отвергла все его обвинения, и вдруг голос певца, голоса хора и оркестр умолкли, и певица, признав свою вину и сменив негодование на покорность, запела октавой ниже, мягче, запела о смерти, о горе, о физической любви, во власти которой находятся все люди. Мужчина схватил женщину за волосы и прямо на глазах Эдди Кэссина всадил ей в грудь кинжал. Она громко воззвала на помощь, и ее любовник умер вместе с ней, а трубы и скрипки грянули крещендо, и певец исполнил последние строчки своей арии, долго и мощно воспевая отмщенное чувство, страсть и безутешное горе. Занавес сомкнулся.

Русские офицеры в зелено-золотых мундирах неистово хлопали, казалось, громче всех в зале. Эдди Кэсинн протолкался к выходу и вышел на свежий воздух. Чувствуя усталость, он прислонился к капоту своего «джипа». Опера доставила ему истинное удовольствие. Он смотрел, как расходятся зрители, и увидел женщину, которую только что закололи на сцене кинжалом. Он заметил, что у нее простое и, как у большинства немок, крупно очерченное лицо. Она была в черном свободного покроя пальто, чуть полновата, словно пятидесятилетняя хозяюшка. Он подождал, пока она скроется из виду, залез в «джип» и поехал через мост в Альтштадт, старый Бремен. Как всегда, руины, появлявшиеся в снопе света его фар, словно приветствовали его и пробуждали в его душе чувство родства. Вместе с этим чувством возникло воспоминание о только что виденном спектакле, ощущение, насколько же окружающий мир напоминает — с тем же элементом комичности — тот придуманный мирок, который возник на подмостках сцены. Но теперь, когда чары музыки рассеялись, он устыдился тех легких слез, которые пролил, слез по поводу простой и незамысловатой трагедии, как детская сказка про безвинных и несчастных животных, встретивших свой печальный конец, и собственные слезы показались ему слезами ребенка, причину которых ему не было суждено постичь.

Офицерский клуб был одним из самых роскошных частных домов в Бремене. Лужайку перед домом превратили в автостоянку для армейских «джипов» и легковых автомобилей высших чинов. В саду позади дома выращивались цветы для жен офицеров оккупационного гарнизона.

Когда Эдди появился в клубе, эстрада была еще пуста, но вокруг нее в несколько рядов толпились офицеры — кто сидел на полу, кто стоял. Те, кто оставался у стойки бара, встали на стулья, чтобы видеть происходящее поверх голов собравшихся у сцены.

Кто-то проскользнул мимо Эдди по направлению к эстраде. Это была девушка — абсолютно нагая, в одних только серебряных балетных тапочках. Волосы у нее в паху были выбриты в виде крохотного перевернутого треугольника, темневшего на ее бледном теле, словно щит. Ей как-то удалось взъерошить волосы, которые смахивали на кустик. Танцевала она плохо, подбегая довольно близко к сидящим в первом ряду, едва ли не тычась треугольником волос в их лица, так что самые молодые офицерики невольно вздрагивали и отдергивали свои короткостриженные головы. Она, видя, как они от нее отворачиваются, смеялась и убегала, когда офицеры постарше шутливо делали вид, что хотят ее схватить. Это было совсем не сексуальное, не возбуждавшее зрителей представление. Кто-то бросил на эстраду расческу, и девица продолжала танцевать, теперь загарцевав, как лошадь, имитируя галоп. Офицеры начали откалывать шуточки, которые она не понимала, и из-за испытываемого унижения ее движения стали более скованными и смешными, и все уже смеялись, бросали ей под ноги расчески, носовые платки, ножички, оливки, печенье. Кто-то из офицеров заорал: «Прикройся» — и все стали без конца повторять это слово. Офицер — работник клуба вышел на сцену, держа в руках исполинские ножницы и многозначительно защелкал ими в воздухе. Девушка убежала мимо Эдди в раздевалку. Эдди пошел к бару. В дальнем конце стойки он увидел Моску и Вольфа и подошел к ним.

— Только не говорите, что Лео не пришел на шоу, — сказал Эдди. — Уолтер, ты же обещал мне, что обязательно, приведешь его.

— Черт возьми, — ответил Моска, — он уже запал на какую-то танцовщицу. Он где-то здесь.

Эдди ухмыльнулся и повернулся к Вольфу.

— Ну что, нашел золотую жилу? — он знал, что Моска и Вольф по ночам отправляются промышлять на черный рынок.

— Нелегкое это дело! Пока полная невезуха, — сказал Вольф, покачав своим мертвенно-бледным лицом, на котором застыло страдальческое выражение.

— Кончай вешать мне лапшу на уши, — сказал Эдди. — Я слышал, твоя фройляйн носит брильянтовые брошки на пижаме.

Вольф рассвирепел.

— А где, интересно, она достала пижаму?

Все засмеялись.

Подошёл официант, и Эдди заказал двойное виски.

Вольф кивнул в сторону эстрады и сказал:

— Мы-то думали, ты сегодня будешь сидеть в первом ряду.

— Ну нет, — ответил Эдди. — Я слишком культурный. Я был в опере. Бабы там куда пикантнее.

Из соседнего зала высыпали офицеры — там кончилось представление. У бара стало тесно. Моска встал и предложил:

— Давайте, пойдем поиграем немного.

Игорный стол плотно обступили офицеры. Стол представлял собой грубую, наспех сколоченную конструкцию с четырьмя некрашеными брусками вместо ножек, на которую было накинуто зеленое покрывало. Боковые доски в фут высотой образовывали прямоугольное поле.

Сам полковник, небольшого роста, плотный, со светлыми ухоженными усами, неуверенно бросал кости — маленькие кубики, казалось, просто вываливались из его неумелой ладони. Среди играющих были в основном летчики. Справа от полковника стоял его адъютант, не принимавший участия в игре. Он смотрел, как играет полковник.

У адъютанта, молодого капитана, было невозмутимое открытое лицо. Его улыбку можно было назвать привлекательной, когда в ней не было ничего угрожающего. Ему нравилась должность адъютанта и та небольшая власть, которая позволяла ему лично выбирать, кто из офицеров будет дежурить на военно-воздушной базе — в частности, по выходным. Полковник полностью полагался на него. Адъютант никому не спускал обид, но был по-своему справедлив и мстил, только если была задета не его гордость, а честь его мундира. Он ревностно следил за строгим исполнением устава во всех проявлениях армейской жизни, и любое нарушение устава он считал величайшим прегрешением. Любой, кто пытался чего-то добиться, минуя обычную иерархию инстанций — этих узких тропинок, четко обозначенных на карте армейской бюрократии, внезапно оказывался перегруженным всяческими поручениями, и не важно, сколь усердным работником он был, эти поручения могли держать его в напряжении несколько месяцев кряду. Он отправлял свою религию с фанатизмом, присущим молодости: ведь он был не старше Моски.

Облаченный в белый сюртук официант стоял за небольшой стойкой бара в дальнем углу комнаты. Когда играющие требовали выпивку, он готовил тот или иной напиток, и тот, кто делал заказ, подходил к стойке, забирал стакан и, вернувшись обратно, ставил его на неширокий деревянный бортик стола.

Вольф не играл и следил за игрой, сидя на табурете, а Эдди Кэссин и Моска стояли у стола, зажатые со всех сторон зрителями. Когда настал черед Эдди бросать кости, Моска заключил с ним пари. Эдди, осторожный игрок, вытащил из портмоне долларовую бумажку почти с сожалением. Ему пока везло: он выиграл пять раз подряд. Моска выиграл еще больше.

Поскольку они стояли рядом, после Эдди метал Моска: очередь шла по часовой стрелке. Выигрывая и чувствуя себя очень уверенно, Моска выложил купонов на двадцать долларов. Четыре офицера поставили по пять долларов каждый. Моска метнул кубики на стол. Выпало семь очков.

— Удваиваю, — сказал он.

Теперь он был уверен в победе, и не мог скрыть торжества. Все те же четыре офицера поставили сорок долларов. Эдди Кэссин добавил:

— И я десять.

Полковник сказал:

— Я тоже ставлю десять.

Все выложили деньги на стол.

Моска с силой метнул кости. Кубики отскочили от борта и покатились по зеленому сукну, завертевшись словно два волчка. Потом они замерли. Еще семь.

— Ставлю восемьдесят зеленых, — сказал Моска.

— И двадцать — я, — Эдди Кэссин выложил деньги.

Полковник добавил свои.

На сей раз Моска метнул кости мягким движением кисти, словно выпускал на волю прирученное животное. Кости отскочили от бортика, покатились обратно и остановились посреди зеленого поля. Снова выпало семь, и кто-то из офицеров сказал:

— Потрясите эти кости! — Он произнес это без всякого злого умысла, просто как заклинание против везения Моски. Моска взглянул на него, усмехнулся и сказал:

— Ставлю сто шестьдесят!

Адъютант, сжимая свой стакан, смотрел на Моску и кости. Эдди Кэссин сказал тихо:

— И десять мои, — и взял выигранные им тридцать долларов.

Полковник сказал:

— Ставлю двадцать!

Эдди нехотя выложил десятидолларовую банкноту и, поймав взгляд Моски, передернул плечами.

Моска взял кости, подул на них и метнул в противоположный бортик. Два красных кубика показали четыре белых точки.

Один из офицеров сказал:

— Ставлю десять против пяти, что он не выиграет.

Моска принял это и еще несколько других пари. Он не стал брать кости с сукна и, бессознательно уверенный в своем успехе, вытащил пачку долларов, намереваясь заключить пари с кем угодно. Он был возбужден, его переполнял азарт игрока, редко ему выпадало такое везение в игре.

— Ставлю сто против пятидесяти, — объявил он и, не услышав больше никаких предложений, взял кости.

Перед тем как он метнул их на стол, полковник сказал:

— Ставлю двадцать, что вам не выиграть. Моска вытащил десятку и бросил ее на стол со словами:

— Принимаю.

— Но вы положили только десять, — сказал полковник.

Моска перестал трясти кости и склонился над столом. Он не мог поверить, что полковник, старый армейский служака, не знает правил игры в кости.

— При четырех очках, полковник, вы должны ставить два против одного, — сказал он, с трудом сдерживая гнев.

Полковник повернулся к одному из стоящих рядом младших офицеров:

— Это так, лейтенант?

— Так, сэр, — сказал тот смущенно.

Полковник бросил на стол двадцать долларов.

— Ладно, мечите!

Два красных кубика ударились о борта стола, быстро перекатились по зеленому полю и неожиданно остановились — оба двумя белыми точками вверх. Моска долго смотрел на кубики, прежде чем взять деньги, и громко произнес:

— Никогда не видел картины чудеснее.

Нет смысла больше рисковать своей удачей, подумал он. Он бросил на стол еще несколько банкнот и после нескольких бросков снизил ставки. Он играл с переменным успехом. Когда кости взял полковник, Моска перекрыл его ставку. Полковник бросил — неудачно. Во второй раз — та же картина. Моска взял деньги. Полковник сказал беззлобно:

— С вами бессмысленно играть — вам сегодня везет, — и, улыбнувшись, вышел из зала.

Моска понял, что не прав, что полковник и впрямь не силен в правилах игры в кости и вовсе не пытался воспользоваться своим чином, чтобы утереть ему нос.

Атмосфера вокруг стола немного разрядилась, офицеры перестали испытывать неловкость и беседа оживилась. Официант трудился, не покладая рук, едва успевая выполнять заказы. Адъютант подошел к бару, сел на табурет, подождал, пока официант наполнит его стакан, отпил и окликнул:

— Моска, подойди на минутку.

Моска взглянул через плечо. Метал Эдди Кэссин, и после него должен был метать он.

— Сейчас, только метну, — сказал он.

Эдди метнул удачно, но Моска перебил его кости и подошел к терпеливо дожидавшемуся адъютанту.

Адъютант внимательно посмотрел прямо ему в глаза и сказал:

— Какого хрена ты учил полковника, как надо делать ставки?

Моска немного смутился.

— Черт, — сказал он, — он же хотел заключить со мной пари. Кто же делает ставку на равных на четыре очка?

Адъютант продолжал тихим вкрадчивым голосом, словно разговаривал с непонятливым мальчишкой:

— У стола было десять офицеров. Они же не стали объяснять ему, как делать ставки, и если бы они объяснили, то сделали бы это в куда более вежливой манере. Как ты думаешь, почему ему никто слова не сказал?

Моска почувствовал, как его лицо заливается краской. И вдруг заметил, что игроки замолчали, перестав метать кости, — все слушали их разговор. Ему стало ужасно неловко — так бывало в первые месяцы в армии. Он передернул плечами.

— Я думал, он не знает — вот я и сказал ему.

Адъютант поднялся.

— Ты думаешь, раз ты гражданский, тебе это сойдет с рук. Но ты дал понять, что полковник якобы пытается использовать свое положение, чтобы надуть тебя на десять долларов. Запомни одну вещь, приятель: мы можем тебя в момент отправить обратно в Штаты, если захотим, и, насколько я понимаю, у тебя есть некие причины очень этого не хотеть. Так что — полегче. Если полковник чего-то не знает, его сослуживцы придут ему на помощь. Ты оскорбил командира и всех офицеров в этом клубе. Смотри, чтобы это больше не повторялось.

Против воли Моска уронил голову, в душе его клокотал стыд и гнев. Он видел, как за ним наблюдает Эдди Кэссин, и на губах у Эдди играет легкая довольная улыбочка. Моска услышал, как адъютант говорит презрительно:

— Моя бы воля, я бы вас, гражданских, на пушечный выстрел не подпускал к офицерскому клубу. Что вы можете знать об армии!

Машинально Моска поднял глаза. Он отчетливо увидел перед собой лицо адъютанта, его серые честные глаза и бесстрастное открытое лицо, приобретшее теперь строгое выражение.

— Капитан, а сколько у тебя боевых звезд? — спросил Моска. — В скольких десантных операциях ты участвовал?

Адъютант уже сидел на табурете и попивал из стакана. Моска чуть не замахнулся на него, когда он заговорил:

— Я не это имею в виду. Многие из офицеров, здесь находящихся, возможно, совершили куда больше подвигов на войне, чем тебе может даже присниться, но никто из них не позволит себе ничего подобного, — голос адъютанта был мертвенно-спокойным, холодным, рассудительным, но не примирительным.

Моска поборол в себе гнев и, подобно своему собеседнику, заговорил с холодным спокойствием, словно подражая его манере.

— Ладно, — сказал он. — Я был не прав, я прошу прощения. Но только не тебе вешать мне эту туфту про гражданских.

Адъютант улыбнулся, не чувствуя себя оскорбленным, — у него был вид священника, отягченного заботами своего долга.

— Но ты должен понять то, о чем я говорю.

Моска ответил:

— О'кэй, я понимаю. — И невзирая на все его самообладание, эти слова прозвучали с покорным смирением и, вернувшись к столу, он почувствовал, что сгорает от стыда. Он увидел, как Эдди Кэссин старается спрятать свою улыбочку и ободряюще подмигивает ему. Офицер, чья очередь была метать кости, здоровенный южанин, сказал с характерным протяжным выговором настолько громко, чтобы адъютант мог его услышать:

— Слава Богу, что ты не выиграл у полковника еще десятку, а не то нам бы пришлось вывести тебя на двор и расстрелять.

Все, кроме Моски, засмеялись. Он слышал, как за его спиной адъютант весело болтал с кем-то, смеялся и пил, словно ничего не случилось.

ГЛАВА 10

Моска и Гордон Миддлтон оставили свои дела и начали подслушивать: из-за чуть приоткрытой двери в кабинет Эдди до них доносился голос девушки.

— Эдди, я только на минутку. Это очень важно, — ее голос слегка дрожал.

Эдди холодно и вежливо ответил:

— Да-да, пожалуйста, я слушаю.

Девушка сказала неуверенно:

— Я знаю, ты меня предупреждал, чтобы я не приходила к тебе в кабинет, но ты сам уже давно у меня не бываешь.

Моска и Гордон с усмешкой переглянулись и внимательно прислушались.

Девушка продолжала:

— Мне нужен блок сигарет.

Наступило молчание. Потом Эдди ехидно спросил:

— Да, и какой же сорт?

Но девушка не уловила саркастичного тона, предполагавшего отказ.

— О, да это не имеет значения! — сказала она. — Мне нужны сигареты для врача. Это его цена.

В голосе Эдди по-прежнему звучала холодная вежливость:

— Ты нездорова?

Девушка кокетливо хихикнула.

— Ох, Эдди, да ведь ты сам знаешь. У меня будет ребенок. — И добавила успокаивающим тоном, словно беспокойство за ее благополучие могло заставить его отклонить ее просьбу: — Но это не опасно.

Моска и Гордон понимающе кивнули друг другу и беззвучно рассмеялись — не над девушкой, а над Эдди, над его, как они решили, смущением и над тем, что его связь обойдется ему в блок сигарет. Но после следующей реплики Эдди улыбки сползли с их губ. Он был так же вежлив и бесстрастен, но в его голосе теперь появилась нотка веселого злорадства:

— Пусть тебе поможет твой немецкий дружок. От меня ты не получишь ни одной сигареты. И, если ты еще раз зайдешь в этот кабинет, тебя тут же уволят с базы. А теперь марш работать.

Девушка заплакала и сказала дрожащим голосом:

— У меня нет друга. Это твой ребенок. Я уже на третьем месяце, Эдди.

— Я сказал, — отрезал Эдди Кэссин.

Девушка взяла себя в руки: его грубость ее разозлила:

— Ты не появлялся целый месяц. Я не знала, придешь ли ты снова. Тот парень просто приглашал меня на танцы. Клянусь. Ты же знаешь, что ребенок от тебя. Что тебе стоит достать блок сигарет?

Моска и Гордон услышали, как Эдди снял телефонную трубку, попросил телефонистку соединить его с начальником охраны военно-воздушной базы. Затем девушка с ужасом сказала:

— Помогите мне, мистер Кэссин, пожалуйста!

Потом они услышали, как открылась дверь в коридор и как она захлопнулась, и Эдди сказал телефонистке:

— Спасибо, уже не надо.

Эдди Кэссин вошел к ним в комнату, и на его тонком приятном лице играла довольная улыбка.

— Как вам понравилась эта сценка? — спросил он.

Моска откинулся на спинку стула и презрительно сказал:

— Ну и гад же ты, Эдди!

Гордон Миддлтон сказал:

— Я дам, тебе для нее сигарет, Эдди.

Он произнес это без всякого презрения, а просто довел это до сведения Эдди, словно единственная причина, по которой Эдди отказал девушке, состояла в том, что он не хотел тратиться.

Эдди взглянул на них насмешливо и ухмыльнулся:

— О Боже! Какие мы отзывчивые! Как мы хотим помочь бедной девушке. Слушайте. Эта маленькая сучка постоянно имела мужика на стороне. Он выкуривал все сигареты, которые я ей давал, жрал шоколад и консервы, которые, я-то думал, доставал для нее, — и он рассмеялся с искренней веселостью. — К тому же у меня с ней давно все кончено. И я знаю, что на черном рынке плата за аборт составляет полблока.

Дверь распахнулась, и вошел Вольф. Он их поприветствовал:

— Здорово, ребята! — Поставил свой портфель на письменный стол и сел, тяжко вздохнув. — Ну, и чему вы тут веселитесь? — Он улыбнулся им, и его мучное белое лицо осветилось неподдельной радостью. — Поймал двух фрицев, воровавших кофе. Знаете, им разрешают уносить домой суп в чайниках? Так вот, эти суки клали кофе на дно чайника, посыпали песком, а сверху наливали суп. Только не спрашивайте, как они потом выгребали оттуда песок.

Этот рассказ почему-то разозлил Эдди. Он мрачно сказал:

— От Вольфа Трейси[1] никому не уйти. Поведай нам, Вольф, как тебе это удалось!

Вольф хмыкнул.

— Ха, кто бы мог догадаться?! Просто, как все гениальное. Подпустил к ним в курятник своего петушка.

Миддлтон поднялся.

— Пожалуй, я сегодня пораньше отправлюсь, ладно, Эдди?

— Ради Бога! — ответил Эдди.

Вольф поднял руку.

---

[1] Намек на персонаж комиксов 30-х годов — детектива Дика Трейси.

— Погоди, Гордон. — Гордон остановился у двери. — Не говори никому, о том, что я сейчас скажу. И вы, ребята, держите язык за зубами. Через неделю ты получишь предписание на отправку обратно в Штаты. О'кэй?

Гордон уронил голову. Вольф ласково спросил:

— Черт побери, разве ты этого не хотел, а, Гордон?

Гордон поднял взгляд и, улыбаясь, ответил:

— Да, пожалуй. Спасибо, Вольф, — и вышел из кабинета.

Эдди тихо сказал Вольфу:

— Что, из Штатов пришел ответ на запрос службы безопасности?

— Ну да, — ответил Вольф.

Эдди Кэссин стал разбирать бумаги на своем столе. За окнами управления гражданского персонала сгущались сумерки. Эдди раскрыл свой портфель и сунул туда две бутылки джина, жестянку грейпфрутового сока и несколько плиток шоколада, которые он достал из ящика стола.

Вольф сказал:

— Слушай, отдай лучше мне свои сигареты и выпивку, Эдди. Так ты хоть накопишь бабки, вместо того чтобы надираться каждый вечер.

Эдди взял портфель под мышку и направился к двери.

— Я же живое существо, — сказал он. — Ну, мусорщики, желаю вам удачи. А я пойду дрессировать свою гориллу.

За ужином Вольф сказал Моске:

— Знаешь, я, наверное, первый стал пасти этого Гордона. Как-то я подвозил его в город, и вот на полпути он попросил меня остановиться. Он вылез из «джипа» и пошел обратно по шоссе. Он подобрал какой-то кусок металла, на который я чуть было не напоролся, забросил его в кусты и сказал мне с этой своей сладенькой улыбочкой: «Ну вот, одной проколотой шиной будет меньше». Это он хорошо сделал, да? Он вообще хороший парень. Но с этим Гордоном хлопот не оберешься. Слишком много в нем выпендрежа. Так что, когда мой босс сказал мне, чтобы я за ним приглядывал, потому что он когда-то состоял в компартии, я ничуть не удивился. Они таких олухов и заманивают. Вот дурашка!

Моска закурил сигару и отпил кофе.

— Но он малый не трус!

Вольф торопливо поедал свой шницель.

— Ты неправильно рассуждаешь. Пораскинь мозгами. Сколько к нам приходит немцев, которые хотят служить у нас? Они готовы воевать с русскими. Сколько уже было слухов, что русские оккупировали английский и американские сектора? Я же читаю секретные рапорты. Теперь уже недолго осталось. Самое большое, через два года все опять начнется по новой. И ребята вроде Гордона возьмутся за топоры. Здесь! — и он рубанул себя ребром ладони по горлу. — А я возвращаюсь в Штаты. Не хочется мне тянуть лямку в сибирском лагере для военнопленных.

Моска медленно произнес:

— Надеюсь, и мне удастся отсюда выбраться до всех событий.

Вольф вытер губы и откинулся назад. Официант наливал ему кофе.

— Не беспокойся, — сказал он. — У меня есть сведения, что скоро отменят запрет на браки с немками, и мы из этих фройляйн сделаем порядочных дам. Там, за океаном, преподобные отцы просто как с цепи сорвались. Не хотят, чтобы мы тут трахали дам без брачного свидетельства.

Они вышли из армейской столовой и направились к «джипу» Вольфа. Выехав за забор из колючей проволоки, огораживающий территорию военно-воздушной базы, они свернули на дорогу и поехали в противоположную от города сторону, на окраину Нойштадта. Ехать было недалеко. И Вольф скоро притормозил у одиноко стоящего домика, очень узкого, словно сплошь состоящего из вытянувшихся друг за дружкой маленьких комнат. Рядом с домом стояли три «джипа», несколько немецких «опелей». К железным перилам, вмурованным в каменные ступеньки, были привязаны несколько велосипедов.

Вольф позвонил, и, когда дверь распахнулась, Моска от удивления отступил на шаг: перед ним стоял высоченный немец.

— Нас ждет фрау Флаферн, — сказал Вольф.

Великан пропустил их внутрь.

Комната была полна народу. Два американских солдата сидели рядом, между ними на полу стоял набитый зеленый портфель. Еще тут было три офицера, каждый прижимал к себе кожаный портфель. Были тут и пять немцев с пустыми чемоданчиками из черной кожи. Все они терпеливо ждали своей очереди, немцы и американцы. Тут не было ни победителей, ни побежденных.

Великан провожал одного за другим в соседнюю комнату и то и дело ходил к входной двери, чтобы впустить новых посетителей: солдат, офицеров и немцев. Среди них Моска узнал нескольких работников базы: командиров, сержанта из управления снабжения, офицера из армейского магазина. Слегка поприветствовав всех присутствующих, входящие делали вид, что ни с кем не знакомы.

Окна было плотно зашторены, но с улицы все время доносилось урчание моторов подъезжающих и уезжающих автомобилей. Те, кого великан провожал в соседнюю комнату, больше не появлялись. В доме была задняя дверь, служившая выходом.

Подошла их очередь, и великан проводил их до двери. Он попросил подождать. В комнате стояло лишь два деревянных стула и стол с пепельницей. Когда они остались одни, Моска сказал:

— Ну и громила.

— Ее телохранитель, — объяснил Вольф, — но если купоны у нее, то он ей не поможет. Этот великан дебил. Она держит его, чтобы отпугивать посетителей, вроде пьяных солдат и офицеров. Но нам — настоящим героям этот верзила не страшен, — и он улыбнулся.

Скоро великан вернулся. Он заговорил по-немецки, причем его хрипловатый приятный голос совсем не соответствовал его исполинским размерам.

— Вы бы не посмотрели то, что я сам хочу вам предложить? — и достал большое золотое кольцо с крупным бриллиантом. Он подал его Моске со словами: — Только десять блоков.

Моска передал кольцо Вольфу и сказал:

— Похоже, неплохой товар. И цена подходящая. Один карат, по меньшей мере[1].

Вольф вернул кольцо и усмехнулся.

— Это просто ничего не стоящая побрякушка, — сказал он. — Смотри, у камня плоская задница. Я же говорил, что он — дебил, — и бросил кольцо великану, который неловко дернулся за ним, выставив ладонь, но не

---

[1] Американцы оценивают в каратах вес драгоценных камней и золота. В данном случае имеется в виду размер бриллианта.

поймал и вынужден был скрючиться, чтобы поднять кольцо с пола. Потом он еще раз подал кольцо Моске:

— Десять блоков, хорошая сделка. Только не говорите старой фрау! — и точно ребенок приложил огромный палец к губам.

Моска попытался было всучить ему кольцо обратно, но великан ни в какую не соглашался его брать.

— Десять блоков. Твое — за десять блоков, — повторял он, и Моска положил кольцо на стол. И лишь тогда великан с великой печалью взял его и сунул себе в карман.

Потом он знаком позвал их за собой и подвел к двери в соседнюю комнату. Он пропустил их в дверь — сначала Моску, потом Вольфа. Но, когда Вольф проходил мимо него, он с силой толкнул противного американца, так что тот вылетел на середину комнаты. Великан закрыл дверь и встал как вкопанный.

Маленькая, полненькая седовласая женщина сидела в большом мягком кресле за столом, где лежал раскрытый гроссбух. У стены громоздились товары из армейского магазина: сотни блоков сигарет, желтые коробки с шоколадом, коробки туалетного мыла и всякая всячина в ярких упаковках. Небольшого роста немец аккуратно раскладывал коробки и упаковки в стопки. Из оттопыренных карманов его черного кургузого пиджака торчали скомканные немецкие марки и, когда он обернулся, чтобы взглянуть на вошедших, одна пачка выпала на пол.

Женщина заговорила по-английски:

— Я прошу прощения. Иногда Йоханну не нравится кто-то из посетителей, и он позволяет себе подобные вещи. С ним ничего нельзя поделать.

Вольф явно не ожидал такого приема и некоторое время стоял в полном недоумении. Но вот его тяжелое мертвенно-белое лицо стало медленно наливаться краской. Высокомерный тон хозяйки дома разозлил его куда больше, чем грубость Йоханна. Он заметил улыбку на губах Моски, который отступил к стене и занял удобную позицию: в случае чего он мог бы держать на прицеле всех находящихся в комнате. Вольф встряхнул головой, повернулся к старушке и увидел, что в ее хитрых глазках заиграли иронические искорки.

— Это ерунда, — сказал Вольф смиренно. — Вы знаете, зачем мы пришли. Вы можете нам помочь?

Старушка смерила его взглядом и продолжала по-английски:

— Друг мой, ваш рассказ дурно пахнет. Я не знаю, где можно искать эти купоны на миллион долларов. Если бы я знала, то сначала бы хорошенько подумала, прежде чем иметь дело с вами и вашим другом. Помилуйте, вы меня обижаете!

Вольф улыбался. Сначала бизнес, потом удовольствие, подумал он. И сказал:

— Если найдете мне нужного человека и сведете меня с ним, получите значительное вознаграждение. За такую безделицу — очень хорошее вознаграждение.

В ее голосе послышалось презрение, а на пухлом лице появилось спесивое выражение.

— Я деловая женщина, но в эти дела не вмешиваюсь. И будьте уверены, я всех своих друзей предупрежу, чтобы и они с вами не имели никаких дел, — она рассмеялась коротким смешком. — И это у вас есть пять тысяч блоков?

Вольф все еще сладко улыбался. Он спросил:

— Эти двое понимают по-английски? Это очень важно.

Женщина, удивленная неожиданным вопросом, сказала:

— Нет, не понимают.

Улыбка слетела с губ Вольфа, и его лицо приняло выражение надменного властителя — жесткое, уверенное выражение, словно это была маска, которую он всегда держал наготове.

Он поставил свой портфель на стол и, перегнувшись через него, посмотрел хозяйке прямо в глаза.

— Вы слишком умны и слишком самоуверенны, — произнес он с хорошо отрепетированной строгостью в голосе. — Вы полагаете, что обладаете властью, что вам нечего бояться, потому что вы надежно защищены своим преклонным возрастом и своими телохранителями. А я терпеть не могу спесивых немцев. Вы не понимаете душу американцев — ни вы, ни ваш великан.

Теперь старуха немного испугалась, и ее черные глазки засверкали как две полированные бусинки. И маленький немец в пиджачишке с оттопыренными карманами тоже смотрел испуганно. Великан двинулся от двери к Вольфу. Моска вытащил из своего портфеля венгерский пистолет и снял его с предохранителя. Все повернулись к нему.

Но он держал пистолет вниз стволом и сказал великану по-немецки:

— Повернись!

Великан шагнул к нему. Моска тоже сделал шаг вперед и, видя выражение его лица, старушка бросила великану резкую короткую команду. Тот с недоумением взглянул на нее, отступил к дальней стене и повернулся спиной к присутствующим.

Вольф снова склонился к женщине.

— Ну что, вам нравится мой друг? — спросил он.

Она не ответила и не сводила глаз с Моски. Маленький немец без лишних слов подошел к великану и тоже повернулся лицом к стене.

Вольф продолжал:

— Мой друг очень гордый и вспыльчивый человек. Если бы ваш Геркулес толкнул его, а не меня, нам бы не о чем было разговаривать, а вы сразу бы сильно опечалились. И не было бы этих тихих слов, которые я обращаю к вам. А теперь вот что я вам скажу. Я мыслю трезво. Я не держу на вас зла за этот инцидент. Но, если я узнаю, что вы кому-то что-то про меня шепнули, вы узнаете меня с другой стороны.

Он замолчал и посмотрел старушке в глаза. В них не было страха. Она молча разглядывала его, в ее взгляде все еще таилась строптивость. Но это было в его духе, это ему нравилось, этот взгляд бросил вызов его самолюбию. Никто, кроме него, не смог бы лучше понять значение этого взгляда. Что слова тут ничего не значат, что угрозами ничего нельзя добиться и уговорами не сломить ее волю. Он улыбнулся, потому что знал, что надо делать. Он подошел к великану, толкнул его и повернул к себе.

— Ты, кретин, снимай ремень и встань перед своей госпожой, — сказал он.

Великан повиновался. Вольф отступил. Он достал пистолет из портфеля, но только для пущего эффекта, и сказал старухе:

— Прикажи ему ударить тебя три раза по спине, — он произнес это с угрожающей интонацией. — Если ты заорешь, я пристрелю всех троих. Вот так. Ну, давай — три раза!

Старушка осталась невозмутима.

— Вы не понимаете. Если я прикажу, он очень сильно ударит и покалечит меня. Он же ударит изо всех сил.

Вольф отозвался жизнерадостно:

— О, это я прекрасно понимаю.

Ее пухлые щеки сморщились от неуверенной улыбки.

— Вы уже все доказали. Нет смысла продолжать. Я ничего никому не скажу. Обещаю. А теперь, пожалуйста, оставьте меня, там еще много народу.

Вольф выдержал долгую паузу и сказал с жестокой улыбкой:

— Только один удар, чтобы закрепить наш уговор.

В первый раз старуха не на шутку перепугалась. Ее щеки опали и голос задрожал:

— Я буду звать на помощь.

Вольф ничего не сказал. Он обратился к Моске и, медленно проговаривая слова, чтобы старуха его поняла, сказал:

— Когда тетка упадет, пристрели великана, — и махнул своим пистолетом перед носом у старушки.

Она отвернулась и сказала великану по-немецки:

— Йоханн, ударь меня один раз по спине, — она выпрямилась в кресле, склонив голову над столом, и, ожидая удара, наморщила лоб и выставила вверх пухлые покатые плечи. Великан снял с пояса ремень, взмахнул им, и, когда ремень хлестнул по спине, все услышали характерный звук лопнувшей кожи под одеждой. Женщина вскинула лицо. В нем не было ни кровинки — только ужас и страдание. Вольф смотрел на нее холодным бесстрастным взглядом.

— Теперь ты поняла, — сказал он. И, передразнивая ее интонацию, добавил: — Тут уж ничего не поделаешь. — Он шагнул к двери и сказал: — Пошли, Уолтер. — И они пошли через комнату, где толпились ожидающие, в коридор и вышли на улицу.

На обратном пути Вольф смеялся и говорил Моске:

— Ты бы пристрелил этого громилу, если бы я тебе приказал?

Моска закурил. У него еще не прошло волнение.

— Черт, я же понимал, что ты придуриваешься. Я же тебе подыгрывал, Вольф. Ну и спектакль ты устроил!

Вольф удовлетворенно сказал:

— Опыт, мой мальчик, опыт. Многие наши офицеры все боялись как следует надавить пленным на психику. Нам приходилось применять метод устрашения. А ты там у стены был таким молодцом — прямо-таки головорез!

— Я просто удивился, — ответил Моска. — Когда этот громила толкнул тебя и эта старая чертовка начала вонять, я подумал, что мы попали в ловушку. И тут уже все на свете забыл. Черт, неужели они не понимают, что наши солдаты за такие штучки могут их всех в крови потопить.

Вольф медленно рассуждал:

— Сейчас я тебе, Уолтер, скажу одну вещь про людей. Старушенция считает, что у нее котелок варит. И все — и великан, и солдаты, и офицеры — относятся к ней с почтением, потому что с ее помощью они делают хорошие бабки. А из этого следует вот что: она забыла. Она забыла, что такое страх. И этот удар, единственный удар, который она получила, — самое главное. Учти: без этого удара она не вспомнила бы, что такое страх. Таковы люди.

Они проехали мост и оказались в Бремене. Через несколько минут «джип» притормозил у офицерского общежития.

Они выкурили по сигарете, сидя в машине.

Вольф сказал:

— Через неделю мы выйдем на нужных людей. Нам придется делать дела по ночам. Так что жди моего вызова в любое время. О'кэй? — он похлопал Моску по спине.

Моска вылез из «джипа» и сделал последнюю затяжку.

— Думаешь, она накапает на нас своим дружкам?

Вольф отрицательно помотал головой:

— Нет, в этом я уверен. Она будет молчать как рыба, — и усмехнулся. — Теперь ей не забыть о той нашивке, которая у нее на спине.

ГЛАВА 11

Моска, который сегодня был одет в гражданское, выглянул из окна. Он смотрел, как персонал военно-воздушной базы снует взад-вперед: бортмеханики в зеленых комбинезонах и отороченных мехом кожанках, молодцеватые пилоты в темно-зеленых с фиолетовым плащах, немцы-рабочие в поношенной одежонке — все ссутулились под порывами колючего ноябрьского ветра. За его спиной раздался голос Эдди Кэссина:

— Уолтер!

Моска обернулся.

Эдди Кэссин откинулся на спинку стула.

— Для тебя есть работенка. У меня тут возникла одна идейка, и лейтенант ее одобрил. На всем европейском театре началась кампания по экономии продуктов: мы пытаемся убедить обжор, чтобы они не наедались до блевоты. Не надо морить себя голодом, но и обжираться не стоит — а то набирают себе полные подносы еды, а потом все это не съедают и приходится много выбрасывать. Так вот. Мы хотим сделать плакат: портрет солдата, который стоит с огромным подносом с едой, а внизу надпись: «Не надо так!» Рядом будет помещена фотография двух немецких ребятишек, которые подбирают с асфальта, окурки, и еще одна надпись: «Ты можешь им помочь». Как тебе?

— От этого самому блевать хочется, — ответил Моска.

Эдди ухмыльнулся.

— Ладно. По-моему, это очень здорово. Настоящая пропаганда. В штабе опупеют. Может, даже в «Старз энд страйпс»[1] опубликуют. Как знать, как знать. Из этого может получится кое-что!

— Я тебя умоляю! — сказал Моска.

— Ну, все! — сказал Эдди Кэссин немного раздосадованно. — Достань мне фотографию двух ребятишек, собирающих окурки. Есть свободный «джип», поезжай и возьми с собой фотографа, этого капрала из лаборатории.

— О'кэй! — сказал Моска. Он вышел на улицу и увидел снижающийся рейсовый самолет из Висбадена, который, словно по мановению волшебной палочки, вывалился вдруг из пустого неба. Моска залез в «джип».

Уже под вечер он переехал мост и устремился в старый Бремен. Капрал шатался где-то по ангарам, и Моске понадобился целый час, чтобы найти его.

На улицах было полно куда-то спешащих немцев, автобусы непрестанно сигналили, лавируя в лавине автомобилей. Пассажиры гроздьями висели на подножках. Моска припарковался неподалеку от клуба Красного Креста.

Здесь было тихо и безлюдно. Площадь перед клубом

---

[1] Американский армейский журнал.

была пуста: не было видно ни мальчишек-попрошаек, ни проституток — жизнь забурлит тут после ужина. Две немки в полицейской форме медленно прохаживались по тротуару, словно завороженные скрежетом и звонками трамваев.

Моска с капралом сидели в «джипе», дожидаясь появления каких-нибудь попрошаек. Они молча курили. Наконец капрал сказал:

— Что за невезуха! Первый раз тут нет этих фрицелят.

Моска вылез из «джипа».

— Пойду посмотрю, — сказал он. Было очень холодно, и он поднял воротник куртки. Пройдя мимо клуба, он завернул за угол. Детей и там не было, но он продолжал идти и скоро оказался на заднем дворе какого-то административного здания.

На вершине огромной кучи мусора и щебня мирно восседали два мальчугана и смотрели на расстилающееся перед ними море развалин. Оба были в длинных, доходящих им до пят, пальто, а на головах были нахлобучены почти по самые глаза солдатские шапки. Они хватали ладошками горсти кирпичной пыли, просеивали ее сквозь пальцы, а потом бросали кусочки кирпича подальше в пустыню руин, не целясь и не слишком сильно, чтобы не потерять равновесие и не скатиться вниз.

— Эй! — крикнул им Моска по-немецки. — Хотите получить по шоколадке?

Мальчики важно посмотрели на него оценивающим взглядом, признали в нем врага, хотя он был в гражданской одежде, и сползли вниз без всякого страха. Они пошли за ним, оставив на некоторое время свою безбрежную и безмолвную площадку для игр. Держа друг дружку за руки, они появились на площади.

Капрал стоял около «джипа» и ждал их. Он вставил в фотоаппарат пленку и щелкнул затвором. Когда все было готово, он сказал Моске:

— Подскажи им, что делать!

Капрал не говорил по-немецки.

— Поднимите вот эти окурки, — сказал Моска мальчикам, — и смотрите в объектив, когда он будет вас снимать.

Они покорно склонились над тротуаром, но шапки закрыли их лица.

— Пусть сдвинут шапки назад, — попросил капрал.

Моска сам сдвинул мальчикам шапки на затылок, так, чтобы показались маленькие, как у гномов, личики.

— Окурки слишком маленькие, — сказал капрал. — Их не будет видно.

Тогда Моска вытащил несколько сигарет и бросил их на тротуар. Капрал сделал несколько снимков, но все равно остался недоволен. Он уже приготовился щелкнуть еще раз, как вдруг Моска почувствовал, как кто-то схватил его сзади за руку. Он обернулся.

Перед ним стояли две женщины-полицейские. Та, что схватила его за руку, была с него ростом. Она не выпускала его руку. Он толкнул ее, почти ударил, и почувствовал, что его ладонь ткнулась в мягкую грудь, выпиравшую из-под голубой ткани мундира. Она отшатнулась, выпустила его руку и сказала, словно оправдываясь:

— Это не разрешено здесь. — Она повернулась к мальчикам и сказала угрожающе: — А вы немедленно убирайтесь.

Моска схватил мальчиков за воротники пальто:

— Оставайтесь, — сказал он. Он повернулся к женщинам, и его худое, длинное лицо исказил гнев. — Вы видите эту форму? — И указал на капрала. Потом протянул руку женщинам. — Покажите мне ваши удостоверения!

Женщины начали сбивчиво объяснять, что это их работа, что им положено гнать отсюда всяких попрошаек. Какой-то немец, проходивший мимо, остановился, а ребята поспешили прочь от греха подальше. Мужчина сказал им что-то грозным голосом, и они перепуганно бросились наутек. Капрал крикнул Моске «Смотри!» — и Моска успел их схватить. А мужчина поспешил быстро прочь, чтобы поскорее смешаться в толпе соплеменников, дожидающихся на углу трамвая. Моска помчался за ним, и когда немец услышал за спиной топот ног, он остановился и обернулся. В его глазах застыл ужас.

— Ты зачем сказал тем ребятам, чтобы они убежали? — заорал на него Моска.

Немец тихим извиняющимся тоном ответил:

— Я не понял. Я думал, они попрошайничают.

— Покажи мне свой пропуск, — приказал Моска и протянул руку.

Немец, трясясь мелкой дрожью, полез во внутренний карман пальто и достал толстый бумажник. Он стал шарить в нем непослушными пальцами, не спуская глаз с

Моски, который вырвал у него бумажник из рук и сам нашел голубое удостоверение.

Моска отдал немцу бумажник.

— Свой пропуск получишь завтра утром в полицейском управлении, — сказал он и зашагал обратно к «джипу».

На другой стороне площади в густых сумерках ноябрьского вечера он увидел темную массу немцев, наблюдавших за всем происходящим: черная, высокая, похожая на лес, стена фигур. На какое-то мгновение его охватил безотчетный страх, но потом его ярость вспыхнула с новой силой. Он медленно шел к «джипу». Двое ребят все еще стояли, но женщины-полицейские исчезли.

— Поехали, — сказал он капралу. Они доехали до Метцер-штрассе, где Моска вышел из машины и попросил капрала: — Возвращайся на базу один.

Капрал кивнул и тихо сказал:

— Пожалуй, тех снимков будет достаточно.

И только тут Моска понял, что они забыли сделать еще несколько снимков, а дети так и остались стоять там на площади, не получив обещанного шоколада.

Когда Моска вошел в комнату, Гелла подогревала суп на электроплитке. Своей очереди дожидалась сковородка с беконом. Лео сидел на кушетке и читал.

В просторной комнате стоял теплый уютный запах еды. Кровать и тумбочка в углу, стол с большой настольной лампой, небольшой радиоприемник, массивный шкаф у двери; посредине — круглый стол и несколько плетеных стульев; у стены гигантский пустой сервант, который оставлял достаточно свободного места. Ну и комнатища, думал Моска всегда, оказываясь здесь.

Гелла оторвалась от электроплитки.

— Как ты сегодня рано! — воскликнула она и подошла поцеловать.

При виде Моски ее лицо всегда приобретало новое выражение — его озаряла радость, — которое на него самого нагоняло легкое чувство вины и страха — ведь она все в своей жизни теперь связала с ним. Словно и не ощущала тех опасностей, которые подстерегали их в жизни.

— У меня были дела в городе и я не стал возвращаться на базу, — сказал Моска. Лео оторвал глаза от книги, кивнул ему и продолжал читать.

Моска полез в карман за сигаретой, и его пальцы нащупали удостоверение того немца.

— Довезешь меня до полицейского управления после ужина? — спросил Моска Лео и бросил удостоверение на стол.

Лео кивнул и спросил:

— Что это?

Моска рассказал им, что случилось. Он заметил, что Лео смотрит на него с удивленной ироничной улыбкой. Гелла ничего не сказала и разлила горячий суп по чашкам. Потом поставила сковородку с беконом на плиту.

Они осторожно пили суп, макая в него сухарики. Гелла взяла со стола голубое удостоверение. Держа чашку одной рукой, другой она раскрыла удостоверение.

— Он женат, — сказал она. — У него голубые глаза, каштановые волосы, он печатник в типографии. Хорошая работа, — она изучала фотографию. — Он не похож на злодея. Интересно, есть ли у него дети.

— Разве там не сказано? — спросил Моска.

— Нет, — ответила Гелла. — У него шрам на пальце, — она уронила удостоверение на стол.

Лео откинул голову назад, выливая остаток супа себе в рот, потом склонился над столом. Его щека слегка задергалась.

— Скажи, — спросил он Моску, — почему ты не пошел сразу с этим человеком в полицейское управление? Это же недалеко.

Моска улыбнулся в ответ:

— Я хотел его припугнуть. Я вообще ничего не собираюсь делать. Я просто хотел его припугнуть.

— Он же ночь не будет спать, — сказала Гелла.

— Он этого заслуживает, — свирепо и, словно оправдываясь, буркнул Моска. — Не хрена ему было совать нос не в свои дела!

Гелла подняла на него светлые серые глаза.

— Ему просто стало стыдно, — сказала она. — Мне кажется, он почувствовал и свою вину за то, что эти дети попрошайничают и подбирают с тротуара грязные окурки.

— Ну и хрен с ним, пускай немного попотеет! Послушай, может, ты дашь нам этот бекон, пока он совсем не сгорел?

Гелла поставила сковородку с беконом на стол и достала буханку серого немецкого хлеба. Покончив с бутербродами, Лео и Моска встали из-за стола, и Лео стал искать ключи от своего «джипа». Гелла снова взяла удостоверение и посмотрела на адрес:

— Послушай! — воскликнула она, — он живет на Рубсам-штрассе. Это даже ближе, чем полицейское управление.

Моска отрезал:

— Не надо мне капать на мозги. Мы едем в клуб, — и улыбнулся ей, когда она склонила ему на грудь голову с туго стянутыми, словно шлем, светлыми волосами. Эти сентиментальные знаки внимания всегда доставляли ей радость, хотя он над ними посмеивался и никогда сам не проявлял инициативы. — Хочешь я привезу мороженого? Она кивнула. Когда он выходил из комнаты, она крикнула ему вслед:

— Это же по пути в клуб!

В «джипе» Лео спросил:

— Куда мы едем?

— Ладно, черт побери, поехали к тому парню. — Моска покачал головой: — Ну и достали же вы оба меня.

— Мне-то что, — сказал Лео. — Но это и впрямь по дороге. И к тому же я сам знаю, что значит «попотеть», как ты выразился. Это ты очень точно сказал, —он повернулся к Моске и печально улыбнулся.

Моску передернуло.

— Я этого гада даже видеть не хочу. Может, сходишь к нему, а, Лео?

— Только не я, — сказал Лео с усмешкой. — Ты забрал, ты и верни.

Они легко нашли нужный адрес — это был частный домик на две семьи, в котором сейчас из-за дефицита жилья теснилось сразу несколько семей. На входной двери висел список жильцов с указанием квартир против каждой фамилии. Моска стал сверять фамилии на списке с фамилией на удостоверении. Он поднялся на второй этаж и решительно постучал в дверь. Дверь тут же открылась. Он понял, что за ним наблюдали из окна и ждали этого стука. Показавшийся в дверном проеме мужчина был тот же самый: круглая продолговатая голова, суровые черты лица, только на лице застыла напряженная маска, несколько оттененная лысым черепом. Немец посторонился, пропуская Моску в квартиру.

Он прервал их вечернюю трапезу. На столе в комнате стояло четыре тарелки с черным соусом, в котором плавали темные измельченные овощи и большие картофелины. В углу стояла кровать, а за ней висела кое-как присобаченная раковина, над которой темнела картина в коричневых и темно-зеленых тонах. Женщина с зачесанными назад волосами, выталкивала двух ребятишек в соседнюю комнату. Но, обернувшись на вошедшего, она выпустила детей из рук. Обитатели квартиры молча смотрели на Моску и ждали, что он скажет.

Он отдал немцу голубое удостоверение. Тот взял его и спросил, задохнувшись:

—Да?

Моска сказал:

— Вам не надо ходить в полицию. Забудьте о случившемся.

Суровое лицо немца побелело. Чувство облегчения, страх, шок от пережитого, визг тормозов «джипа», остановившегося у его дома — все смешалось в его сознании, и яд ожег ему кровь. Он дрожал. Ему на помощь бросилась жена и усадила его на деревянный стул у стола.

Моска, смутившись, сказал женщине:

— Что такое? Что с ним?

— Ничего, — ответила она деревянным голосом. — Мы решили, что вы приехали забрать его, — ее голос дрогнул.

Заплакал мальчик. На его личике был написан испуг, точно стены его маленького мирка вдруг рухнули. Моска, думая, как бы его успокоить, шагнул к нему и протянул плитку шоколада. Ребенок еще пуще перепугался и истерически зарыдал на высоких нотах, так что его вопли стали почти неслышными. Моска выпрямился и беспомощно взглянул на женщину. Она подала мужу стаканчик шнапса. Пока он пил, женщина бросилась к ребенку, ударила его по губами взяла на руки. Ребенок затих. Немец, все еще сильно волнуясь, сказал:

— Подождите, пожалуйста, подождите, — и почти побежал к буфету, достал оттуда бутылку шнапса и еще один стаканчик.

Он наполнил стакан шнапсом и едва ли не силой всучил его Моске.

— Это была ошибка, просто ошибка. Понимаете, я подумал, что эти дети досаждают вам. Я не хотел вмешиваться.

И Моска вспомнил, как отчитывал этот немец двух

ребятишек на площади — сердито, но в его голосе слышался стыд, словно он сам был повинен в унижении этих детей.

— Все в порядке, — сказал Моска. Он не притронулся к шнапсу и хотел поставить стакан на стол, но немец схватил его за руку и заставил выпить.

Забыв, что на него смотрят жена и дети, немец, словно молил даровать ему жизнь, продолжал сбивчиво говорить:

— Я никогда не был нацистом. Я вступил в партию только для того, чтобы мне сохранили работу, все типографские рабочие должны были вступать в партию. Я платил взносы. Вот и все. Я не был нацистом. Пейте. Это хороший шнапс. Пейте. Я этим лечусь.

Моска выпил и направился к двери, но немец опять удержал его. Он схватил его за руку и стал трясти.

— Я очень благодарен вам за вашу доброту. Это от чистого сердца. Я никогда этого не забуду. Я всегда говорил, что американцы хороший народ. Добрый народ. Нам, немцам, повезло, — он в последний раз пожал руку Моске. Его голова тряслась от нервного напряжения и от радости, что все кончилось.

В это мгновение Моска почувствовал почти непреодолимое желание ударить его, повалить на землю и размозжить в кровь этот лысый череп и искаженное сладкой гримасой ужаса лицо. Он отвернулся, чтобы скрыть свое отвращение и ярость.

А в проеме двери, соединяющей обе комнаты, Моска увидел лицо его жены: худощавое, мертвенно-белая бледная кожа обтягивает сильно выдающиеся скулы, голова чуть склонена, плечи опущены под тяжестью ребенка на руках. Ее серые — теперь почти черные — глаза казались мрачными лужицами незабываемой ненависти. Ее волосы тоже казались темными на фоне золотистой головки ребенка. Она не отвела взгляд, когда их глаза встретились. Ни один мускул на ее лице не дрогнул.

Когда дверь за ним захлопнулась, он услышал ее голос тихий, но резкий. Она что-то говорила мужу. На улице, обернувшись, он увидел ее за окном в освещенной комнате: она стояла над мужем, держа на руках ребенка.

ГЛАВА 12

Вольф ел холодный ужин по-крестьянски: брал длинную кровяную колбасу и складным ножом отрезал от нее здоровенные аппетитные куски, потом отрезал ломоть от лежащей перед ним буханки серого хлеба. Немецкая девушка Урсула, с которой он жил, и ее отец брали колбасу и хлеб после него. Перед каждым стояла жестянка американского пива, и они время от времени наполняли свои стаканы.

— Тебе когда надо уходить? — спросила Урсула.

Это была миниатюрная смугловатая девушка с непокорным нравом. Ему нравилось ее укрощать. Он уже пустил по инстанциям заявление о вступлении в брак, и именно поэтому ему позволили переехать в дом ее отца. Были и другие соображения.

— Мне нужно встретиться с Моской в «Ратскелларе» через час, — сказал Вольф, взглянув на часы, которые после войны он снял с польского беженца. «С дохлого полячишки», — подумал Вольф.

— Не нравится мне этот парень, — сказала Урсула. — Он такой невоспитанный. Не понимаю, что в нем нашла эта девчонка.

Вольф отрезал очередной кусок колбасы и сказал шутливо:

— Да то же, что и ты во мне.

Урсула вспыхнула.

— Вы, чертовы американцы, считаете, что мы готовы на все из-за ваших продуктов. Только попробуй обращаться со мной так же, как твои американцы обращаются со своими девушками! Еще посмотрим, соглашусь ли я. Вмиг вылетишь из дома!

Ее отец, жуя вязкий хлеб, произнес укоризненно:

— Урсула, Урсула! — но сказал это по привычке, думая о чем-то постороннем.

Покончив с ужином, Вольф пошел в спальню и набил свой объемистый кожаный портфель сигаретами, шоколадом и сигарами. Он достал все это из шкафа, единственный ключ от которого всегда носил с собой. Он уже собирался уходить, как в комнату вошел отец Урсулы.

— Вольфганг! Пока ты не ушел, можно тебя на пару слов? — отец всегда держался с ним вежливо и уважительно, ни на минуту не забывая, что любовник его дочери американец. И Вольфу это нравилось.

Отец повел его в холодный амбар, располагавшийся в задней комнате этой полуподвальной квартиры. Отец распахнул дверь и патетически произнес:

— Ты только посмотри!

С деревянных балок свисали голые кости окороков с видневшимися кое-где тонюсенькими темными полосками мяса, коротенькие хвостики колбас и похожий на месяц в последней четверти остаток сырной головы.

— Надо что-то делать, Вольфганг, — сказал отец, — наши запасы истощились. Совсем истощились.

Вольф вздохнул. Интересно, куда этот старый гад все дел? Они же оба прекрасно понимают, что никто это не мог съесть. Да целый полк не сумел бы нанести этому погребу такой урон! И всякий раз, когда старик его облапошивал, он думал с мрачной усмешкой: ну погоди, вот мы с Урсулой окажемся в Штатах. Я вас проучу обоих. Старик надеется, что его завалят посылками. Хрен тебе собачий! Вольф склонил голову, словно обдумывая эту проблему.

— Хорошо! — сказал он. Они вернулись в спальню, и он дал старику пять блоков сигарет. — Это все, что я могу дать. В течение нескольких месяцев больше не будет. — И добавил строго: — У меня намечается крупное дельце.

— Не беспокойся, — сказал отец. — Этого хватит надолго. Мы с дочкой стараемся жить очень экономно, и ты это знаешь, Вольфганг.

Вольф, соглашаясь, кивнул, и в тоже время восхитился про себя хладнокровием старика: этот старый ворюга уже, наверное, сделал на нем себе состояние!

Прежде чем выйти из комнаты, Вольф вытащил свой тяжелый «Вальтер» из ящика письменного стола и сунул в карман пальто. Этот жест всегда производил впечатление на отца Урсулы, внушая ему уважение к любовнику дочери, что тоже нравилось Вольфу.

Когда они выходили из спальни, старик доверительно и по-отечески положил Вольфу руку на плечо.

— На следующей неделе я получу большую партию коричневого и серого габардина. Я закажу для тебя несколько прекрасных костюмов — это будет мой подарок. И, если кто-то из твоих друзей захочет купить, я уступлю по хорошей цене. Только из уважения к тебе.

Вольф важно кивнул. Он открыл входную дверь и Урсула крикнула ему вслед:

— Смотри, осторожнее!

Он вышел из полуподвала и зашагал по улице в направлении клуба «Ратскеллар». Идти ему было только минут пятнадцать, так что времени у него еще оставалось достаточно. Он шел и про себя восхищался стариком. Целый чемодан габардина! Его собственного! И он сможет его продать без всяких посредников. Он уж постарается. Уж он это дельце повыгоднее обстряпает. Подарит по отрезу Моске и Кэссину, и Гордону, может быть, даже этому еврею, а взамен получит кое-что более ценное, чем деньги. И еще останется на продажу! С неплохой выгодой. Конечно, это крохи, но с паршивой овцы хоть шерсти клок.

В «Ратскелларе», большом подвальном ресторане, до войны считавшимся одним из лучших в Германии, он нашел Эдди Кэссина и Моску за столиком, около которого возвышались здоровенные винные бочки. В тени этих гигантских бочек, едва не доходивших до потолка, оба словно нашли себе надежное укрытие от посетителей, заполнивших весь этот похожий на пещеру зал. Тихо играл струнный оркестр, свет был погашен, и небольшие столики, покрытые белыми скатертями, тянулись по всему бесконечному пространству зала, а у дальней стены, в альковах и крохотных кабинетах, теснились снежными табунами, похожими на барашки морских волн.

— А вот и Вольф, цветущее сигаретное дерево! — заорал Эдди Кэссии. Его выкрик перекрыл музыку и рокот голосов и, устремившись к едва видимому в вышине потолку, растворился там. Но никто не обратил внимания. Эдди перегнулся через стол и зашептал:

— Признайтесь, шаромыжники, что вы сегодня затеяли?

Вольф подсел к ним.

— Решили вот прогуляться по городу, посмотреть, не выгорит ли какое дельце. Если ты перестанешь бегать за каждой юбкой, может, я и тебе помогу слегка подзаработать. — Вольф, хотя и шутил, был озабочен. Он увидел, что Моска уже надрался не хуже Эдди, и это его удивило. До сих пор он не видел Моску пьяным. И подумал, не лучше ли отменить сегодняшний ночной выход. Но все уже было обговорено — они должны были встретиться с крупными дельцами черного рынка, и, может, им даже удастся узнать, у кого бабки. Вольф заказал себе выпить и пристально рассматривал Моску, пытаясь понять, в порядке ли он.

Моска заметил его взгляд и улыбнулся.

— Да я приду в себя — два глотка свежего воздуха, и все будет о'кэй, — он старался говорить четко, но язык его не слушался.

Вольф с нескрываемым негодованием покачал головой.

Эдди, пьяно передразнивая его, тоже помотал головой.

— Твоя беда, Вольф, заключается в том, что ты думаешь, будто ты большой умник. Ты хочешь стать миллионером. Вольф, тебе это не удастся. Хоть ты миллион лет будешь стараться. Во-первых, ты вовсе не умник — а так, просто хитроват. Во-вторых, у тебя кишка тонка. Ты только и можешь, что бить по морде пленных фрицев. И все!

— И как ты можешь терпеть этого ублюдка? — спросил Вольф Моску нарочито спокойным, обидным тоном. — У него в башке столько девок, что его мозги давно уже размягчились.

Эдди вскочил и свирепо заорал:

— Ты, сраный охотник за окурками!

Моска усадил его на стул. Сидящие за соседними столиками обернулись.

— Спокойно, Эдди, он шутит. И ты тоже, Вольф, хорош! Не видишь, что он пьяный? Когда он напивается, он всех ненавидит. И к тому же он сегодня получил письмо от жены — она пишет, что скоро приедет с ребенком из Англии. Эдди переживает, что ему теперь придется расстаться со всеми своими дамами.

Эдди бросил на Моску пьяно-укоризненный взгляд.

— Это не так, Уолтер. Я действительно принес ей немало неприятностей в жизни, — и печально уронил голову на грудь.

Моска, чтобы как-то подбодрить его, попросил:

— Расскажи-ка Вольфу о своей горилле.

Вольф выпил виски, и к нему вернулось благое расположение духа. Он усмехнулся, глядя на Эдди.

Эдди сказал торжественно, едва ли не почтительно:

— Я трахаюсь с гориллой! — И стал ждать реакцию Вольфа.

— Меня это не удивляет, — сказал Вольф, и они с Моской рассмеялись. — Можно подробности?

— Я, честное благородное слово, трахаюсь с гориллой, — настаивал Эдди.

Вольф вопросительно посмотрел на Моску.

— Да это его очередная дама, — сказал Моска, — и он уверяет, что та вылитая горилла — настолько она страшна.

Эдди тупо уставился в стол, а потом развернулся всем телом к Моске.

— Я должен сделать признание, Уолтер, она — самая настоящая горилла. Мне стыдно в этом признаться, но она — горилла. Я тебе солгал. Она живет недалеко от военно-воздушной базы и работает в военной администрации. Она переводчица.

Он улыбнулся, и Вольф, уже окончательно повеселевший, так искренне расхохотался, что соседи опять обернулись на их столик.

— Может, приведешь ее сюда и дашь нам на нее полюбоваться? — спросил он шутливо.

Эдди содрогнулся.

— О Боже! Да я боюсь с ней появляться на улице. Я пробираюсь к ней в дом, когда уже стемнеет.

— Нам пора, Уолтер, — сказал Вольф. — Впереди трудная и очень длинная ночь.

Моска наклонился к Эдди и спросил:

— Ты в порядке? Сам сможешь добраться до дома?

Эдди пробурчал, что он в полном порядке, и, уже идя к выходу, они услышали, как он заказал себе еще выпивку.

Вольф пропустил Моску вперед и увидел, что тот идет нетвердой походкой. Взбираясь по лестнице, он все повторял:

— Ну и ночку же ты выбрал для этого дела!

Пронизывающий зимний ветер хлестал Моску по щекам и, врываясь в рот, морозил нёбо и десны, обожженные спиртным и табаком. Он закурил, чтобы согреться, буркнул про себя: «Чертов Вольф!» — и подумал, что, если тот будет еще зубоскалить, он вмажет ему и уйдет. Он чувствовал, как холод пробирает его сквозь пальто, прихватывает колени и ляжки.

Все тело уже начало зудеть от озноба и словно вдруг покрылось ледяной коркой. Он ощутил легкую тошноту, когда морозный воздух проник в желудок, смешался с выпитым виски и погнал его по жилам вверх, в мозг. Ему захотелось блевать, но он напряг мышцы живота и сдержался. Он не хотел, чтобы это увидел Вольф. Вольф был прав — ночка предстояла та еще! К тому же сегодня он впервые за все время поссорился с Геллой — это была не та ссора, когда ты просто злишься и ничего слышать не хочешь, а когда оба ссорящихся никак не могут понять друг друга. Это всегда действует угнетающе.

Улица, по которой шагали Вольф и Моска, поднималась от «Ратскеллара» на пригорок к зданию клуба Красного Креста. Музыка, доносившаяся из окон клуба, преследовала их, словно привидение, всю дорогу через руины. Они прошли мимо здания полицейского управления: его прожектор поймал в белое световое пятно, прорезающее кромешный мрак вокруг, припаркованные на автостоянке «джипы», — а дальше дорога пошла под уклон. Миновав центр города, они слились с ночной тьмой и, хотя так они шагали довольно долго, Моске показалось, что прошло лишь несколько минут, а Вольф уже стучал в какую-то дверь, и их впустили в теплое помещение.

В комнате стоял большой круглый стол и четыре стула. Другой мебели не было. У стены громоздились горы коробок с продуктами, на которые были накинуты армейские одеяла. Окон здесь не было, и в комнате стояла завеса табачного дыма.

Моска слышал, как Вольф что-то говорил, а потом представил его похожему на карлика немцу, и, хотя затхлая атмосфера комнаты опять вызвала позывы рвоты, он пытался вслушаться в разговор и сосредоточиться.

— Его интересуют, — говорил Вольф, — только деньги. Американские купоны.

Немец кивал.

— Я спрашивал, я у всех спрашивал. Но ни у кого нет таких денег. Это я знаю. Я могу купить несколько сотен долларов. Но не больше.

Моска, тщательно проговаривая слова, встрял в их беседу и сказал то, чему его научил Вольф:

— Нет, я хочу продать сразу большую партию. Как минимум, пять тысяч блоков.

Малютка-немец уважительно посмотрел на него, и в его голосе послышались завистливо-алчные нотки.

— Пять тысяч блоков?! Ох-ох-ох! — он мечтательно обдумал эти слова и потом сказал деловито. — Тем не менее я буду иметь это в виду, не беспокойтесь. Хотите чего-нибудь выпить на дорожку? Фридль! — крикнул он. Из-за двери в соседнюю комнату показалась женская голова. — Шнапс! — выкрикнул немец таким тоном, точно обратился к собаке, приказывая ей сесть. Жена исчезла, потом появилась снова с тонкой белой бутылкой и тремя стаканчиками. За ней в комнату вошли двое ребятишек — мальчик и девочка, светловолосые, розовощекие, с чумазыми личиками.

Вольф присел на корточки.

— Ах, какие чудесные детишки! — воскликнул он, вытащил из своего необъятного портфеля четыре плитки шоколада и протянул каждому по две.

Отец встал между ним и детьми и забрал шоколад.

— Сегодня уже поздно есть сладкое, — и он отнес шоколад к тумбочке, а когда повернулся, руки его были пусты. — Завтра, дети мои!

Дети печально вышли из комнаты. Когда Вольф и Моска подняли свои стаканы, женщина произнесла что-то резкое на диалекте, которого ни Вольф, ни Моска не понимали. Муж бросил на нее угрожающий взгляд.

— Завтра, я же сказал, завтра!

Вольф и Моска вышли на темную улицу, которую освещал желтый свет из единственного окна.

Сквозь стекло до их слуха донеслись голоса мужчины и женщины, переговаривающихся друг с другом с гневом и ненавистью.

Домашний яблочный шнапс, почти такой же крепкий и ядреный, как виски, согрел Моску, но в то же время еще больше замутил его сознание. Он шел нетвердо и часто спотыкался. Наконец Вольф остановился, взял его за руку и участливо спросил:

— Может, закончим на сегодня, Уолтер, и пойдем домой?

Моска помотал головой, взглянул на мучнисто-белое лицо Вольфа и помотал головой. Они двинулись дальше, Вольф чуть впереди, Моска за ним, превозмогая колкий и морозный ветер и приступ тошноты. Он вспомнил, как в тот день Гелла сказала ему то же самое.

Она надела одно из платьев, которые он подарил ей на Рождество. Энн Миддлтон разрешила ему воспользоваться своей одежной карточкой в армейском магазине. Гелла видела, как он достал из шкафа маленький венгерский пистолет и сунул его в карман пальто. Потом спросила тихо:

— Ты не хочешь вернуться на родину?

Он понял, что она имеет в виду. За несколько дней до Рождества отменили запрет на брак с немками, и вот уже прошел месяц, а он еще ничего не сделал, чтобы оформить необходимые бумаги для получения разрешения вступить с ней в брак. И она знала, что как только они подадут заявление, им придется покинуть Германию и уехать в Штаты. Он ответил:

— Нет, сейчас я не могу. Мне еще надо отработать полгода по контракту.

Она смутилась и даже как будто оробела и, когда подошла поцеловать его на прощанье, как всегда делала, перед тем как он уходил хотя бы даже на несколько часов, спросила:

— Почему ты не читаешь письма от родных? Почему ты всегда пишешь им только несколько строк?

Она прильнула к нему, и он почувствовал ее слегка вздувшийся живот и округлившиеся груди.

— Мы же все равно когда-нибудь уедем отсюда, — сказала она.

Он знал, что это так. Но не мог признаться ей, почему ему не хочется возвращаться домой. Что он равнодушен и к матери, и к Альфу, а читать их письма — все равно что слышать их голоса, зовущие его издалека. И что вид городских развалин доставляет ему удовольствие — эти зияющие раны улиц там, где когда-то стояли разбомбленные дома, и рваная, неровная линия городского силуэта на фоне неба, словно гигантский иззубренный топор снес городу полчерепа. И что неколебимый строй домов, подобный бесконечной неприступной стене, и улицы, чистые и ровные, рождали в его душе озлобление, выводя из душевного равновесия.

— У нас еще есть время, — сказал он. — Вот родится ребенок в июне, мы тут же оформим все бумаги и поженимся.

Гелла отошла от него.

— Я не об этом беспокоюсь. Но тебе не следует так обращаться со своими родными, ты должен, по крайней мере, читать их письма!

Он вспыхнул и сказал ей:

— Слушай, что ты все стараешься заставить меня делать то, что я не хочу.

Она снова поцеловала его и ответила:

— Будь осторожен сегодня.

Моска знал, что она не уснет, пока он не вернется, хотя он ей постоянно говорил, чтобы она его не ждала.

...Он услышал голос Вольфа:

— Ну вот мы и пришли, — и увидел перед собой его белое лицо.

Они стояли перед высоким крыльцом в круге света, отбрасываемом большой голой лампочкой, свисающей с козырька над входной дверью. Ее желтый свет слабо освещал окружающий мрак. Моска опасливо взобрался по лестнице, крепко держась за железные перила.

— Этот парень — большой пройдоха, — сказал Вольф, позвонив в дверь. — Но я хочу тебя с ним познакомить. Он ювелир, и, если ты хочешь купить что-нибудь для своей девочки, обратись к нему.

Над их головами распахнулось окно. Вольф откинул голову назад и крикнул:

—А, герр Фюрстенберг, добрый вечер!

— Пожалуйста, подождите одну минуточку, герр Вольфганг. — У хозяина был мягкий голос пожилого человека, голос с оттенком печали и давно ставшего привычным отчаяния.

Дверь отворилась, и на пороге появился лысый человек, небольшого роста, темнолицый, с огромными черными глазами. Он поприветствовал гостей, и, когда Вольф представил ему Моску, немец щелкнул каблуками и поклонился.

— Пожалуйста, проходите, — сказал он, и они поднялись по внутренней лестнице в хорошо обставленную гостиную — здесь было два больших дивана, три или четыре мягких стула и рояль. В центре стоял внушительного размера стол, у стены несколько столов поменьше. На диване сидели две девушки — обеим было лет по шестнадцать. Между ними оставалось достаточно свободного пространства, которое и занял герр Фюрстенберг.

— Прошу, — сказал он и пригласил вошедших сесть на два ближайших к нему стула. Вольф и Моска сели.

— Я хочу познакомить вас с человеком, о котором я вам рассказывал, — начал Вольф. — Он мой хороший друг, и я уверен, если ему понадобится ваша помощь, вы обойдетесь с ним соответственно.

Герр Фюрстенберг, обхватив обеих девиц за талию, учтиво склонил свою лысую голову и произнес не менее учтиво:

— Можете не сомневаться, — и обратив на Моску взгляд своих глубоких черных глаз, добавил: — Пожалуйста, вы можете прийти ко мне в любое время.

Моска кивнул и утонул в удобном мягком кресле, чувствуя, как отяжелели ноги от усталости. И словно сквозь дремоту, сквозь туман, замутивший его сознание, он отметил, что обе девушки свеженькие, без косметики и что на них толстые вязаные гольфы, доходящие до колен. Они чинно сидели возле герра Фюрстенберга, как две дочки, и у одной были волосы собраны в две косы, которые спускались по плечам, точно золотые веревки, почти до пояса, и послушно тыкались в ждущие ладони герра Фюрстенберга.

— Что касается другого нашего дела, — продолжал немец, повернувшись к Вольфу, — боюсь, что ничем не могу вам помочь. Никто из моих знакомых ничего не слышал об этой краже купонов на миллион долларов. Прямо-таки фантастическая история! — и он улыбнулся.

— Нет! — твердо сказал Вольф. — История соответствует действительности, — он встал и протянул руку. — Мне жаль, что я побеспокоил вас в столь поздний час. Если у вас будет какая-либо информация, дайте мне знать.

— Разумеется! — сказал герр Фюрстенберг. Он тоже встал, поклонился Моске, пожал ему руку и добавил. — Я жду вас в любое время.

Обе девушки встали с дивана, герр Фюрстенберг обвил их талии, точно добрый папаша, и все трое пошли провожать Вольфа и Моску до лестницы. Одна из девушек — не та, у которой были длинные волосы, — спустилась вместе с ними до двери. Они услышали, как за ними дверь закрылась и клацнул засов. Потом лампочка в вышине потухла, и они оказались в кромешном мраке.

Смертельно усталый Моска, которому очень не хотелось покидать уютную теплую комнату, грубовато спросил Вольфа:

— Неужели ты думаешь, мы найдем кого-то?

— Сегодня я только разнюхиваю обстановку, — ответил Вольф. — И даю возможность этим людям взглянуть на тебя. Это очень важно.

Они шли по темной улице, мимо них пробегали спешащие куда-то люди. У темных, словно покинутых, домов виднелись припаркованные армейские «джипы».

— Сегодня все вышли на охоту, — сказал Вольф. Он помолчал и спросил. — Ну, как тебе Фюрстенберг?

Ветер стих, и теперь они могли разговаривать, не напрягаясь.

— Вроде бы ничего. Приятный, — ответил Моска.

— Слишком приятный для еврея! — отрезал Вольф. — Не хочу обидеть твоего приятеля. — Он дождался ответной реплики Моски и продолжал: — Фюрстенберг сидел в концлагере. Его жена и дети в Штатах. Он надеялся поехать к ним, но у него туберкулез в острой форме, и его не впускают в страну. Он заработал его в лагере. Занятно, а?

Моска не ответил. На обратном пути к центру города они пересекли ярко освещенный проспект.

— Он слегка свихнулся, — Вольф уже почти кричал. Снова поднялся ветер; пробираясь по грудам мусора на пустыре, они опять попали в зону ветра. Потом они свернули за угол, и ветер стих.

— Видел девчонок? Он вывозит их свеженькими из деревни. Каждый месяц у него новенькие. Его компаньон рассказал мне все про него. Мы вместе обделываем кое-какие делишки. Фюрстенберг живет с девчушками две-три недели, выделяет им комнату. А потом, когда они уже привыкают к нему, как к родному папочке, он в одну прекрасную ночь заявляется к ним в спальню и берет их за жопу. На следующее утро он задаривает их подарками и отсылает куда нужно, и через какое-то время приводит очередную парочку. Эти совсем новенькие, я их раньше у него не видел. Могу себе представить сцену — когда он подключает их к бизнесу. С ума сойти! Наверное, это вроде того, как деревенский мальчишка гоняется по двору за цыплятами, чтобы свернуть им шею!

И ты такой же, подумал Моска. Все с ума посходили. Да и сам я не лучше. Значит, беднягу не впускают в Штаты только потому, что у него туберкулез. Ну и закон! Разумно, нечего сказать, разумно! Все законы разумные. И всегда находится кто-то, кому эти законы как удар сапогом по яйцам. Ну и поделом этому старому хрену Фюрстенбергу. Как он каблуками щелкал! Ну да черт с ним! У меня своих забот полон рот. Вот о чем он, кстати, и собирался сказать Гелле. Что каждый прожитый с ней день он нарушает закон. Живет с ней в офицерском общежитии, покупает ей одежду по карточкам Энн Миддлтон, спит с ней, да его же могут в тюрьму упрятать за эту любовь! Но он не жалуется — такова жизнь, и он ничего против не имеет. Но когда начинают все это выволакивать наружу, когда пытаются устыдить тебя, да еще хотят, чтобы ты соглашался, мол, да, справедливость превыше всего — вот уже сущее дерьмо. Когда тебя пытаются заставить вести себя так, будто все, что тебе говорят, правильно, тогда ты просто должен послать их к такой-то матери. Он терпеть не может болтовню матери, Альфа, Глории. Он терпеть не может газет — от них блевать хочется. Сегодня там пишут, что все хорошо, завтра пишут, что ты преступник, убийца, дикий зверь, и заставляют тебя поверить в это так крепко, что ты сам помогаешь им за тобой охотиться. Ему бы сошло с рук убийство Фрица, но он может угодить за решетку только потому, что проявляет заботу о любимой женщине. А на прошлой неделе он видел, как расстреляли трех поляков на волейбольной площадке за базой — трех смелых поляков, которые устроили кровавую баню в небольшой немецкой деревушке, убив стариков, женщин и детей. Только эти бедолаги слегка не рассчитали и опоздали на несколько дней, когда уже началась оккупация, и вместо того, чтобы повесить им на грудь по медали за героическую партизанскую акцию, им на головы надели коричневые мешки, привязали к торчащим из цементного пола бревнам, и расстрельная команда добивала их чуть ли не в упор, стреляя в распростертые в нескольких шагах от них тела, И тут можно говорить что угодно, можно доказывать с пеной у рта, что оно было необходимо, это убийство —и то и другое убийство, но ему на все ровным счетом наплевать. Он же отлично позавтракал после того, как посмотрел на расстрел поляков.

Но он не мог объяснить Гелле, чем его раздражают и мать, и Глория, и брат, и почему он любит ее. Может быть, потому, что она, как и он, познала страх, что она, как и он, боялась смерти, и может быть, как раз потому, что она, как и он, потеряла все, но, в отличие от него, не утратила свою душу. И он ненавидел всех этих мам, и пап, и сестер и братьев, и любимых, и жен, которых он лицезрел в газетах и в кинохронике, в иллюстрированных журналах, — они получали медали за своих убитых сыновей, за своих мертвых героев; и он ненавидел их гордые улыбки и гордые рыдания — чем не замечательный наряд по случаю демонстрации своего подлинного горя, мучительного, но и сладостного от проявления собственных страданий, и все эти торжественные лица высокопоставленных сановников в ослепительно белых рубашках и черных галстуках; и он представлял себе, как все то же самое происходит повсюду в мире, и возлюбленные врагов тоже получают такие же медали за своих мертвых сыновей и героев, и плачут и улыбаются столь же мужественно, получая взамен блестящий металлический диск в атласной коробочке — и вдруг в его воспаленном мозгу возникло видение чудовищно растолстевших сытых червей, подъемлющих свои белые пустые головки, чтобы поклониться официальным лицам, и матерям, и отцам, и братьям, и возлюбленным...

Но их нельзя осуждать, ибо наше дело правое: и это правда, думал он, но как же Фриц? Это же был несчастный случай, просто несчастный случай. И все простят и его, и сановников, удостоивших его награды, и его мать, и Альфа, и Глорию. Все они могут сказать: ну, а что же ты мог поделать? И черви его тоже простят. Гелла поплакала, но и она смирилась, потому что у нее кроме него никого нет. И он не мог обвинять никого, но — только не надо меня учить, что хорошо, что плохо, только не говори, что я должен читать их письма, только не говори, что я должен вежливо улыбаться всякому подонку, который оказывает мне услуги или просто здоровается. Все эти намеки Геллы, что он должен обращаться повежливее с фрау Майер, Йергеном и своими друзьями и читать письма от матери и отвечать на них. Все-все перемешалось, и никто не виноват, и чего уж теперь винить их всех за то, что они живы?

Он остановился, почувствовав себя ужасно, голова у него кружилась, он не чувствовал ног под собой. Вольф держит его за руку, он склонился Вольфу на плечо и постоял так несколько минут, пока голова не прочистилась, и он снова смог идти.

Ночь прорезали бегущие тени и белые черточки огней, и Моска, глядя им вслед, поднял голову и впервые увидел в небе холодную и далекую зимнюю луну. И понял, что они уже идут по парку Контрескарпе и огибают небольшое озерцо. Льдистый лунный свет играл на воде и окрашивал черные деревья на берегу морозными бликами. Синие тени пробежали по небу и заволокли луну, погасили ее свет, и теперь он вообще перестал что-либо различать. С ним заговорил Вольф:

— Что-то на тебе лица нет, Уолтер, продержись еще несколько минут, мы сделаем остановку и тебе полегчает.

И тут они вышли на городскую улицу и очутились в сквере на пригорке. В дальнем конце сквера стояла церковка. Ее огромные деревянные двери были закрыты на железный засов. Вольф повел его к боковому входу. Они поднялись по узкой лесенке, и, только ступив на верхнюю ступеньку, едва не уткнулись носом в дверь, которую, казалось, навесили прямо на стену. Вольф постучал, и, подавив новый приступ тошноты, Моска с недоумением понял, что перед ними появится Йерген, и подумал: ведь Вольф должен знать, что Йерген ни за что не поверит, будто у меня есть сигареты. Но он был слишком слаб, чтобы беспокоиться об этом.

В комнате было душно, и он бессильно подпер стену, но Йерген уже давал ему какую-то зеленую таблеточку и горячий кофе: он даже вложил таблетку в рот и приложил обжигающую чашку к губам.

Скоро и комната, и Йерген, и Вольф четко отпечатались у него в сознании. Тошнота прошла, и он почувствовал, как холодный пот струйкой сбегает по телу вниз, в пах. Вольф и Йерген смотрели на него, сочувствующе улыбаясь, а Йерген похлопал его по плечу и добродушно сказал:

— Ну, уже лучше?

Комната была просторная, квадратная, с низким потолком. Один угол был превращен в спаленку и отгорожен ширмой, раскрашенной розовыми разводами и обклеенной вырезками из книги сказок.

— Там спит моя дочка, — сказал Йерген, и в эту минуту послышалось хныканье девочки, которая проснулась и заплакала громче, точно ей показалось, что она одна, и ее собственный страх заставил ее испугаться еще больше. Йерген зашел за ширму и вышел, неся на руках девочку. Она была завернута в американское армейское одеяло и сквозь слезы важно смотрела на присутствующих. У нее были черные, как вороново крыло, волосы и печальное, с недетским выражением личико.

Йерген опустился на диванчик у стены. Вольф сел рядом. Моска подвинул себе единственный стул.

— Ты можешь пойти с нами? — спросил Вольф. — Мы идем к Хонни. Я очень на него рассчитываю.

Йерген покачал головой.

— Сегодня не могу, — и потерся щекой о заплаканную щечку дочки. — Моя дочурка очень напугалась. Вечером кто-то подошел к двери и стал стучать, но она знала, что это не я, потому что у нас условный стук. Мне приходится часто оставлять ее одну дома, а няня уходит в семь. Когда я вернулся, она была так напугана и в таком шоке, что мне пришлось дать ей таблетку.

Вольф неодобрительно хмыкнул.

— Она же еще маленькая. Ей нельзя давать их очень часто. Но надеюсь, ты не думаешь, что мы пришли за этим. Ты же знаешь, я с пониманием отношусь к твоим просьбам и прихожу только в назначенное время.

Йерген сильнее прижал к себе дочку.

— Знаю, Вольфганг, знаю, что на тебя можно положиться. И я знаю, что не должен давать ей наркотики. Но она была в таком ужасном состоянии, что я сам перепугался. — Моска с удивлением увидел, как на гордом лице Йергена появилось выражение любви, печали и отчаяния.

— Как думаешь, у Хонни есть какие-нибудь новости для меня? — спросил Вольф.

Йерген отрицательно помотал головой.

— Вряд ли. Извини, что я тебе это говорю. Я ведь знаю, что вы с Хонни хорошие друзья. Но если у него и есть какие-то новости, то вряд ли он сразу же тебе о них скажет.

Вольф усмехнулся.

— Это я знаю. Вот я и веду к нему сегодня Моску — пусть познакомятся. Я хочу убедить его, что есть человек с пятью тысячами блоков.

Йерген посмотрел Моске в глаза, и тот в первый раз понял, что Йерген с ними заодно, что он их компаньон.

Йерген обратил на него взгляд, исполненный возбужденного ужаса, как будто он смотрел в глаза убийцы. И в первый раз он осознал роль, которую уготовили ему эти двое. Моска не сводил глаз с Йергена, пока тот не отвел своего взгляда.

Они вышли на улицу. Ночь стала бледнеть, словно луна размазалась по всему небу и рассеяла мрак и тени, истощив все свое сияние. Моска чувствовал себя посвежевшим, в голове у него прояснилось. Он быстро шагал, не отставая от Вольфа. Он закурил и ощутил теплый, мягкий привкус табачного дыма на языке. Они шли молча. Только однажды Вольф нарушил молчание:

— Идти придется далеко, но это будет последняя встреча, и там нам окажут достойный прием. Так что можно будет совместить бизнес и удовольствие.

Они срезали путь, проходя по развалинам на соседние улицы, и Моска уже совсем перестал ориентироваться, как внезапно они оказались в переулке, который словно был совершенно отрезанным от остального города, — это была маленькая деревенька, уцелевшая посреди пустыни руин. Вольф остановился у последнего дома в конце переулка и постучал в дверь, изобразив замысловатую дробь.

Дверь открылась, и на пороге появился небольшого роста светловолосый мужчина, с абсолютно лысым лбом — золотистые волосы покрывали лишь затылочную и теменную часть его головы. Он был одет весьма щеголевато.

Немец подхватил руку Вольфа и сказал:

— Вольфганг, ты как раз вовремя — к полуночной трапезе.

Он впустил их и закрыл дверь на засов, обхватил Вольфа за плечи и прижал к себе.

— Ах, чертовски рад тебя видеть. Проходите! — они вошли в роскошно обставленную гостиную с большим сервантом, где громоздился хрусталь, фарфор и столовое серебро. Пол был застелен богатым темно-красным ковром. Одна стена была сплошным книжным стеллажом; с потолка и со стен свисали отбрасывающие желтоватый свет лампы, по углам стояли мягкие кресла, в одном из которых, положив ноги на пуфик, восседала пышнотелая, полногубая женщина с ярко-рыжими волосами. Она читала американский модный журнал. Светловолосый сказал:

— А вот и наш Вольфганг с другом, о котором он нам рассказывал.

В знак приветствия она помахала им обоим тонкой изящной рукой, уронив при этом журнал на пол.

Вольф выскользнул из пальто и поставил портфель рядом со своим стулом.

— Итак, — обратился он к светловолосому. — Чем порадуешь, Хонни?

— Ах, — ответила женщина. — Ты, наверное, смеешься над нами. Нам ничего не удалось выяснить, — говорила она это Вольфу, но смотрела на Моску. Ее голос был удивительно мелодичным, мурлыкающим и, казалось, подслащал все, что она произносила. Моска закурил, ощутив, как его лицо против воли напряглось от желания, возбужденного в нем взглядом этих предельно откровенных глаз и воспоминанием о руке, которая обожгла его кожу кратким прикосновением. И все же, присмотревшись к ней повнимательнее сквозь сигаретный дым, он отметил про себя, что она уродлива: невзирая на тщательный макияж она не могла скрыть свой хищный рот и жестокий прищур голубых глаз.

— Это не выдумка, — говорил Вольф. — Я знаю точно. Мне нужно только найти контакт с нужными людьми. Кто мне поможет установить такой контакт, получит приличное вознаграждение.

— А это и впрямь твой богатенький приятель? — спросил с улыбкой светловолосый.

Моска заметил, что у него лицо все в веснушках, которые делали его похожим на подростка.

Вольф расхохотался и ответил:

— Перед вами сидит парень, у которого есть пять тысяч блоков, — он произнес эти слова шутовски, подпустив в них почти неподдельную зависть. Моска, веселясь в глубине души, одарил обоих немцев чарующей улыбкой, словно он уже подогнал к дверям их дома грузовик, полный сигарет. Они улыбнулись ему в ответ. Вы, немецкие сволочи, лыбиться будете потом, подумал он.

Открылась дверь в соседнюю комнату, и вошел еще один немец — худой, в темном строгом костюме. За его спиной Моска увидел обеденный стол, покрытый белоснежной скатертью с крахмальными салфетками, поблескивающими столовыми приборами и высокими стаканами.

Светловолосый сказал:

— Пожалуйста, присоединяйтесь к нашему позднему ужину. Что касается твоего дела, Вольфганг, я ничем не могу тебе помочь. Но, несомненно, человек, твой приятель, как обладающий таким богатством в виде сигарет, сможет оказать мне услуги в других предприятиях, не имеющих отношения к армейским купонам.

Моска отозвался важным голосом:

— Вполне вероятно, — и улыбнулся, а все рассмеялись, словно он очень удачно сострил, и отправились в столовую.

Лакей внес блюдо, на котором были разложены ломтики красноватой ветчины — такую можно было достать только на интендантских складах американской армии. На серебряном блюде лежал белый американский хлеб. Хлеб был подогрет. Вольф намазал кусок хлеба маслом и, подняв брови, с нескрываемым восхищением сказал:

— Я вижу, хлеб вам подают еще до того, как он поступает на американский интендантский склад.

Светловолосый, широко улыбаясь, сделал неопределенный жест. Лакей внес несколько бутылок вина, и Моска, мучимый жаждой после долгих хождений по городу, залпом осушил свой бокал. Светловолосый посмотрел на него иронически и сразу же изобразил на лице удовольствие.

— О! — воскликнул он. — Человек в моем вкусе! Не то что ты, Вольфганг, вечно часами мусолишь одну рюмку. Теперь ты понимаешь, почему у него есть пять тысяч блоков, а у тебя — нет?

Вольф усмехнулся и возразил насмешливо:

— Это, мой друг, весьма слабая психология. Ты забыл, с какой скоростью я ем, —и стал класть в свою тарелку ветчину с блюда, а потом потянулся к другому блюду, где лежала по меньшей мере дюжина разных сортов колбас. Он положит себе умеренную порцию сыра и салата, взглянул на светловолосого и спросил:

— Ну, Хонни, так что ты теперь скажешь?

Хонни со сверкающими на веснушчатом лице голубыми глазами прокричал жизнерадостно:

— А теперь я скажу только одно: приятного аппетита!

Рыжая засмеялась, за ней остальные, потом она склонилась под стол и стала кормить огромного пса на полу. Она дала ему изрядный кус ветчины и взяла у лакея деревянную миску, куда вылила литровую бутылку цельного молока. Наклоняясь, она как бы случайно провела рукой по бедру Моски, а когда поднималась, оперлась о него. Она сделала это совершенно естественно, даже не пытаясь скрыть свой жест от окружающих.

— Ты слишком балуешь этого пса, — сказал Хонни. — Тебе надо заиметь детей. Для тебя это будет настоящая радость.

— Дорогой мой Хонни, — сказала она, глядя ему прямо в глаза, — тогда тебе придется изменить свои предпочтения в занятиях любовью, — при этом сладость ее голоса потопила жестокую горечь произнесенных слов.

— Это слишком высокая цена, — пробормотал Хонни и подмигнул Вольфу. — У каждого человека свои вкусы, а, Вольф?

Вольф кивнул, не переставая жевать гигантский бутерброд, который он себе соорудил.

Так они ели и пили. Моска, не теряя бдительности, больше ел, чем пил. Чувствовал он себя превосходно. Наступило долгое молчание, но потом рыжая очнулась от своих дум и произнесла с неожиданным возбуждением:

— Хонни, а давай покажем им наше сокровище? Пожалуйста!

Вольф оторвался от бутерброда, и его лицо приняло комично-напряженное выражение. Хонни засмеялся и ответил:

— Нет, нет, Вольфганг, прибыли тут не будет. И к тому же уже слишком поздно, да и вы, должно быть, устали.

Стараясь не выказывать своей заинтересованности, Вольф небрежно спросил:

— Да что же это?

Светловолосый улыбнулся.

— Это никак не связано с деньгами. Это просто курьез. На заднем дворе я делаю сад. Дом на противоположной стороне улицы разбомбили и часть кладки упала на мой участок. Я начал расчищать его от мусора. И потом я обнаружил кое-что весьма необычное. Там в груде щебня я нашел лаз. Подвал совершенно не пострадал, и весь дом ухнул туда. И вот что интересно. Каким-то загадочным образом балки упали так, что они теперь удерживают все здание, и внизу образовалось большое помещение, — он улыбался, и веснушки проступили у него на лице, как капли крови. — Уверяю вас, там есть на что посмотреть. Хотите, сходим?

— Конечно! — отозвался Моска, и Вольф кивнул в знак безразличного согласия.

— Можно не одеваться. Нам надо только пройти через садик, а там внизу очень тепло.

Но Моска и Вольф захватили пальто, чтобы не выходить на улицу безоружными, но и не желая демонстрировать Хонни свои пистолеты. Хонни пожал плечами.

— Подождите, я возьму фонарь и пару свечей. Ты пойдешь, Эрда? — обратился он к рыжей.

— Конечно! — ответила она.

Они прошли по будущему саду — впереди шагал светловолосый, освещая путь фонариком. Сад был квадратным клочком глинистой земли, огороженным кирпичной стеной, настолько низкой, что они смогли просто перешагнуть через нее. Потом они вскарабкались вверх по холму мусора, с вершины которого им открылся вид на дом. Висящее в выси, точно портьера, облако закрыло луну, и город вдали уже был неразличим во мраке. Они спустились по склону в ложбинку, образованную двумя холмиками глины и кирпичной щебенки, и подошли к стене, наполовину погребенной под грудой мусора.

Светловолосый согнулся и махнул рукой куда-то вниз:

— Вот сюда, — сказал он, указывая на темнеющий пролом в стене. Они стали пробираться внутрь гуськом: сначала светловолосый, за ним рыжая, потом Вольф и Моска.

Успев сделать лишь несколько шагов, они неожиданно начали спускаться по лестнице в подземелье. Хонни предупредил, чтобы они ступали осторожно.

Хонни ждал их на нижней ступеньке. Эрда зажгла две свечи и подала одну Моске.

При свете желтого пламени свечи они увидели, что во все стороны от того места, где они стоят, открывается просторное подземное помещение и их свечи освещают все вокруг, как маяк освещает ночное море, оставляя гигантские рваные тени. Пол под ногами шатался, а стены были словно сложены из гор щебенки. В середине этого подвала торчала лестница, которая исчезала в груде мусора, завалившего ее ступени, словно по замыслу архитектора лестница должна была просто упираться верхним концом в потолок.

— До того как ваши летчики сбросили сюда бомбу, здесь было общежитие войск СС. Это случилось как раз перед окончанием войны, — сказал Хонни. — Они тут все погребены. Славная смерть!

— Тут могли остаться ценные вещи, — предположил Вольф. — Вы не пытались искать?

— Нет, — ответил Хонни.

Они сошли с последней ступеньки вниз, и их ноги погрузились в каменный прах. Эрда осталась стоять у стены, прислонившись к огромной деревянной балке, один конец которой рухнул вниз на пол, а другой конец все еще подпирал потолок. Она высоко подняла свою свечу, и на стенах заплясали исполинские тени трех мужчин.

Они продвигались осторожно, и ноги вязли в трухе, осколках стекла, опилках, кирпичной пыли, словно они шли по мелководному ручью. Иногда, ступая на мягкий пригорок мусора, они проваливались, вздымая тучи пыли, словно брызги воды.

Вдруг Моска увидел перед собой сверкающий черный ботинок. Он схватил его, но ботинок оказался неожиданно тяжелым. Он понял, что в ботинке находится отсеченная ступня, намертво запечатанная там печатью из кирпичного праха, запекшейся крови и костного мозга. Он выронил ботинок и пошел в дальний угол подземной комнаты, проваливаясь в мусор и пыль по колено. У самой стены он споткнулся о туловище без головы, без ног и рук. Он надавил на туловище рукой и ощутил затвердевшую черную ткань, а под ней человеческое тело, из которого упавшая кирпичная стена выдавила кровь и жировые ткани. Под пальцами плоть была тверда, как кость, и внизу под телом он нащупал каменное основание, о которое и расплющило этот труп. Голова и конечности трупа были отсечены так же, как та нога в ботинке была отсечена от ноги.

В этих останках человеческого тела не было ничего ужасающего: ни крови, ни мяса. Тела были смяты настолько сильно, что одежда, впечатавшаяся в них, покрыла их словно кожа. А кровь без остатка впиталась в кирпичную пыль, превратившуюся в засохшую грязь. Моска разбросал носком ботинка грязь, и, когда его нога начала куда-то проваливаться, поспешил прочь. Вольф, почти невидимый во мраке, возился в другом конце комнаты.

И вдруг Моска ощутил удушливую духоту. В воздух поднялась горячая пыль, и странный запах, вроде бы паленого человеческого мяса, начал подниматься из-под пыли, словно вдруг расступились доски пола и оттуда вырвались языки подземного пламени, таящиеся под руинами в недрах города.

— Дайте-ка сюда свет! — крикнул Вольф из своего угла. Его голос прозвучал, как шипящий шепот.

Моска бросил ему через всю комнату зажженную свечу. Она описала в воздухе пламенеющий полукруг и упала около Вольфа. Он поставил ее у своих ног.

Они увидели тень Вольфа, копошащегося над человеческим торсом. Хонни тихо сказал будничным тоном:

— Странно, что все трупы здесь без голов. Я нашел здесь шесть или семь, у некоторых были руки или ноги, но голов нет ни у кого. И почему они совершенно не разложились?

— Вот! — воскликнул Вольф. Теперь его голос донесся из дальнего угла. — Тут что-то есть! — и поднял кожаную кобуру с пистолетом. Он вытащил из кобуры пистолет, который тут же рассыпался на части, покатившиеся по полу в пыль. Вольф отбросил кобуру и продолжал свои раскопки, время от времени обращаясь к светловолосому.

— Прямо как мумии, как египетские мумии! — говорил он. — К ним одежда просто приросла. Может быть, они тут были замурованы, а потом здание просело, вот мы и смогли сюда пробраться. А головы им просто размозжило об пол, стерло в труху, и кости смешались с пылью, и мы теперь по ним ходим. Я уже видел нечто подобное раньше, — он отошел далеко от свечи и теперь что-то искал в неосвещенном конце комнаты, а потом продолжал. — Дайте свет! — Эрда подняла свою свечу, осветила его угол, и Вольф поднял что-то над головой, так чтобы желтоватый свет упал на этот предмет. В то же мгновение светловолосый направил туда луч своего фонарика.

Вольф издал короткий вскрик удивления, похожий на истерическое восклицание женщины, готовящейся зарыдать. Луч фонарика и свет свечи выхватили из тьмы сероватую руку со зловеще удлиненными пальцами, покрытую засохшей грязью. Пламя свечи дернулось прочь почти в тот же момент, когда Вольф отбросил эту мертвую руку в сторону. Все молчали, чувствуя теперь духоту и тяжесть в воздухе от пыли, поднятой с пола. Потом Моска ехидно спросил у Вольфа:

— И тебе не стыдно?

Светловолосый тихо рассмеялся, но его смех еще долго эхом отдавался по всему подземелью. Вольф ответил, словно оправдываясь:

— Я думал, что это крыса, черт бы ее побрал.

Рыжая сказала:

— Пойдемте-ка отсюда, я хочу на свежий воздух, — и как только Моска двинулся к ней, стена чуть дрогнула и начала оседать.

Он поскользнулся на вздыбленной пыли, упал, и лицо его оказалось совсем близко от одного из обезображенных туловищ. При падении он коснулся его губами и сразу понял, что на теле нет одежды, но кожа обожжена и обуглилась. Под обуглившейся кожей он ощутил тело, словно горящее в адском пламени. Обеими руками от оттолкнул это тело и, когда пытался подняться, изверг черную волну рвоты. Он услышал, что его спутники спешат к нему на помощь и закричал:

— Стойте там! Стойте там! — он встал на четвереньки, судорожно захватив пригоршни праха, смешанного с битым стеклом, костями и щебнем, и его опять вывернуло наизнанку. Он почувствовал острую боль в руке, точно осколки и обломки глубоко впились в кожу.

Он все изверг наружу. Встал. Эрда помогла ему добраться до лестницы, ведущей из подземелья наверх. При свете свечи, которую она держала в руке, он увидел на ее лице странное, немного безумное выражение восторга и удовольствия. Пока они поднимались по лестнице, она крепко держалась за фалды короткого пальто Моски.

Выйдя на холодный ночной воздух, все четверо глубоко вздохнули.

— Как же здорово быть живым! — сказал светловолосый. — Там внизу такое чувство, словно находишься в преисподней.

Они взошли на небольшой холмик щебня и мусора. Луна освещала город и под ее лучами город казался покинутой сказочной страной, подернутой клочьями тумана, смешанного с пылью и парящей паутиной, из которой высоко над землей соткалась комната с привидениями, чьи обитатели были объяты смертным сном. Вдали на склоне холма, на вершине которого высилось здание полицейского управления, виднелся желтый свет ползущего вверх трамвая и в зимнем морозном воздухе слышалось треньканье его звонка, прозрачного и чистого. Моска подумал, что они сейчас находятся совсем недалеко от его общежития на Метцер-штрассе — ведь он часто ночью видел этот трамвай, взбирающийся по этому холму, и так же вызванивающий во тьме ночи.

Рыжая прильнула к светловолосому и спросила у гостей:

— Не хотите зайти к нам еще чего-нибудь выпить?

— Нет, — сказал Моска, и Вольф поддержал его:

— Идем-ка домой.

Моска почувствовал одиночество и страх, он боялся этих людей, в том числе и Вольфа, боялся, что с Геллой что-нибудь случилось, пока его не было в общежитии. Теперь, окончательно протрезвев, он подумал, что прошло уже очень много времени с тех пор, как он оставил пьяного Эдди Кэссина в «Ратскелларе» и отправился с Вольфом в этот бесконечный поход по ночным улицам.

Интересно, добрался ли Эдди до дому. И который теперь час — верно, уже много за полночь. А Гелла ждет его, не спит, наверное, и как обычно читает, лежа на кушетке. Он впервые с теплым чувством подумал о матери, Альфе и Глории, об их письмах, которые он выбрасывал, не читая. Впервые он понял, что они вовсе не пребывали в полной безопасности, как он то себе представлял, а словно спали и видели кошмары. И вдруг он подумал, что все они в опасности, все-все, кого он знает, и что он ничем не может им помочь. Он вспомнил, как мать ходит в церковь, и понял, что хотел ей сказать, чтобы все объяснить и самому со всем согласиться, потому что это и было правдой. «Мы не созданы по подобию Божьему» — вот и все, и теперь он мог жить и постараться принести счастье себе и Гелле.

Усталость опустошила его сознание. Он поспешил вниз по склону мусорного холма, спрятав подбородок в поднятый воротник пальто, чувствуя пронизывающий холод и ломоту в теле, и, когда он с Вольфом шагал по темным улицам, бледное всепроникающее сияние луны освещало раны города ярко и беспощадно, точно солнце, но бесцветным, безжалостным, бескровным светом, словно это был свет, который испускал какой-то безжизненный металлический прибор, отражающий собственное изображение на земной поверхности, свои зловещие кратеры и безжизненные раны.

ГЛАВА 13

Утреннее сияние весеннего солнца испещрило городские руины ярко-желтыми и золотыми бликами, покрыв глазурью обломки кирпича, и небо накинуло свое голубое покрывало на покореженные бесформенные останки зданий на горизонте.

Дочка Йергена в симпатичном платьице небесного цвета толкала кремовую коляску. Ее личико было исполнено гордости и счастья. Йерген шагал рядом. Он не сводил с девочки глаз, любуясь ее счастливым личиком, и вдыхал запах весеннего пробуждения города после долгой ужасной зимы.

Сдвоенные трамваи со скрипом пробирались по городским улицам, оглашая утренний воздух веселыми звонками. Повернув на Метцер-штрассе, Йерген заметил вдалеке Моску и его друзей, копошащихся около «джипа». Потом его взгляд упал на Геллу: она стояла в тени дерева. Подойдя ближе, он увидел, что Моска, Лео и Эдди грузят в «джип» пожитки Моски: чемоданы и баулы с одеждой, деревянный ящик с консервами и небольшую угольную печку, которую Йерген для них раздобыл.

Йерген тронул дочку за плечико.

— Жизель, подкати коляску прямо к ним. Это будет для них сюрприз.

Девочка весело улыбнулась и покатила коляску быстрее. Первой их заметила Гелла и, радостно вскрикнув, тяжело засеменила к ним навстречу.

— Ну, как вам она нравится? — спросил Йерген не без гордости. — Я же вам обещал.

— О, это замечательно, Йерген, это просто замечательно! — воскликнула Гелла. На ее тонком чистом лице был написан столь неподдельный восторг, что Йерген растрогаются. Он любовно посмотрел на коляску: и впрямь красивая — низкая, обтекаемая, как гоночный автомобиль, выкрашенная в приятный кремовый цвет, с зеленым днищем, — на фоне голубого неба она казалась просто произведением искусства.

— А вот моя дочка Жизель, — продолжал Йерген. — Она хотела сама привезти ее вам.

Девчушка робко поклонилась, а Гелла неуверенно присела на корточки, и полы ее плаща упали на землю.

— Спасибо тебе большое, — сказала она и поцеловала малышку в щечку. — Ты поможешь довезти ее до моего нового дома?

Девочка важно кивнула.

Подошел Моска. На нем был старый мятый комбинезон.

— Я заплачу потом, Йерген, — сказал он, мельком взглянув на коляску. — Мы переезжаем на Курфюрстен-аллее. Вы с Геллой можете дойти туда пешком. Мы приедем, как только погрузимся.

— Конечно, конечно, — ответил Йерген. Он добродушно приподнял шляпу, и сказал Гелле по-немецки: — Милая дама, позвольте вас сопровождать?

Она улыбнулась и взяла его под руку. Девочка с коляской шла впереди.

Они шагали под порывами весеннего ветерка, пахнущего цветами и травой. Гелла застегнулась. Йерген увидел, как плащ плотно обтягивает живот, и испытал теплое чувство радости, смешанное с печалью. Его жена умерла, дочка растет без матери и теперь вот идет рядом с любовницей врага. Он думал, как бы изменилась его жизнь, если бы Гелла принадлежала ему, отдавая свою нежность и любовь ему и его ребенку и нося под сердцем новую жизнь, которая принадлежала бы им обоим. Как приятно было бы пройтись с ней в это прекрасное утро, и печаль и страх отступили бы от их сердец, и Жизель тоже была бы счастлива. В этот момент Жизель обернулась и одарила их обоих улыбкой.

— Она уже совсем хорошо выглядит! — сказала Гелла.

Йерген кивнул.

— Сегодня я увезу ее в деревню. На месяц. Так посоветовал врач, — Йерген пошел медленнее, чтобы Жизель не слышала их разговор.

— По-моему, она еще не оправилась после этой трудной зимы.

Жизель ушла достаточно далеко, весело толкая коляску по залитому солнечными лучами тротуару. Гелла снова взяла Йергена под руку. Он продолжал:

— Я хочу увезти ее подальше от этих развалин, от всего, что бы напоминало ей о смерти матери, куда-нибудь из Германии. — Он помолчал и добавил будничным тоном, словно повторял уже не раз сказанные слова, в которые сам ни капельки не верил: — Врач говорит, что тут она может сойти с ума.

Жизель поджидала их, стоя в тени деревьев. Гелла обогнала Йергена, чтобы подойти к девочке первой и весело сказала ей:

— А хочешь прокатиться в коляске?

Жизель закивала, Йерген помог ей забраться в коляску, и девочка свесила не умещающиеся внутри ножки по бокам. Гелла покатила коляску, приговаривая со смехом:

— Ох, какой же у меня большущий ребенок! — и щекотала девочку под подбородком. Потом она припустилась бежать, чтобы разогнать коляску, но ей было трудно. Жизель не смеялась, но улыбалась во весь ротик и издавала тихие журчащие звуки, которые были слабым эхом смеха.

Они подошли к длинной шеренге одинаковых каменных домов, вытянувшихся по Курфюрстен-аллее. Гелла остановилась около первой калитки, за которой начиналась цементная тропинка к входной двери. Гелла позвала:

— Фрау Заундерс! — и в окне показалась женщина с печальным суровым лицом, убранными волосами; было видно, что она одета в простое черное платье.

— Извините, что я вам кричу, — сказала Гелла с улыбкой. — Но мне уже так тяжело ходить. Киньте мне, пожалуйста, ключ, они приедут с минуты на минуту.

Женщина исчезла, потом появилась снова и бросила ключ в протянутую ладонь Йергена. Потом она опять скрылась в доме.

— Ого! — сказал Йерген. — У вас на новом месте могут возникнуть неприятности. Она такая важная! — а потом понял, что сморозил глупость, смутился и замолчал, а Гелла, смеясь, возразила.

— Она очень милая женщина, все понимает. У нее недавно муж умер от рака. Вот и освободилось две комнаты. У него были жилищные льготы из-за болезни.

— И как же это вам посчастливилось ее найти? — спросил Йерген.

— Я ходила к районному уполномоченному по жилью и узнала, — ответила Гелла. — Но прежде всего я приподнесла ему в подарок пять блоков сигарет, — и они оба понимающе улыбнулись.

Йерген увидел приближающийся «джип» с вещами. Лео по своему обыкновению припарковался, ткнувшись в дерево у тротуара. Моска соскочил на землю, перемахнув через заднее сидение, и вместе с Лео и Эдди начал переносить вещи в дом. Гелла показывала им дорогу. Скоро она вышла, неся в руках большой пакет, который отдала Йергену.

— Десять блоков, — сказала она. — Правильно?

Йерген кивнул. Гелла подошла к Жизели, которая возилась в коляске. Она вытащила из кармана плаща пригоршню шоколадок и отдала их девочке со словами:

— Спасибо тебе за такую чудесную коляску. Ты придешь ко мне в гости посмотреть на наворожденного?

Жизель кивнула и отдала шоколад Йергену. Он взял одну плитку и разломал ее на несколько кусочков, чтобы дочка могла спрятать несъеденный шоколад. Гелла смотрела им вслед. Йерген остановился, посадил дочку на правое плечо, и она крепко обхватила ручонками пакет с сигаретами. Гелла вошла в дом и поднялась на второй этаж.

На втором этаже была четырехкомнатная квартира: спальня, гостиная, еще одна спальня поменьше и маленькая комнатка, переделанная в кухню. Моска и Гелла должны были обосноваться в маленькой спальне и в кухне, и им иногда разрешалось пользоваться гостиной. В распоряжении фрау Заундерс оставалась ее спальня и плита в гостиной, на которой она себе готовила.

Моска, Лео и Эдди дожидались Геллу. На столике стояли две бутылки кока-колы и два стакана виски. Спаленка была заставлена чемоданами, нераспакованными коробками и ящиками. Гелла заметила, что фрау Заундерс повесила на оба окна красивые голубые занавески.

Моска поднял стаканы, Лео и Гелла подняли бутылки кока-колы. Эдди уже приложился к своему виски.

— За наш новый дом, — провозгласила Гелла.

Все выпили. Эдди Кэссин смотрел, как Гелла, медленно выпив кока-колу, пошла к большому чемодану, открыла его и стала выкладывать вещи в ящики массивного комода из красного дерева.

Много раз Эдди случалось в отсутствии Моски оставаться с Геллой в комнате вдвоем, но он никогда не пытался к ней подъезжать с ухаживаниями. Он стал размышлять, почему. Отчасти, наверное, из-за того, что она ни разу не дала ему для этого повода: никогда не подходила к нему слишком близко, никогда не выказывала ему благорасположения ни жестом, ни словом, не кокетничала, а держалась с ним очень естественно и не провоцировала на флирт. «Отчасти еще из-за того, что он сам побаивался Моску и, начав анализировать свой страх, понял, что этот страх проистекал из ясного осознания того, что Моска ни в грош не ставит никого, и, кроме того, Эдди помнил все те байки, что рассказывали о Моске в их подразделении: как он подрался с сержантом, за что его и перевели из аппарата военной администрации и из-за чего он чудом избежал военного трибунала. Сержанта он избил так, что того пришлось отправить в госпиталь в Штаты. Но вообще-то это странная история, сильно преувеличенная и питавшаяся в основном слухами. А в общем все дело было просто в равнодушии Моски к людям, в его полнейшей индифферентности, столь же непробиваемой, сколь и пугающей. Все его знакомые, думал Эдди, — я, Лео, Вольф, Гордон — считают себя его друзьями. Но если всех нас завтра убьют, он даже не почешется.

— Коляска! — вдруг вскрикнула Гелла. — Куда вы дели коляску?

Все засмеялись. Лео хлопнул себя по лбу и сказал понемецки:

— О Господи, я забыл ее на улице.

Но Моска сказал поспешно:

— Да нет же, Гелла, она в маленькой комнатке, в кухне.

А Эдди Кэссин подумал: ну вот, ему даже невмоготу видеть, как она волнуется из-за шутки.

Гелла вышла в соседнюю комнату. Лео допил кока-колу.

— На той неделе я еду в Нюрнберг, — сказал он. — Меня просят дать свидетельские показания против тех, кто служил в охране и в администрации Бухенвальда. Сначала я отказался, но потом мне сказали, что среди обвиняемых есть один врач. Это тот самый, который все повторял нам: «Я здесь не для того, чтобы лечить ваши недуги. Я здесь даже не для того, чтобы помочь вам выжить. Моя обязанность — следить, чтобы вы каждый день выходили на работу». Против этой сволочи я дам показания.

Моска наполнил стаканы виски и дал Лео очередную бутылку кока-колы.

— На твоем месте я бы убил всех этих сволочей.

Лео пожал плечами.

— Не знаю. У меня к ним только презрение, а ненависти уже нет. Сам не пойму, почему. Мне хочется, чтобы все это поскорее закончилось, — и стал пить из горлышка.

— Нам будет тебя не хватать в общежитии, Уолтер, — сказал Эдди. — Ну и как думаешь, понравится тебе фрицевский образ жизни?

Моска покачают головой.

— Да какая разница? — он подлил Эдди в стакан и добавил: — Это последняя, Эдди. Не хочу, чтобы ты перепугал мою новую хозяйку. Больше ни капли.

— Я исправился, — сказал Эдди. — Из Англии приезжает моя жена с ребенком. — Он окинул всех лукаво-важным взглядом. — Ко мне спешит моя семья!

Моска покачал головой.

— Бедная леди! Я-то думал, она тебя бросила, пока

ты был в армии. Что же будут без тебя делать все твои бабенки?

— Переживут! — ответил Эдди. — О них не беспокойся, они переживут! — Вдруг он разозлился без всякой видимой причины: — Шли бы они куда подальше! — взял пиджак и ушел.

Эдди Кэссин неторопливо шел по Курфюрстен-аллее. Приятно было теплым весенним днем пройтись по этой извилистой, обсаженной с обеих сторон деревьями, улице.

Он решил принять душ в общежитии и отправиться в «Ратскеллар». Прежде чем свернуть на Метцер-штрассе, он в последний раз бросил взгляд на Курфюрстен-аллее, и ему в глаза бросилось цветное пятно вдали. Он присмотрелся и понял, что это — симпатичная девушка. Она стояла на противоположной стороне под широким развесистым деревом, а вокруг нее танцевали четверо ребятишек. Даже на значительном расстоянии он смог рассмотреть, какое у нее тонкое, светящееся чистотой юности лицо. Он смотрел, а она подняла голову к желтому пожару дневного солнца и, отвернувшись от детей, взглянула прямо на Эдди.

Ее лицо осветилось лучезарной улыбкой. Улыбкой невинности и инстинктивной уверенности в своей непробудившейся еще сексуальности. Это была всегда возбуждавшая его улыбка юности, подумал Эдди, улыбка, которая всегда появляется на лицах молодых девушек, когда им льстишь, и вместе с тем это всегда невинная и чуть недоверчивая улыбка, когда они не могут понять, какой же такой внутренней силой они обладают, и оттого возбуждаются сами. Для Эдди Кэссина такая улыбка была признаком девственности, непорочности ума и тела, но прежде всего — непорочности мыслей, с которой ему уже не раз приходилось раньше сталкиваться и которую он сам же и осквернял, причем сам процесс ухаживания был для него куда приятнее, чем обладание.

И вот теперь, глядя на другую сторону улицы, он ощутил какую-то светлую печаль и удивление оттого, что эта девушка в белой блузке смогла его так глубоко тронуть. Поколебавшись, он решил к ней подойти, но он был небрит, грязен и чувствовал сильный запах собственного пота. Черт, да не могу же я их всех поиметь, подумал он, зная, что издали, даже в ярких лучах солнца, она только и могла рассмотреть изящный овал его лица, а не тонкие морщинки, которые показались бы ей знаком старости, увядания.

Она снова повернулась к детям, и это легкое, воздушное движение головы и тела, и сама сценка, представшая его глазам, когда девушка и дети сели на зеленый ковер травы, буквально обожгла его сердце. Под темно-зеленой шапкой дерева молоденькая девушка в белой блузке, закатанные почти до локтя рукава, два холмика ее грудей, золотая россыпь волос — этого он не мог больше вынести и быстро зашагал по Мецтер-штрассе к общежитию.

Эдди принял душ, побрился и, хотя уже опаздывал, все равно не пожалел времени на то, чтобы обильно присыпать розовым тальком все тело, шею и лицо. Он тщательно причесался, в очередной раз посетовав про себя на седину в висках, и надел офицерский мундир защитного цвета с нашивками, указывающими на его гражданскую должность, — зная, что в таком виде он будет выглядеть значительно моложе, чем в обычном штатском костюме.

В дверь постучали, и вошла фрау Майер. В банном халате. Это был ее старый трюк. Когда она знала, что Эдди принимает душ или ванну, она тоже принимала душ и, источая сладчайший аромат, входила к нему. Обычно это оказывало свое воздействие.

— У тебя не найдется сигаретки, Эдди? — спросила она, села на кровать и скрестила ноги. Эдди, зашнуровывая ботинки, кивнул головой в сторону стола. Она взяла сигарету из пачки, закурила и снова села на кровать.

— Что это ты сегодня такой красивый? Встречаешься с кем-нибудь?

Эдди замер, бросил изучающий взгляд на ее почти совершенных форм тело и на добродушное, с выдающимися вперед заячьими зубами лицо. Все ясно без слов. Он схватил ее в охапку, вынес из комнаты и поставил на пол в коридоре.

— Не сегодня, детка, — сказал он, сбежал вниз по лестнице и вышел из здания. Его охватило сильное возбуждение, сердце бешено колотилось в груди. Он рысцой побежал по Метцер-штрассе. Не доходя до угла, перешел на обычный шаг и свернул на Курфюрстен-аллее.

Он бросил взгляд вдоль проспекта. Под деревьями никого не было видно — дети ушли. Полоска травы под деревьями простиралась далеко-далеко, но ничто не нарушало гармонического сочетания травы и листвы. Его взгляд упал на то место на другой стороне проспекта, где дети скакали вокруг той девушки, и ему почудилось, что он смотрит на знакомую картину на стене, с которой вдруг каким-то таинственным образом исчезли все человеческие фигуры. Эдди Кэссин постучал в дверь ближайшего дома и на своем ужасном немецком поинтересовался о девушке, которая присматривала тут за четырьмя детьми, но никто ее не знал — ни в этом доме, ни в соседнем. Последний дом был общежитием для американских гражданских служащих, и Эдди узнал в открывшем ему дверь человеке парня, которого часто видел в «Ратскелларе».

— Нет, — сказал американец. — Она здесь не живет. Ребята нашего квартала трахают всех здешних девчонок, так что я их всех знаю. Я когда ее увидел, сам чуть было не подвалил к ней. Так что тебе не повезло, приятель, — и он сочувственно усмехнулся.

Эдди Кэссин стоял посреди Курфюрстен-аллее, не зная, куда же ему теперь направиться. Наступил весенний вечер, и свежий ветерок уносил прочь дневную жару. На другой стороне проспекта Эдди видел сады с распускающейся зеленью, аккуратные квадраты зеленых садов и огородов, коричневые домики, дощатые и фанерные, где садовники держали свои инструменты и где кое-кто из них даже жил. Он увидел, что на небольших огородах уже работают, и из-за холмов позади огородов доносился запах реки. Между развалин, среди куч мусора и диких кустарников виднелась пробивающаяся трава. Он понял, что никогда больше не увидит той девушки, а если даже и встретит где-нибудь, то не узнает, и внезапно его вновь охватило радостное и трепетное возбуждение и он двинулся по Курфюрстен-аллее и дошел до самого конца, до городской окраины и увидел начинающиеся за городом безбрежные зеленые поля и покатые мирные холмы, над которыми парила юная весенняя зелень, словно на холмы накинули легкий покров, и где мрачные уродливые руины не оскверняли красоты дня.

Вечером Гелла развесила по стенам гравюры-иллюстрации к детским сказкам. По ее словам, она купила их для будущего ребенка, но Моска чувствовал, что это своего рода суеверие, своеобразное магическое заклинание, чтобы все прошло хорошо. Закончив развешивать картинки, она сказала:

— Пожалуй, нам надо сходить к фрау Заундерс.

— Господи! — отозвался Моска. — Я чертовски устал. Сегодня такой сумасшедший день.

Гелла села на кровать, сложив руки на коленях, и стала осматривать квадратную комнату. Кремовая коляска стояла у занавешенного голубой занавеской окна — как на картинке. Небольшой круглый стол был покрыт голубой скатертью, на двух стульях были надеты серые чехлы. На полу лежал темно-бордовый ковер, уже старый и сильно потрепанный. Кровать и комод были из красного дерева, а на каждой стене висела картина — какой-то сельский пейзажик в зеленых, фиолетовых и голубых тонах с серебряными ленточками ручьев. Ее охватил восторг. Потом она заметила, какое уставшее, хмурое лицо у Моски, и поняла, что ему здесь не по себе. Она взяла его за руку и положила ее себе на колени.

— Теперь я и впрямь, думаю, что мы всегда будем вместе.

— Пойдем, почтим вниманием домохозяйку, — сказал Моска.

Все комнаты выходили в коридор, а дверь коридора, выходившая на общую лестницу, запиралась на замок. Чтобы перейти из одной комнаты в другую, им пришлось сначала выйти в коридор и постучать в дверь гостиной. Фрау Заундерс пригласила их войти.

Она сидела на диване и читала газету. Когда Гелла представила ей Моску, она встала и пожала ему руку. Моска увидел, что не такая уж она и старая, как ему показалось, когда он мельком видел ее сегодня при переезде. Волосы аккуратно убраны, лицо в морщинках, но во всем ее облике, в ее фигуре, затянутой в черное платье, во всех ее движениях угадывалась поразительная моложавость.

— Вы можете пользоваться большой гостиной, когда пожелаете, — сказала фрау Заундерс. У нее был низкий приятный голос, но она сказала это просто из вежливости.

— Спасибо, — ответила Гелла. — Я хотела поблагодарить вас за занавески и дополнительную мебель, которую вы поставили. Если вам понадобится наша помощь, пожалуйста, обращайтесь.

Фрау Заундерс помолчала.

— Надеюсь, что у нас не будет неприятностей с властями, — и она с сомнением взглянула на Моску, словно хотела еще что-то добавить.

Гелла поняла.

— Мы очень тихие, он не из тех американцев, что вечно устраивают вечеринки, — она улыбнулась Моске, но он остаются хмурым. — Мы зашли совсем ненадолго, — продолжала Гелла. — У нас был сегодня тяжелый день и... — она встала и смущенно пожелала хозяйке доброй ночи, а Моска изобразил вежливую улыбку. Фрау Заундерс улыбнулась ему в ответ, и тут Моска понял, что несмотря на свой возраст, фрау Заундерс женщина робкая и ее немного пугает перспектива жить под одной крышей с врагом.

Раздевшись, Моска сообщил Гелле новость, о которой чуть не забыл.

— Миддлтоны получили предписание возвращаться в Штаты. Они уезжают на следующей неделе.

Гелла нахмурилась.

— Очень жаль.

— Не беспокойся! — сказал Моска. — Я постараюсь достать карточки у кого-нибудь еще, и мы сможем заняться куплей-продажей как настоящие немцы.

Уже в кровати Гелла сказала ему:

— Так вот, значит, почему ты весь день был такой невеселый.

Моска ничего не ответил. Она уснула, а он еще долго лежал с открытыми глазами, уставившись в потолок.

Это и впрямь странно, что он, наконец, словно это была главная цель их переезда, зажил жизнью врагов. Здесь в доме были одни немцы, и во всех домах в округе жили только немцы, и рядом с ним в постели лежала немка, носившая под сердцем его ребенка. Ему уже недоставало веселого гвалта попоек, которые в общежитии не прекращались целую ночь, не хватало урчания «джипов» под окнами, бормотания соседских радиоприемников, настроенных на армейскую музыкальную станцию. Здесь было тихо, как в гробу. Вдруг за стеной зашумела вода в сливном бачке унитаза. Это фрау Заундерс, подумал он. И, подождав, пока хозяйка вернется к себе в комнату, встал и сам отправился в туалет. Потом он стоял у занавешенного окна, курил и вглядывался во тьму за оконным стеклом. Он пытался вспомнить, когда он получил свой первый пистолет, когда ему впервые выдали каску, когда он прослушал первую лекцию об ориентации на местности и способах укрытия от вражеских пуль. Но теперь все это казалось таким нереальным и ненужным. А реальным была только вот эта комната, эта детская коляска и эта женщина в его постели.

ГЛАВА 14

Вечером накануне отъезда Миддлтонов из Германии Моска с Геллой решили прогуляться по городу, а потом зайти навестить их. Выйдя из дома на Курфюрстеналлее, Гелла остановилась, чтобы перебросится парой слов с немкой, которую они встретили на лестнице. Моска терпеливо стоял рядом и вежливо улыбался.

Они пошли к центру города.

— Давай принесем фрау Заундерс мороженого из клуба Красного Креста, — предложила Гелла.

Моска посмотрел на нее с удивлением.

— Я смотрю, вы за одну неделю стали такие приятельницы, что куда там! — сказал он. — Что происходит? Я же знаю: ты даешь ей еду, сахар, кофе. Когда Миддлтоны уедут, тебе придется несколько поумерить аппетит, детка. Мы уже не сможем ничего такого себе доставать.

Она благостно улыбнулась ему.

— Если бы я знала, что тебе и впрямь не все равно, я бы не стала этого делать. Но я же знаю, что тебе для меня ничего не жалко. И я ничего не могу с собой поделать, Уолтер. Когда я готовлю, запах распространяется по всему коридору, и я представляю себе, как она сидит одна в своей комнатке и у нее только и есть что сушеная картошка. К тому же я располнела. Посмотри на меня.

— Это не от переедания, — ответил Моска. Она рассмеялась и ткнула его в бок. Он усмехнулся и продолжал. — Но у тебя такой живот, что мои рубашки уже не налезают! — на ней было надето голубое платье для беременных, которое подарила ей Энн Миддлтон.

Они шли по улице, Моска взял ее под руку, когда им пришлось перелезать через гору мусора, завалившего тротуар. Деревья уже совсем распустились, и солнечные лучи с трудом пробивались сквозь пышные лиственные шапки. Гелла заметила задумчиво:

— Фрау Заундерс такая милая. А ведь, глядя на нее, и не подумаешь. С ней так интересно разговаривать, и она мне здорово во всем помогает. Не потому, что я ей что-то дарю иногда, она просто хочет мне помочь. Так что, принесем ей мороженого?

Моска рассмеялся и ответил:

— Ну конечно.

Ей пришлось ждать его на улице, пока он ходил в клуб Красного Креста. На обратном пути они прошли мимо полицейского управления и на окраине парка Контрескарпе наткнулись на небольшую толпу людей, слушавших выступление какого-то человека, взгромоздившегося на скамейку. Он что-то им доказывал, взмахивая руками и громко крича. Они остановились послушать. Моска взял холодную коробку с мороженым в правую руку, и Гелла прижалась к его левому плечу.

— На всех нас лежит вина, — кричал человек. — На этом безбожном веке, на этой безбожной земле. Кто вспоминает сегодня об Иисусе Христе? Мы приняли его кровь как спасение, но в него не верим. Но говорю вам, истинно говорю вам, кровь его смыла столько грехов, что эта кровь уже утомлена, Господь утомлен нашими прегрешениями. Сколько же ему еще пребывать в терпении? Сколько же еще кровь Иисуса будет спасать нас? — Он сделал паузу и продолжал мягко и даже с просительными интонациями: — Одной любви Иисуса уже недостаточно, одной крови Иисуса уже недостаточно. Поверьте мне. Спасите свои души, и мою душу, и души ваших детей, и души ваших жен, матерей, отцов, сестер, братьев и нашей страны, — его голос стал едва слышен, он совсем успокоился и заговорил рассудительно и спокойно. Теперь он просто вел со слушателями задушевную беседу.

— Вы видите: эта земля вся в руинах, весь континент в руинах, но Христос видит больше, чем мы, он зрит опустошение в душах, он видит, что зло восторжествовало, что Сатана взирает на мир в радости и смеющимся взором созерцает гибель человека и гибель всего того, что человек создал со времен творения.

В небе пронесся самолет, идущий на посадку на военно-воздушную базу. Проповедник замолчал, не стараясь перекричать рев двигателей. Это был тщедушный человечек с узкой грудью, которая сильно выдавалась вперед, когда он откидывал голову, обводя толпу сверкающими птичьими глазками. Он продолжал.

— Нарисуйте в своем воображении мир, лишенный жизни. На полюсах расстилаются безбрежные просторы льда и снега, которые не потревожены ногой человека. В африканских джунглях, где солнце, волею Господа, дарует жизнь бесчисленным и разнообразнейшим тварям, все замерло, — теперь его голос обрел исступленную силу, а глазки налились кровью и едва ли не вылезали из орбит. — Трупы погибших животных усеют землю. На просторах китайских равнин, на берегах животворных рек даже крокодил не поднимет свою ехидную голову, чтобы ответить на сатанинскую усмешку. А в наших городах, в этих сердцах цивилизации, ничего не осталось кроме руин. Лишь горы каменьев, из которых не произрастет ничто живое, бесплодная почва, усеянная битым стеклом. И так пребудет вовеки.

Он замолчал, ожидая услышать возгласы одобрения, но вместо этого в толпе пронесся ропот недоумения и возмущения.

— А где ваше разрешение? У вас есть разрешение военной администрации? — подали голос несколько мужчин. Проповедник оторопело озирал слушателей.

Гелла и Моска уже стояли почти в середине толпы, потому что за их спинами народу все прибавлялось и прибавлялось. Слева от них стоял молодой парень в голубой застиранной рубашке и тяжелых рабочих штанах. На руках он держал симпатичную девочку лет шести-семи, которая с любопытством оглядывалась вокруг. Справа от них стоял старый рабочий, попыхивавший короткой трубкой. Молодой парень кричал вместе с остальными:

— Да, где твое разрешение? У тебя есть разрешение военной администрации?

Потом он повернулся и, обращаясь к Моске и старому рабочему, сказал:

— Из-за того, что мы проиграли войну, теперь нас любой может пинать ногами — даже эта свинья.

Моска, одетый в штатское, улыбнулся Гелле, довольный тем, что его приняли за немца.

Проповедник медленно простер руку в небо и торжественно провозгласил:

— У меня есть разрешение от нашего Создателя!

Красное солнце, посылающее миру последние лучи, окрасило простертую к нему руку ало-розовым светом. Оно уже начало заваливаться за горизонт, и в мягких летних сумерках, точно в сказке, вдали вдруг проступили городские руины, ощетинившиеся на фоне неба, точно неровный строй копий. Проповедник склонил голову в немой благодарности.

Потом он поднял лицо к небу и простер руки к толпе, символически принимая стоящих перед ним людей в свои объятия.

— Приидите к Иисусу Христу, — закричал он. — Вернитесь к Иисусу. Оставьте свои грехи. Бросьте пить. Перестаньте предаваться блуду. Перестаньте играть в азартные игры, гонясь за земным успехом. Поверьте в Иисуса и спасетесь. Вас наказали за грехи ваши. И наказание ваше пред вашим взором. Покайтесь, пока еще не поздно. Не грешите!

Оглушительный голос замолк, проповедник переводил дыхание. Толпа замерла и отхлынула чуть назад, отброшенная волной громового голоса, которым владел этот тщедушный человечек. Он продолжал, громко крича:

— Каждый из вас пусть подумает о жизни, которой он жил до войны. Неужели вы не верите, что все страдания, все эти разрушения есть не что иное, как Божье наказание за ваши грехи? А теперь юные девы блудят с вражескими солдатами, молодые отроки клянчат у них сигареты. Пуф-пуф! — он изобразил губами затяжки и его лицо исказила маниакальная ненависть. — По субботним дням люди отправляются в деревни красть или торговать. Храм Господень стоит опустелый. Мы сами призываем на свои головы разрушение. Говорю вам, покайтесь. Покайтесь! Покайтесь! — он теперь истерически выплевывал слова нескончаемым потоком. — Уверуйте в Господа нашего Иисуса Христа, уверуйте в Бога единого, уверуйте в Бога, уверуйте в Господа нашего Единого Христа.

Он остановился и потом угрожающим тоном прокричал, бросая слушателям в лицо резкие обвинения:

— Все вы грешники, все вы прокляты и обречены на адовы муки вечные! Я вижу на лицах у вас улыбки. Вам себя жаль. Но почему Господь заставил нас так страдать? Вы задавали себе этот вопрос?

Кто-то из толпы, передразнивая его, выкрикнул:

— Это не Господь нас наказал, это америкашки своими бомбардировщиками.

В толпе засмеялись. Человек на скамейке подождал,

пока стихнет смех и, вглядываясь в сумерки, указал на женщину в черном и дико, мстительно закричал:

— Ты, женщина, ты смеешься в лицо Господу? Где твои дети? Где твой муж? — потом он указал пальцем на молодого парня рядом с Моской. — Посмотрите! — обратился он к толпе, и все повернули головы туда, куда указывал его палец. — Вот еще один зубоскал, еще один молодой человек, надежда Германии. Его дитя страдает за его грехи, а он смеется над Божьим гневом. Погоди, зубоскал, в лице твоего дитяти я вижу твое наказание. Подожди. Смотри на свое дитя и жди, — с негодованием и ненавистью он стал указывать на другие лица в толпе.

Молодой парень поставил девочку на землю и попросил Геллу присмотреть за ней. Потом, расталкивая людей, он стал пробираться к проповеднику и выскочил прямо перед ним. Одним молниеносным ударом он свалил маленького проповедника на землю, надавил ему коленом на грудь, схватил его за волосы и стал колотить его птичьей головой о цементное покрытие парковой дорожки. Потом он поднялся.

Толпа рассеялась. Молодой парень взял свою дочку и пошел по парку прочь. И словно по мановению волшебной палочки большинство людей куда-то исчезло. Проповедник лежал без движения на земле.

Кто-то помог ему подняться. С его густых курчавых волос капала кровь, ручейки крови, струившиеся по лбу, застыли на лице красной маской. Гелла отвернулась, а Моска взял ее под руку и повел по улице. Он заметил, что она сильно побледнела, наверное, подумал он, от вида крови.

— Лучше тебе сегодня посидеть дома с фрау Заундерс, — и добавил, словно оправдываясь за то, что он не вмешался. — Это не наше дело.

Моска, Лео и Эдди Кэссин сидели в гостиной у Миддлтонов. Кроме реквизированной мебели, которая оставалась в квартире, все остальное было уже упаковано в деревянные ящики, выстроившиеся вдоль стен.

— Итак, вы в самом деле собираетесь поехать на Нюрнбергский процесс? — спросил Гордон у Лео. — Когда вы отправляетесь?

— Сегодня вечером, — ответил Лео. — Я хочу провести ночь в дороге.

— Ну, так задайте перцу этим сволочам там! — сказала Энн Миддлтон. — И если вам понадобится солгать, чтобы доказать, что они заслуживают того, что их ожидает, солгите!

— Мне не надо лгать, — возразил Лео. — Я еще все очень хорошо помню.

— Я должен попросить у вас прощения, — сказал Гордон, — за свое поведение в тот день, когда вы у нас были. Наверное, я вел себя с вами очень грубо.

Лео махнул рукой.

— Да нет же, я все понимаю. Мой отец был политический заключенный, коммунист. А моя мать — еврейка, вот почему меня посадили. Хотя мой отец был политический. Разумеется, после пакта Сталина—Гитлера он потерял веру. Он понял, что оба друг друга стоят.

Профессора, сидящего в углу перед шахматным столиком с вежливой улыбкой на лице, это бестактное замечание испугало. С паническим чувством он заметил, что в Гордоне Миддлтоне зреет гнев и, не желая быть свидетелем словесного излияния этого гнева, он поспешил уйти. Ярость приводила его теперь в уныние.

— Мне пора, — сказал он. — У меня скоро урок. — Он попрощался с Гордоном и Энн. — Позвольте пожелать вам приятного путешествия в Америку и всего вам хорошего. Мне было очень приятно с вами общаться.

Гордон проводил его до двери и радушно сказал:

— Надеюсь, вы не забудете писать нам, профессор. Я буду ждать ваших сообщений о том, что происходит в Германии.

Профессор склонил голову.

— Конечно, конечно.

Он уже твердо решил не поддерживать никаких контактов с Гордоном Миддлтоном. Любая связь с коммунистом, даже таким безвредным, может в будущем принести ему немало непредсказуемых несчастий.

— Подождите, подождите! — Гордон вернулся с профессором обратно в комнату. — Лео, я только что вспомнил, что профессор в конце недели собирается в Нюрнберг. Вы можете его подвезти или это не разрешено вашей организацией?

— Нет, нет, не стоит! — воскликнул профессор в сильном волнении. — В этом нет никакой необходимости.

— Мне это нетрудно, — сказал Лео.

— Нет, — сказал профессор — теперь он уже был на грани истерики. — У меня есть билет на поезд, все в порядке. Пожалуйста, я же знаю, что для вас это большое неудобство.

— Хорошо, профессор, — сказал Гордон примирительно и повел его к двери.

Когда Гордон вернулся, Моска спросил:

— Чего это он так раскудахтался?

Гордон взглянул на Лео.

— Он очень щепетильный человек. Его сын военный преступник и обвиняется за какие-то мелкие преступления. Я не знаю, в чем дело, но знаю, что судит его германский суд, а не оккупационный трибунал, так что дело, вероятно, не очень серьезное. Наверное, он побоялся, что Лео об этом узнает и решит, что его сын работал в концлагере, а это, разумеется, вовсе не так. Ты же не будешь возражать, Лео?

— Нет, конечно, — ответил Лео.

— Вот что я вам скажу, — продолжал Гордон. — Завтра я к нему схожу. У меня будет время. И скажу, что ты его подхватишь завтра вечером. Как только он поймет, что ты все знаешь, он не откажется. Хорошо?

— Конечно, — ответил Лео. — Очень здорово, что ты заботишься об этом старике.

Энн Миддлтон бросила на него косой взгляд, но Лео вовсе не иронизировал. Он был абсолютно искренен. Она улыбнулась.

— Гордон всегда заботится о тех, кого он обращает в свою веру, — сказала она.

— Я вовсе не обратил его в свою веру, Энн, — возразил Гордон своим рокочущим низким голосом, — но, думаю, кое-что в его сознание я заронил. Он умеет слушать. — Гордон сделал паузу и тихо, но в то же время с легкой укоризной сказал: — Вряд ли «обратить в свою веру» в данном случае — удачное выражение.

Все молчали.

— Когда ты собираешься вернуться? — спросил Моска у Лео.

Лео усмехнулся.

— Не беспокойся, я не опоздаю.

— Не опоздаю куда? — удивилась Энн Миддлтон.

— Я собираюсь стать крестным отцом, — сказал Лео. — У меня и подарок уже есть.

— Как жаль, что я не увижу новорожденного! — сказала Энн. — И очень жаль, что Гелла не смогла прийти сегодня. Надеюсь, она не очень плохо себя чувствует?

— Не очень, — ответил Моска. — Она просто сегодня много ходила. Хотела прийти, но я отсоветовал ей выходить из дому.

— Да ладно уж, кто мы такие, в конце концов! — сказала Энн шутливо, но в ее голосе послышался упрек. Эдди Кэссин, безмолвно сидевший до сих пор в кресле в углу, открыл глаза. Он дремал. Он терпеть не мог ходить в гости к семейным парам. Видя чужих жен дома, в присутствии мужей, он их чуть ли не ненавидел, а Энн Миддлтон ему совсем не нравилась. Она всегда держалась независимо, обладала вздорным нравом и к нему относилась с насмешливым высокомерием.

Моска ухмыльнулся.

— Ты же знаешь, что я прав.

— Просто ее раздражает, что тебе наплевать на других, — сказала Гордон. — Хотел бы и я быть похожим на тебя — иногда.

Моска сказал:

— Гордон, может быть, сейчас неподходящий момент, но все же я рискну. Все на базе знают, что тебя отправляют домой, потому что ты состоишь в компартии. Я не силен в политике. Я пошел в армию еще совсем сопляком. И, наверное, в чем-то я до сих пор сопляк. Но я тебя уважаю, потому что у тебя и котелок варит и ты не робкого десятка. Ты прекрасно понимаешь, как в этом мире все прогнило. Но, по-моему, ты не прав, потому что я не желаю верить никому, кто пытается заставить меня делать то, что хочет он, — неважно что. Я включаю сюда и армию Соединенных Штатов, и коммунистическую партию, и Россию, и нашего хренова полковника, и так далее, — он обернулся к Эдди Кэссину. — Ты можешь сказать, что я такое несу?

Эдди ответил сухо:

— Что ты его любишь, невзирая даже на то, что не пустил к нему Геллу.

Все захохотали.

Только Гордон не засмеялся. Его длинное лицо янки осталось бесстрастным, и он сказал Моске:

— Уж коли ты все это сказал, то я, пожалуй, тоже скажу тебе то, что уже давно собираюсь сказать, Уолтер, — он помолчал, сцепив свои огромные костлявые ладони. — Я знаю, что ты обо мне думаешь и что ты чувствуешь. И, возможно, ты тут ничего не можешь поделать. Ты вот говоришь, что я не прав, но у меня есть убеждения, которым я буду верен, что бы ни случилось. Я верю в человечество, верю, что жизнь на земле может быть прекрасной. И я верю, что этого можно достичь усилиями коммунистов. А ты строишь свой мир, только полагаясь на нескольких людей, которые тебе дороги. Поверь мне, это ущербный путь в жизни.

— Да? И почему же? — Моска склонил голову и, когда снова посмотрел на Гордона, у него на лице играли темно-красные пятна гнева.

— Потому что и ты, и эти люди находятся во власти сил, о которых ты просто не хочешь задуматься. Ты несвободен, когда пытаешься сражаться, оставаясь на своем уровне, в своем узком круге, на маленькой арене своей судьбы. И, когда ты сражаешься на этой арене, ты только навлекаешь ужасную опасность на людей, которые тебе дороги.

Моска ответил:

— Раз уж ты заговорил о силах, которые подчинили мою жизнь... Господи, неужели ты думаешь, я что-то об этом знаю? Я знаю, что ничего нельзя сделать. Но никому не дано мной манипулировать, никто не заставит меня поверить сегодня в одно, а завтра вдруг ни с того ни с сего поверить в прямо противоположное. И мне наплевать, правильно это или нет. Каждый день я слышу от фрицев, которые работают у нас на базе, или в офицерском общежитии, или в «Ратскелларе», что они только и ждут момента, когда мы сможем вместе в одних рядах идти воевать с русскими, и они ждут, что после этих слов я им сразу же отвалю сигарет. А с той стороны, думаю, происходит все то же самое. Знаешь, чему я рад? — он перегнулся через стол и обратил к Гордону свое раскрасневшееся от возбуждения и выпитого лицо. — Что теперь-то уж есть шанс, что все это взлетит на воздух. Все взлетят на воздух к едреной матери.

— Эй! Эй! — воскликнула Энн Миддлтон, захлопав в ладоши.

Эдди Кэссин засмеялся и вскричал:

— Черт побери, вот это речь!

Лео, казалось, был потрясен услышанным. Моска расхохотался и сказал Гордону:

— Смотри, что ты заставил меня тут наговорить!

Гордон тоже улыбался, думая о том, что он, как всегда забыл, насколько молод и горяч Моска, и неожиданно в порыве юношеской незрелой откровенности с него слетает вся его невозмутимость.

И, пытаясь разрядить обстановку, он спросил:

— А как же Гелла и — потом ребенок?

Моска не ответил. Энн встала, чтобы наполнить их стаканы, а Лео сказал:

— Да он только так говорит, а думает совсем иначе. А Моска, словно не услышав этих слов, сказал Гордону:

— За них я отвечаю.

И один только Эдди Кэссин понял, что для Моски эти слова были как символ веры, которому он был готов следовать всю жизнь. А Моска улыбнулся, обведя всех взглядом, и повторил на сей раз шутливо:

— За них отвечаю я. — Он покачал головой. — Что может быть лучше?

— А почему ты с этим не согласен? — спросила Энн у Лео.

— Не знаю, — ответил Лео. — Я попал в Бухенвальд совсем молодым. Я встретил там отца, и мы довольно долгое время были вместе. Люди ведь разные. Да и Уолтер меняется. Я вот видел не раз, как он раскланивается — в буквальном смысле раскланивается при встрече со своими соседями-немцами.

Все засмеялись, а Моска раздраженно возразил:

— А я вот понять не могу, как это можно восемь лет просидеть в концлагере и быть таким, как ты, Лео. Да на твоем месте, если бы фриц на меня хотя бы косо посмотрел, я бы его мигом в больницу отправил. И, если бы мне хоть что-то сказали, что мне не по нраву, я бы им яйца отбил.

— Я попросила бы! — воскликнула Энн с притворным ужасом.

— Я этого не могу в тебе понять! — закончил Моска и усмехнулся, взглянув на Энн. Она-то использовала куда более крепкие выражения, торгуясь с «жучками» с черного рынка, которые ее обманывали.

Лео медленно сказал:

— Ты забываешь, что во мне течет немецкая кровь. И то, что делали немцы, они делали вовсе не потому, что они немцы, а потому, что они люди. Это мне сказал отец. И, кроме того, сейчас у меня все хорошо, у меня новая жизнь, и я бы ее себе отравлял, если бы был жесток с другими.

— Ты прав, Лео, — подхватил Гордон. — Нам не

нужны эмоциональные порывы, нам нужно во всем разобраться с точки зрения здравого смысла. Нам необходимо трезво подходить к вещам и пытаться изменить мир, действуя логически. Так учит коммунистическая партия.

Он произнес это абсолютно искренне и без тени сомнения. Лео долго смотрел на него и потом сказал:

— Я знаю о коммунизме только одно. Мой отец был коммунистом. И лагерь не сломил его. Но, когда в лагерь просочилось известие, что Сталин подписал пакт с Гитлером, мой отец этого не смог пережить — он умер.

— А что, если этот пакт был необходим для того, чтобы спасти Советский Союз? — спросил Гордон. — Что, если этот пакт был необходим, чтобы спасти мир от нацизма?

Лео склонился над столом и взял себя за щеку, чтобы унять нервный тик.

— Нет, — ответил он. — Если моему отцу было суждено умереть так, как он умер, то мир не стоит спасать. Я понимаю, это эмоциональный, а не логический подход, который так ценит твоя коммунистическая партия.

В последовавшей за этими словами тишине все услышали, как наверху заплакал ребенок.

— Пойду поменяю пеленки, — сказал Гордон. Жена одарила его благодарной улыбкой.

Когда он ушел, Энн сказала, обращаясь к Лео:

— Не обращайте на него внимания, — но таким спокойным тоном, чтобы присутствующие не приняли эти слова за упрек. Она вышла на кухню варить кофе.

Когда все стали расходиться, Энн сказала Моске:

— Забегу завтра попрощаться с Геллой.

Гордон обратился к Лео:

— Не забудьте о профессоре, ладно?

Лео молча кивнул, а Гордон добавил добродушно:

— Желаю вам удачи!

Гордон запер за ними дверь и вернулся в гостиную. Энн сидела в кресле, погруженная в раздумья.

— Гордон, я хочу с тобой поговорить, — сказала она.

Он улыбнулся.

— Я тебя слушаю, — и почувствовал острый укол страха. Впрочем, он мог разговаривать с Энн о политике и не раздражаться, хотя она всегда с ним не соглашалась.

Энн встала и нервно прошлась по комнате. Гордон смотрел на ее лицо. Он любил ее открытое, скуластое лицо, прямой нос и светло-голубые глаза. Она была чисто саксонским типом, хотя, подумал он, чем-то походила на славянку. Интересно, может быть, между саксами и славянами были какие-то родственные связи. Надо будет почитать об этом.

Ее слова ударили его наотмашь. Она сказала:

— Тебе пора это прекратить, слышишь, пора прекратить!

— Прекратить что? — спросил Гордон невинно.

— Сам знаешь! — отрезала она.

Боль от внезапного осознания смысла сказанных ею слов, и от того, что она посмела такое ему сказать, была столь велика, что он даже не разозлился — у него просто засосало под ложечкой, и он ощутил беспомощное отчаяние. Она посмотрела ему в лицо, подошла и опустилась около него на колени. Только когда они оставались вдвоем, она утрачивала всю свою силу и решительность, становясь нежной и смиренной.

Она сказала:

— Я же не сержусь, что ты потерял эту работу из-за того, что ты коммунист. Но что мы будем делать? Нам же надо подумать о ребенке. Тебе надо работать, Гордон, и зарабатывать. А так ты растеряешь всех своих друзей, если будешь так яростно спорить с ними о политике. Мы же не можем так жить, любимый, это же не может больше продолжаться!

Гордон встал со стула и отошел в сторону. Он был уязвлен в самое сердце — не потому, что она оказалась способной сказать ему такое, а потому, что она, самый близкий ему человек, так плохо его знает. Как она посмела подумать, что он может выйти из партии так, как кто-то может бросить курить или изменить диету. Но ему надо было ей что-то ответить.

— Я думаю о нашем ребенке, — сказал Гордон. — Вот почему я коммунист. Ты что же, хочешь, чтобы он вырос и познал все те же страдания, которые познал Лео, или стал таким, как Моска, которому наплевать на всех и каждого. Мне очень не понравилось то, что он тут говорил в твоем присутствии, но ему же наплевать, хотя он и уверяет, что симпатизирует мне. Я хочу, чтобы наш сын жил в здоровом обществе, которое не отправит его ни на войну, ни в концлагерь. Я хочу, чтобы он рос в нравственном обществе. Вот за что я борюсь. А ты же знаешь, что наше общество прогнило насквозь, Энн, ты же знаешь это.

Энн встала и подошла к нему. Она уже не была нежной и смиренной.

Она заговорила, как ей показалось, просто и убедительно.

— Ты же не веришь, что в России происходят все эти ужасы, о которых у нас пишут. А я верю, хотя бы и отчасти. Нет, они не сделают жизнь моего сына безопасной. Я верю в свою страну, как люди верят в своих братьев и сестер. Ты всегда говорил, что это — национализм. Не знаю. Ты готов идти на любые жертвы за свою веру, но я не готова платить за твою веру страданиями сына. Но, Гордон, если бы я была уверена, что ты им подходишь, я бы не пыталась тебе препятствовать. Но то, что случилось с отцом Лео, — это как раз то, что ждет тебя. Мне показалось, что он рассказал нам об этом для того, чтобы заставить тебя задуматься, это было предупреждение тебе. Или, что еще хуже, ты сам скурвишься. Тебе надо выйти из партии, надо выйти! — ее широкоскулое лицо обрело упрямое выражение, и он знал, что это непоколебимое упрямство.

— Давай-ка определим, правильно ли я тебя понял, — начал Гордон медленно. — Ты хочешь, чтобы я получил хорошую работу, жил как добропорядочный буржуа и не подвергал опасности свое будущее, оставаясь членом партии. Так?

Она не ответила, и он продолжал:

— Насколько я понимаю, ты это говоришь из лучших побуждений. Ведь в основном у нас одинаковые взгляды. Мы оба хотим счастья своему сыну. Мы только расходимся в методах. Безопасность, о которой ты мечтаешь для него, носит временный характер, эта безопасность зависит только от милости капиталистов, которые управляют страной. А я предлагаю... мы сражаемся за всеобщую и постоянную безопасность, безопасность, на которую не могут посягнуть единицы из правящего класса. Ты понимаешь?

— Ты должен с этим кончать, — сказала Энн упрямо. — Тебе надо с этим кончать.

— А если я не могу?

— Если ты не пообещаешь мне, что выйдешь из партии... — Энн остановилась, чтобы облечь свою мысль в слова. — Тогда я уеду с ребенком в Англию, а не в Америку.

Они оба испугались того, что она сейчас сказала, но Энн продолжала тихо, едва не плача:

— Я знаю, что если ты дашь обещание, ты его сдержишь. Я тебе верю. — И в первый раз за всю их совместную жизнь Гордон разозлился на нее, ибо он понимал, что ее доверие оправданно: он никогда ей не лгал, никогда не нарушал данных обещаний. Даже личную жизнь он подчинил своей новоанглийской совестливости. А теперь вот она использует его честность, чтобы поймать его в ловушку.

— То есть, проще говоря, — произнес Гордон раздумчиво, — если я не дам тебе обещание выйти из компартии, ты заберешь сына и уедешь в Англию. Ты меня бросишь, — в его голосе не было ни страдания, ни злобы. — А если я дам тебе обещание, ты поедешь со мной в Штаты.

Энн кивнула.

— Знаешь, а ведь это нечестно, — сказал Гордон и теперь он не смог скрыть душевную боль. Он подошел к стулу и опустился на него. Спокойно и хладнокровно он перебирал в уме все сказанное ими обоими. Он знал, что Энн сделает именно то, что только что пообещала сделать. Он знал, что не сможет выйти из партии и что если он даже выйдет из партии, то возненавидит жену; но он также знал, что не сможет отказаться от нее и ребенка, то есть, может быть, — от нее, но не от ребенка.

— Я обещаю, — сказал он.

Он знал, что лжет. И, когда она со слезами облегчения на глазах подошла к нему, опустилась на колени, уткнулась ему головой в живот, он ощутил жалость и сострадание к ней и еще ужас оттого, что он сделал. Ибо он живо представил себе все дальнейшее. В Америке она рано или поздно узнает, что он обманул ее, но, узнав об этом, она не покинет его, не имея ни денег, ни достаточной решимости уехать в Англию. Их привязанность друг к другу не ослабеет. Но теперь их жизнь будет замешана на ненависти, недоверии и презрении. И до гробовой доски они будут ссориться, ссориться... Но он ничего не мог поделать. Он гладил ее длинные тяжелые волосы, которые, как и ее крепкое крестьянское тело, его всегда восхищали. Он обратил ее широкоскулое, почти славянское, лицо вверх и поцеловал заплаканные глаза.

И подумал, что ничего не может поделать, и поцелуй, запечатленный на ее щеке, больно кольнул его в самое сердце.

ГЛАВА 15

В сумерках руины Нюрнберга были исполнены покойного величия, и казалось, что разрушение постигло город давным-давно в результате какого-то стихийного бедствия — пожара, землетрясения, наводнения, многолетних дождей и засухи, и сохранившиеся кварталы высились смолисто-черными истуканами, словно сама земля кровоточила, и спекшаяся лава образовала огромные курганы-могильники.

Лео ехал мимо развалин и впервые ощутил радость при виде такого запустения. В пригороде он остановился у небольшого побеленного дома, ничем не отличающегося от соседних. Он надеялся, что профессор уже собрался: ему не терпелось скорее покинуть Нюрнберг, и убежать подальше от судебного процесса. Он дал свидетельские показания, ничего не утаивая, изложив известные ему факты и улики против охранников и «стариков» лагеря. Он встретился со многими знакомыми, с которыми сидел в Бухенвальде, и разделил с ними мрачное удовлетворение по поводу этого долгожданного акта отмщения. Но странное дело, ему было не по себе от этих встреч с бывшими товарищами, словно они оказались не жертвами, а участниками какого-то постыдного действа, в котором они все были в равной мере повинны. Он попытался как-то объяснить это ощущение самому себе и понял, что просто не хотел общаться с людьми, которые помнили и разделяли с ним тогда все унижения, ужас и безнадежность жизни. Любое знакомое лицо, вызывавшее какие-то воспоминания, снова возвращало к жизни то далекое, о котором он старался забыть. Он нажал на клаксон, и сигнал «джипа» прорезал вечернюю тишину.

И почти сразу же он увидел худую тщедушную фигурку профессора, отделившуюся от дома и заспешившую по тропинке к «джипу». Для профессора это приятная неожиданность, мрачно подумал Лео, и постарался держаться с ним повежливее.

— Как прошел ваш визит к сыну — удачно? — спросил он.

— Да-да, очень удачно, — ответил профессор. Он произнес эти слова вежливо, но апатично. Выглядел он плохо, под глазами темнели глубокие круги, кожа серая, в губах ни кровинки.

Лео ехал медленно, и легкий ветерок приятно щекотал лицо. Они могли пока разговаривать — потом, когда он прибавит скорость, на колючем ветру они уже не смогут произнести ни слова. Правой рукой он достал из кармана рубашки пачку сигарет, левой крепко держал баранку. Он предложил сигарету профессору. Профессор чиркнул спичкой, спрятал ее в ладони и наклонился, чтобы дать Лео прикурить, потом прикурил сам. После нескольких затяжек Лео сказал:

— Я знаю про вашего сына, один мой знакомый давал против него показания в прошлом месяце.

Он заметил, что рука профессора дрогнула, когда он подносил сигарету ко рту. Но старик ничего не сказал.

Лео заметил:

— Если бы я раньше это знал, я бы не привез вас сюда, — и тут же удивился, зачем же он везет обратно этого человека в Бремен.

Профессор, прислонившись к двери «джипа», сказал с нервным возбуждением:

— Я и не хотел, чтобы вы мне помогали. Я знал, что так нельзя. Но герр Миддлтон уверил меня, что он вам все объяснил и вы согласились.

— Когда казнят вашего сына? — с жестоким злорадством спросил Лео и сразу же устыдился своих слов.

— Через несколько недель, — ответил профессор. Он выронил сигарету и спазматически сцепил ладони. — Это было мое последнее свидание, — он сидел и ждал слов соболезнования, надеясь, что Лео ничего не будет больше спрашивать. Лео молчал. Они ехали по широкому полю, над которым висел запах свежей травы и распустившихся деревьев, не подернутых еще дорожной пылью. «Джип» еле тащился по дороге.

Лео, повернув голову, посмотрел на старика.

— Вашему сыну приговор вынес германский суд, его осудили за убийство немца, а не за преступления, которые он совершил как охранник в лагере. Это, право же, смешно. Вы никогда не сможете обвинить проклятых евреев за то, что они убили вашего сына. И ненависть никогда не станет вашим утешением. Какая жалость!

Профессор опустил голову и смотрел на свои руки.

— У меня и в мыслях не было ничего подобного, — тихо сказал он. — Поверьте, я же культурный человек.

— Ваш сын заслуживает смерти, — продолжал Лео. — Он чудовище. Если когда-либо человек заслуживал того, чтобы его лишили жизни, то ваш сын этого заслуживает. Вы знаете, что он творил? Он уродливое порождение природы, без него мир станет лучше. Я говорю это с чистым сердцем. Вы знаете, что он творил? — ненависть, звенящая в его голосе, клокотала у него в душе, и он не смог продолжать. Он повернулся к профессору и стал ждать ответа.

Но профессор не сказал ни слова. Он уронил лицо в ладони, словно пытался спрятаться от невыносимого бремени. Его трясло. Ни звука не вырвалось у него из груди, но все его маленькое тело раскачивалось взад-вперед, словно внутри работал крошечный моторчик.

Лео подождал, пока пройдет приступ гнева, но когда жалость и сострадание уже совсем было изгнали ненависть из его души, он произнес про себя: «нет-нет!» — и вспомнил отца, его высокую иссохшую фигуру и бритую голову, как он брел по гравийной дорожке, а Лео в концлагерной робе шел ему навстречу, не узнавая его, а отец вдруг остановился и спросил: «Что ты здесь делаешь?» И Лео вспомнил тогда, как вспомнил сейчас: давным-давно в Тигартене днем, когда он должен был быть в школе, его поймал отец и спросил у него тем же самым тоном: «Was machst du hier?»[1] Но только здесь, на гравийной дорожке, окаймленной побеленными каменными столбами с колючей проволокой, бегущей вдоль горизонта, отец, произнеся эти слова, заплакал, припав сыну на грудь. На куртке у отца была красная полоска, обозначающая политического заключенного, у сына — зеленая полоска, выдающая его принадлежность к еврейской нации. И Лео, вспомнив все это и только теперь осознав, что вытерпел его отец десять лет назад, чувствовал лишь презрение к этому старику, который сидел рядом с ним в «джипе» и расплачивался собственным горем за горе его отца. Этот хороший образованный человек, умеющий отличать добро от зла, способный распознать трусость и бессилие, не пришел на помощь к его отцу. Он спал в мягкой постели, сытно ел — и получил эти блага лишь потому, что беспомощно пожимал плечами и с легким сердцем устранился от всего происходящего вокруг. Лео отвел взгляд от профессора и стал смотреть на дорогу и на зеленую долину, подернутую черными тенями ночи. Он знал, что не сможет остаться в Германии, не сможет

[1] Ты что здесь делаешь? (*нем.*)

жить бок о бок с людьми, которых он даже не ненавидел, хотя эти люди заставили его провести все годы юности за колючей проволокой, выжгли ему на руке номер, который он будет теперь носить до самой могилы, убили его отца, и его мать заставили бежать за тысячи миль прочь от родного дома, отчего у нее помутился рассудок, и она умерла из-за того, что лишилась сна — буквально не могла уснуть.

А теперь вот в этой стране, с этими людьми он жил в мире и не исходил яростью, не поражал огнем и мечом. Он спал с их дочерями, дарил шоколад их детям, им самим давал сигареты, возил их в своей машине. И уже с презрением к самому себе Лео выдавил из души последнюю каплю жалости к этому старику. Он снял ногу с тормоза и развил бешеную скорость, желая поскорее добраться до Бремена. Профессор вытер лицо платком и скрючился, упершись ногами в пол «джипа», и явно страдал от сильной тряски.

В эти ранние утренние часы на поля, мимо которых они проезжали, уже пролились первые проблески рассвета. Лео остановился у закусочной, построенной американцами на шоссе. Он повел туда профессора, и они сели за длинный деревянный стол. За столом, уронив голову на руки, спали солдаты-шоферы.

Они молча выпили кофе, но, когда Лео вернулся, неся очередную порцию кофе и несколько булочек, профессор заговорил — сначала медленно, потом быстрее, и его руки дрожали, когда он торопливо подносил ко рту чашку с кофе.

— Лео, вы не можете еще знать, что чувствует отец, насколько отец беспомощен. Я знаю все о своем сыне, и он даже признался мне еще кое в чем. Его мать умирала, когда он был на русском фронте, и мне удалось добиться для него увольнительной — он был героем, у него было немало наград, но он не приехал. Он написал, что увольнительную отменили. А теперь вот он мне рассказал, что уехал тогда в Париж. Ему хотелось немного развеяться. Он объяснил мне, что не чувствовал ни жалости, ни сострадания к матери. И вот тогда-то все и началось, он стал творить ужасные вещи. Но, — профессор сделал паузу, словно боялся продолжать, но продолжал еще более взволнованно, — но как же это может быть, чтобы сын не оплакал смерть матери? Он ведь всегда был нормальным, как все другие мальчики, может быть, чуть привлекательнее, чуть умнее прочих. Я учил его доброте, душевной щедрости, учил его делиться со своими друзьями, верить в Бога. Мы так его любили, я и его мать, мы не испортили его. Он был хорошим сыном. И даже теперь я не могу поверить в то, что он совершил, но он мне признался во всем, — его обрамленные морщинами глаза наполнились слезами. — Он рассказал мне все, и прошлой ночью плакал у меня на руках и говорил: «Папа, я хочу умереть, я хочу умереть». Мы всю неделю вспоминали прошлую жизнь, и вот вчера он расплакался, как ребенок, и сказал, что хочет умереть.

Профессор осекся, и Лео понял, что у него на лице, наверное, написано омерзение, смешанное с невольной жалостью.

Профессор опять заговорил — тихо, рассудительно и несколько извиняющимся тоном, словно признавая, что его горе было вопиющим проявлением дурных манер. Он говорил, медленно проговаривая каждое слово:

— Я мысленно перебираю все годы нашей жизни и пытаюсь понять, когда же это началось? И не могу понять. Я ничего не нахожу. То, что он превратился в чудовище, произошло как-то само по себе. Ужасно так думать. После этой мысли жить не хочется. Вы назвали его чудовищем, Лео, и это правда. И ваш сын мог бы стать таким чудовищем, — профессор улыбнулся, давая понять, что в свои слова не вкладывает никакого личного смысла, а просто теоретизирует, и эта улыбка на его лице с маской горя казалась усмешкой призрака, бескровные губы так уродливо искривились, что Лео склонился ниже над своей чашкой, чтобы не видеть лица профессора.

Эта улыбка словно высосала из него все силы, и старик опять разволновался.

— Я говорю вам эти вещи, потому что вы жертва. Мой сын и я тоже — мы причинили вам горе. Что мне теперь сказать? Это было просто несчастное стечение обстоятельств, словно я вел машину и по неосторожности сбил вас. Без всякого умысла. Мой сын просто заболел ужасной болезнью вроде лихорадки, точно он прожил долгие годы на болотах, вы можете это понять? Он должен умереть от этой болезни. Но я верю, что, несмотря ни на что, он хороший. Я верю, что он хороший. — Профессор заплакал и заговорил громко, истерически: — Бог сжалится над ним, Бог сжалится над ним!

Один из спящих солдат оторвал голову от стола и крикнул:

— Заткнись, Бога ради!

Профессор замолк.

Лео сказал:

— Давайте вздремнем немного и потом поедем дальше. Только сначала покурим.

Выкурив по сигарете, они положили лица на ладони, и профессор тут же заснул, а Лео не смог.

Он поднял голову и стал смотреть на румяные булочки, разбросанные по замызганному столу. На боках алюминиевого чана с кофе играли золотые блики — отсвет горящих под потолком лампочек. Ему не было жалко старика: он просто не мог чувствовать к нему жалости. Его собственное страдание, вошедшее в плоть и кровь, выработало в нем иммунитет к чужому горю. Но он знал теперь, как горевали о нем мать и отец — это было жестокое страдание. Сквозь подступивший сон в его усталом сознании возникло мутное видение бесконечной вереницы злодеев, осуждаемых на смерть в полном соответствии с юридическими нормами, и эти смерти расползались, как эпидемия, заражали миллионы безвинных людей. Так было и так будет — и, уронив голову на доски стола, он сонно размышлял о чудесном разрыве этого порочного круга, когда после каждой казни родственникам осужденных будут давать маленькую таблетку забвения. И уже погрузившись в сон, он окунул длинную стальную иглу в чан с кофе и высосал оттуда золотые блики, потом выпустил их в пробирку с черной жидкостью, смешал и всадил иглу профессору в шею, всадил глубоко, пока игла не ткнулась в кость, и впрыснул жидкость из шприца. Профессор повернул к нему свое лицо, на котором застыло выражение покорной благодарности.

Они проснулись на рассвете и отправились в долгий путь до Бремена, вступая в разговор лишь по необходимости. Дневное солнце уже начало клониться к западу, когда они въезжали в предместья Бремена, и Лео вскоре притормозил у дома, где жил профессор.

Лео специально заставил мотор зареветь, чтобы не слышать слов благодарности старика, и быстро уехал. Он замерз, устал, но спать ему не хотелось.

Он поехал через весь город, мимо полицейского управления, потом по Шваххаузеру, и свернул на Курфюрстен-аллее. Он медленно ехал по извилистой длинной улице, обсаженной деревьями, и солнце и свежий ветерок освежили его. Подъехав к офицерскому общежитию, он снял ногу с педали газа и въехал на тротуар так, что левые колеса «джипа» остались на мостовой, а правые — на тротуаре. Он стал подгонять машину к дереву, но «джип» двигался быстрее, чем ему казалось, и от толчка в ствол его голова дернулась назад. Он чертыхнулся, откинулся на спинку и закурил, потом дал три сигнала.

Окно распахнулось, но вместо Геллы на улицу выглянула фрау Заундерс.

— Фрау Моски нет. Ее утром увезли в госпиталь. Преждевременные роды.

Лео от неожиданного известия даже привстал.

— Как! С ней все в порядке?

— Все отлично, — ответила фрау Заундерс. — Родился мальчик. Роды прошли удачно. Герр Моска сейчас там.

Лео не стал ей ничего говорить, развернулся и помчался в городской госпиталь. По пути он остановился у офицерского клуба и дал немцу-привратнику пачку сигарет за большой букет цветов, который тот нарвал для него в саду.

ГЛАВА 16

Моска услышал, как из соседнего кабинета Инге зовет его к телефону. Он вошел и взял трубку.

— Герр Моска, это фрау Заундерс. Час назад вашу жену увезли в госпиталь. По-моему, у нее начались роды.

Моска помолчал, оглянувшись на Инге и Эдди, словно они могли подслушать его разговор. Но они оба были поглощены работой.

— Но ведь это на две недели раньше срока, — сказал Моска и увидел, как Эдди и Инге тотчас оторвались от бумаг и взглянули на него.

— Это роды, — повторила фрау Заундерс. — Сегодня утром, когда вы ушли, у нее начались схватки. Я позвонила в госпиталь, и за ней прислали санитарную машину.

— Хорошо, — сказал Моска. — Я еду.

— Позвоните мне, когда что-нибудь выясните, — попросила фрау Заундерс.

— Обязательно, — ответил Моска, и, прежде чем он положил трубку, фрау Заундерс добавила:

— Она просила вам передать, чтобы вы не волновались.

Эдди Кэссин поднял брови, когда Моска сообщил ему новость, позвонил в гараж и вызвал машину.

Когда подъехал «джип», Эдди сказал:

— Встретимся в «Ратскелларе» за ужином, если сможешь приехать. И позвони мне, если что-нибудь понадобится.

— Может быть, это еще не роды, — сказал Моска. — Она большая паникерша.

— Она молодец, — сказал Эдди уверенно. — Конечно же, она рожает. Иногда это случается. Я уже через все это прошел, — он пожал Моске руку и заключил: — Считай, тебе повезло.

По пути в город Моска стал по-настоящему нервничать. Внезапно он испугался, что она неизлечимо больна, и попросил шофера:

— Скорей!

Шофер возразил:

— У меня инструкции. Я знаю правила дорожного движения.

Моска бросил шоферу полную пачку сигарет на колени. «Джип» с ревом понесся быстрее.

Городской госпиталь занимал несколько кирпичных зданий в большом парке со множеством тропинок и зеленых лужаек. Парк был окружен железным забором, увитым плющом, который скрывал колючую проволоку. Вдоль всего забора на равных расстояниях друг от друга виднелись железные калитки. Но главный въезд для посетителей был широким, и сквозь ворота свободно могли проехать даже грузовики. «Джип» въехал в главные ворота и медленно двинулся по аллее, осторожно огибая бредущих немцев.

— Узнай, где родильное отделение, — попросил Моска шофера.

«Джип» остановился. Шофер перегнулся через дверь и спросил у проходящей мимо медсестры дорогу, потом отпустил тормоз. Моска откинулся на спинку сиденья и, пока они медленно колесили по территории госпиталя, уговаривал себя успокоиться.

Теперь он попал в немецкий мир. Тут не было ни военных мундиров, ни знаков различия, ни армейских машин — кроме той, в которой они ехали. И вокруг были одни враги — их одежда, их речь, их походки. Вся здешняя атмосфера была вражеской. Из окна «джипа» он видел на заборе железные колючки, ощетинившиеся на внешний мир. Здание родильного отделения стояло около забора.

Моска вошел в кабинет, где сидела пожилая медсестра. У стены рядом с ее столом стояли двое в американских военных комбинезонах, но в вермахтовских фуражках с высокой тульей. Это были водители санитарных машин.

— Я ищу Геллу Брода, она поступила сегодня утром, — сказал Моска.

Медсестра раскрыла регистрационную книгу. В какое-то мгновение Моска испугался, что она сейчас скажет: «нет» — и его страхи оправдаются. Но она посмотрела на него и улыбнулась:

— Да. Подождите, я сейчас узнаю.

Пока она разговаривала по телефону, один из водителей обратился к Моске:

— Мы ее привезли, — и оба улыбнулись ему.

Он вежливо улыбнулся им в ответ и понял, что они ждут от него сигарет в знак благодарности. Моска полез в карман, но оказалось, что он отдал водителю «джипа» последнюю пачку. Он пожал плечами и стал ждать, что скажет медсестра.

Она положила трубку.

— У вас мальчик.

Моска нетерпеливо спросил:

— С моей женой все в порядке? — и сразу смутился, услышав, что он произнес слово «жена».

— Да, конечно, — ответила сестра. — Если хотите, можете подождать здесь и через час вы ее увидите. Она сейчас спит.

— Я подожду, — ответил Моска.

Он вышел на улицу и сел на деревянную скамейку у входа.

Кирпичная стена была вся увита плющом. Он чувствовал аромат цветов из сада, терпкую сладость, смешанную с красноватым сиянием терпкого полуденного солнца. Медсестры и врачи в белых халатах сновали взад-вперед по зеленой траве лужаек и входили в кирпичное красное здание. Все вокруг было чисто, опрятно, нигде на земле не было видно свежих шрамов войны. Прозрачный воздух наполнился чириканьем недавно родившихся птенцов и звоном невидимых насекомых. Его охватило смущение полного покоя, тихого благополучия, словно железный забор наглухо отгородил этот клочок земли от шума, грязи и смрада разрушенного города.

Из здания вышли оба водителя санитарной машины и подсели к нему. Эти сволочи не отстанут, подумал Моска. Ему смертельно хотелось курить. Он повернулся к одному из них и спросил:

— Есть закурить?

Они оторопели: у того, кого он спросил, буквально челюсть отвалилась. Моска усмехнулся:

— У меня с собой нет. Я оставлю для вас пару-тройку пачек, когда еще раз приеду.

Шофер вытащил из кармана темную пачку немецких сигарет и протянул Моске со словами:

— Если хочешь такую, то...

Моска закурил и, сделав одну затяжку, закашлялся. Оба водителя захохотали и тот, кто дал ему сигарету.

— К ним надо привыкнуть.

Но после первой неудачной затяжки сигарета показалась Моске даже приятной. Он откинулся на спинку скамейки и подставил лицо под полуденное солнце. И только теперь почувствовал усталость.

— Как она была, когда вы ее везли? — спросил он с закрытыми глазами.

— Нормально, как все, — ответил шофер, давший ему закурить. На лице у него было добродушное выражение: эта вечная полуулыбка, похоже, никогда не слезала с его губ. — Мы их сотнями возим, так что не беспокойся.

Моска открыл глаза и взглянул на него.

— Не слишком-то приятная работа — возить каждый день женщин, которые кричат и стонут, — и почувствовал отвращение к обоим только за то, что те видели несчастную, беспомощную Геллу и что на какое-то время она стала добычей их рук.

Водитель ответил:

— Нет, очень даже здорово возить людей, которые издают какие-то стоны. На фронте я работал в похоронной команде. Мы ездили на грузовике по полю и собирали убитых. Зимой трупы совсем были закоченевшие, так что приходилось складывать их, как поленья, ровными штабелями. Иногда удавалось чуть согнуть им руки и зацеплять за согнутые руки соседей, чтобы они не рассыпались, когда штабель получался слишком высоким.

Другой шофер встал со скамейки и скрылся в дверях.

— Он уже наслышался этих рассказов, — пояснил немец. — Он служил в люфтваффе, летал на бомбовозах. Ему кошмары снились неделями. Да, так вот я и говорю. Летом было просто ужасно. Ужасно! До войны я упаковывал фрукты в ящики — может, поэтому-то меня и направили в похоронную команду. Я складывал в ящики апельсины, импорт там всякий, и часто попадались гнилые, поэтому приходилось их перебирать и заново упаковывать. Гнилые я бросал в мусорный ящик и уносил домой. Так вот летом то же самое происходило с мертвецами. Они были полусгнившие, осклизлые, и их приходилось штабелевать друг на друга. Получался такой высоченный кузов гнилья. Так что нынешняя работа — просто прелесть. А там, летом ли, зимой ли, мы работали молча — ничего интересного, сами понимаете, — и он широко ухмыльнулся.

Моска подумал: ну и сукин же ты сын! Этот парень ему почему-то понравился, хотя он и почувствовал, что тот изо всех сил старается к нему подлизаться.

— А я люблю поболтать, — продолжал немец, — так что мне моя работа на фронте не нравилась. Не то что здесь — тут одно удовольствие. Сиди рядом с женщиной — она в крик, а я ей: кричи, кричи, все равно никто не услышит. Когда они плачут, как ваша жена, я говорю: плачь-плачь, легче станет. У кого есть дети, те должны привыкнуть к слезам. Это моя шуточка. Я никогда не повторяюсь. Я всегда им рассказываю что-нибудь новенькое и никогда ничего не выдумываю. Так, говорю с ними, только лишь бы им не было одиноко. Словно я ихний муж.

Моска прикрыл глаза:

— Почему плакала моя жена?

— Слушай, это же чертовски больно! — немец постарался изобразить укоризну, но ему удалось только состроить добродушную гримасу, словно сама структура его лица не позволяла ему принять иное выражение. — Она плакала от боли, но это ничего: ты бы видел, какая она была счастливая. И я тогда подумал: вот счастливчик ее муж. Я ей этого не сказал, я просто не мог ничего тогда сказать. Я вытер ей лицо влажным полотенцем — она из-за схваток сильно вспотела и здорово наплакалась. Но, когда она выходила из моей санитарки, она мне улыбнулась. Да нет, с ней все было в ажуре, мне и не понадобилось ей что-то там рассказывать.

Сзади раздался стук в оконное стекло, шофер обернулся, медсестра подавала ему знаки, приглашая зайти. Немец ушел, и через несколько минут оба водителя вышли на улицу. Немец пожал Моске руку.

— Ну, всего! Не забудь про наши сигареты, когда приедешь сюда снова.

Они забрались в санитарную машину и медленно поехали к главным воротам.

Моска снова закрыл глаза, откинулся назад и под согревающими лучами июньского солнышка задремал. Когда он проснулся, ему показалось, что он спал довольно долго, даже со сновидениями. За спиной опять стучали по стеклу, Он обернулся и увидел, что его зовет сестра.

Она сказала ему, на какой этаж и в какую палату идти, и он пулей взлетел на третий. Подойдя к палате, он увидел в коридоре длинный стол на колесиках, на столе лежали в рядок около двух десятков белых сверточков, которые издавали оглушительный ор. Один из этих сверточков был его сын, и он стал заглядывать им в личики. Из палаты вышла сестра и собралась укатить стол.

— Вы можете войти, — сказала она ему.

Он толкнул дверь и вошел в просторную квадратную палату с зелеными стенами, где стояло шесть кроватей. Среди лежащих в палате женщин Геллы он не увидел. Но потом в углу он заметил кровать настолько низкую, что она была почти вровень с полом.

Она лежала на спине с открытыми глазами, смотрела на него и была такой красивой, какой он ее никогда прежде не видел. Ее губы были красные, цвета крови, а лицо белое, как простыня, с двумя розовыми пятнами на щеках. Глаза ее сияли, и если бы она не была столь непривычно безжизненна и неподвижна, трудно было предположить, что лишь несколько часов назад она произвела на свет дитя. Не забывая о присутствии чужих людей, он подошел к ней, наклонился и собрался поцеловать в щеку, но она повернула голову, и его губы встретились с ее губами.

— Ты рад? — прошептала она. Ее голос был хриплым, словно она сильно простудилась.

Моска улыбнулся и молча кивнул.

— Он такой красивый и такой волосатенький, — прошептала она. — Как ты.

Не зная, что сказать, он стоял и удивлялся, почему все, что произошло, доставляло ей такую радость, а его совершенно не трогало.

Вошла сестра и сказала:

— Все, на сегодня хватит, пожалуйста, вы можете приехать завтра в часы для посещений.

Моска склонился над Геллой и сказал:

— Завтра приду, ладно?

Она кивнула и повернула к нему щеку, чтобы он ее поцеловал.

В коридоре сестра спросила, не хочет ли он посмотреть на ребенка, и они пошли к стеклянной стене в конце коридора. У стены стояло несколько мужчин. Они смотрели через стекло на новорожденных, которых по очереди поднимала и показывала разбитного вида няня, явно получавшая удовольствие от этих манипуляций, как и от реакции счастливых пап. Она открыла крошечное окошко в стеклянной стене, и сестра сказала ей: «Ребенок Брода». Няня ушла и вернулась с маленьким свертком. Она откинула полог с личика и гордо подняла ребенка над головой.

Моска был потрясен уродством этого существа. Он впервые в жизни видел новорожденного. Все личико было в морщинах, крошечные черные глазки почти закрыты, но все равно метали злобные взгляды на окружающий враждебный мир, а над его головой, напоминая драную шаль, топорщились клочки черных волос, словно у какого-то дикого животного.

Рядом с Моской маленький лысый немец восторгался другим ребенком, которого через стеклянную стену показывала ему другая няня. Моска с облегчением увидел, что и тот ребенок мало чем отличается от его собственного. Немец воркующе восклицал:

— Ох, какой миленький, какой махонечка! — и причмокивал при этом и корчил страшные гримасы, пытаясь добиться какого-нибудь ответного жеста от новорожденного. Моска с изумлением, наблюдал эту сцену, потом стал вглядываться в своего ребенка, пытаясь испытать хоть какие-то эмоции, и подал няне знак, чтобы она унесла сверток обратно. Няня одарила его долгим свирепым взглядом — ведь она нетерпеливо ждала проявления его отцовских чувств.

«Пошла-ка ты на ... няня», — подумал Моска.

Он сбежал по лестнице и пошел по территории госпиталя к воротам. Он увидел, как Лео медленно пробирается на «джипе» сквозь толпы выходящих из ворот немцев. Он остановился около «джипа», перешагнул через свернутый брезентовый верх, и спрыгнул на переднее сидение. Он увидел на коленях у Лео огромный букет цветов и, когда их холодный терпкий аромат ударил ему в ноздри, он вдруг успокоился и почувствовал себя счастливым.

Когда они наконец встретили Эдди в «Ратскелларе», тот был уже пьян. Он сказал Моске:

— Почему ты, сукин сын, не позвонил? Я заставил Инге названивать в госпиталь, и мне все сказали. Потом звонила твоя хозяйка, я и ей все рассказал.

— О Боже, я забыл! — сказал Моска с глупой улыбкой.

Эдди обхватил его за плечо.

— Поздравляю! Сегодня мы это дело отметим.

Они поужинали, а потом пошли в бар.

— Ну, кто заказывает выпивку — мы или Уолтер? — спросил Лео, словно от этого многое зависело.

Эдди обвел всех отеческим взглядом.

— Сегодня за все плачу я. Насколько я знаю Уолтера, от него даже сигары не дождешься. Взгляните на это печальное лицо!

— Господи! — сказал Моска. — Да как же я могу чувствовать себя счастливым отцом, если мы еще не женаты. Ребенка там даже называют по фамилии Геллы. Ну и дураком же я себя ощущал. Я уж даже решил сразу подать заявление.

— Ну вот, — сказал Эдди. — У тебя еще впереди три месяца. А потом, спустя месяц после свадьбы, можете отправляться в Штаты. Ты что же, хочешь бросить эту халяву?

Моска поразмыслил над его вопросом.

— Думаю, я смогу все бумаги оформить, но с браком повременить. Я просто хочу, чтобы все было на мази. Так, на всякий случай.

— Это ты можешь, — согласился Эдди. — Но ведь рано или поздно тебе придется возвращаться. Теперь, когда Миддлтоны отвалили, где ты будешь доставать нормальную еду для жены и ребенка? — он пристально поглядел на Моску. — Ты уверен, что тебе надо возиться с бумагами? Ты что, уже готов к отправке домой?

Моска обратился к Лео.

— А как ты? Уже решил куда — в Палестину или в США?

— Мне и здесь неплохо, — сказал Лео. И подумал о профессоре. — Но скоро придется принимать решение.

— Тебе надо ехать со мной, — сказал Моска. — Ты можешь первое время пожить вместе с нами. То есть, если я найду жилье.

Эдди спросил с любопытством:

— А что ты будешь делать в Штатах?

— Не знаю, — сказал Моска. — Думаю, может, пойду в колледж. Я же необразованный: пошел в армию прямиком из школы, — он усмехнулся. — Вы не поверите, но я отлично учился. Но все же решил пойти в армию. — Эдди, ты же знаешь почему, ты же сам мне вкручивал мозги, когда мы с тобой тянули солдатскую лямку. А теперь я хочу понять, что вообще происходит, — он помолчал, пытаясь найти правильные слова. — Иногда мне хочется взять пулемет и крушить все вокруг, но я сам не знаю, кого надо крушить. Иногда кажется, что меня несет прямиком в западню. Как теперь. Только я хочу что-то предпринять — бац! — нельзя. Не позволяют. А ведь это мое личное дело. Я вот, к примеру, не могу жениться на немке, — ну ладно, я-то понимаю, почему армейские против этого. Мне наплевать на фрицев, но вот тут ничего не могу поделать. Ну, ладно, ... с ним! — и выпил.

— Знаете, — продолжал он, — в детстве мне казалось, что люди такие замечательные. У меня ведь были какие-то представления о мире, а теперь я уже и вспомнить не могу, что там было. В уличных драках я все воображал себя этаким героем — как в кино: всегда дрался честно, никогда не бил лежачего. Чудак, да? Но это все оказалось не взаправду. Теперь кажется, что та моя жизнь до армии была нереальной. Вот так же казалось раньше — что война никогда не кончится. Ведь мы знали, что потом придется воевать с Японией, а потом найдется еще кто-нибудь, с кем придется воевать. Может, русские. Потом, может, и марсиане. В общем, всегда будет кто-то, так что домой вернуться не удастся. И вот сейчас впервые за все время я поверил, что все и в самом деле закончилось, что мне надо возвращаться домой, в ту вымышленную жизнь или что там было. И надо опять начинать учиться...

Лео и Эдди смотрели на него с изумлением. В первый раз Моска говорил с ними столь искренне о своих переживаниях, и их удивила инфантильность его души, таившейся под маской худощавого, смуглого, почти жестокого лица. Лео сказал:

— Не бери в голову, Уолтер. Вот начнется у тебя нормальная жизнь — жена, ребенок, — и все будет о'кэй.

— Да хрен ли ты знаешь? — с пьяной злобой спросил вдруг Эдди. — Просидел восемь лет в концлагере без бабы. Хрен ли ты знаешь?

Лео ответил тихо и презрительно:

— Я знаю одно. Ты сам отсюда никогда не выберешься.

Эдди обалдело посмотрел на него.

— Ты прав, — сказал он. — Черт тебя побери, но ты прав. Я же написал жене, чтобы она приезжала с ребенком и все — иначе мне вечно придется торчать на этом проклятом континенте. Она моя единственная надежда. Но она спит со своим шефом и думает, что я об этом не знаю. Но я-то ее вычислил!

Лео сказал Моске:

— Может быть, я поеду с тобой. Впрочем, кто знает, что к тому времени случится. Не могу же я тут оставаться вечно. Может быть, наши делишки на черном рынке дадут нам какую-никакую прибыль, и мы сможем вместе начать свой бизнес, а ты еще и в колледже будешь учиться — как тебе такая перспектива?

— Это правильно, — вмешался Эдди. — Откройте с Лео бизнес, и ты не прогадаешь, Уолтер, — он улыбнулся и увидел, что они его не поняли, а может, и не услышали, потому что под действием спиртного его язык еле ворочался. Ему стало стыдно.

— Да вы, ребята, фантазируете, — добавил он и догадался, что разозлился потому, что они вот планируют что-то вместе и собираются его тут бросить, без всякого, правда, злого умысла, а просто полагая, что ему тут суждено остаться. И вдруг ему стало их обоих жалко. Лео — из-за его наивных представлений об окружающем мире, Моску — из-за того, что тот, испытывая неодолимую ярость, что бушует под маской его внешне бесстрастного и надменного смуглого лица, ведет, как ему кажется, нескончаемую битву со всем и вся, битву с единственной целью сохранить хоть какую-то связь с миром, хоть какую-то опору в жизни, цепляясь за тонкую, хрупкую ниточку... И еще Эдди охватила глубокая пьяная жалость к самому себе. И, к удивлению Лео и Моски, он уронил голову на стол и зарыдал. Через мгновение он уснул.

ГЛАВА 17

Тучный Вольф с трудом спустился в подвальную квартиру и утомленно вздохнул, радуясь, что наконец-то укрылся от палящего летнего солнца. Он сегодня изрядно устал: после месячного отпуска у него накопилось много работы. Они с женой ездили в Баварию к ее сестре — это был их последний визит перед отъездом в Штаты. Он пошел прямо на кухню, где Урсула готовила ужин.

— У них родился мальчик, — сообщил он.

Урсула, обернувшись к нему, радостно воскликнула:

— Да это же здорово! Гелла как раз и хотела мальчика. Она уже выписалась из госпиталя? Я хочу навестить ее.

— Она родила сразу же после нашего отъезда, — продолжал Вольф. — У нее были преждевременные. Она уже три недели как дома, — и подумал: они же едва знакомы, а Урсула так за нее рада. У него всегда теплело в душе при известии о рождении у кого-то из знакомых ребенка. Он сам очень хотел детей — вот только все устроится и... Дети — единственная надежная штука на свете. Он уж научит их, как постоять за себя. Его дети будут самые смекалистые в округе, они будут знать что почем в этой жизни.

— Ничего не слышно о наших брачных документах? — спросила Урсула.

— Они еще не вернулись из Франкфурта, — ответил Вольф. Это было ложью. Все бумаги уже лежали в столе его рабочего кабинета на военно-воздушной базе. Но, если бы Урсула об этом узнала, она стала бы настаивать на немедленном оформлении брака, и им бы пришлось уехать из Германии спустя месяц после бракосочетания. Но он хотел здесь задержаться еще на несколько месяцев, чтобы довести до конца свои дела.

За спиной раздался голос отца Урсулы:

— А, Вольфганг, наконец-то вернулся!

Вольф обернулся.

— Тебе звонили. Надо срочно связаться с человеком по имени Хонни.

Старик вернулся из амбара, любовно прижимая к груди здоровенный кусок окорока. Он положил его на кухонный стол и стал отрезать тонкие ломтики, чтобы пожарить на них картошку.

Что хорошо, то хорошо, подумал Вольф с кривой усмешкой, старик — неплохой помощник в доме. И спросил:

— Этот человек просил что-нибудь передать?

— Нет, — ответил отец Урсулы. — Но он сказал, что дело неотложное и важное.

Вольф пошел к себе в спальню и набрал номер. На другом конце провода сказали «Алло», — и он узнал голос Хонни.

— Это Вольфганг.

Хонни заговорил возбужденно, на высоких тонах и как-то по-женски.

— Очень хорошо, Вольфганг, что ты сразу позвонил. Помнишь, зимой ты говорил о нужном тебе контакте. Он появился.

— Ты уверен, это то, что надо? — спросил Вольф.

Хонни успокоился и заговорил тише:

— У меня достаточно оснований, чтобы так считать. — Он сделал ударение на слове «оснований».

— Ну что же, — сказал Вольф, — очень хорошо. Я буду у тебя через час. Ты можешь устроить мне с ним встречу?

— Через два часа, — ответил Хонни.

— Отлично, — сказал Вольф и положил трубку.

Он крикнул Урсуле, что ужинать не будет, и поспешил на улицу. Захлопывая входную дверь, он услышал ее недовольное восклицание. Он успел на отъезжавший трамвай, на бегу вскочив на подножку.

Вольфа охватило нервное возбуждение. Он уже утратил всякую надежду на то, что это дело выгорит, и за все эти месяцы вспоминал про него лишь тогда, когда Моска в очередной раз подтрунивал над ним. Но теперь, кажется, все складывалось как нельзя удачно. Брачные бумаги оформлены, можно покупать билеты на самолет — к черту бесплатные проездные документы для госслужащих! И это будет лучшим решением проблемы со стариком. Урсула уже затрахала его просьбами взять в Штаты и отца, а он про себя покатывался со смеху. Ему приходилось постоянно врать ей, он обещал, что приложит максимум усилий. Он даже был доволен тем, что старик жил в постоянном напряжении. Старика, правда, здорово отмутузили, когда он попытался облапошить каких-то «жучков» на черном рынке. Ему пришлось провести неделю в больнице. С момента возвращения старик безвылазно сидел дома и, как огромная мышь, жадно поедал гигантский двадцатифунтовый окорок, прикончив его за неделю. Он мог слопать три или четыре утки за один присест или целого гуся за воскресенье. За последние два месяца он поправился, наверное, фунтов на сорок. Морщинки у него на лице расправились, щеки налились жиром, и ему пришлось даже расставить старые, пошитые еще до войны, костюмы, чтобы в них поместилось его округлившееся брюшко.

Он, вероятно, единственный толстенький фриц во всем Бремене, думал Вольф, единственный, кто мог бы позировать для пропагандистских плакатов с изображением довольных, веселых немцев, олицетворявших благополучную жизнь в зоне американской оккупации. Да он, может быть, самый упитанный фриц во всей Германии! Чертов оглоед! Двадцатифунтовый окорок умял за три дня! Господи всемогущий, ну и аппетит!

Вольф спрыгнул с трамвая на углу Курфюрстен-аллее, быстро миновал Метцер-штрассе и зашагал в направлении белого каменного дома, где жил Моска. Хотя солнце уже клонилось к закату, в воздухе все еще была разлита дневная жара, и Вольф старался идти в тени окаймлявших проспект деревьев. Он надеялся, что застанет Моску дома, а если нет, то у него еще оставалось время, чтобы поискать его в «Ратскелларе» или в клубе. По телефону об этом говорить не стоит.

Вольф открыл калитку садика перед домом, поднялся на крыльцо и постучал в дверь. Ему открыл Моска. На нем были только легкие полотняные штаны и тенниска, в руке он держал жестянку пива.

— Заходи, Вольф, — сказал Моска. Они пошли по коридору в гостиную. Фрау Заундерс сидела на диване и читала журнал. Гелла качала кремовую коляску, которая заменяла колыбель. Ребенок плакал.

Вольф поздоровался с хозяйкой и, хотя надо было поторапливаться, заглянул за полог коляски и сказал несколько приятных Гелле слов о ребенке. Потом обратился к Моске:

— Можно с тобой перекинуться парой слов, Уолтер?

— Конечно, — ответил Моска. Не выпуская из рук банку пива, он проводил Вольфа в спальню.

— Слушай, Уолтер, — начал Вольф взволнованно, — наконец что-то проклевывается. Я нашел концы этого дела с украденными купонами. Сегодня я встречаюсь с человеком, чтобы обсудить детали. Я хочу, чтобы ты пошел со мной — вдруг все сразу завертится. Ладно?

Моска глотнул из банки. Из соседней комнаты доносились голоса фрау Заундерс и Геллы, чью беседу нарушало монотонное хныканье ребенка. Это известие было для него неожиданным и малоприятным. Он уже давно решил выйти из игры, и теперь ему совсем не хотелось ввязываться в это дело.

— Знаешь, Вольф, я в эти игры больше не играю, — сказал Моска. — Тебе придется искать другого компаньона.

Вольф уже стоял у двери, но при этих словах Моски резко обернулся к нему: его белое лицо исказила гримаса ярости.

— Что за хреновину ты несешь, Уолтер? — воскликнул Вольф. — Мы всю зиму трудились, как проклятые, и вот теперь, когда все на мази, ты даешь задний ход! Это очень нехорошо, Уолтер. Так не пойдет.

Моска с ехидной усмешкой смотрел на возбужденно-гневное лицо Вольфа. Возникшее вдруг чувство презрения к алчному толстяку было хорошим поводом для самооправдания: он-то понимал, что подложил Вольфу большую свинью своим отказом. Но он даже злорадствовал, что этот тестолицый гад оказался в полном дерьме.

— Какого черта, Вольф! — сказал он. — Мы же не гангстеры. Ну, была идея. Может, я бы и занялся этим делом полгода назад. А теперь у меня жена, ребенок, мне о них надо думать. Случись что со мной, что они будут делать? К тому же мои брачные бумаги уже на подходе. Мне теперь не нужны эти деньги.

Вольф едва сдерживал клокочущий гнев.

— Послушай, Уолтер, — продолжал он более дружелюбно. — Через три-четыре месяца ты возвращаешься в Штаты. Возможно, ты, пока сидел здесь, накопил тысчонку, возможно, ты наварил еще тысчонку на черном рынке. Тысчонку, которую я помог тебе наварить, Уолтер. А в Штатах тебе придется раскошелиться на дом, тебе надо будет искать работу, тебе нужно будет то и се. Бабки тебе понадобятся! — И потом, подпустив обиды в голос, он добавил с искренней горечью: — Ты нечестно себя ведешь, Уолтер. Я ведь тоже остаюсь в проигрыше.

Мне уже поздно искать нового компаньона. Мне нужен человек, которому я могу доверять. Пойдем, Уолтер, дело-то плевое, тебе нечего беспокоиться — менты нас не повяжут. И с каких это пор ты стал бояться каких-то вонючих фрицев?

— Я — пас, — сказал Моска и снова отпил из банки. Он провел ладонью по животу и сказал: — Ох, ну и жара.

— Твою мать! — Вольф ударил кулаком по двери. — Стоило тебе только снюхаться с этим еврейчиком, не говоря уже о блядуне Эдди, как ты растерял всю свою храбрость. Я был о тебе лучшего мнения, Уолтер.

Моска поставил пустую пивную банку на комод.

— Слушай, Вольф, не трогай моих друзей. Ни слова о них больше. А теперь о деле. Вольф, ты же пройдоха хоть куда, я же знаю, что ты уже получил брачные бумаги. И теперь ты можешь обстряпать это дельце и рвануть в Штаты. А мне еще тут сидеть три или четыре месяца. Фрицев я не боюсь, но если дело выгорит, мне же на улицу нельзя будет нос высунуть. Тут надо или сразу сваливать из Бремена, или перестрелять всех свидетелей, как только мы получим деньги. Я не могу сделать ни того, ни другого. Я не собираюсь все лето ходить и оглядываться — даже за миллион «зеленых». — Он помолчал и добавил. — По правде, Вольф, мне очень неприятно, что так вышло.

Вольф уставился на дверь и качал головой так, словно удостоверился в том, о чем уже давно догадывался, и, вспомнив тот давний случай, когда адъютант в офицерском клубе заставил Моску дать задний ход, сказал:

— Знаешь, Уолтер, я ведь могу в одну секунду заложить вас — тебя и Геллу. Я просто подам рапорт в военную полицию. Что ты нарушаешь закон военной администрации и проживаешь вместе с немцами в одном доме. И еще есть кое-что, о чем можно упомянуть в этом рапорте...

К его изумлению, Моска только расхохотался ему в лицо.

— О Господи, Вольф, попей пивка и катись отсюда к чертовой матери. Я еще могу поиграться с тобой в гангстеров, но, прошу тебя, этого не трогай. Я же не из тех фрицев-пленных, кого ты брал на понт!

Вольф попытался изобразить на лице угрожающее выражение, но Моска всем своим видом излучал непоколебимую уверенность; его худое лицо с тонкими губами было исполнено силы, а взгляд темных глаз был таким серьезным, что ему осталось только вздохнуть и слабо улыбнуться.

— Эх, сукин ты сын, — сказал Вольф, сдаваясь. — Дай-ка мне пива. — И добавил печально, качая головой: — Банка пива стоимостью в пять тысяч. — И приложившись к банке, стал обдумывать свою месть Моске за его предательство. Но Вольф понял, что ничего не сможет сделать. Если донести на Моску в военную полицию и тут же смыться в Штаты, то этим доносом он никакой выгоды для себя не извлечет, зато возникнет опасность, что Моска ему рано или поздно отомстит. Нет, придется сматывать удочки — и все. Что ж, он добыл на черном рынке целое состояние — несколько коробочек бриллиантов, и еще имелась приличная сумма наличными. Зачем рисковать и ставить свое благополучие под угрозу?

Он вздохнул и допил пиво. Трудно упускать из рук такую прекрасную возможность. Он понимал, что у него никогда не хватит запала провернуть подобную операцию в одиночку. Ну ладно, думал он, придется надыбать побольше сигарет, где только возможно, пошмонаю по всей базе — буду скупать по дешевке, толкать подороже. Так можно наварить тысячу «зеленых».

Вольф протянул Моске руку.

— Ну, забудем все, — сказал он. Он теперь испугался, как бы Моска не воспринял слишком серьезно его угрозу — ему очень не хотелось последние недели в Германии чувствовать себя неуютно. — Извини, что я пытался тебе угрожать, но знаешь, потерять такие бабки... Забудь, что я тебе наговорил.

Они пожали друг другу руки.

— Ладно! — сказал Моска. Он проводил Вольфа до двери и сказал ему на прощанье: — Может, тебе удастся обделать это дельце самому.

Когда Моска вернулся в гостиную, обе женщины посмотрели на него вопросительно: они слышали, как злобно разговаривал с ним Вольф. Ребенок уже успокоился и спал.

— Ваш друг так быстро ушел, — сказала фрау Заундерс.

— Он приходил мне кое-что сообщить, — ответил Моска и обратился к Гелле, которая одновременно вязала и читала. — Вольф скоро женится. Он получил бумаги.

Гелла оторвала взгляд от книги и рассеянно сказала:

— Да? — и снова склонила бледное худое лицо над книгой, пробормотав: — Надеюсь, что и наши скоро придут.

Моска отправился в спальню за очередной банкой пива и жестянкой соленых орешков. Вернувшись, он предложил женщинам орешки. Они набрали полные пригоршни.

— А пива не хотите? — спросил он.

Те отрицательно покачали головами, продолжая читать.

Так они и сидели: Моска пил пиво, Гелла вязала, фрау Заундерс читала. Этим летом Гелла постриглась очень коротко; ее острые скулы были туго обтянуты тонкой бледной кожей, через всю щеку тянулась голубая жилка. Комнату наполняло тихое спокойствие летнего вечера, в открытое окно врывался легкий прохладный ветерок и трепал цветастые занавески.

Моска внимательно смотрел на обеих женщин. Одна годилась ему в матери, другая была матерью его ребенка, и в коляске лежал его сын. Он лениво делал эти простейшие умозаключения, потому что пиво нагнало на него дремоту. Мысли его стали путаться...

Однажды, очень давно, он надел каску, взял винтовку и на кораблях, грузовиках, на броне танков совершил путешествие по Северной Африке, Англии, Франции, Бельгии, Нидерландам, преследуя и убивая врагов. И даже теперь это не казалось ему ошибкой, глупостью или даже какой-то дурацкой шуткой. Это просто казалось странным. Ну и чертовщина, думал он, ну и чертовщина. Странно, что эти мысли пришли ему в голову сейчас. Он взял еще пригоршню орешков и чуть было не пронес их мимо рта — несколько орешков покатилось по полу. Он едва не засыпал.

Моска встал и подошел к окну, чтобы подставить разгоряченное тело прохладному ветерку. Нетвердой походкой он подошел к коляске, посмотрел на малыша и громко, торжественно произнес:

— Ну и чертовщина!

Обе женщины улыбнулись.

— Пожалуй, уложу-ка я тебя в постель, — сказал Гелла и добавила, обращаясь к фрау Заундерс: — Он впервые за все время взглянул на ребенка. Ты что, Уолтер, все еще не веришь, что стал отцом?

— Это он почувствует, когда родится второй, — сказала фрау Заундерс.

Моска не сводил с малыша глаз. Теперь это было уже не уродливое существо: морщинки на лице разгладились и кожа побелела. Женщины снова принялись за чтение. Моска вернулся к окну.

— Что это ты сегодня беспокойный? — спросила Гелла, не отрываясь от книги.

— Я не беспокойный, — ответил Моска.

Это было правдой. Он словно просто изучал эту комнату, в первый раз разглядывая ее так внимательно. Он снова подошел к коляске и стал смотреть на спящего ребенка. Теперь он уже больше похож на человека, подумал Моска. И сказал Гелле:

— Может, сходим завтра в загородный клуб? Посидим на лужайке с коляской, я куплю тебе хот-дог и мороженое. Послушаем оркестр.

Гелла кивнула. Моска обратился к фрау Заундерс:

— Не хотите пойти с нами?

Фрау Заундерс взглянула на него:

— Нет, нет, ко мне должны прийти.

Гелла улыбнулась:

— Это он так приглашает. Он и в самом деле хочет, чтобы вы пошли с нами. Там можно наесться мороженого до отвала.

— Нет, спасибо, — сказала фрау Заундерс.

Моска понял, что она отказывается от смущения, решив, что он пригласил ее только из вежливости.

— Я вполне серьезно! — сказал он.

Фрау Заундерс улыбнулась:

— Купите мне лучше мороженого.

Моска принес из спальни еще банку пива. Все о'кэй, подумал он.

— Уж коли ты так мирно настроен, — сказала Гелла, — окажи мне услугу. У фрау Заундерс в Америке есть дядюшка, и она хочет, чтобы ты отправил ему с военной почтой письмо.

— Конечно, — согласился Моска. — Это дело обычное. Все немцы сейчас пишут своим родственникам в Америку, намекая, чтобы те присылали им посылки.

— Спасибо, — сказала фрау Заундерс и добавила с иронической улыбкой: — Мы теперь все очень беспокоимся за своих американских дядюшек.

Гелла и Моска расхохотались, причем Моска даже подавился пивом.

Женщины снова погрузились в чтение, а Моска

взглянул на лежащий рядом номер «Старз энд страйпс» и сказал:

— Может быть, завтра из Гамбурга вернется Лео и сходит с нами в клуб.

Гелла взглянула на него.

— Что-то он долго отсутствует. Надеюсь, с ним ничего не случилось.

Моска отправился за очередной банкой пива.

— Может, все-таки вам принести? — спросил он у них, но те снова отказались.

Он встал у окна.

— Наверное, Лео решил остаться там на уикенд. Иначе он бы еще вчера вернулся.

Гелла положила книгу на стол и сказала фрау Заундерс:

— Все! Очень интересно.

— У меня в спальне еще много книг, которых вы не читали, — сказала фрау Заундерс. — Сходите посмотрите.

— Не сегодня, — ответила Гелла. Она подошла к Моске, и, просунув худую руку ему под тенниску, обхватила его за талию. Они стали всматриваться во мрак и вдыхать свежий аромат деревьев. Ночной ветер приносил запах садов и реки, в воздухе едва чувствовался едкий смрад руин. Облака занавесили полную луну и повсюду в расстилающемся вокруг тихом мраке Моска слышал немецкие голоса и смех, доносившиеся из соседних домов. Из радиоприемника, настроенного на бременскую станцию, текла тихая струнная музыка. Ему вдруг ужасно захотелось оказаться в «Ратскелларе» или в офицерском клубе, поиграть в кости или выпить с Эдди и Вольфом.

— Ты пьешь очень много пива, — заметила Гелла. — До кровати сможешь дойти?

Моска потрепал ее по волосам и сказал:

— Не беспокойся, я в порядке.

Она прижалась к нему.

— Мне так хорошо сегодня, — сказала она. — Знаешь, чего мне хочется? — она произнесла эти слова шепотом, чтобы не услышала фрау Заундерс.

— Что? — спросил Моска. Она улыбнулась и притянула к себе его лицо, чтобы поцеловать в губы.

— Ты уверена, что можно? — спросил он тоже шепотом. — Ведь только месяц прошел. — Эдди Кэссин предупреждал, что ему придется потерпеть месяца два, не меньше.

— Я себя хорошо чувствую, — сказала она, — не волнуйся. Я себя сегодня замечательно чувствую, как умудренная опытом жена, которая прожила со своим мужем не один год.

Они еще постояли немного у окна, вслушиваясь в ропот города и ночи, потом Моска обернулся и сказал фрау Заундерс:

— Спокойной ночи.

Он держал дверь, пока Гелла выкатывала коляску с младенцем в спальню. Выйдя за ней, он проверил, заперта ли входная дверь с общей лестницы.

ГЛАВА 18

Моска сидел на траве в тени большого дома — реквизированного загородного клуба. Рядом в шезлонге устроилась Гелла. Всю лужайку перед клубом оккупировали солдаты с женами и детьми. Несколько человек с луками пускали стрелы в красные и синие мишени.

Все было объято покоем и тишиной. Сумерки наступили в этот воскресный день раньше обычного, подумал Моска, близится осень — тоже раньше обычного. По зеленой лужайке были разбросаны пятна коричневой пожухлой травы, а в шапках огромных вязов, высящихся вдоль площадки для гольфа, уже виднелись красноватые потеки.

Он увидел, что к ним приближается Эдди Кэссин, огибая стрелков. Эдди присел на траву, и, похлопав Геллу по ботинку, сказал:

— Привет, малышка.

Гелла улыбнулась ему и продолжала читать «Старз энд страйпс», тихо проговаривая английские слова.

— Я получил письмо от жены, — сказал Эдди Кэссин. — Она не приедет. — Он помолчал. — Это ее последнее слово, — сказал он и его изящный рот исказила торжествующая улыбка. — Она выходит замуж за своего шефа. Я же говорил тебе, что она с ним трахается. А я-то ничего и не знал. Догадывался чисто интуитивно. Как тебе моя интуиция, Уолтер?

Моска понял, что Эдди сегодня здорово напьется.

— Да ладно тебе, Эдди! Ты же абсолютно не семейный человек.

— Но мог бы им стать, — ответил Эдди невозмутимо. —

Я мог бы попытаться, — и он указал пальцем на розовую коляску, ярким пятном светлевшую посреди зеленого ковра травы. — Ты же не семейный человек, да вот пытаешься им стать.

Моска засмеялся.

— Я учусь, — сказал он.

Они сидели молча.

— Может, сходим сегодня вечерком в «Ратскеллар»? — спросил Эдди.

— Нет, — ответил Моска. — У нас есть дома что выпить. Приходи сам.

— Знаешь, мне надо постоянно быть в движении. — Эдди поднялся на ноги. — Я не могу торчать у вас в квартире весь вечер. — И он зашагал прочь, стараясь держаться подальше от мишеней.

Моска лег, упершись затылком в колени Геллы и обратив лицо к умирающим лучам холодного солнца. Он забыл спросить у Эдди про свои брачные бумаги. Пора бы им вернуться.

Он думал о возвращении домой, о том, как он войдет в квартиру, увидит мать, познакомит ее со своей женой, покажет ей ребенка. Глория вышла замуж (он усмехнулся при этой мысли), так что беспокоиться нечего. Вот чудно, что он опять возвращается — теперь это легче, чем раньше.

Глядя на неловко натягивающих луки стрелков и на выпущенные ими стрелы, он вспомнил пожилого солдата на ферме за линией фронта. На этой ферме показывали кино резервистам: зрители сидели на бревнах. Тому солдату было, пожалуй, под сорок, думал Моска. Зажав между коленями шестилетнего французика, он аккуратно расчесывал ему на пробор вьющиеся кудри и пытался заставить чубчик лежать волной. Потом он причесал других двоих — девочку и мальчика, тоже держа их у себя между коленями и осторожно поворачивая из стороны в сторону. Закончив их причесывать, старый солдат дал им по шоколадке и взял свою винтовку...

Моска рассеянно глядел на лужайку с гомонящими детьми, и ему почему-то казалось, что сейчас на ум приходят очень важные события его прошлой жизни. Он напряг память и вспомнил солдата-негра, который швырял банки с ананасовым соком из кузова грузовика, мчащегося мимо колонн усталых пехотинцев. Они брели от моря туда, откуда доносилась канонада тяжелых орудий, которая заставляла их морально подготовиться к предстоящему бою, — так воскресный колокол приуготовляет дух к единению с Господом. И по мере их продвижения канонада становилась все громче и звонче, уханье орудий все оглушительнее, и хлопки выстрелов автоматических винтовок звучали словно минорные аккорды, и перед самым финалом, перед их приобщением к ритуалу тела и души, словно перед вхождением в храм... Но тут он отвлекся и мысленно ощутил прохладную с жестяным привкусом свежесть ананасового сока, вспомнил остановку в пути, краткий привал, во время которого они передавали друг другу вскрытую банку. И перенесся с той дороги на другую дорогу — залитую лунным светом улицу во французской деревушке, где каменные домики тонули во мраке, а у их стен стояли хорошо различимые во тьме грузовики, «джипы» и огромные тягачи. В конце деревенской улички стоял танк, покрытый только что выстиранным бельем, которое оставили сушиться под луной.

От сухого звона тетивы и легкого свиста рассекающих воздух стрел, казалось, пробудился легкий вечерний ветер. Гелла оторвалась от книги, Моска нехотя встал.

— Хочешь чего-нибудь на дорожку? — спросил он у нее.

— Нет, — ответила Гелла. — Мне уже некуда. К тому же что-то зуб опять разболелся.

Моска только теперь увидел, что у нее чуть посинела кожа нижней челюсти.

— Я попрошу Эдди, чтобы он сводил тебя к дантисту на базе.

Они собрали разбросанные по траве вещи и погрузили все в коляску. Малыш спал. Они пошли к трамвайной остановке. Когда трамвай подошел, Моска схватил сильными длинными руками коляску и поставил ее на заднюю площадку вагона.

Ребенок проснулся и заплакал, Гелле пришлось взять его на руки и убаюкивать. Подошел кондуктор, но Моска сказал по-немецки:

— Мы — американцы.

Кондуктор недоверчиво смерил Моску взглядом, но не стал возражать.

На третьей остановке в вагон вошли две девушки из американского женского корпуса. Одна из них заметив у Геллы на руках ребенка, сказала другой:

— Смотри-ка, какой симпатичный немчик!

Та заглянула малышу в личико и несколько раз повторила:

— Ох, какой милый карапуз! — и, глядя Гелле в глаза, сказала, чтобы она поняла. — Schön![1]

Гелла улыбнулась и взглянула на Моску, но тот не проронил ни звука. Одна из девушек достала шоколадку из сумки и сунула ее малышу под одеяльце. Прежде чем Гелла успела что-то возразить, обе сошли с трамвая и зашагали по улице.

Сначала Моску это позабавило, но потом его разобрала злость. Он схватил шоколадку и швырнул ее на улицу.

Когда они сошли с трамвая и направились к дому, Гелла сказала:

— Не расстраивайся, они приняли нас за немцев.

Но дело было не только в этом. Он испугался, словно и впрямь был немцем и как один из побежденных должен был с благодарностью принять этот жест благотворительности и унижения.

— Мы скоро уедем,— сказал он. — Я поговорю завтра с Эдди и попрошу его ускорить оформление.

Впервые за все время он почувствовал острое желание поскорее покинуть эту страну.

Эдди Кэссин ушел с лужайки загородного клуба, не зная толком, куда ему отправиться. Лежащий на траве Моска, голова покоится на коленях у Геллы, рука упирается в кремовую коляску — это зрелище было ему невыносимо. Он сел на трамвай и подумал: «Поеду-ка я к горилле». Это решение развеяло его грустные мысли, и он стал глазеть на девчонок, едущих в центр. На окраине города он спустился к реке, пересек мост через Везер и сел на другой трамвай, который повез его по Нойштадту. Он сошел на предпоследней остановке — перед тем, как трамвай свернул к базе.

Дома здесь были не повреждены бомбежкой. Он вошел в один из домов, поднялся по лестнице на третий этаж, постучал и услышал голос Элфриды:

— Одну минуту! — потом дверь распахнулась.

При виде ее Эдди Кэссин всякий раз испытывал легкий шок. У нее была пухлая фигура, причем без одежды даже пухлее, чем могло показаться со стороны; тонкие лодыжки, узкие бедра и чудовищно-огромная голова. На

---

[1] Милый; замечательный (*нем.*).

лице выделялись фиалковые глаза с красными, как у кролика, белками.

Войдя, Эдди Кэссин по привычке сел на диванчик у стены.

— Налей чего-нибудь, детка, — попросил он.

Здесь он держал целый склад спиртного. Это было надежно. Он знал, что Элфрида в его отсутствие не притрагивается к его запасам. Пока она смешивала ему коктейль, он с изумлением наблюдал за ней.

Да, голова явно великовата, волосы свисают мотками медной проволоки, кожа старая, с желтоватыми пятнами и крупными порами, похожа на высохшую куриную. Нос как-то размазан по лицу, словно его сплющили несколькими сильными ударами, а губы напоминают два кусочка говядины — правда, перед его приходом она всегда их подкрашивала светлой помадой. Пугающий портрет довершал отвислый подбородок и мощная нижняя челюсть. Но голос у нее был мягкий, мелодичный, и в нем даже слышались слабые отзвуки давно отцветшей юности. Она очень хорошо говорила по-английски вообще имела талант к языкам и зарабатывала себе на жизнь переводами, устными и письменными. Иногда она давала Эдди уроки немецкого.

Здесь Эдди чувствовал себя уютно и спокойно. Она всегда зажигала в комнате свечи, и Эдди, усмехаясь про себя думал, что эти свечи находят здесь иное применение. У противоположной от двери стены стояла огромная кровать, а рядом с ней у другой стены — бюро с фотографией ее мужа, который, добродушно улыбаясь, обнажал ряд неровных зубов.

— Я тебя сегодня не ждала, — сказала Элфрида.

Она подала ему стакан и села на диван подальше от него. Она уже усвоила, что, если будет приставать к нему с нежностями, он встанет и уйдет, но, если она подождет, пока гость напьется как следует, он потушит свечи и потащит ее в кровать, и еще она усвоила, что тогда ей следует притворно сопротивляться.

Эдди, откинувшись на спинку дивана, пил и смотрел на фотографию. Ее муж погиб под Сталинградом, и Элфрида часто рассказывала ему, как вместе с другими вдовами, она надевала траур в день памяти по немцам, павшим на Волге. Их было так много, что само слово «Сталинград» наполняло ужасом женские сердца.

— И все же я думаю, он был педиком, — сказал Эдди. —

Как это его угораздило на тебе жениться? Он увидел, что она сразу заволновалась и опечалилась, как бывало всегда, когда на него находила хандра и он начинал ее подкалывать.

— Скажи, он с тобой хоть занимался любовью? — спросил Эдди.

— Да, — тихо ответила Элфрида.

— Часто?

Она не ответила.

— Раз в неделю?

— Чаще, — ответила она.

— Ну, может, он и не был совсем педиком, — рассуждал Эдди. — Но вот что я тебе скажу: он тебе изменял.

— Нет, — проговорила она, и он с удовлетворением заметил, что она плачет.

Эдди встал.

— Если ты будешь себя так вести, я просто встану и уйду. Что это такое, ты совсем не разговариваешь со мной! — он дурачился, а она это прекрасно понимала и знала, как ей надо реагировать.

Она упала на колени и обхватила его ноги.

— Пожалуйста, Эдди, не уходи, пожалуйста, не уходи!

— Скажи, что твой муж был педиком! Скажи мне правду!

— Нет, — сказала она, поднимаясь и плача в голос. — Не говори этого! Он был поэт.

Эдди налил себе еще и торжественно произнес:

— Ну вот, видишь, я же знал! Все поэты педерасты. Ясно? Кроме того, это и так видно по его зубам, — и он язвительно ухмыльнулся.

Теперь она истерически рыдала от горя и гнева.

— Убирайся! — кричала она. — Уходи! Ты — животное, грязное животное! — и когда он схватил ее, ударил по лицу, поволок к кровати и бросил на одеяло, она поняла, что попалась: он специально дразнил ее, чтобы возбудиться. Когда он навалился на нее всем телом, она не шевельнулась, но в конце концов уступила ему под воздействием обуявшего его неистовства и под воздействием собственного неистового возбуждения. Но сегодня все было куда хуже обычного. Они совсем потеряли рассудок от страсти и близости. Он заставлял ее пить виски прямо из бутылки и всячески унижал ее. Он заставил ее ползать по комнате на четвереньках и, высунув язык, умолять его остаться. Он заставил ее бегать вокруг комнаты во тьме, сменяя аллюр по его команде. Наконец он сжалился над ней и сказал:

— Хва! — и она остановилась. Потом он позволил ей залезть в постель и обнял ее.

— А теперь скажи, что твой муж был педераст, — он уже приготовился выпихнуть ее из постели на пол.

И, как пьяный подросток, она послушно повторила:

— Мой муж был педераст.

Сказав это, она надолго замолчала, но он заставил ее сесть, чтобы в темноте лучше рассмотреть ее длинные конические груди. Как мячи для регби, ну точно — мячи для регби! Эдди восхищался. В одежде она казалась самой обычной бабой. И он испытал прилив восторга впервые с тех пор, как он обнаружил это сокровище.

— Меня тошнит, Эдди, — сказала она. — Мне надо сходить в туалет.

Он помог ей дойти и усадил на толчок. Потом вернулся в комнату, налил себе очередной стакан и улегся в кровать.

«Бедная Элфрида, — думал Эдди Кэссин, — чего только не сделает бедная Элфрида, чтобы ей бросили палку».

...Тогда в трамвае, как только она бросила на него быстрый взгляд, он все сразу понял. И вот теперь, когда он насытился ее телом, когда прошла его похоть и ненависть, он подивился без всякого сожаления собственной жестокости и тому, как настойчиво он стремился осквернить ее память о муже. Что за чудак этот парень, коли женился на девке с такой головизной! Если верить Элфриде, так он и впрямь от нее был без ума: девке с таким телом можно простить многие прочие дефекты. Но не такую голову, думал Эдди.

Он налил себе еще и вернулся в кровать. Итак, ей повезло, она нашла единственного, кто решился жениться на ней, единственного, кто рассмотрел прекрасную душу под этой ужасной маской мяса, которой одарила ее природа. И если верить тому, что она про него рассказывала, если верить этой фотографии, то парень был хоть куда. А он топчет ее память о нем.

Он услышал, как Элфриду рвет. Он пожалел любовницу, зная, что терроризировал ее только для того, чтобы унять собственный панический ужас. Теперь наконец последний корень его жизни вырван из почвы безвозвратно. Он не мог осуждать жену. Он никогда не мог скрыть своего раздражения, если она чувствовала недомогание. А во время беременности она стала такой уродиной, вечно ее рвало — как вот сейчас Элфриду. Он тогда до нее ни разу не дотронулся.

Эдди налил себе еще. Сознание у него замутилось, но он продолжал думать о жене так, словно она стояла около кровати, широко расставив ноги, и ему вспомнился старенький ледник, что был у его матери. Он вспомнил, как ходил каждый день в погребок к угольщику и в тяжелом деревянном ведре приносил домой здоровенный кусок обжигающего льда, а потом вытаскивал из-под ледника корытце с водой, образовавшейся от таяния льда. И, когда он каждое утро опорожнял это корыто, в луже, пахнущей тухлятиной воды, всплывали куски пищи, обрывки газет, комочки грязи и дохлые тараканы — иногда он насчитывал до тридцати штук — они всплывали коричневыми спинками вверх, распластав по поверхности воды ниточки усов, которые казались бесчисленными струйками крови. В его воображении возникло видение жены; она стояла, широко расставив ноги над пустым корытом из-под ледника. Из ее тела в корыто падали полусгнившие куски пищи, комочки грязи и дохлые коричневые тараканы, которые падали и падали без конца...

Он поднялся и крикнул:

— Элфрида!

Ответа не последовало. Он пошел в туалет и увидел, что она лежит на полу, уткнув свои тяжелые груди в кафель. Он поднял ее и отнес в постель. Она беззвучно плакала. И вдруг ему почудилось, что он оказался где-то далеко-далеко и оттуда смотрит на нее и на Эдди Кэссина. Он видел собственное лицо, отраженное в пламени свечей и в летнем ночном небе, и ужас сковал его тело. Он мысленно воззвал:

— Господи! Господи! Помоги мне, прошу тебя!

Он стал целовать ее лицо, большой рот, нос и желтые щеки.

— Перестань плакать. Твой муж был отличный малый. Он не был педиком. Я только дразнил тебя.

И тут в его памяти всплыла сценка из далекого прошлого: он, совсем еще маленький мальчик, слушает сказку, которую ему кто-то читает. Это слово казалось ему тогда таким красивым — «сказка» — но, как и все когда-то невинное и чистое, это слово теперь истрепалось. Голос читал: «Заблудилась и осталась одна-одинешенька в лесу. Пожалейте заблудившуюся принцессу». И теперь в его сознании, как некогда в детстве, возникло видение прекрасной девы с короной и вуалью из белых кружев: тонкая фигурка ангела, хрупкое тельце совсем еще юной девочки, с плоскими бедрами, без всякого намека на грудь... А потом — где же это было: то ли в школе, то ли в его детской спальне? — выглянув в окно, скользнув заплаканным взглядом по каменным джунглям, он плакал безутешно и горько, а ласковый голос за его спиной повторял: «Пожалеем заблудившуюся красавицу» — и так еще много раз.

В тот вечер Моска и Гелла оставили ребенка у фрау Заундерс и отправились на Метцер-штрассе в общежитие, где Моска до сих пор официально проживал. Моска нес на плече голубую спортивную сумку с полотенцами и чистой сменой белья.

Вспотевшие, пропитанные пылью, они мечтали поскорее принять освежающую ванну. В доме фрау Заундерс не было горячей воды.

Перед входом в общежитие стояла фрау Майер. На ней были черные брюки и белая блузка — подарок Эдди Кэссина. Она курила американскую сигарету, и вид у нее был весьма кокетливый.

— Привет вам! — сказала она. — Что-то вы давненько не заходили.

— Только не говорите, что скучали без нас! — отпарировал Моска.

Фрау Майер рассмеялась, показывая свои заячьи зубы.

— Нет, я никогда не скучаю, ведь в доме полно мужчин.

Гелла спросила:

— Фрау Майер, вы не в курсе, Лео вернулся из Гамбурга?

Фрау Майер с удивлением посмотрела на нее.

— Как, он же вернулся в пятницу. Он что, не заходил к вам?

— Нет, — ответил Моска. — И я что-то не видел его ни в «Ратскелларе», ни в клубе.

На лице фрау Майер вновь появилось кокетливое выражение.

— Он у себя с вот таким фонарем под глазом. Я его

стала дразнить, но что-то он не в духе, так что я оставила его в покое.

— Надеюсь, он не болен, — сказала Гелла. Они поднялись на четвертый этаж и постучали в дверь Лео. Тишина. Моска постучал снова, но никто не откликнулся. Тогда он надавил на ручку. Дверь была заперта.

— Старуха Майер что-то перепутала, — сказал Моска. — Он, должно быть, куда-то ушел.

Они пошли в комнату Моски. Он разделся и отправился мыться. Он полежал в ванне, выкурил сигарету, потом быстро вымылся. Войдя в комнату, он увидел, что Гелла отдыхает на кровати и одной рукой держится за щеку.

— Что случилось? — спросил Моска.

— Зуб разболелся, — ответила Гелла. — Это из-за конфет и мороженого.

— Завтра сходим к дантисту, — сказал Моска.

— Да нет, скоро пройдет, — ответила Гелла. — Раньше уже так бывало.

Моска стал одеваться, а она надела его влажный халат и пошла в ванную.

Зашнуровывая ботинки, Моска услышал, что кто-то ходит в комнате Лео. Сначала он подумал, что это, возможно, местный немец-воришка и крикнул громко:

— Лео?

Через некоторое время ему ответил Лео через стену:

— Это я.

Моска вышел, и Лео открыл ему дверь. Когда он вошел. Лео уже спешил обратно в постель.

— Что же ты не зашел? — спросил Моска. Лео сел на кровать и повернулся, чтобы лечь, и тут Моска увидел его лицо: под глазом красовался огромный синяк, на лбу была ссадина. Лицо раздулось и заплыло.

Моска молча подошел к столу, сел и закурил сигару. Ему наконец стало ясно, что произошло — ведь вчера он видел заголовки в «Старз энд страйпс». Только вчера, из-за выпитого, он не придал этому значения.

В газете опубликовали фотографии корабля, причалившего в Гамбурге. Корабль был переполнен людьми. Под фотографией была помещена статья о том, как на этом корабле бывшие узники концлагерей пытались отплыть в Палестину. Но британское командование перехватило корабль и заставило его пришвартоваться в Гамбурге. Однако пассажиры отказались высаживаться, и тогда их силой стали сгонять на берег солдаты.

Моска тихо спросил:

— Ты видел, что было в Гамбурге?

Лео кивнул. Моска, попыхивая сигарой, стал обдумывать события последних дней — теперь он понял, почему Лео не заглянул к ним и почему не ответил на их стук в дверь.

— Мне уйти? — спросил он у Лео.

— Нет, — ответил тот. — Посиди немного.

— Тебя избили английские моряки?

Лео кивнул.

— Я попытался вступиться за человека, которого они волокли с корабля. И получил вот это, — он потрогал свое лицо. Моска заметил, что заплывшая щека Лео неподвижна, словно лицевые мускулы были парализованы.

— Как это случилось?

Лео уклончиво ответил:

— Ты же читал в газете.

Моска нетерпеливо взмахнул рукой.

— Так как же все-таки?

Лео сел на кровати, не в силах вымолвить ни слова. Вдруг слезы брызнули у него из глаз. Щека сильно задергалась, и он схватился за нее, чтобы унять тик. Он выкрикнул:

— Мой отец был не прав! Он оказался не прав!

Моска молчал. Через некоторое время Лео отдернул руку от лица. Щека перестала, дергаться. Лео сказал:

— Они стали избивать при мне того человека и потащили его по палубе к трапу. Я хотел их остановить и просто оттолкнул одного. А другой мне сказал: «Ну ладно, жидовская морда, тогда получай ты!» Лео мастерски изобразил простонародный английский выговор. — Я упал и увидел, что немцы-докеры хохочут надо мной, над нами. И тогда я подумал об отце. Я подумал, что бы он сказал, увидев своего сына в это мгновение. Что бы он сказал?

Моска медленно произнес:

— Я же говорил: тут тебе не место. Слушай, я уеду в Штаты, как только получу разрешение на женитьбу. Ходят слухи, что военно-воздушную базу прикроют, так что я в любом случае останусь без работы. Поехали с нами.

Лео обхватил голову руками. Это предложение не вызвало у него никаких эмоций — ни чувства благодарности, ни желания согласиться.

— А что, евреи могут себя чувствовать в Америке в полной безопасности?— спросил Лео с горечью.

— Думаю, да, — ответил Моска.

— Ты так только думаешь?

— Сейчас никто не может ничего гарантировать, — ответил Моска.

Лео ничего не сказал. Он думал об английских солдатах в шерстяных мундирах, о тех самых, кто плакал, освобождая его и его товарищей из лагеря, о тех, кто снимал с себя одежду, делился с ним едой. Он тогда уверился в правоте своего отца, который считал, что человек по природе добр, что человека легче подвигнуть к жалости и любви, нежели к ненависти.

— Нет, — сказал он Моске. — Я не могу ехать с тобой. Я уже оформил все бумаги, чтобы ехать в Палестину. Я уезжаю через несколько недель, — и затем, чувствуя, что должен объясниться с Моской, добавил: — Я теперь буду чувствовать себя нормально только вместе со своим народом, — и, когда он это произнес, понял, что упрекал Моску в том, что его симпатия к нему носила только личный характер, что в минуту опасности Моска защитит его, Лео, но не защитит какого-нибудь незнакомого еврея, до которого ему нет никакого дела. А этой симпатии было явно недостаточно, она не гарантировала ему безопасности. Он никогда не сможет ощущать себя в безопасности даже в Америке, каких бы высот материального преуспевания он там ни достиг. В подсознании у него всегда будет тлеть страх, что его благополучие можно вмиг разрушить, и он ничего не сможет сделать в свою защиту, и даже его друзья, такие, как Моска, не сумеют совладать с этой слепой силой ненависти. Лица освободителя и истязателя оказались одним лицом, лицо друга и врага оказалось лишь лицом врага. Лео вспомнил девушку, с которой он жил сразу же после освобождения из Бухенвальда, — тоненькую, веселую немочку с насмешливой, едва ли не злобной усмешкой на губах. Он поехал как-то в деревню и вернулся оттуда с гусем и полной корзиной цыплят. И, когда он рассказал ей, как выгодно ему удалось их купить, она смерила его взглядом и сказала с издевательской интонацией: «О, да ты неплохой делец!». И только теперь он понял или заставил себя понять, что скрывалось за этими словами, и он испытывал лишь бессильную злобу и против нее, и против всех остальных. Она была нежна с ним и вроде бы любила, она заботилась о нем и всегда проявляла доброжелательность, за исключением того единственного случая. И тем не менее она и такие же, как она, выжгли у него на руке цифры, которые он был обречен носить на себе до самой могилы. И где ему было скрыться от этих людей? Не в Америке и, конечно же, не в Германии. Куда же ему уехать?

Отец! Отец, кричал он мысленно, ты никогда не говорил мне, что всякий человек носит в себе свою колючую проволоку, свои печи, свои орудия пыток; ты никогда не учил меня ненавидеть, а теперь вот я унижен, надо мной насмехаются, и я чувствую лишь стыд, а не гнев, словно я заслужил каждый доставшийся мне удар и плевок, каждое оскорбление — куда же мне теперь идти? И в Палестине я увижу все тот же забор из колючей проволоки, который ты сам обнаружил на небесах или в аду. И потом ему в голову пришла очень простая мысль, очень ясная мысль, словно он уже давно тайно вынашивал ее в себе, и он подумал: отец тоже был врагом.

Теперь размышлять больше было не о чем. Он видел, что Моска молча сидит и курит сигару.

— Я, видимо, недели через две уеду в Палестину, но из Бремена я уезжаю через несколько дней.

Моска задумчиво проговорил:

— Пожалуй, это верное решение. Зайди к нам до отъезда.

— Нет, — ответил Лео. — Пойми, я ничего против вас не имею. Я просто никого не хочу видеть.

Моска понял, что он имеет в виду. Он встал и протянул руку:

— Ладно, Лео, удачи тебе!

Они обменялись рукопожатием и услышали, как Гелла вошла в комнату Моски.

— Я бы не хотел с ней встречаться, — сказал Лео.

— Ладно, — сказал Моска и вышел.

Гелла одевалась.

— Ты где был? — спросила она.

— У Лео. Он вернулся.

— Хорошо, — сказала она, — позови его к нам.

Моска заколебался.

— Он сейчас не хочет никого видеть. С ним произошел несчастный случай, и он поранил лицо. По-моему, ему не хочется, чтобы ты его видела в таком состоянии.

— Какая глупость! — воскликнула Гелла. Одевшись, она вышла из комнаты и постучала к Лео. Моска остался лежать на кровати. Он услышал, как Лео открыл дверь. Они стали разговаривать, но слов он разобрать не смог. Идти туда ему не хотелось — он-то что может сделать!

Моска задремал и, очнувшись, понял, что уже довольно поздно: комната погрузилась во мрак. Он все еще слышал за стеной голоса Лео и Геллы. Он подождал некоторое время и позвал:

— Эй, как насчет того, чтобы съездить перекусить до закрытия клуба Красного Креста?

Голоса утихли, но через мгновение разговор возобновился. Потом он услышал, как открылась соседняя дверь.

В комнату вошла Гелла и включила свет.

— Ну, я готова, — сказала она. — Пойдем.

Он увидел, что она кусает губы, едва сдерживая слезы.

Моска взял голубую спортивную сумку и сложил в нее влажные полотенца и грязное белье. Они спустились по лестнице и вышли из общежития. Фрау Майер попрежнему стояла у входа.

— Вы видели вашего друга? — спросила она. В ее голосе слышались снисходительно-иронические нотки.

— Да, — ответила Гелла сухо.

По дороге к Курфюрстен-аллее Моска спросил у нее:

— Он тебе все рассказал?

— Да, — ответила Гелла.

— О чем это ты так долго с ним разговаривала?

Гелла молчала довольно долго.

— О том времени, когда мы были детьми. Он рос в городе, а я в деревне, но в нашей жизни было много похожего. В пору нашего детства Германия была такая чудесная страна.

— А теперь все уезжают, — сказал Моска. — Сначала Миддлтоны, теперь вот Лео и очень скоро Вольф. И остаемся только мы да Эдди. Мне теперь придется не спускать глаз с тебя и Эдди.

Гелла взглянула на него без тени улыбки. У нее было утомленное лицо, и в ее серых глазах застыла печаль. Синева под нижней губой теперь распространилась на всю челюсть.

— Я хочу уехать отсюда как можно скорее, — сказала она. — Мне не нравится Эдди. И мне не нравится, что ты проводишь время в его обществе. Я знаю, что он хороший друг, он нам помогает. Но я его боюсь. Не за себя, а за тебя.

— Не беспокойся, — сказал Моска. — Скоро прибудут наши документы. Мы уедем из Германии в октябре.

Они уже подходили к дому, когда Гелла спросила устало:

— Уолтер, как ты думаешь, в мире теперь беззащитным людям будет легче житься?

— Понятия не имею, — ответил Моска. — Но тебе-то что за дело? Мы же не беззащитные.

И потом, чтобы ободрить ее, добавил:

— Я обо всем написал матери. Она так рада — особенно тому, что я возвращаюсь домой. Она надеется, что я сумел найти хорошую девушку. И они улыбнулись друг другу.

— Наверное, я хорошая, — сказала Гелла немного грустно. — Я вот все думаю о своих родителях, что бы они подумали обо мне, будь они живы. Вряд ли они были бы рады. — Она помолчала. — Они бы не стали считать меня хорошей девушкой.

— Мы же стараемся, — сказал Моска. — Мы стараемся вовсю. Теперь будет все по-другому.

Они свернули на тропинку, ведущую к крыльцу. Тропинку заливал лунный свет. Из-за толстых каменных стен дома до них донесся протестующий плач ребенка. Гелла улыбнулась Моске:

— Ох уж этот негодник! — И взбежала по лестнице, опередив его.

ГЛАВА 19

В тот день Гелла впервые оказалась на территории военно-воздушной базы. Моска вышел к ней за забор из колючей проволоки и провел через пропускной пункт. Гелла была в изящном костюме, сшитом из офицерского розового сукна. Он купил это сукно по карточке Энн Миддлтон в гарнизонном универмаге. Гелла надела к костюму белую шелковую блузку и белую шляпку с вуалью. Вуаль прикрывала ее отекшую щеку. Проходя мимо охранников базы, она тесно прижалась к Моске.

При их появлении в кабинете управления гражданского персонала Инге вышла из-за своего стола. Пожав друг другу руки, девушки познакомились. Герр Топп, старший клерк, принес из приемной бумаги на подпись Эдди Кэссину. Он был сама любезность.

— У нас на базе есть замечательный дантист, все американские дантисты блестящие специалисты, — уверял герр Топп Геллу.

— Ты точно обговорил это с капитаном Эдлоком? — допытывался Моска у Эдди.

Эдди кивнул и ласково спросил у Геллы:

— Ну, как ты себя чувствуешь?

— Немного болит, — сказала Гелла. Она почувствовала власть Эдди и Моски над немцами — и герр Топп, и Инге держались с ними почтительно: здесь распределение ролей между победителями и побежденными было четким, невзирая на половые или должностные различия. Она немного оробела перед Эдди и даже перед Моской и сказала Эдди. словно оправдываясь: — Немецкие врачи ничем не могли мне помочь.

— У нас есть лекарства, которые они не могут достать, — самодовольно сказал Эдди. — Капитан Эдлок сделает все как надо. Ну, можете идти.

Моска и Гелла вышли из здания управления гражданского персонала. Немцы-клерки в приемной оторвались от своих бумажек и с любопытством стали разглядывать ее, отметив про себя, что этот уродливый американец с грубыми замашками и свирепым лицом выбрал себе очень миленькую девушку — высокую, худенькую, которая была полной противоположностью той, кого они рисовали в своем воображении.

Они прошли вглубь территории базы, миновав множество дорожек, ведущих к ангарам и взлетно-посадочным полосам, обогнули административное здание и наконец добрались до длинного низкого барака, где располагался медпункт базы.

В сверкающей белизной стен зубоврачебном кабинете, как и в черном кожаном кресле, никого не было. Вошел немец-врач в белом халате. Он сказал:

— Капитан Эдлок попросил меня принять вас. Он сейчас занят. Прошу вас, — и указал Гелле на кресло.

Сняв шляпку с вуалью, она подала ее Моске, потом приложила ладонь к вспухшей щеке, словно желая скрыть ее от посторонних глаз, и села в кресло. Моска стоял рядом, и она схватила его за руку. Увидев опухоль, немец прищурился. Он помог ей раскрыть рот пошире, надавив решительно, но осторожно на нижнюю челюсть. Он долго рассматривал полость рта, потом повернулся к Моске и сказал:

— Пока инфекция не выйдет, нельзя трогать. Воспаление захватило всю десну и дошло до кости. Ей нужно колоть пенициллин и делать горячие компрессы. Когда опухоль спадет, я удалю корень зуба.

Моска спросил:

— Вы можете делать ей уколы?

Немец пожал плечами.

— Я не могу. Пенициллин выдается только американским врачам, которые имеют право им пользоваться. Позвать капитана Эдлока?

Моска кивнул, и немец вышел.

Гелла улыбнулась Моске, словно извиняясь за причиненное ею беспокойство, но смогла выдавить лишь беспомощную полуулыбку. Моска улыбнулся и сказал:

— Все в порядке.

Он положил шляпку с вуалью на стул.

Ждали они долго. Наконец появился капитан Эдлок. Это был полноватый молодой человек с добродушным лицом. Китель сидел на нем мешковато, галстук был распущен, воротник рубашки расстегнут.

— Ну, давайте посмотрим, — сказал он приветливо и запустил пальцы Гелле в рот. — Да, боюсь, мой помощник прав, — и он кивнул в сторону застывшего в дверях немца — ей надо колоть пенициллин и делать компрессы. Когда опухоль сойдет, мы все сделаем без труда.

Моска, заранее зная ответ, все же спросил:

— Вы можете дать ей пенициллин? — и понял, что произнес этот вопрос злобно и грубо и что сам вопрос был сформулирован неправильно. Он почувствовал, как Гелла сильно сжала его ладонь.

— Увы, увы, — покачал головой капитан Эдлок. — Вы же сами знаете. Я готов ради вас нарушить инструкцию, но если я это сделаю, то все солдаты начнут водить ко мне своих девчонок. А за пенициллин мы строго отчитываемся.

— У меня скоро будут готовы брачные бумаги, — сказал Моска. — Это обстоятельство не меняет дела?

— Увы, — сказал капитан Эдлок. Моска понял, что тот искренне сожалеет. Капитан задумался. — Вот что, как только ваши документы вернутся подписанными из Франкфурта, дайте мне знать — я смогу обеспечить ей полный курс лечения. Не будем дожидаться оформления брака. Я и сам не хочу терять время на формальности, когда тут такое серьезное заражение.

Гелла надела шляпку и вуаль, пробормотала слова благодарности немцу. Тот похлопал ее по плечу и сказал Моске:

— Постоянно делайте компрессы. Возможно, опухоль опадет и так. Если станет хуже, отвезите ее в немецкий госпиталь.

Когда они выходили из кабинета, Моска заметил у пожилого немца-дантиста выражение озабоченности на лице, словно здесь к Гелле отнеслись довольно легкомысленно.

Вернувшись в управление гражданского персонала, он все рассказал Эдди. Гелла сидела за столом Моски.

Эдди кипятился:

— Слушай, сходи ты к адъютанту и поговори с ним: может, удастся поторопить Франкфурт с этими бумагами?

Моска обратился к Гелле:

— Посидишь тут или хочешь пойти домой?

— Я подожду, — ответила она, — но не задерживайся, — она пожала ему руку, ее ладонь была влажной от пота.

— Тебе точно хорошо? — спросил он.

Она кивнула, и Моска ушел.

Адъютант разговаривал по телефону: в голосе вежливые интонации, открытое простодушное лицо выражало уважение к мертвому инструменту. Он слегка кивнул Моске, давая понять, что скоро закончит. Положив трубку, он любезно спросил:

— Чем могу служить?

Моска не сразу нашелся, что сказать, робея и волнуясь. Наконец он выдавил из себя:

— Я бы хотел узнать, что слышно о моем прошении на вступление в брак. Бумаги вернулись?

— Еще нет, — ответил адъютант вежливо и стал листать фолиант армейского устава.

Моска, поколебавшись, спросил:

— Нельзя ли каким-нибудь образом поторопить их там?

Адъютант, не поднимая глаз, ответил:

— Нет.

Моска пересилил желание повернуться и уйти.

— Как вы думаете, если я сам поеду во Франкфурт, это может ускорить прохождение бумаг? Может быть, вы посоветуете мне, к кому обратиться?

Адъютант захлопнул толстый том и, впервые взглянув на Моску, сказал довольно резко:

— Послушай, Моска, ты жил с этой девицей целый год и подал прошение на вступление в брак лишь спустя полгода после того, как был отменен запрет. И вдруг такая спешка. Я не могу, конечно, запретить тебе съездить во Франкфурт, но и гарантировать, что это поможет, тоже не могу. Ты же знаешь, как я отношусь ко всем этим попыткам действовать в обход нормальной субординации.

Моска не разозлился — только смутился и устыдился. Адъютант продолжал уже мягче:

— Как только бумаги поступят, я тебе сообщу, о'кэй?

И получив от ворот поворот, Моска ушел.

Идя в управление гражданского персонала, он старался прогнать печальные мысли и волнение, зная, что Гелла все прочитает на его лице. Но Гелла пила с Инге кофе и была занята беседой. Она сняла шляпку с вуалью и пила кофе маленькими глотками, но по ее сияющим глазам Моска понял, что она рассказывает о ребенке. Эдди, откинувшись на спинку стула и улыбаясь, слушал ее рассказ, увидев Моску, спросил:

— Ну, как, успешно?

Моска ответил:

— Нормально, он пообещал сделать все, что в его силах, — и улыбнулся Гелле. Правду он скажет Эдди потом.

Гелла надела шляпку и попрощалась с Инге. Она пожала руку Эдди и взяла Моску под локоть. Когда они вышли за ворота военно-воздушной базы, Моска сказал:

— Мне жаль, малышка.

Она обратила к нему лицо и крепче прижалась к его локтю. Он отвернулся, словно не мог вынести ее взгляда.

Рано утром, еще до рассвета, Моска проснулся и услышал, что Гелла беззвучно рыдает в подушку. Он притянул ее к себе, и она уткнулась ему в плечо.

— Что, очень больно? — шепотом спросил он.

— Уолтер, мне очень плохо! Так плохо! — ответила она. Эти слова, похоже, испугали ее, и она, уже не сдерживаясь, заплакала громко, как ребенок, которому приснился кошмарный сон.

Боль пронзала все ее тело, отравляла кровь и проникала в каждую клеточку организма. Вспомнив, каким беспомощным выглядел Моска на базе, она испытала ужас, и горючие слезы полились из глаз неудержимым потоком. Она повторила:

— Мне так плохо! — Она проговорила эти слова так невнятно, что Моска с трудом разобрал их.

— Я поставлю тебе еще компресс, — сказал он и включил ночник.

Он испугался, увидев ее. При тусклом желтом свете ночника была видна разросшаяся во всю щеку опухоль, левый глаз не открывался. Черты ее лица странно исказились, отчего теперь в нем было что-то монгольское. Она закрыла лицо руками, а он пошел на кухню согреть воды для компресса.

Городские развалины, казалось, парили на двух лучах утреннего солнца, которое сияло прямо в удивленные глазки дочери Йергена. Сидя на большом камне, она запускала пальчики в открытую банку компота из сливы мирабели. Пыльный запах руин уже поднимался от земли. Малышка сосредоточенно выуживала желтые, точно восковые, ягоды и слизывала липкий сок с кончиков пальцев. Йерген сидел рядом. Он привел ее в эту уединенную ложбину среди руин, чтобы она смогла поесть деликатесных ягод, не делясь с немкой — няней.

Йерген смотрел на личико дочери умильно и печально. В ее глазках явственно отражался неумолимый процесс расщепления детского мозга. По словам врача, оставалась единственная надежда — увезти девочку из Германии, из Европы. Йергену только и оставалось качать головой. Все деньги, заработанные им на черном рынке, пошли на возведение хрупкой стены, отгораживающей ребенка от страданий и несчастий окружающего ее мира. Но врач убедил его, что этого недостаточно. Что стена эта проницаема.

И вот он вынес для себя окончательное решение. Он купит фальшивые документы и обоснуется в Швейцарии. На это потребуется еще несколько месяцев и уйма денег. Но она излечится, она вырастет и станет счастливой.

Она вытащила очередную ягодку, желтую, сверкающую в глазури сиропа, и, чтобы доставить ей удовольствие, он открыл рот, словно прося угостить его. Она улыбнулась, и, увидев на губах дочки улыбку, он нежно взял ее за подбородок. В долине руин дочка представилась ему пробивающимся росточком, в этот миг она словно перестала быть человеческим существом: глаза были пусты, улыбка казалась страдальческой гримасой.

Утренний воздух был напоен прохладой: осень остудила солнце и изменила цвет земли, окрасив серым груды мусора и щебня и разбросав там и сям коричневые пятна мертвой травы.

Йерген ласково сказал:

— Ну, пойдем, Жизель. Тебе пора домой, а я должен идти на работу.

Девочка выронила банку мирабели — вязкий сироп разлился по камням и обломках кирпича. Она заплакала.

Йерген снял ее с камня, поднял вверх и прижал к себе.

— Не скучай, сегодня я вернусь рано. И принесу тебе одну вещичку, которую ты сможешь надеть.

Но он знал, что она будет плакать всю дорогу, пока они не поднимутся по крутым ступенькам к боковой двери церкви.

Йерген увидел на фоне неба человеческую фигуру — человек шел по горам мусора, то и дело исчезая и снова показываясь среди холмиков мусора. Йерген снял девочку с плеча, поставил на землю, и она обхватила его за ногу. Мужчина преодолел последний холм, и Йерген с удивлением понял, что это Моска.

Он был одет в военную форму с белой нашивкой гражданского служащего. В утреннем солнце его смуглая кожа приобрела сероватый оттенок, отчего на лице отчетливо проступили усталые морщинки.

— Я тебя обыскался, — сказал Моска.

Йерген потрепал дочку по голове. Девочка и ее отец отвели взгляд от американца. Йерген подосадовал, что их так легко нашли. Моска, похоже, это понял.

— Твоя хозяйка сказала, что обычно вы по утрам ходите сюда.

Солнце уже взошло, и до слуха Йергена донеслись звонки трамвая. Он недоверчиво спросил:

— Зачем я тебе нужен?

Внезапно один из склонов окружавших их мусорных холмов пополз вниз, вздымая тучу пыли, — это был миниатюрный оползень. Моска едва устоял на ногах, чувствуя, как ботинки погружаются в предательски ненадежный грунт. Он сказал:

— Мне нужен морфий, кодеин и пенициллин для Геллы. Ты знаешь про ее зуб. Ей совсем плохо. — Он помялся. — Морфий нужен сегодня — она страшно мучается от боли. Я заплачу любую цену.

Йерген подхватил дочку на руки и двинулся по руинам. Моска шел рядом.

— Это очень сложно, — сказал Йерген, но все уже связалось у него в мозгу. Одним махом его отъезд в Швейцарию может приблизиться на три месяца. — Цена будет очень высокой.

Моска остановился, и хотя утреннее солнце совсем не припекало, Йерген заметил проступивший у него на лбу пот. И еще он заметил, что Моска явно обрадовался.

— Господи, — сказал Моска. — Я-то боялся, что ты вообще откажешь. Мне наплевать на цену, можешь назвать любую. Но достань мне все это сегодня же.

Они стояли на вершине мусорного холма, и их взору предстали уцелевшие городские кварталы и церковь, в которой жил Йерген.

— Приходи ко мне в полночь, — сказал Йерген. — Вечером не приходи: дочка будет дома одна. Она больна и может испугаться.

Он ожидал услышать от Моски слова сочувствия и разозлился, не услышав их. Если этот американец так опечален болезнью своей полюбовницы — что же он не увозит ее с собой в Америку и не лечит там? И мысль, что Моска готов сделать для своей любимой все, что угодно, все, что он, Йерген, не может сделать для своей дочери, воспламенило в его сердце жгучую ненависть. Он сказал почти жестоко:

— Если придешь до полуночи, я ничем не смогу тебе помочь.

Моска остался стоять на вершине холма, глядя на удаляющуюся фигуру Йергена с ребенком на руках. Он крикнул ему вдогонку:

— Не забудь — любую цену!

Йерген обернулся и кивнул, а девочка обратила личико ввысь в неподвижное осеннее небо.

ГЛАВА 20

Эдди Кэссин и Моска вышли из управления гражданского персонала и в серых осенних сумерках направились к взлетно-посадочной полосе.

— Ну, вот еще один сторожил уходит из нашей команды, — сказал Эдди. — Сначала Миддлтон, потом Лео, теперь Вольф. Следующим, надо думать, будешь ты, Уолтер.

Моска промолчал. Им навстречу шли толпы служащих базы — механики и грузчики — немцы, чей рабочий день закончился. Внезапно земля задрожала, раздался рев мощных двигателей: за зданием управления гражданского персонала замер огромный серебристый самолет.

Предзакатное солнце висело далеко над горизонтом. Моска и Эдди остановились и закурили. Наконец они увидели, как от ангаров к взлетной полосе помчался «джип». Они подошли к самолету в тот самый момент, когда «джип», обогнув хвостовое оперенье, остановился около трапа.

Из «джипа» показались Вольф, Урсула и отец Урсулы, который тотчас стал быстро выгружать тяжелые баулы. Вольф весело улыбнулся друзьям.

— Спасибо, ребята, что пришли проститься со мной! — сказал он и пожал обоим руки, а потом представил их отцу. С Урсулой они уже были знакомы.

Пропеллеры гнали потоки воздуха, заглушавшего их слова. Старик подошел к самолету, провел ладонью по его серому телу и, словно голодный зверь, крадучись стал обходить самолет сзади.

Эдди Кэссин шутливо спросил у Вольфа:

— Он что, хочет улизнуть зайцем?

Вольф засмеялся и ответил:

— Да, он не смог тайком пробраться на «Куин Элизабет»!

Урсула не поняла юмора. Она пристально наблюдала, как багаж вносят в самолет, потом взяла Вольфа за руку.

Вольф еще раз протянул руку Моске и Эдди и сказал:

— Ну ладно, бывайте, ребята. Здорово мне с вами было ей-Богу. Когда приедете в Штаты, найдите меня. Эдди, у тебя же есть мой адрес.

— Само собой, — холодно сказал Эдди.

Вольф посмотрел Моске прямо в глаза и сказал:

— Удачи, Уолтер. Жаль, что то наше дельце не выгорело, но теперь я думаю, ты был прав.

Моска улыбнулся и сказал:

— Удачи, Вольф.

Вольф задумался и после недолгого молчания добавил:

— Последний совет. Не тяни с отъездом отсюда, Уолтер. Возвращайся в Штаты как можно скорее. Вот и все, что я хочу тебе пожелать.

Моска снова улыбнулся:

— Спасибо, Вольф, я постараюсь.

Из-за фюзеляжа показался отец Урсулы. Он подошел к Вольфу с распростертыми объятиями.

— Вольфганг! Вольфганг! — с чувством вскричал он, — ты же не забудешь обо мне, Вольфганг? Не оставишь меня тут? — старик едва не плакал. Вольф похлопал толстяка по плечу, и тот обнял его. — Ты мне теперь как сын, — произнес старик плаксиво. — Мне тебя будет очень не хватать.

Моска видел, что Вольфу это все действует на нервы: он, видимо, только и мечтал поскорее оказаться в самолете.

Отец обнял Урсулу. Он уже рыдал в голос.

— Урсула, доченька моя! Доченька моя! Ты одно, что у меня осталось в жизни, ты же не забудешь папу, ты же не оставишь его одного умирать в этой ужасной стране? Нет, моя маленькая Урсула не сделает этого!

Дочка поцеловала его и ласково промурлыкала:

— Папа, не расстраивайся так. Как только я выправлю бумаги, ты приедешь к нам. Пожалуйста, не расстраивайся.

У Вольфа на лице застыла натужная улыбка. Он тронул Урсулу за плечо и сказал ей по-немецки:

— Ну, пора.

Толстый старик испустил вопль:

— Урсула! Урсула!

Но девушка теперь уже и сама потеряла терпение: ее рассердило столь неподходящее проявление горя по поводу свалившегося на нее счастья. Она вырвалась из цепких рук старика-отца и бросилась по трапу в самолет.

Вольф взял старика за руку.

— Вы расстроили ее. Но я вам обещаю: вы уедете отсюда и проведете остаток своих дней в Америке с дочерью и внуком. Вот моя рука.

Старик склонил голову.

— Ты добр, Вольфганг, ты очень добр.

Вольф смущенно помахал Моске и Эдди и торопливо взбежал по трапу.

В иллюминаторе появилось лицо Урсулы, которая сквозь грязное стекло махала отцу. Он снова заплакал и стал махать ей большим белым платком. Взревели двигатели. Бригада наземного обслуживания откатила трап в сторону. Большое серебристое тело самолета дернулось и медленно двинулось по бетонному полю. Самолет медленно повернул, чуть качнув крыльями, побежал прочь и вдруг, словно нехотя преодолевая сопротивление какой-то невидимой злой силы, оторвался от земли и взлетел в мрачное осеннее небо.

Моска смотрел на самолет, пока тот не скрылся в выси.

Эдди Кэссин процедил:

— Задание выполнено, еще один счастливчик покидает Европу, — в его голосе слышалась горечь.

Все трое молча смотрели в небо, и по мере того, как солнце выплывало из осенних туч и заваливалось за горизонт, их три тени постепенно сливались в одну гигантскую тень. Моска взглянул на старика, который никогда не выберется из Германии и не увидит родную дочь. Его широкое мясистое лицо было обращено к пустому небу, словно он искал там какого-то знака надежды или обещания. Потом его маленькие глазки-щелочки остановились на Моске, и он произнес с ненавистью и отчаянием:

— Ах, друзья мои, вот и все!

Моска опустил кусок полотна в таз с кипятком и, хорошо отжав, положил горячую ткань на лицо Гелле. Она лежала на диване, плача от боли. Щека у нее сильно опухла, лицо перекосило на одну сторону, уродливо исказив линию губ, левый глаз заплыл. В кресле у дивана сидела фрау Заундерс с ребенком на руках, наклонив бутылочку с соской, чтобы младенцу было легко сосать.

Меняя компрессы, Моска успокаивал Геллу:

— Будем ставить компрессы пару дней, а там все пройдет. Только лежи, не шевелись.

К вечеру опухоль чуть опала. Ребенок начал плакать, Гелла села и потянулась к нему. Она сняла с лица компресс и сказала Моске:

— Я больше не могу.

Она взяла у фрау Заундерс ребенка, приложила его головку к здоровой щеке и стала тихо напевать: «Бедный моя малыш, мама не может тебя покормить». И потом неверными руками с помощью фрау Заундерс стала менять пеленки.

Моска молча смотрел. Он видел, что из-за непрестанной боли и бессонницы, мучившей Геллу в эту неделю, она совсем обессилела. Врачи в немецком госпитале сказали, что ее заболевание не слишком серьезно, чтобы ей прописывать пенициллин. Он только и надеялся на то, что Йерген сегодня в полночь принесет наконец обещанные лекарства. Уже два раза Йерген его подвел.

Гелла запеленала ребенка, и Моска взял его на руки. Он баюкал малыша на руках, а Гелла силилась улыбнуться. В глазах у нее опять стояли слезы, и она отвернулась к стене. Она начала коротко всхлипывать, не в силах выдержать боль.

Моска крепился сколько мог, потом положил малыша обратно в коляску.

— Пойду схожу к Йергену, узнаю, достал ли он лекарства, — сказал он.

До полуночи было еще далеко, но черт с ним. А вдруг он застанет Йергена дома? Было около восьми, немцы в это время обычно ужинают. Он наклонился поцеловать Геллу.

— Постараюсь вернуться поскорее, — сказал он ей на прощанье.

На Курфюрстен-аллее чувствовалось холодное дыхание зимы. В сумерках он слышал шорох опавших листьев: ветер разносил их по всему городу. Он сел на трамвай и доехал до церкви, где жил Йерген. Боковой вход в церковный дворик был открыт. Он взбежал по ступенькам и, остановившись перед дверью в стене, громко постучал. Моска ждал довольно долго, но за дверью было тихо. Он стучал и стучал, надеясь угадать комбинацию условных стуков — вдруг дочка Йергена примет его за отца и впустит в дом. Звать ее через дверь он не стал. Он подождал еще какое-то время, и вдруг до его слуха донесся какой-то странный звук — монотонный и пронзительный, похожий на звериный вой. Он понял, что за дверью стоит девочка и тоненько плачет. Перепуганная насмерть, она, конечно же, не откроет. Он спустился вниз и стал поджидать Йергена.

Прошло много времени. Поднялся колючий ветер, сгустилась ночь, и во мраке листья на ветках уже шумели вовсю. В душе у него росло ощущение какой-то ужасной катастрофы. Он заставлял себя не волноваться, но вдруг под воздействием какого-то бессознательного импульса быстро зашагал прочь по Курфюрстен-аллее.

Через несколько минут страх покинул его. И потом мысль о том, что ему придется скоро увидеть беспомощные слезы и муки боли, заставила его остановиться. Все напряжение и нервозность, все унижения, пережитые им на прошлой неделе — отказ доктора Эдлока в помощи, выволочка, устроенная ему адъютантом полковника, нежелание немецких врачей лечить Геллу и его полнейшая беспомощность — все это вдруг легло на душу тяжким грузом. Ему захотелось напиться — захотелось так жгуче, что он даже подивился этому желанию. У него никогда не было склонности к алкоголю. Но вот теперь, долго не раздумывая, он повернул в противоположную сторону и зашагал по проспекту к офицерскому клубу. Лишь на мгновение ему стало стыдно, что он не пошел домой.

В клубе было непривычно тихо. В баре сидело несколько офицеров. Ни музыки, ни танцев не было. Ему встретились две или три женщины. Моска трижды заказал виски. Выпитое подействовало словно волшебный эликсир. Он сразу ощутил легкость в теле, напряжение и страх мгновенно улетучились — беспокоиться было не о чем. У Геллы всего лишь разболелся зуб, люди, которые казались ему заклятыми врагами, просто послушно исполняли инструкции.

Один из сидящих у стойки бара офицеров сказал ему:

— Твой приятель Эдди наверху играет в кости.

Моска поблагодарил его, а второй офицер добавят с усмешкой:

— Там и другой твой приятель — адъютант. Ему дали майора, и он обмывает это событие.

— Надо и мне за это выпить, — пробормотал Моска, и офицеры расхохотались. Моска расстегнул пиджак, закурил сигару и пропустил еще пару стаканчиков. Ему стало тепло, и он проникся убеждением, что все будет хорошо. Черт побери, да ведь у нее всего-то воспалился зуб — и ничего больше. Просто она не переносит боли. Даже смешно: такая мужественная, а физической боли не переносит. Ну и трусиха! Нет, не трусиха. Он вдруг разозлился на самого себя за то, что подумал о ней такое. Но она ведь чуть что — сразу в слезы. И вдруг у него по спине пробежал холодок. Во внутреннем кармане пиджака он нащупал конверт и вспомнил, что несколько дней назад Гелла написала первое письмо его матери, а он забыл отправить. Мать просила ее написать и прислать фотографию малыша. Моска вышел из бара в коридор. Он постоял, решая, пойти туда или нет, хотя внутренний голос подсказывал, что не стоит подниматься наверх. Но спиртное заглушило этот настойчивый голос, и он поднялся в игорный зал.

Эдди стоял у стола, зажав в кулаке пачку долларовых купонов. Напротив стоял адъютант — он имел странный вид. Его открытое простое лицо раскраснелось, на нем играло лукавое выражение. Моска оторопел. Господи, да ведь он сильно поддатый! В первый момент он решил повернуться и уйти. Но любопытство заставило его подойти к столу. Он подумал: посмотрим, может, этот хрен в поддатом состоянии способен на что-то человеческое.

Эдди спросил:

— Ну, как твоя девчонка?

— Нормально, — ответил Моска.

Официант с тяжелым подносом отправился в верхние кабинеты. Играли без охоты — это была даже не игра, а так, пустая трата времени. Но сегодня Моске это нравилось. Он делал маленькие ставки и болтал с Эдди.

Только адъютант, казалось, ловил кайф от игры. Он всячески старался раззадорить играющих. Когда настал его черед метать, он выложил тридцать долларов. Офицеры согласились поставить только по десять. Он предлагал повысить ставки, но игроки, словно из вредности, отказывались и продолжали лениво, без всякого азарта играть по маленькой, делая одно- и пятидолларовые ставки.

Моска почувствовал себя немного виноватым. Он думал: надо сходить домой, посмотреть, как там Гелла, а потом отправляться к Йергену. Но через час клуб и так закроется. И он решил остаться.

Адъютант, тщетно пытаясь найти себе какую-нибудь забаву и уже потеряв всякую надежду получить удовольствие от игры, обратился к Моске:

— Я слышал, ты приводил свою фройляйн на базу, чтобы ей оказали бесплатную медицинскую помощь. Ты что же, правил не знаешь, Уолтер? — он впервые назвал Моску по имени.

Кто-то из офицеров сказал:

— Ради Бога, хоть в клубе давай не будем о службе!

И в это мгновение Моска понял, зачем он пришел в клуб, почему он решил остаться. Он уговаривал себя уйти, тщетно пытаясь оторвать ладони от зеленого сукна. Но в его душе уже клокотало злое предвкушение ссоры. Воспоминания о всех унижениях и поражениях недели отравили ему кровь и ослепили разум. Он подумал: «Ну ладно, сукин сын, ну ладно». Но произнес обычным тоном:

— Да я просто думал, что наш док сможет ей чем-нибудь помочь, — он произнес эти слова с наигранным волнением. Он уже наелся достаточно дерьма на этой неделе — можно съесть еще немного. Это уже не противно.

— Подобные вещи в моей епархии не случаются, — сказал адъютант. — Но если, не дай Бог, случаются, да еще я об этом узнаю, то виновные всегда получают по заслугам. А я всегда узнаю! Я же не сволочь, — продолжал адъютант уже на полном серьезе. — И люблю, когда все честь по чести. Ведь если бы он стал лечить твою фройляйн, все солдаты начали бы водить своих девочек на базу, чтобы им делали уколы в попку. — На простодушном лице адъютанта заиграла довольная мальчишеская улыбка. Он поднял стакан и сделал большой глоток.

Моска уставился на зеленое сукно стола. Эдди что-то говорил, но Моска не мог разобрать слов. Он с усилием поднял взгляд и тихо сказал:

— Сыграю-ка я на два доллара.

Адъютант поставил стакан на подоконник и бросил на стол десятидолларовую бумажку.

— Принимаю, — сказал он.

Моска взял банкноту и швырнул ее обратно адъютанту.

— С тобой я не играю, — сказал он с холодным раздражением.

Несколько офицеров бросили на стол деньги, и Моска метнул кости.

— Фу-ты, ну-ты! Как ты запал на эту фройляйн! — сказал адъютант. Он был настроен благодушно и не уловил возникшего напряжения. — Может, вы думаете, что эти немочки испытывают к вам чистую бескорыстную любовь и обожают ваши смазливые рожи? На вашем месте, ребята, я бы ни за что не женился здесь.

Моска бросил кости на стол и равнодушно спросил:

— А, так вот почему ты задерживаешь мои бумаги, гад!

Адъютант улыбнулся во весь рот.

— Вынужден с тобой не согласиться. Позволь узнать откуда у тебя такая информация? — он произнес эти слова с угрожающе-повелительными нотками.

Моска взял кости. Он уже потерял всякую осторожность и теперь просто ждал, когда адъютант его спровоцирует.

— Так откуда у тебя эта информация? — спросил адъютант. На его простодушном лице застыло всегдашнее выражение нагловатой суровости. — Откуда у тебя эта информация? — повторил он.

Моска потряс в кулаке кости и метнул.

— Ты, мудак сраный, пугай фрицев!

Вмешался Эдди Кэссин:

— Это я рассказал ему, и, если полковник захочет узнать подробности, я и ему расскажу, как ты две недели мурыжил бумаги, прежде чем отправить их во Франкфурт. — Он повернулся к Моске: — Пойдем, Уолтер, пойдем отсюда.

Адъютант стоял между столом и окном. Моска ждал, когда он выйдет оттуда, чтобы зажать его в угол. Он медленно произнес:

— Ты что же, думаешь, сегодня этому ... опять все сойдет?

Адъютант мгновенно оценил ситуацию и злобно заорал:

— Ну, посмотрим, что ты сделаешь? — и стал приближаться к Моске. Моска до боли вцепился пальцами в край стола, а потом вдруг что есть силы ударил адъютанта сбоку в лицо. Кулак только скользнул по щеке адъютанта, но тот упал. Моска стал свирепо пинать ботинком распростертое под столом тело. Он почувствовал, что носок ботинка несколько раз ткнулся в кость. Эдди и какой-то офицер оттащили его от адъютанта. Адъютанту, теперь уже сильно избитому, помогли подняться на ноги. Моска, не сопротивляясь, позволил оттолкнуть себя к двери. И вдруг он вывернулся и бросился обратно к столу, где стоял адъютант. Моска ударил его в бок, и они покатились на пол. Адъютант завизжал от боли. Ненавидящий взгляд Моски и его нападение на беззащитного адъютанта привели присутствующих в такой ужас, что на мгновение все замерли. Потом трое офицеров успели схватить Моску в тот самый момент, когда он схватил адъютанта за ухо, словно собираясь сорвать кожу с его лица. Один из офицеров сильно ударил Моску в висок,

Моска обмяк, и его выволокли на улицу. На сей раз уже и речи не могло быть о возмездии. Эдди остался с Моской. Холодный ночной воздух привел Моску в чувство.

— На кой черт ты ударил его во второй раз? — спросил Эдди. — Это было лишнее. Мало тебе было?

— Я хотел убить этого гада, — ответил Моска. Но он уже успокоился, хотя, когда он поднес спичку к сигарете, его руки дрожали. Он почувствовал, что все тело покрылось холодным потом. «Ну и ну!» — подумал он, вспоминая короткий раунд боксерского поединка и пытаясь унять дрожь в руках.

— Попробую все уладить, — сказал Эдди. — Но с армией тебе придется распрощаться. Ты понял? Не жди теперь. Завтра же лети во Франкфурт и выцарапай у них разрешение на брак. Я тебя тут прикрою. Не беспокойся ни о чем — только о своих документах.

Моска задумался.

— Пожалуй, ты прав. Спасибо, Эдди. — И почему-то смущено пожал Эдди Кэссину руку, зная, что тот сделает все, что в его силах.

— Ты домой? — спросил Эдди.

— Нет, — ответил Моска. — Мне надо повидаться с Йергеном. Он зашагал прочь, и не оборачиваясь крикнул: — Я позвоню тебе из Франкфурта.

Холодная осенняя луна освещала его путь к церкви. Он взбежал по ступенькам и не успел еще постучать, как Йерген открыл дверь.

— Не шуми! — предупредил Йерген. — Моя дочка только заснула. Ее опять кто-то испугал. — Они прошли в комнату. Из-за деревянной ширмы доносилось дыхание спящего ребенка. Девочка дышала неровно — с долгими паузами. Он заметил, что Йерген чем-то разозлен.

— Ты приходил вечером? — спросил Йерген раздраженно.

— Нет, — солгал Моска. Он запнулся, прежде чем ответить, и Йерген понял, что он солгал.

— Я достал таблетки, — сказал Йерген. Он был даже рад тому, что Моска напугал его дочку: теперь, он получил дополнительный заряд мужества, чтобы осуществить задуманное. — У меня есть пенициллин в ампулах и таблетки кодеина, но все это очень дорого стоит. — Он достал из кармана небольшую картонную коробку, раскрыл ее и показал Моске четыре темно-коричневых ампулы и квадратную коробочку крупных таблеток кодеина в красных облатках. Даже теперь он еще колебался: может быть, стоит признаться Моске, что за пенициллин он уплатил лишь незначительную часть обычной черно-рыночной цены — значит, срок использования лекарства уже истек. Может быть, и за таблетки надо взять с Моски приемлемую цену... Но как раз в этот момент нервно всхлипнула во сне Жизель, и наступила мертвая тишина. Он заметил, что Моска смотрит на ширму. Они оба замерли, но девочка снова задышала — тяжело и неровно. У Йергена отлегло от сердца.

— Цена такая: пятьдесят блоков сигарет.

В глазах Моски загорелись два черных огонька. Моска в упор посмотрел на Йергена, внезапно озаренный жестокой догадкой.

— Хорошо, — сказал Моска. — Неважно, сколько это стоит. Ты уверен, что тут нет наколки?

Йерген помедлил с ответом лишь несколько секунд, но за это время он успел подумать о многом.

Ему требуется очень много сигарет — тогда он осуществит свой план и через месяц сможет покинуть Германию. Гелле, возможно, вовсе и не нужен пенициллин, бременские врачи, видя, что у девушки американский друг, нарочно советовали применять пенициллин, чтобы иметь возможность припрятать его у себя. И он снова подумал о дочке: самое главное для него — ее выздоровление.

— Не сомневайся. Я гарантирую, — сказал Йерген. — Этот человек никогда меня не обманывал. — Он дотронулся рукой до груди. — Я беру на себя всю ответственность.

— Хорошо, — сказал Моска. — Теперь послушай. У меня есть двадцать блоков, может, я сумею достать еще. Если не смогу, заплачу тебе из расчета пять долларов за блок — купонами или чеками «Американ экспресс». Согласен? — он знал, что играет честно и что Йерген его явно надувает, но все еще был под впечатлением от своей стычки с адъютантом. Его охватила неодолимая усталость, чувство одиночества и безнадежности. Мысленно он чуть ли не на коленях умолял этого фрица проявить сочувствие и жалость, и Йерген, почувствовав это, вдруг заупрямился.

— Мне придется расплачиваться сигаретами, — сказал он. — Ты должен заплатить сигаретами.

За ширмой сонно застонала девочка. Моска вспомнил, как стонет Гелла от боли: она уже, наверное, заждалась его.

Он предпринял последнюю попытку.

— Лекарства нужны мне сейчас.

— Я должен получить сигареты сегодня, — теперь в голосе Йергена послышались злорадно-торжествующие нотки. Впрочем, он и сам не отдавал себе в этом отчета: просто он не любил этого американшку.

Усилием воли Моска заставил себя успокоиться: ему было стыдно и страшно за то, что он учинил в клубе. Теперь нельзя больше допускать такие срывы. Он взял картонную коробку, сунул ее себе в пиджак и сказал беззлобно:

— Пошли со мной, я дам тебе двадцать блоков и деньги. В ближайшие дни постараюсь достать остальные сигареты, и потом ты вернешь мне деньги.

Йерген понял, что назад лекарства ему уже не получить. У него все похолодело внутри. Он был не трус, но его всегда страшила мысль, что дочка останется в этой разоренной стране. Он пошел за ширму, поправил дочке одеяло, потом взял пальто и шляпу. Они отправились к Моске. Всю дорогу они молчали.

Йергену пришлось сначала ждать, пока Моска даст Гелле таблетку кодеина. Она еще не спала. Ее распухшая щека белела во тьме комнаты.

— Как ты себя чувствуешь? — спросил Моска ласково, почти шепотом, чтобы не разбудить спящего в коляске малыша.

— Очень болит, — прошептала она.

— Вот болеутоляющее, — и он подал ей красную облатку кодеина, она положила ее в рот и пальцем протолкнула в горло, потом запила водой из стакана, который он поднес к ее губам.

— Я сейчас вернусь, — сказал он.

Он сложил сигаретные блоки в стопку и завернул кое-как в бумагу — получился большой сверток. Он отдал сверток Йергену, потом достал из портмоне чеки «Америкэн экспресс», подписал их и сунул голубые листочки Йергену в карман пальто. И в знак благодарности вежливо спросил:

— У тебя не будет неприятностей — уже ведь комендантский час. Хочешь, я тебя провожу до дому?

— Не надо, у меня есть пропуск для патруля, — сказал Йерген и, неловко держа сверток под мышкой, добавил: — Бизнесмен хоть куда!

Моска выпустил его из квартиры, запер дверь и вернулся в спальню. Гелла все еще не спала. Он лег рядом, не раздеваясь, и рассказал о происшествии в клубе и о том, что завтра едет во Франкфурт.

— Получу эти чертовы документы, и через месяц мы уедем. Сядем на самолет и — в Штаты! — шептал он. Он рисовал ей картину их приезда — как обрадуются мать и Альф, как она с ними познакомится, как покажет им малыша. Он говорил об этом без тени сомнения, словно это было само собой разумеющимся и неизбежным. Она уже засыпала в его объятиях, как вдруг попросила:

— Дай мне еще таблетку.

Он встал, принес облатку кодеина и дал воды. Потом, пока она не заснула, рассказал ей про пенициллин и уговорил сходить к врачу и сделать несколько уколов.

— Я буду звонить из Франкфурта каждый вечер, — пообещал он. — Вряд ли я пробуду там больше трех дней.

Она заснула и спала тихо, почти не дыша, а он выкурил три сигареты, сидя в кресле у окна и глядя на городские руины, ярко освещенные осенней луной. Потом он зажег свет в кухне и сложил в голубую спортивную сумку вещи, которые могли понадобиться в пути. Он сварил пару яиц и сделал чай в надежде, что, поев, сможет уснуть. Он лег подле Геллы и стал дожидаться рассвета.

ГЛАВА 21

Сквозь пелену тяжелого неспокойного сна-забытья Гелла услышала короткие злобные всхлипывания голодного младенца. Она проснулась окончательно и ощутила радостное возбуждение, зная, как легко сможет успокоить ребенка. Она прислушалась, потом встала с кровати и пошла готовить смесь для кормления.

Она была еще очень слаба, хотя последние ночи спала хорошо. Кодеин возымел действие и унял боль. Она подняла руку к лицу и удивилась тому, что пальцы так быстро ткнулись в кожу щеки. Лицо за эту ночь распухло еще больше. А ведь она почти не чувствовала боли! Дожидаясь, пока подогреется молоко, она приняла еще одну таблетку кодеина, протолкнув ее в горло пальцем. Теперь глотать ей было очень трудно. Она дала ребенку бутылочку, и на комнату снизошла блаженная тишина.

Почувствовав усталость, она вытянулась на кровати. Она слышала, как за стеной ходит фрау Заундерс — прибирается в своих комнатах и в их общей гостиной. Как же им повезло с фрау Заундерс, подумала Гелла. И Уолтеру она нравится. Гелла надеялась, что он привезет из Франкфурта все документы, они поженятся и уедут из Германии. И теперь она беспокоилась только о ребенке, больше ни о чем. Ведь если младенец заболеет, они не смогут достать американских лекарств. А рисковать, надеясь на черный рынок, нельзя — ведь речь идет о здоровье малыша!

Отдохнув, Гелла встала и прибралась в комнате. Потом пошла в гостиную. Фрау Заундерс сидела у железной печки и пила кофе. На столе стояла полная чашка для Геллы.

— Когда возвращается ваш муж? — спросила фрау Заундерс. — Разве он не должен был вернуться сегодня утром?

— Ему придется пробыть там еще несколько дней, — ответила Гелла. — Если он узнает что-то определенное, он позвонит сегодня вечером. Сами знаете, сколько с этими бумажками хлопот.

— Вы сказали ему о пенициллине? — спросила фрау Заундерс.

Гелла покачала головой.

— А я-то думала, Йерген ваш друг, — сказала фрау Заундерс. — Как же он мог так поступить?

— Вряд ли он виноват, — сказала Гелла. — Врач сказал мне, что ампулы нельзя использовать, потому что у них истек срок годности. Но это был настоящий пенициллин. Йерген не мог этого знать.

— Должен был! — строго сказала фрау Заундерс и добавила сухо: — Он поймет, что продешевил, когда герр Моска нанесет ему визит.

За стеной заплакал ребенок. Гелла пошла в спальню и вернулась с младенцем.

— Дайте мне его подержать, — попросила фрау Заундерс.

Гелла отдала ей ребенка и пошла за чистыми пеленками. Когда она принесла пеленки, фрау Заундерс предложила:

— Дайте-ка я сама.

Это был их утренний ритуал. Гелла взяла пустой тазик из-за печки и сказала:

— Схожу принесу брикеты.

— Вы еще слабы, чтобы ходить, — возразила фрау Заундерс. Но она в этот момент занималась ребенком и произнесла эти слова просто из вежливости.

В утреннем воздухе ощущался льдистый запах осени, умирающие деревья под солнечными лучами и опавшие листья были объяты темно-коричневыми и красноватыми языками пламени. Откуда-то доносился тонкий хмельной аромат палых яблок, а из-за садов и зеленых холмов тянуло влажной свежестью реки, омытой осенними дождями. На противоположной стороне Курфюрстен-аллее Гелла увидела симпатичную девушку с четырьмя детьми, которые играли под деревьями, разрушая холмики пожухлых листьев. Ей стало холодно, и она вернулась в дом.

Она спустилась в погреб и сняла крючок с петли на сетчатой двери. Она наполнила тазик продолговатыми угольными брикетами и попыталась его поднять, но, к собственному удивлению, не смогла. Она поднатужилась, но обессиленное тело не слушалось, и у нее закружилась голова. Она испугалась и прислонилась к сетке. Скоро головокружение прошло. Тогда она взяла три брикета и сложила их в фартук. Она закрыла сетчатую дверь, накинула крючок на петельку и начала подниматься по ступенькам.

На полдороге она остановилась: ноги не шли. Она постояла так, ничего не понимая, и вдруг ужасный холод пробежал у нее по спине. В виске взорвался какой-то сосуд, и голову пронзила невыносимая боль, точно ее проткнули стальным копьем, — она не услышала, как уголь, выкатившись из фартука, с грохотом полетел вниз по ступенькам. Она оступилась и начала падать — и тут увидела лицо фрау Заундерс, перегнувшейся сверху через перила, с ребенком на руках. Она видела их смутно; точно через плотную завесу, но очень близко. Она воздела к ним руки, закричала, а потом стала удаляться от испуганного лица фрау Заундерс и от спеленатого младенца и с криком упала в бездну, в последний миг уже не слыша своего крика.

ГЛАВА 22

Эдди Кэссин ходил взад-вперед по кабинету. Инге терпеливо убеждала кого-то по телефону, что ей необходима эта информация. Потом она набирала другой номер и повторяла все то же самое.

Она обернулась к Эдди и протянула ему телефонную трубку. Эдди взял трубку:

—Да?

Мужской голос на почти чистом английском языке веско произнес:

— Прошу прощения, мы не даем подобную информацию по телефону.

Эдди понял, что с обладателем этого голоса спорить бесполезно. Он понял это по его тону: говорил человек, строго подчиняющийся инструкциям, которые имели абсолютную силу в его, пусть узком, но строго упорядоченном мирке. Он сказал:

— Позвольте попросить вас об одном. В вашем госпитале лежит женщина, ее муж или любовник, называйте как хотите, находится сейчас во Франкфурте. Если положение столь угрожающее, может быть, стоит позвонить ему и попросить немедленно вернуться в Бремен?

Солидный голос ответил:

— Я бы посоветовал вам поступить именно так.

— Он находится там по срочному делу, — продолжал Эдди. — Он вернется только в том случае, если в этом есть острая необходимость.

Наступила пауза. И вдруг солидный голос озабоченно произнес:

— Думаю, вам необходимо срочно вызвать его сюда.

Эдди положил трубку. Инге смотрела на него, широко раскрыв глаза.

— Принеси чистый стакан, — попросил он.

Когда она вышла, он снял трубку и попросил армейскую телефонистку соединить его с Франкфуртом. Он еще ждал у телефона, когда Инге принесла стакан. Он попросил ее подержать трубку и сделал себе крепкий коктейль из джина и грейпфрутового сока. Потом взял трубку.

Наконец его соединили с Франкфуртом, а потом переключили на адъютантский отдел штаба. Он переговорил с тремя штабными офицерами, прежде чем узнал, что Моска был там вчера и теперь, вероятно, находится в юридическом отделе. Когда он дозвонился в юридический отдел, ему сказали, что Моска ушел час назад. Никто не знал, где он может быть сейчас. Эдди бросил трубку и допил коктейль. Он налил себе еще и снова стал набирать номер. Дозвонившись до франкфуртского коммутатора, он попросил соединить его с центром радиоинформации штаба командования.

Ответил дежурный сержант, которому Эдди объяснил, зачем ему понадобился Моска и попросил его передать по радио, чтобы Моска подошел к телефону. Сержант отключился. Потом он вернулся и сказал, что сообщение передано по радио и надо еще подождать.

Эдди ждал долго. Он успел уже допить второй стакан, когда вдруг в трубке послышался голос Моски:

— Алло, кто это?

В его голосе слышалось только удивление — не тревога.

Эдди на мгновение потерял дар речи.

— Уолтер, это Эдди. Как там у тебя продвигается?

— Пока трудно сказать, — ответил Моска, — меня отфутболивают из одного отдела в другой. Что-нибудь случилось?

Эдди прокашлялся и сказал будничным тоном:

— Мне кажется, тебе придется это дело спустить на тормозах, Уолтер. Майерше звонила твоя хозяйка и сказала, что Геллу забрали в госпиталь. Майерша сообщила мне на базу, я звонил в госпиталь, но они не стали ничего говорить по телефону. Вроде бы дело серьезное.

На том конце провода повисло молчание, но потом Моска заговорил снова, запинаясь, словно подыскивал нужные слова:

— Тебе правда больше ничего не известно?

— Клянусь Богом! — сказал Эдди. — Но тебе надо вернуться.

Наступила долгая пауза,

— Постараюсь успеть на ночной шестичасовой поезд. Встреть меня на вокзале, Эдди. Кажется, поезд прибывает около четырех утра.

— Естественно, — сказал Эдди. — А сейчас я поеду в госпиталь. Ладно?

— Конечно. Спасибо тебе, Эдди, — раздался щелчок, и Эдди положил трубку.

Он налил себе еще стакан и сказал Инге:

— Сегодня я не вернусь, — положил бутылку джина и жестянку грейпфрутового в портфель и ушел.

Бремен был объят мраком, когда Моска сошел с франкфуртского поезда. Было около четырех утра. На привокзальной площади стоял едва различимый во тьме армейский зеленый автобус. Площадь освещалась лишь несколькими тусклыми фонарями, которые отбрасывали на мостовую узкие рамки света.

Моска пошел в зал ожидания, но Эдди там не было. Тогда он вышел на улицу, но не нашел знакомого «джипа».

Он постоял в недоумении несколько минут, потом зашагал вдоль трамвайных путей по Швахгаузер-Хеерштрассе, свернул на длинную змеистую Курфюрстеналлее и стал осторожно пробираться среди развалин этого призрачного города. Впоследствии он никак не мог себе объяснить, почему не пошел сразу в госпиталь.

Подойдя к своему дому, Моска увидел, что в кромешном мраке города горело только одно окно, и сразу понял, что это окно его квартиры. Он свернул на тропинку. Взбегая по лестнице, он слышал плач ребенка.

Он открыл дверь гостиной и увидел фрау Заундерс. Она сидела на диване лицом к двери и катала коляску взад-вперед по ковру. Ребенок плакал тихо и безнадежно, словно ничто не могло его успокоить. Лицо фрау Заундерс было бледным и измученным, а обычно аккуратно убранные волосы свисали длинными прядями.

Он стоял в дверях и ждал, что она скажет, но увидел лишь ее испуганный взгляд.

— Как она? — спросил он.

— Она в госпитале, — ответила фрау Заундерс.

— Знаю. Как она?

Фрау Заундерс не ответила. Она перестала катать коляску и закрыла лицо руками. Ребенок заплакал громче. Фрау Заундерс начала тихо раскачиваться.

— Как же она кричала, — прошептала она, — о, как же она кричала.

Моска молчал.

— Она упала с лестницы и так кричала, — плача, сказала фрау Заундерс.

Она опустила руки, точно не могла больше прятать своего горя и начала катать коляску взад-вперед. Ребенок замолк. Фрау Заундерс взглянула на Моску, все еще стоящего в дверях.

— Она умерла. Она умерла вчера вечером. Я ждала вас.

Она увидела, что Моска все еще чего-то ждет, точно она ему еще не все сказала.

А у него все онемело внутри, как будто его вдруг поместили в тонкую хрупкую оболочку, защищающую от боли и света. Он снова услышал слова фрау Заундерс: «Она умерла вчера вечером» — и поверил ей, хотя и не мог принять эти слова за правду. Он вышел из дома и окунулся во мрак улицы. Добравшись до госпиталя, он двинулся вдоль длинного железного забора и так дошел до главных ворот.

Моска направился к административному зданию. За стойкой круглосуточного дежурного сидела монахиня в огромной белой шляпе. На стуле у стены он заметил Эдди Кэссина.

Эдди встал и замер. Он кивнул монахине. Та сделала Моске знак, чтобы он шел за ней.

Моска последовал за широкополой шляпой по длинным безмолвным коридорам. В тиши он слышал беспокойное дыхание спящих. В конце коридора они прошли мимо одетых в черное женщин, которые, преклонив колени, драила кафельный пол.

Они свернули в другой коридор. Монахиня открыла дверь в небольшую комнату, куда он зашел за ней. Она отошла в сторону.

Моска сделал шаг вперед и в углу, на белой подушке увидел лицо Геллы. Ее тело было покрыто белой простыней, доходящей до подбородка. Он не смог ее рассмотреть и подошел ближе.

Глаза были закрыты, опухоль на щеке исчезла, словно жизнь и болезнь одновременно покинули ее тело. Губы были бледными, почти белыми. В лице не было ни кровинки, кожа расправилась — она казалась ему помолодевшей, но лицо было невыразительным и пустым, а большие впадины вокруг закрытых глаз делали ее похожей на слепую.

Моска сделал еще шаг вперед, встал вровень с кроватью и заметил, что на подоконнике занавешенного окна стоит ваза с белыми цветами. Он стал смотреть на Геллу и растерялся, поняв только теперь, что ему придется принять факт ее смерти, но не зная, что же делать. Он видел смерть в куда более жестоких проявлениях, но теперь, когда смерть предстала перед ним в ином облачении, когда впервые в жизни он видел человека, которого когда-то целовал и обнимал и который теперь уже его не слышит и не видит, он почувствовал отвращение к этому мертвому существу. Он протянул руку, дотронулся до слепых глаз, до холодного лица и положил ладонь на холодную простыню, покрывающую ее тело. Раздался странный хрустящий звук, и он чуть-чуть сдвинул простыню вниз.

Ее тело было обернуто в плотную упаковочную бумагу, и Моска заметил, что под бумагой она нагая. Монахиня за его спиной зашептала:

— Многие так нуждаются в одежде.

Он снова укрыл труп простыней и понял, что надежно защищен от горя непробиваемой броней, приобретенной им за годы войны: воспоминания об этих ужасных годах теперь были его щитом. Что же, думал он, разве я не найду платья, в котором ее можно похоронить? Конечно, я это сделаю. И вдруг сотни тысяч врагов засуетились у него в крови, застучали в висках, в горле встал ком, гигантская рука сдавила сердце, и свет померк в глазах. И не помня себя, он бросился вон из этой комнаты и в следующий момент уже стоял в коридоре, держась за стену.

Монахиня терпеливо ждала, пока он придет в себя. Наконец Моска проговорил:

— Я принесу ей нормальную одежду, оденьте ее, я вас прошу.

Монахиня кивнула в знак согласия.

Он вышел за ворота госпиталя и пошел вдоль забора. Хотя в голове у него все еще мутилось, он увидел приближающийся трамвай и спешащих людей. Комендантский час кончился. Он старался сворачивать в пустынные улицы, но не успевал он пройти и нескольких шагов, как, словно из-под земли, возникали люди. Потом из-за холмов над горизонтом встало холодное зимнее солнце, и бледный рассвет озарил землю. Он уже оказался на окраине города. Впереди виднелись луга. Было очень холодно. Моска остановился.

Теперь он со всем смирился и даже не удивлялся, как все ужасно сложилось. В душе у него осталась лишь усталость и безнадежность, а где-то глубоко-глубоко таилась постыдная вина.

Он стал думать, что ему теперь надо делать: принести коричневое платье в госпиталь — в нем похоронят Геллу.

Потом организовать похороны. Эдди поможет: сделает все, что надо. Он пошел обратно и тут почувствовал что-то тяжелое на плече. Оказывается, он нес свою голубую спортивную сумку! Он страшно устал, идти ему было далеко — и он бросил ее в глубокую влажную траву. Потом поднял глаза к мерзлому утреннему солнцу и зашагал в город.

ГЛАВА 23

Небольшой кортеж выехал из железных ворот госпиталя и потянулся в город. Серый утренний свет набросил на городские руины призрачную дымку.

Впереди ехала санитарная машина с гробом Геллы. За ней медленно полз «джип», открытый всем ветрам. На переднем сиденье Эдди и Моска съежились, укрываясь от ветра. Фрау Заундерс на заднем сидении плотно укуталась в коричневое армейское одеяло, тая от окружающего мира свою печаль. Скорбный караван замыкал «опель» — колымага с паровым двигателем и с небольшим дымоходом. В «опеле» ехал настоятель церковного прихода, к которому принадлежала фрау Заундерс.

Караван двигался навстречу транспорту и пешеходам, направлявшимся к центру города: трамваям, набитым рабочим людом, армейским автобусам и толпам людей, чей жизненный ритм подчинялся смене работы, отдыха и сна.

Колючие заморозки поздней осени, которые наступили неожиданно рано и оттого казались куда холоднее самых жестоких зимних морозов, заледенили металлические внутренности «джипа», сковали льдом тело и душу. Моска наклонился к Эдди:

— Ты не знаешь, где кладбище?

Эдди кивнул.

— Давай рванем туда!

Эдди свернул влево, помчался по широкому проспекту и скоро выехал за городскую черту. Потом он свернул в узкий переулок, въехал в деревянные ворота и скоро остановился на небольшой площадке, за которой начинались длинные ряды могильных плит.

Они остались сидеть в «джипе». Фрау Заундерс откинула одеяло. Она была в черном пальто, в шляпке с вуалью и в черных чулках. Ее лицо было серым, как сегодняшний день. Эдди и Моска были в темно-зеленых офицерских мундирах.

В кладбищенские ворота медленно въехала санитарная машина. Вылез шофер и его напарник. Эдди и Моска пошли им помочь. Моска узнал в обоих тех немцев, которые привезли Геллу в госпиталь. Они открыли заднюю дверь фургона и выдвинули оттуда черный ящик. Моска и Эдди схватились за ручки.

Гроб был сделан из досок, выкрашенных в черный цвет, по бокам висели голубые железные ручки. Оба санитара посмотрели на Моску, но сделали вид, что не узнали его. Они развернули гроб, чтобы идти впереди. Гроб был очень легкий. Они двинулись по дорожке, проходя мимо покореженных могильных плит, и скора остановились перед свежевырытой могилой. Два маленьких круглоплечих немца в кепках и темных куртках отдыхали, сидя на соседней могиле и подложив себе под зады черные, в форме сердца, заступы. Они молча смотрели, как гроб опускают около вырытой ими ямы. За ними высилась горка влажной земли.

В ворота въехал «опель». Из его трубы в серое небо поднимались клубы скорбного дыма. Вышел священник. Это был высокий сухощавый мужчина с суровым бугристым лицом. Он шел медленно, чуть ссутулившись, полы его длинной черной сутаны волочились по земле. Он сказал что-то фрау Заундерс, потом обратился к Моске. Моска смотрел в землю. Он не понимал баварского акцента.

Тишина была нарушена монотонной молитвой. Моска понял слова «любовь» и «молимся» — немецкое «молимся» было похоже на английское «умоляем», потом услышал «прости», «прости» и «прими», «прими» и еще что-то вроде «мудрость», «милосердие» и «любовь Господа». Кто-то про тянул ему горсть земли. Он бросил ее и услышал, как земля стукнулась о дерево, потом услышал, как еще несколько комьев земли со стуком упали на дерево. Потом земля застучала глухо и ритмично, точно сердцебиение, которое становилось все тише, пока вздохи падающей земли не стали совсем неслышными, и сквозь громкий стук крови в висках Моска услышал тихий плач фрау Заундерс.

Наконец все стихло. Он услышал, что все куда-то пошли. Послышалось урчание мотора, потом другого, потом взревел паровой двигатель «опеля».

Моска оторвал взгляд от земли. Туман, тянущийся из города, уже проник на территорию кладбища и повис над могилами. Он поднял глаза к серому небу — так молящийся воздевает очи горе. В сердце своем он возопил с бессильной ненавистью: «Верую, верую». Он кричал, что верует в Бога истинного, что теперь он узрел его в небесах, увидел истинного жестокого и деспотичного Отца, безжалостного, немилосердного, умытого кровью, купающегося в ужасе и страданиях, пожираемого собственной безумной ненавистью к человеку. В сердце и душе его отверзлись зевы, чтобы принять узренного им Бога, и бледно-золотое солнце явило свой лик из-за серой плащаницы неба и устремило взгляд своего ока на землю.

На равнине, за которой начинались городские кварталы, он увидел санитарную машину и «опель». Они ползли по холмистой петляющей дороге. Оба могильщика исчезли, Фрау Заундерс и Эдди сидели в «джипе», дожидаясь его. Фрау Заундерс завернулась в одеяло. Стало очень холодно. Он махнул им рукой, давая понять, чтобы они уезжали без него, и стал смотреть вслед удаляющемуся «джипу». Фрау Заундерс в последний раз обернулась, но он не разглядел ее лица. Черная плотная вуаль на шляпке и сгустившийся туман мешали ему рассмотреть ее глаза.

Оставшись один, Моска наконец-то смог взглянуть на могилу Геллы, на холмик земли, под которым теперь лежало ее тело. Он не чувствовал щемящего чувства горя. Его обуревало лишь ощущение утраты — точно ему больше ничего не хотелось, и в мире больше не осталось места, куда бы он мог пойти. Он смотрел на равнину и на очертания города, под руинами которого было погребено больше костей, чем могла бы вместить эта освященная кладбищенская земля. Мертвое зимнее солнце, объятое тучами, струило бледно-желтый свет, и Моска попытался представить себе прежнюю жизнь — все, что он когда-либо знал или чувствовал. Он попытался перенестись с этого гигантского, покрытого могилами континента в мир детских игр, на улицы детства, ощутить материнскую любовь, припомнить лицо давно умершего отца, свое первое прощание с родными. Он вспомнил, как мать всегда повторяла: «У тебя нет иного отца, кроме Отца Небесного». И еще: «Ты должен быть праведником, потому что у тебя нет отца, и Господь твой отец». Он попытался мысленно перенестись в то время и снова испытать тогда им испытанную любовь и познать жалость и милосердие, чьи потоки питали колодцы слез...

Желая вызвать в душе страдание, он стал думать о Гелле, о ее хрупком лице с голубыми жилками — бледном, беззащитном перед смертью и перед жизнью. Он думал о ее инстинктивной любви, которая магическим образом расцвела в ее сердце, и думал о том, какой же фатальной была эта любовь-болезнь: да, в этом мире она была страшным недугом, страшным и смертельным, как несвертываемость крови.

Он зашагал по узкой тропинке мимо разрушенных, изъязвленных войной могил. Он покинул кладбище. Он брел по городу, и в его мозгу роились воспоминания о Гелле: какой она была, когда он вернулся, как она его любила, как дарила любовь, которая была ему необходима, чтобы выжить, какое это было невероятное блаженство, когда он ее нашел, — но теперь ему казалось, будто даже тогда он знал, что с ним она встретит лишь смерть и найдет свой конец на этом кладбище.

Он встряхнул головой. Да нет, подумал он, просто не повезло. Он вспомнил, как много раз вечерами приходил домой — ужин стоял на столе, она уже спала на кушетке, он брал ее на руки и относил в кровать, уходил, потом возвращался, а она спала глубоким мирным сном, в чьих объятиях она чувствовал себя в безопасности. Просто не повезло, подумал он снова, снимая с себя какую-либо вину, но на сей раз безнадежно, вспомнив о собственной жестокости, — как он заточил ее в узилище одиночества, не позволяя ей уделить хоть немного внимания людям, которых она любила.

Уже оказавшись на окраине города, он обратился к другому Богу, попытался призвать его из того мира, в котором жила его мать, в котором жили благополучные семьи, беззаботные сытые дети, добродетельные жены, кого узы брака обеспечили всеми радостями жизни. Он попытался перенестись в этот мир, где так много разнообразнейших наркотиков, притупляющих страдания, и укрыться в тени воспоминаний, которые могли бы принести ему теперь утешение.

О, если бы он смог увидеть представший его взору город нетронутым, если бы его каменные покровы не искрошились, а плоть была не сокрушена, и если бы солнце приветливо светило, а железное небо кровоточило бы светом, и если бы он смог проникнуться любовью к людям, пробирающимся сквозь заиндевевшие развалины, — он бы призвал Бога, который скрывает свой истинный лик под маской терпеливого милосердия...

Моска спустился с холма и ступил на мостовую. Теперь он уже не мог представить себе образ Геллы. Лишь однажды на покрытой туманом улице ему в голову пришла ясная и четкая мысль: «Все кончено». Но уличный туман проник в его сознание прежде, чем он сумел подумать, что бы это значило.

ГЛАВА 24

Он дал фрау Заундерс денег и попросил, чтобы она позаботилась о ребенке, а сам переехал обратно в общежитие на Метцерштрассе. В последующие дни он ложился спать рано, когда только-только у соседей начинались гулянки. В комнатах внизу и сверху звучали смех и музыка, но он спал, ничего не слыша. А глубокой ночью, когда умирали последние звуки шумного веселья и общежитие погружалось в тишину и мрак, он просыпался. Он смотрел на часы, лежащие на тумбочке, — они всегда показывали то час, то два. Он лежал, не шевелясь, боясь включить лампу, чей тусклый свет нагонял на него тоску. Перед рассветом он засыпал, и его не будил даже шум собирающихся на службу обитателей большого дома. И так повторялось изо дня в день, каждую ночь. Просыпаясь, он брал часы, подносил к глазам кружок светящихся точек в надежде, что они покажут сегодня время хотя бы на час ближе к рассвету. И всякий раз он закуривал и садился, упираясь в спинку кровати, и сидел, готовясь провести без сна оставшиеся томительные часы предутреннего мрака. Он слушал пение водопроводных труб и тяжкое дыхание занимающихся любовью соседей за стеной — их сонные стоны и всхлипы, казавшиеся шепотками смерти, приглушенные вскрики сомнамбулической страсти и шум спускаемой в унитазе воды. А потом раздавался тихий скрип половиц, какие-то щелчки, и дом погружался в сон. Иногда откуда-то издалека доносилось бормотание радиоприемника, потом кто-то громко звал кого-то, в коридоре слышались шаги, после чего под окнами раздавался женский смех. На рассвете Моска засыпал и просыпался лишь ближе к полудню, в тихом, опустевшем доме и замечал на стенах бледно-лимонные лучики зимнего солнца.

В один из таких дней, две недели спустя после похорон. Тишину дома нарушили чьи-то шаги на лестнице. В дверь постучали. Моска встал с постели и надел брюки. Он подошел к двери, отпер замок и распахнул дверь.

Перед ним стоял человек, чье лицо он видел лишь однажды, но не забыл. Лысый череп, обрамленный золотистой каймой волос, мясистый нос и обильные веснушки. Хонни. Улыбнувшись, он спросил:

— Позвольте войти?

Моска отступил в сторону, пропуская гостя в комнату, и закрыл дверь. Хонни поставил портфель на стол, огляделся и вежливо сказал:

— Извините, если разбудил вас.

— Я как раз собирался вставать, — ответил Моска.

Лысеющий блондин продолжал скорбно:

— Я очень опечален известием о кончине вашей жены, — и растерянно улыбнулся.

Моска отвернулся и двинулся к кровати.

— Мы не были женаты.

— Ах, вот как, — Хонни нервно потрогал рукой лысое темя и, похоже, успокоился, лишь когда нащупал золотистый шелк волос на затылке. — Я пришел сообщить вам нечто весьма важное.

Моска тут же предупредил его:

— У меня нет сигарет.

Хонни насупился.

— Я знаю, что у вас нет сигарет, ведь вы не управляющий армейским магазином. Мне это стало известно накануне отъезда Вольфганга в Америку.

Моска криво улыбнулся:

— Ну, так что?

— Вы меня не поняли, — заторопился Хонни. — Я пришел сообщить вам кое-что о Йергене. Пенициллин, который он достал для вас, он купил через меня. Я был посредником. — Он помолчал. — Йерген знал, что лекарство непригодно к употреблению, и заплатил лишь небольшую часть той суммы, которую должен был бы уплатить человеку, с которым я его свел. Вам ясно?

Моска опустился на кровать. Он схватился за шрам; у него заболел живот. Внезапно заломило в висках и запульсировала какая-то жилка. Йерген, это Йерген, думал он, тот самый Йерген, который так много сделал для них, для Геллы. Йерген, чью дочь так любила Гелла! Он ощутил невыносимое унижение при мысли, что Йерген мог проделать с ним такую хитрость, причинить ему такое горе. Он спрятал лицо в ладонях.

Хонни продолжал:

— Мне стало известно, что вы отказались участвовать в плане Вольфа. Я не глупец. Это означает, что вы спасли мне жизнь. Поверьте, если бы я знал, что Йерген достает пенициллин для вас, я бы не позволил ему этого сделать. Но я узнал об этом слишком поздно. Йерген хотел моей смерти, он хотел смерти вашей жен... щины.

Видя, что Моска неподвижно сидит на кровати, попрежнему спрятав лицо в ладонях, он сказал еще тише:

— Но у меня есть хорошие новости. Йерген вернулся в Бремен, в свою квартиру. Ваша домохозяйка фрау Майер сообщила ему, что все в порядке и ему нечего бояться.

Моска встал и спросил едва слышно:

— Это правда?

— Это правда, — ответил Хонни. Его лицо стало мертвенно-бледным, и веснушки проступили на коже ярко, точно капельки грязного пота. — Потом вы поймете, что я вам сказал правду.

Моска подошел к шкафу и открыл дверцу. Он двигался быстро и почти бессознательно, и, хотя голова еще страшно болела, его охватила какая-то необъяснимая радость. Он достал из шкафа чековую книжку «Америкэн экспресс» и подписал пять чеков — каждый на сто долларов. Он показал чеки Хонни.

— Приведите ко мне сегодня вечером Йергена — и эти чеки ваши.

Хонни отшатнулся.

— Нет-нет! — сказал он. — Я не могу этого сделать. С чего это вы решили, что я на такое пойду?

Моска стал наступать на него, протягивая голубые чеки. Хонни попятился, шепча:

— Нет, я не могу.

Моска понял, что упрашивать бесполезно. Он взял со стола портфель и отдал его Хонни со словами:

— Во всяком случае, спасибо, что сказали.

Оставшись один, он долго стоял посреди комнаты. Его голова вздрагивала, словно с каждым ударом сердца кровь наполняла огромную вену. Он почувствовал слабость и головокружение и вдруг стал задыхаться в спертом воздухе комнаты. Он оделся и вышел из общежития.

Он тихо пробрался в квартиру на Курфюрстсн-аллее и встал перед дверью в гостиную. Он слышал легкий скрип детской коляски и, войдя, увидел, что фрау Заундерс катает коляску по полу. Она сидела на диване, в левой руке держала книгу, а правой ухватилась за кремовый бортик коляски. Она сидела величественно и спокойно, с выражением стоического приятия горя. Ребенок спал. На его розовом лобике выделялись голубоватые жилки, и совсем крохотная жилка, точно хрупкий листик на ветке дерева, пульсировала на закрытом веке.

— Ребенок здоров? — спросил Моска.

— Все в порядке, — кивнула фрау Заундерс. Она отложила книгу, отпустила коляску и сцепила ладони.

— Вы получили мою посылку? — спросил Моска. Неделю назад он послал ей большую коробку продуктов.

Она кивнула. Выглядела она постаревшей. В ее позе и в ее манере говорить Моске почудилось что-то знакомое.

Он спросил, отведя взгляд:

— Вы можете еще оставить у себя ребенка? Я заплачу любую сумму. — У него опять заболела голова, и ему захотелось спросить, есть ли в доме аспирин.

Фрау Заундерс взяла книгу, но не раскрыла. На ее суровом лице не было ни тени присущего ей иронического добродушия.

— Герр Моска, — сказала она ледяным тоном. — Если вы согласитесь, я могу усыновить вашего ребенка. Это решит все проблемы, — она произнесла эти слова спокойно, но вдруг слезы брызнули у нее из глаз. Она уронила книгу на пол и стала вытирать струящиеся по щекам слезы. Моска только теперь понял, что же в ее облике показалось ему таким знакомым: она вела себя в точности как мать, когда он заставлял ее страдать.

Но она не была его матерью, и ее слезы не могли тронуть его до глубины души. И все же он подошел к дивану и взял ее за руку.

— Я что-то не то сделал? — он спросил спокойно, словно и впрямь хотел понять.

Она вытерла слезы и тихо сказала:

— Вам безразличен ребенок, вы ни разу не пришли за все это время. Разве она могла предположить, что вы окажетесь таким? Как ужасно, как это ужасно — ведь она так любила вас обоих! Она всегда повторяла, какой вы хороший! И когда падала, она протянула руки к ребенку. Ей было так больно, она так кричала, но даже в тот момент она думала о ребенке. А вы совсем не думаете о нем, — она остановилась, чтобы перевести дыхание и продолжала чуть ли не истерически: — Вы очень плохой человек, вы обманули ее, вы ужасный человек! — Она отдернула руку и вцепилась в коляску.

Моска отошел от дивана. Он спросил, заранее догадываясь об ответе:

— Скажите, что мне делать?

— Я знаю, чего бы ей хотелось. Чтобы вы забрали ребенка в Америку и обеспечили ему там счастливую, спокойную жизнь.

Моска сказал просто:

— Мы же не были женаты, так что ребенок — гражданин Германии. Оформление займет много времени.

— Я могу нянчить его, пока вы оформляете все бумаги. Вы сделаете это?

— Вряд ли мне это удастся, — ответил он. И вдруг ему захотелось поскорее уйти. У него опять страшно разболелась голова.

Фрау Заундерс холодно сказала:

— Так вы хотите, чтобы я его усыновила?

Он посмотрел на спящего младенца. И ничто в его душе не шевельнулось. Он достал из кармана подписанные им чеки «Америкэн экспресс» и положил на стол.

— Я не знаю, что со мной произойдет завтра, — и с этими словами пошел к двери.

— Когда вы придете снова навестить своего сына? — злобно спросила фрау Заундерс. Ее лицо выражало полнейшее презрение. Моска обернулся.

Боль стальным обручем стиснула ему виски, он хотел было выйти из комнаты, но ее взгляд был для него невыносим.

— Почему вы не скажете мне правду, почему вы не скажете мне всего, что вы обо мне думаете? — он словно не замечал, что кричит. — Вы считаете, что я во всем виноват, вы считаете, что она умерла потому, что я не смог спасти ей жизнь. Скажите мне правду! Вот почему вы злитесь на меня, вы смотрите на меня, словно я дикий зверь. Вы думаете: вот этот америкашка убил еще одного немца! И не притворяйтесь, будто вы сердитесь на меня из-за ребенка. Не притворяйтесь, не лгите. Я же знаю, о чем вы думаете!

Впервые фрау Заундерс пристально и серьезно посмотрела ему прямо в глаза. Он выглядел больным — с пожелтевшей кожей, глаза, как черные дыры, а искаженный от ярости рот казался красной раной.

— Нет, нет, — ответила она. — Я никогда не думала о вас плохо. — Произнеся эти слова, она вдруг поняла, что он хотя бы отчасти прав.

Но Моска уже взял себя в руки.

— Я докажу вам, что это не так, — он повернулся и вышел из комнаты. Она услышала, как он торопливо сбегает вниз по лестнице.

На улице он закурил и взглянул на небо, затянутое облаками. Он почти докурил сигарету, когда очнулся от своих непонятных дум и зашагал назад в общежитие на Метцер-штрассе. Головная боль давила на глаза и отдавалась в шее. Он посмотрел на часы. Только три. До разборки с Йергеном надо было ждать еще очень долго.

ГЛАВА 25

Комнату заполнили предвечерние тени. Он принял аспирин и лег в постель. Странно: его охватила усталость. Он закрыл глаза, кажется, только на мгновение, но, когда услышал стук в дверь и встал, за окнами было уже совсем темно. Он включил лампу на тумбочке и посмотрел на часы. Еще только шесть. В дверь опять постучали, и вошел Эдди Кэссин. Он был в свежевыглаженном костюме, чисто выбрит и источал аромат душистого талька.

— Черт, что ты не запираешь дверь, когда спишь?! — воскликнул он. И добавил обычным тоном. — Как самочувствие? Я тебя разбудил?

Моска стряхнул с глаз остатки сна и ответил:

— Все о'кэй. — Головная боль прошла, но лицо горело, и губы пересохли.

Эдди бросил на стол несколько писем.

— Твоя почта. Может, дерябнем?

Моска пошел к шкафу и достал бутылку джина и два стакана.

— Сегодня большая гулянка внизу, — сказал Эдди. — Приходи.

Моска отрицательно покачал головой и дал ему стакан. Они выпили.

— На той неделе тебе придет предписание на выезд, — сказал Эдди. — Адъютант пытался замять это дело, даже признал свою вину, но полковник был непреклонен. — Он зашептал Моске на ухо: — Если хочешь, я могу затерять какие-нибудь бумаги, и у тебя будет еще пара недель.

— Теперь уже не имеет значения, — сказал Моска.

Он встал с кровати и выглянул в окно. Ночь еще не наступила, и в густых сумерках он увидел толпу ребятишек с фонариками: они ждали наступления полной темноты. Он вспомнил, что в предыдущие вечера слышал, как они поют, — их песни не нарушали тонкой паутинки сна, опутавшей его мозг, не будили его, а только тихо звенели в ушах.

— А что с ребенком? — спросил Эдди.

— Останется с фрау Заундерс, — ответил Моска. — Она позаботится о нем.

Эдди сказал едва слышно:

— Я буду ее навещать. Не беспокойся. — Он помолчал. — Да, тяжко, Уолтер. Такие, как мы с тобой, вечно попадают в переплет. Постарайся не раскисать.

Дети внизу образовали две колонны и, двинувшись по Метцер-штрассе, с незажженными фонариками быстро скрылись из виду.

— Это письма от твоей матери, — продолжал Эдди. — Я послал ей телеграмму — решил, что тебе сейчас не захочется ей писать об этом.

— Ты настоящий друг, Эдди, — сказал Моска, отвернувшись от окна. — Ты можешь оказать мне последнюю услугу?

— Конечно, — ответил Эдди.

— Ты не сказал мне, что Йерген вернулся в Бремен. Я хочу его видеть. Ты можешь привести его сюда?

Эдди выпил еще стакан джина и смотрел, как Моска беспокойно мечется по комнате. «Что-то тут не то», — подумал он. Моска старался говорить сдержанно, но его глаза теперь стали похожи на два черных зеркала, а лицо то и дело искажала страшная гримаса ярости и ненависти.

— Я надеюсь, ты не замышляешь какой-нибудь глупости, Уолтер, — сказал Эдди. — Он просто ошибся. Он не виноват. Черт, ты же знаешь, Йерген ради Геллы готов был шею сломать.

Моска улыбнулся:

— Слушай, я просто хочу получить обратно свои сигареты и деньги, которые я заплатил ему за эти лекарства. Какого хрена я должен на этом терять?

Эдди издал возглас радостного удивления:

— Слава тебе, Господи, наконец-то ты опять нормальный. Действительно, какого хрена ты должен на этом терять?

Про себя он подумал: «Ну вот, это в духе Моски — ни в коем случае не дать себя обдурить, помнить о своих кровных, даже в минуту горя». Но радость его была неподдельной: хорошо, что Моска все-таки не раскис, не свихнулся, а опять такой же, как всегда.

Тут ему в голову пришла идея. Он схватил Моску за руку.

— Слушай, вот какое дело. Я уезжаю на недельку с фрау Майер в горы под Марбург. Поехали с нами. Я найду тебе девочку, миленькую симпатяшечку. Отлично проведем время: крестьянская здоровая еда, море выпивки. Ну давай, соглашайся!

— Ну конечно, что за разговор! — улыбнувшись, ответил Моска.

Эдди весело расхохотался.

— Вот это по-нашему, Уолтер. Отлично! — он хлопнул Моску по плечу. — Отправляемся завтра вечером. Погоди-погоди, вот увидишь горы! Красота! — он помолчал и добавил участливо, почти по-отечески: — Может быть, мы еще придумаем, как нам перевезти твоего ребенка в Штаты. Ты же знаешь, Уолтер, она этого очень хотела. Больше всего на свете, — и смущенно улыбнулся. — Ну, приходи. Пропустим по маленькой.

— Так приведешь ко мне Йергена? — спросил Моска.

Эдди с сомнением посмотрел на него. Моска пояснил:

— Если честно, Эдди, то я совсем на мели. Надо оставить деньги фрау Заундерс для ребенка. Да и мне нужны бабки, чтобы поехать с тобой в Марбург. Если, конечно, ты не собираешься платить за меня всю неделю, — он постарался говорить искренне. — Ну, и сам понимаешь, мне позарез нужны деньги, чтобы вернуться в Штаты. Вот и все. А я заплатил этому шаромыжнику хрен знает сколько!

Эдди сдался.

— Ладно, я его приведу, — сказал он. — Прямо сейчас и пойду. А потом сразу спускайся к нам. Договорились?

— Заметано, — ответил Моска.

Выпроводив Эдди, Моска оглядел пустую комнату. Его взгляд упал на письма. Он взял одно, сел на кровать и начал читать. Дойдя до конца, он понял, что не видел ни строчки. Пришлось читать заново. Он пытался соединять слова, чтобы они выстроились в осмысленные предложения. Но они просеивались сквозь сознание и растворялись в гомоне голосов и топоте ног, сотрясавших общежитие.

«Пожалуйста, приезжай, — писала мать, — ни о чем не думай, просто приезжай домой. Я позабочусь о ребенке. Ты можешь закончить колледж, тебе же только двадцать три, я всегда забываю, как ты еще молод — ведь ты отсутствовал шесть лет. Если тебе сейчас плохо, помолись Господу, он единственный, кто поможет тебе. Твоя жизнь только начинается...»

Он бросил письмо на пол и растянулся на кровати. Внизу уже началась вечеринка, звучала приятная музыка, кто-то смеялся. Головная боль вернулась. Он выключил свет. Крошечные желтые глазки часов сообщили ему, что сейчас половина седьмого. Еще полно времени. Он закрыл глаза.

Он стал думать о своем возвращении домой — как он будет каждодневно видеть мать, ребенка, как встретит другую девчонку, женится. Но ему суждено носить похороненную глубоко в душе эту другую жизнь, — свою ненависть ко всему, во что верят они. Его жизнь станет надгробной плитой, под которой будет покоиться все, что он видел, чувствовал и пережил. Он с удивлением вспомнил, что он кричал фрау Заундерс. Эти слова сами собой сорвались с языка. Он ведь никогда так не думал. Но теперь он осознал все свои ошибки и усилием воли заставил себя думать о чем-нибудь другом.

В его сонном сознании рождались видения Геллы: вот она с ребенком сходит с теплохода, встречается с его матерью. Вот они сидят в гостиной, и каждое утро, каждый вечер видят друг друга. Он уснул.

Ему снилось, что он приезжает домой и на двери висит табличка с надписью:

«ДОБРО ПОЖАЛОВАТЬ ДОМОЙ, УОЛТЕР!»,

что Гелла жива и осталась в Германии; во сне он вернулся на год назад; он не поехал искать Геллу, она не держала в руках буханку серого хлеба, не выронила ее на пол, он открыл другую дверь и за дверью его ждали мать, Альф, Глория; он вернулся к ним из какого-то кошмара, и они купались в сиянии света. Но потом мать держала в руке кипу фотографий, и он заметил в углу комнаты люльку, а в ней спящего ребенка и очень испугался, а они сели и стали передавать друг другу фотографии, и мать сказала: «О, а это что такое?» — он посмотрел и увидел себя в куртке и юбке из одеяла, он стоял над разверстой могилой, — и ответил смеясь: «А, это моя третья жертва» — и захохотал без удержу, а Альф рассердился и, стоя на деревянной ноге, заорал: «Это заходит слишком далеко, Уолтер, это заходит слишком далеко!» Все встали, а мать ломала руки, и он увидел самого себя, его губы шептали: «До свидания, до свидания», — и все погрузилось во мрак. Но тут вошел Вольф со свечой — они с Вольфом были в погребе. Вольф поднял свечу высоко над головой и сказал: «Ее здесь нет, Уолтер, ее здесь нет», — и он почувствовал, как мягкий пол, засыпанный битым кирпичом уходит из-под ног, уносит его куда-то вниз от пламени свечи, и он закричал...

Он проснулся и понял, что кричал только во сне. Комната была полностью погружена во мрак, ночь закрасила окна черным. Здание общежития сотрясалось от раскатов смеха. Стены вибрировали от волн громких мужских голосов, грохота музыки, топота ног на лестнице. В соседней комнате занимались любовью — все было слышно. Девушка сказала: «А теперь пошли повеселимся. Я хочу танцевать». Мужчина недовольно пробурчал что-то в ответ. И снова голос девушки: «Ну, пожалуйста, пожалуйста, я хочу танцевать». Кровать скрипнула — они встали, потом девушка засмеялась в коридоре, и его снова окутали тишина и мрак.

Эдди Кэссин не мог отказать себе в удовольствии зайти сначала на вечеринку, а уж потом отправиться к Йергену. Он был слегка навеселе, когда приметил двух совсем молоденьких девиц. Было им на вид не больше шестнадцати. В совершенно одинаковых платьях, голубых шляпках, коротеньких голубых жакетах и снежно-белых блузках — ну, просто загляденье! Кожа и волосы приятно контрастировали с их одеждой: молочно-белые с розовым щечки и локоны, словно золотые монетки, разбросаны по лобикам. Они танцевали, но пить отказывались, и, когда танец заканчивался, бежали навстречу, словно находили друг в друге источник энергии.

Эдди долго смотрел на них и обмозговывал свою атаку. Потом подошел к самой симпатичной и пригласил ее на танец. Кто-то из офицеров запротестовал:

— Эй, Эдди, это я их сюда привел!

— Не боись, я понял, — миролюбиво отпарировал Эдди.

— А это твоя сестричка? — спросил он у девушки во время танца.

Девушка кивнула. У нее было остренькое маленькое личико с хорошо ему известным выражением испуганной заносчивости.

— Она всегда ходит за тобой по пятам? — спросил Эдди, и его вопрос прозвучал как комплимент, как вежливое предложение избавиться от сестры.

— О, моя сестра такая робкая! — с глуповато-наивной улыбкой сказала девушка, и Эдди отметил про себя, что она просто прелесть.

Пластинка закончилась, и он спросил:

— Не хотите ли с сестрой перекусить у меня в комнате?

Она тотчас перепугалась и затрясла головой. Эдди одарил ее нежной понимающей улыбкой и воззрился на нее, как строгий папа.

— О, я понимаю, о чем ты подумала, — он отвел ее к фрау Майер, которая пила в обществе двух офицеров.

— Майер, — сказал он, — эта малютка меня боится. Она отвергла мое приглашение отужинать у меня. Но, если ты согласишься их сопровождать, я уверен, она скажет мне «да».

Фрау Майер обвила девушку за талию.

— О, не бойся его. Это единственный приличный мужчина во всем доме. Я пойду с тобой. У него такие деликатесы! Вы уж, наверное, девочки, забыли вкус таких вещей.

Девушка зарделась и отправилась за сестрой.

Эдди подошел к офицеру, который привел сюда этих девушек.

— Все в порядке. Иди с Майер ко мне в комнату. Передай им, что я приду чуть позже. — Эдди двинулся к двери. — Оставь и мне что-нибудь! — крикнул он, смеясь. — Я буду через час.

Моска смотрел из окна на город. Далеко позади равнины руин, в самом центре города, он увидел длинную вереницу зеленых и желтых огоньков — она была похожа на стрелу, летящую прямо в освещенные окна дома на Меццер-штрассе. Это маршировали дети с фонариками. Но взрывы смеха, грохот музыки, топот танцующих, игривый визг пьяных женщин — все заглушало далекую детскую песенку, которую он тщетно пытался услышать.

Он оставил окно открытым, взял бритвенные принадлежности, полотенце и пошел в ванную. Он не закрыл дверь в ванную, чтобы слышать шаги в коридоре.

Он тщательно вымылся, ополоснув горящее лицо холодной водой. Потом побрился и стал изучать в зеркале свое худое лицо, длинный тонкий нос, глубоко запавшие черные глаза, смуглую бронзовую кожу, посеревшую от усталости и всю усеянную красными болезненными пятнами.

Он отер остатки мыльной пены со щек и не мог оторвать взгляда от зеркала. Он удивился странности этого лица, точно никогда до сих пор его хорошенько не рассматривал. Он поворачивал голову, глядя на себя в профиль, смотрел на впадины под глазами и тени над верхней губой. Из зеркала на него взирал лик зла. Он видел черные искры в темных глазах, грубый, жесткий подбородок. Он отступил на шаг, захотел ладонью прикрыть это лицо в зеркале, но в последнюю секунду уронил руку и улыбнулся

В комнате было холодно. В воздухе стояло странное гудение. Он подошел к окну и закрыл его. Гудение затихло. Зеленые и желтые огоньки, движущиеся по руинам, приближались. Он посмотрел на часы. Почти восемь. Он внезапно почувствовал слабость, озноб и тошноту и сел на кровать. Боль, подавленная аспирином, пробудилась и запульсировала с прежней силой, и в полном отчаянии, словно утратив последнюю надежду на спасение, он подумал, что Йерген не придет. Ему стало очень холодно, он пошел к шкафу и достал свою старую куртку защитного цвета. Из пустой коробки из-под сигарет он вытащил венгерский пистолет и сунул его в карман. Он сложил все оставшиеся сигареты в чемоданчик, сверху бросил бритвенные принадлежности и початую бутылку джина. Потом сел на кровать и стал ждать.

Припарковав «джип» у церкви, Эдди Кэссин подошел к боковому входу, поднялся по ступенькам к двери и постучал, но никто не ответил. Он подождал и постучал снова. Из-за двери послышался неожиданно громкий голос Йергена.

— Кто здесь?

— Это мистер Кэссин, — сказал Эдди.

Голос Йергена спросил:

— Что вы хотите?

— Фрау Майер просила меня кое-что вам передать, — ответил Эдди Кэссин.

Лязгнул засов и дверь отворилась. Йерген отошел, пропуская Эдди внутрь.

Комната была погружена во мрак, только в углу тускло горела настольная лампа, под которой на диване сидела дочка Йергена с книжкой сказок. Девочка прислонилась к горке больших подушек.

— Да, я слушаю... — сказал Йерген. Он выглядел постаревшим: его худощавая фигура совсем ссохлась, но лицо было по-прежнему самоуверенно-надменным.

Эдди протянул руку. Йерген пожал ее, и Эдди сказал с улыбкой:

— Перестань! Мы знакомы сто лет, сколько раз мы пили вместе. Что это ты со мной так официально?

Йерген нехотя выдавил улыбку.

— Ах, мистер Кэссин, когда я работал в общежитии на Метцер-штрассе, я был совсем другой человек. Теперь же...

— Ты же знаешь меня, — прервал его Эдди. — Я тебя за нос водить не стану. Я пришел ради твоей же пользы. Мои друг Моска хочет получить обратно сигареты и деньги. То, что он заплатил за негодные лекарства.

Йерген внимательно смотрел на него. После паузы он сказал:

— Конечно, я верну. Но скажите ему, что не сейчас. Я не могу.

— Он хочет видеть тебя сегодня.

— Нет-нет, — сказал Йерген. — Я не пойду.

Эдди взглянул на дочку Йергена. Она смотрела на него неподвижным бессмысленным взглядом. Ему стало не по себе.

— Йерген, — сказал Эдди, — мы с Моской завтра уезжаем в Марбург. После нашего возвращения он сразу уедет в Штаты. Если ты не придешь сегодня, он сам придет. И, если разозлится и устроит тут сцену, он напугает твою девочку.

Как он и предполагал, этот аргумент возымел действие. Йерген пожал плечами и отправился за пальто. Потом подошел к дочке.

Эдди смотрел на них. Йерген в тяжелом пальто с меховым воротником, аккуратно причесанный, с выражением покойного достоинства, встал на колени и что-то зашептал дочке на ушко. Эдди знал, что он предупреждает ее о своем условном стуке, чтобы дочка открыла ему дверь, когда он вернется. Широкие глаза девочки смотрели на Эдди в упор поверх отцовского плеча, и он подумал: а что, если она забудет этот стук и вообще никогда не откроет отцу дверь

Йерген встал с колен, взял портфель, и они вышли на улицу. Йерген задержался на пороге, слушая, как дочка задвигает железный засов и отгораживается от внешнего мира.

Они сели в «джип». Лишь один раз за время их поездки по темным улицам Йерген нарушил молчание:

— Вы будете присутствовать при нашей встрече?

— Конечно, не беспокойся, — ответил Эдди.

И только теперь в душе Эдди Кэссина зародилось смутное подозрение. Они выехали на Метцер-штрассе и подкатили к общежитию. Эдди поставил «джип» под деревьями и посмотрел наверх. В комнате Моски свет не горел.

— Может, он пьет на третьем этаже? — предположил Эдди.

Они вошли в общежитие. На третьем этаже Эдди попросил Йергена подождать в коридоре и отправился искать Моску, но не нашел. Йерген ждал его в коридоре, и Эдди заметил, что он сильно побледнел, и тут же сам ощутил прилив страха, почуяв опасность. В его памяти пролетели все сказанные Моской слова, и он понял, что Моска наврал. Он сказал Йергену:

— Пошли, я отвезу тебя обратно. Тут его нет. Пошли.

— Нет, давайте уж закончим это дело, — ответил Йерген. — Я не боюсь. Больше...

Но Эдди Кэссин уже поволок Йергена вниз. Теперь он не сомневался — и вдруг услышал сверху голос Моски.

— Эдди, мать твою, отпусти его! — произнес тот с холодной яростью.

Йерген и Эдди задрали головы вверх.

Он стоял на лестничной площадке этажом выше и при слабом свете коридорной лампы его лицо казалось мертвенно-желтым. Вокруг тонкогубого рта пылали два красных пятна. Он стоял не шевелясь. В армейской полевой куртке он казался куда мощнее, чем на самом деле.

— Поднимайся, Йерген, — сказал Моска. Одну руку он держал за спиной.

— Нет, — сказал Йерген дрогнувшим голосом. — Я ухожу с мистером Кэссином.

— Эдди, отойди! Поднимайся.

Йерген схватил Эдди за руку.

— Не уходите, — сказал он. — Останьтесь.

Эдди поднял руку:

— Ради всего святого, Уолтер, не делай этого.

Моска спустился на две ступеньки. Эдди попытался освободиться от Йергена, но Йерген вцепился в него и заорал:

— Не оставляйте меня одного! Не оставляйте!

Моска спустился еще на одну ступеньку. Его глаза были черны, взгляд мутный, красные пятна лихорадки вокруг губ горели. Внезапно в его руке появился пистолет. Эдди метнулся прочь от Йергена, и тот, оставшись совсем один, с отчаянным воплем повернулся, намереваясь бежать вниз по лестнице. Моска выстрелил. Йерген рухнул на колени. Он поднял лицо: голубые глаза потухли. Моска выстрелил еще раз. Эдди Кэссин бросился мимо Моски на чердак.

Моска положил пистолет в карман. Тело Йергена безжизненно распласталось на лестничной площадке, голова свесилась со ступеньки.

Из комнаты снизу донесся взрыв хохота, громко зазвучал вальс, затопали ноги, и раздались пронзительные крики. Моска быстро взбежал по ступенькам и бросился к себе в комнату. Из окон в комнату падали мрачные тени. Он подошел к окну и прислушался.

Все было спокойно, лишь по городским развалинам меж огромных куч мусора и щебня ползли яркие гусеницы качающихся фонариков, которые освещали зимнюю ночь зелеными огнями. Пот градом катил по его лицу. Его затрясло, навалилась тяжелая тьма. Он распахнул окно и замер.

Он услышал, как где-то внизу на улице поют дети. Невидимые фонарики бешено раскачивались у него в мозгу и в душе. Песня замирала вдали, и он вдруг ощутил чудесное освобождение от всех страхов и волнения. Холодный воздух овеял его, и тьма и слабость пропали.

Он взял уложенный чемодан и сбежал вниз по лестнице перемахнув через тело Йергена. Ничто не изменилось: играла музыка, звенел смех. Выйдя из общежития, он зашагал прямо по мрачному морю руин и, обернувшись, бросил назад последний взгляд.

Четыре ряда освещенных окон казались сияющим щитом, воздвигнутым перед мраком города и ночи, и с каждого этажа неслись волны музыки и смеха. Он стоял далеко от этого светоносного щита, не чувствуя раскаяния, и думал лишь о том, что никогда уже не увидит ни своего ребенка, ни Эдди Кэссина, ни свою страну, ни своих близких. И никогда не увидит горы в окрестностях Марбурга. Вот он сам стал своим врагом.

Далеко за руинами он видел поднимающиеся к черному зимнему небу зеленые и красные фонарики, но пения детей уже не слышал. Он пошел по рельсам к остановке трамвая, который довезет его до вокзала.

Это ему было очень хорошо знакомо — прощание с временем и местом, с воспоминаниями. Он не испытывал ни сожаления, ни чувства одиночества, ни уныния оттого, что у него теперь никого больше не осталось, ни единой близкой души, ради которой стоило жить. В лицо ему дул ветер, вольно гуляющий по этому разоренному континенту, который ему, видно, не суждено покинуть. Прямо перед собой он увидел большой круг света — фару трамвая — и услышал холодный хрустальный перелив его звонка. По привычке он пустился бежать, чтобы успеть на него. Чемодан больно бил по ноге. Он пробежал несколько шагов и остановился, когда подумал, что нет никакой разницы, успеет ли он на этот трамвай или будет ждать следующего.

СЧАСТЛИВАЯ СТРАННИЦА

Роман

Перевод с английского
А. Кабалкина

Моей семье и Норману

Всякий человек с раннего детства до гробовой доски лелеет в сердце неукротимую надежду, что, сколько бы преступлений он сам ни совершил, от скольких бы ни страдал, скольким бы ни ужасался, — в конечном счете судьба все равно обойдется с ним милосердно. Убеждение это — святая святых для любого человеческого существа.

Саймон Уэйл

ЧАСТЬ I

ГЛАВА 1

Ларри Ангеллуци гордо пришпоривал свою черную как смоль лошадь, проезжая по дну каньона, образуемого двумя серыми стенами жилых домов. Малолетние ребятишки, по привычке сбившиеся в кучки на лентах тротуара, разделенных мостовой, забывали про игры, взирая на всадника в немом восхищении. Он описывал в воздухе широкую дугу своим красным сигнальным фонарем; копыта лошади высекали искры, стукаясь о рельсы, и выбивали дробь по булыжнику Десятой авеню; за лошадью, всадником и фонарем медленно тащился в северном направлении длинный товарный поезд, покинувший станцию Сент-Джонс-Парк на Гудзон-стрит.

В 1928 году Нью-Йоркские Центральные железные дороги все еще перегоняли свои поезда на север или на юг прямиком по городским улицам, высылая вперед верхового сигнальщика, которому полагалось предупреждать транспорт о приближении поезда. Пройдет совсем немного лет — и этому наступит конец, так как над головами людей протянется путепровод. Но Ларри Ангелуцци, еще не зная, что ему суждено стать последним живым дорожным указателем, крохотной зарубкой в истории города, красовался в седле прямо и надменно, на манер заправского ковбоя из западных прерий. Шпорами ему служили каблуки тяжелых белых башмаков, сомбреро — фуражка с козырьком, украшенная форменными пуговицами. Штанины его синих рабочих брюк были перехвачены на лодыжках сверкающими велосипедными зажимами.

Он гарцевал душным летним вечером по каменному городу, воображая, что вокруг простирается дикая пустыня. Женщины предавались сплетням, рассевшись на деревянных ящиках, мужчины пыхтели сигарами, застыв на углах улиц, дети рисковали жизнью, покидая свои асфальтовые острова, выложенные голубой плиткой, ради попыток взобраться на неторопливый поезд. Все это происходило в желтом дымчатом свете уличных фонарей, в белом отблеске витрин кондитерской лавки. На очередном перекрестке свежий ветерок с Двенадцатой авеню, этого закованного в бетон берега реки Гудзон, освежал скакуна и наездника и охлаждал пыл раскалившейся черной махины за их спинами, оглашавшей город встревоженными свистками.

На Двадцать седьмой стрит стена справа от Ларри Ангелуцци сменилась открытым пространством протяженностью в квартал. Здесь приютился Челси-парк, заполненный неясными фигурами сидящих на земле детей, собравшихся посмотреть бесплатное кино. В отдалении белел огромный экран, на котором Ларри Ангелуцци узрел чудовищного коня, несущего прямо на него всадника, залитого искусственным солнечным светом. Он почувствовал, как напряглась его лошадь при виде этих призраков-гигантов. Еще мгновение — и они достигли пересечения с Двадцать восьмой стрит, где вокруг них снова сомкнулись стены.

Ларри был почти дома. Впереди, на Тридцатой стрит, Десятую авеню пересекал пешеходный мост. Он проедет под этим мостом — и работа завершена. Он заломил фуражку и подбоченился. Все люди, запрудившие тротуары в районе Тридцатой и Тридцать первой стрит, — его родственники и друзья. Ларри пустил лошадь галопом.

Проезжая под мостом, он помахал рукой детям, свесившимся через перила над его головой. Потом, стремясь позабавить зрителей на тротуаре справа, он поднял лошадь на дыбы и повернул налево, где начиналась сортировочная станция под открытым небом — озаряемая снопами искр стальная равнина, протянувшаяся вдоль Гудзона.

Огромная черная труба за его спиной выпустила белые клубы пара, и, как по волшебству, мост вместе с облепившей его детворой исчез из виду. К бледным, почти незаметным звездам вознесся восторженный ребячий визг. Поезд въехал на станцию — и мост появился снова; мокрые от пара ребятишки посыпались по лестнице вниз.

Ларри привязал лошадь к столбу рядом с будкой стрелочника и уселся на скамейку, привалившись к стене будки. На противоположной стороне Десятой авеню оживал любимый, до мелочей знакомый ему мир, словно нарисованный на плоском экране.

Недалеко от угла Тридцатой стрит располагалась пекарня с прилавком мороженого, украшенным разноцветными гирляндами, вокруг которого толпились дети. Сам Panettiere[1] накладывал в бумажные стаканчики красные, желтые и белые кубики льда. Он не скупился, ибо был богат и даже посещал скачки, чтобы избавиться от лишних денег.

Чуть дальше, рядом с Тридцать первой стрит, находилась бакалейная лавка — ее витрина была завешана желтыми provolone[2] в помасленных шкурках и окороками prosciutto[3] в красочных обертках. Следующей в ряду была парикмахерская: в этот поздний час здесь уже не стригли, зато вовсю резались в карты, хотя ревнивый парикмахер не мог в любое время суток спокойно переносить вида свежеостриженной головы, к которой прикасались чужие ножницы. На мостовой мельтешили дети, шустрые, как муравьи; женщины, почти невидимые в темноте благодаря своим черным одеяниям, сбились в темные стайки у каждой двери, откуда в усыпанное звездами летнее небо поднимался сердитый гул.

Напоминающий гнома стрелочник перешел через пути и сказал:

— Сегодня поездов больше не будет, парень.

Ларри отвязал лошадь, запрыгнул в седло и снова заставил лошадь встать на дыбы. Взмывая вместе с ней в воздух, он видел, как ряд домов, эта западная стена гигантского города, вздымается вместе с ним, прогибаясь, как тонкий холст. В открытом окошке его собственной квартиры, на последнем этаже дома напротив, Ларри заметил неясную фигуру — видимо, это был его братишка Винсент. Ларри помахал ему, но ответа не последовало,

---

[1] Булочник (*ит.*) — *Здесь и далее примечания переводчика.*
[2] Свежекопченый мягкий итальянский сыр.
[3] Итальянская ветчина.

и Ларри пришлось помахать вторично. Почти все окна в стене напротив были погашены: все толпились на улице, все глазели на него, на всадника. Он шлепнул лошадь ладонью по шее и галопом поскакал по булыжнику Десятой авеню к Тридцать шестой стрит, где располагалась конюшня.

Чуть раньше, когда еще только начинали сгущаться сумерки, а Ларри Ангелуцци седлал свою лошадь на станции Сент-Джонс-Парк, его мать, Лючия Санта Ангелуцци-Корбо, приходящаяся матерью также Октавии и Винченцо Ангелуцци, вдова Энтони Ангелуцци и супруга Фрэнка Корбо, мать троих его детей — Джино, Сальваторе и Эйлин — готовилась покинуть свою пустую квартиру, чтобы, спасаясь от удушающей летней жары, провести вечер с соседками за беседой, то и дело переходящей в ссору, заодно сторожа детей, играющих в темноте городских улиц.

Этот вечер прошел для Лючии Санты легко; лето вообще самое лучшее время года: дети не подхватывают простуду, не приходится заботиться о теплых пальто, перчатках, обуви для хождения по снегу, лишних деньгах, которые всегда нужны школьникам. Всем не терпелось побыстрее поужинать и, выскочив из душных комнат, окунуться в волну уличной жизни. Поэтому вечер прошел без традиционных стычек. В квартире было легко поддерживать чистоту, потому что она почти все время пустовала. Самое лучшее для Лючии Санты заключалось в том, что свободной по вечерам оказывалась и она сама; улица превращалась в место встречи, а соседки в летнюю пору становятся подругами. Завязав иссиня-черные волосы в узел и нарядившись в чистое черное платье, она захватила табуретку и спустилась с четвертого этажа, чтобы надолго разместиться на тротуаре своей авеню.

Рядом с каждым домом кипело подобие деревенской площади: повсюду стояли и сидели на табуретках и на ящиках кучки женщин в черных одеяниях. Было бы ошибкой считать их беседы простой болтовней. Нет, они припоминали тут старые истории, спорили о морали и о порядках в обществе, то и дело ссылаясь на то, как обстояло дело в горной деревушке в Южной Италии, из которой они удрали много лет тому назад. С каким наслаждением они предавались своим излюбленным мечтам! Если бы только их суровые отцы каким-то чудом оказались лицом к лицу с проблемами, которые приходится изо дня в день решать им! Или их матери, такие скорые на расправу! Какой поднялся бы крик, если бы *они*, дочери, осмелились на то, что позволяют себе эти американские дети! Если бы у *них* хватило наглости на подобное!..

О своих детях эти женщины говорили, словно о чужаках. Излюбленная тема — совращение невинных душ в новой стране. Взять хотя бы Феличу, живущую за углом, на Тридцать первой! Что она за дочь, если не прерывает медового месяца, узнав от собственной мамаши о болезни своей крестной? Шлюха, да и только! Нет, здесь говорят без обиняков. Сама мамаша Феличи выложила все, как на духу. А что это за сын — бедняга, видите ли, не смог подождать с женитьбой еще годик, ослушался родного отца! Что за непочтительность! Figlio disgraziato[1]... В Италии такое ни за что не могло случиться! Отец убил бы зазнавшегося сынка — да, убил! А уж как поступили бы с дочерью... В Италии — мать Феличи сыплет проклятиями, голос ее дрожит, хотя все это случилось три года назад, крестная благополучно оправилась от болезни и теперь внуки стали отрадой ее жизни — ну, в Италии мать вытащила бы такую шлюху из ее брачного чертога, за волосы приволокла бы к больничной койке! Ах, Италия, Италия! Как изменился мир — и, разумеется, к худшему. Что за безумие их обуяло, почему они бросили такую страну? Там всем распоряжались отцы, там дети уважали своих матерей.

Каждая дожидается своей очереди, чтобы поведать собственную историю о наглых, забывших о повиновении детях; рассказчицы в них предстают терпеливыми героинями, а дети — плюющимися ядом Люциферами, спасением для которых становится настоящая итальянская дисциплина — ремень для правки бритв или тонкая скалка tackeril. В конце каждого рассказа звучит реквием: mannaggia America — будь проклята Америка! И все же здесь, в душной летней ночи, в их голосах слышится надежда, сила, которой от роду не бывало на родине. Ведь тут у них есть банковские счета, дети умеют читать и писать, а внуки, если все пойдет хорошо, и подавно сделаются профессорами. Они притворяются приверженка-

---

[1] Непутевый сын (*ит.*).

ми традиций, ибо сами виновны в том, что втоптали их в пыль.

Правда же состояла в том, что эти деревенские женщины из горной Италии, чьи отцы и деды умирали в тех же лачугах, где рождались, успели проникнуться любовью к лязгающей стали и камням огромного города, к грохоту поездов на сортировочной станции через дорогу, к яркому свету, полыхающему вдали, за Гудзоном. Детство их прошло в одиночестве, на столь скудной земле, что людям приходилось селиться там на горных склонах вдали друг от друга в попытках выжить.

Отвага стала залогом их освобождения. Они были первопроходцами, хотя никогда не совались в американские прерии и не разу не чувствовали под ногами настоящей, голой земли. Да, они оказались в диком, еще более печальном краю, где все говорят на незнакомом языке и где их собственные дети превращаются в представителей чуждой расы. Такова цена, и ее приходится платить.

Слушая эти разговоры, Лючия Санта хранила молчание. Она дожидалась свою подругу и единомышленницу, тетушку Лоуке. Пока же она отдыхала, сберегая силы для долгих часов счастливых препирательств, которые ждали ее впереди. Вечер только начался, и они не разойдутся до полуночи — иначе комнаты не успеют остыть. Она сложила руки на коленях и повернулась лицом к легкому ветерку, доносившемуся с реки, омывавшей Двенадцатую авеню.

Маленькая, кругленькая, миловидная женщина, Лючия Санта находилась в самом расцвете здоровья, умственных и физических сил; она была отважна и не ведала трепета перед жизнью со всеми ее опасностями. Впрочем, то было вовсе не безрассудство, тем более не бесшабашность. Она была сильна, опытна, она всегда оставалась настороже, у нее было все необходимое, чтобы нести на плечах величайшую ответственность — воспитание многочисленных птенцов, прежде чем они достигнут зрелости и выпорхнут на свободу. Единственной ее слабостью был недостаток природной хитрости и пронырливости, которые помогают людям гораздо лучше, нежели Добродетель.

Когда ей было всего семнадцать лет, то есть более двадцати лет тому назад, Лючия Санта покинула Италию, отчий дом. Она пересекла темный океан шириной в три тысячи миль и оказалась в чужой стране, среди чужого народа, где ей пришлось жить с человеком, которого она знала только в невинном детстве, когда они играли вместе.

Покачивая головой от осознания собственного безумия, соединенного с гордостью, она частенько рассказывала свою историю.

В один несчастный день ее отец со смесью жестокости и жалости поведал ей, своей любимой дочери, что ей не приходится рассчитывать на постельное белье в качестве приданого. Его хозяйство слишком бедное, он по горло в долгах. В дальнейшем жизнь станет еще тяжелее. Вот так-то... Оставалось надеяться разве что на мужа, который от любви к ней утратит рассудок.

В ту же самую минуту она лишилась всякого уважения к отцу, отчему дому, родной стране. Невеста без белья — что может быть постыднее? Разве что новобрачная, встающая с незапятнанного кровью супружеского ложа. Ведь тут не поправишь дело даже хитростью, подгадав с первой брачной ночью под первый день месячных. Впрочем, мужчины прощают и такое. Но кто возьмет в жены девушку с печатью безнадежной нищеты?

Лишь настоящему бедняку дано понять стыд бедности — он острее, чем стыд за самое тяжкое прегрешение. Ведь грешник, не устоявший перед побуждениями потайных сторон своей натуры, в каком-то смысле победитель. Что касается бедняков, то они терпят полное поражение: и от собственного мира, и от padrones[1], и от судьбы, и от самого времени. Они превращаются в попрошаек, зависящих от чужого снисхождения. Для бедняков, прозябавших в нищете на протяжении долгих столетий, благородство честного труда в поте лица — всего лишь легенда. Добродетель способна привести их только к унижению и новому стыду.

Лючия Санта была беспомощна, и ей оставалось только гневаться на мир в юношеском бессилии. Тут и подоспело письмо из Америки; парень с соседней фермы, ее товарищ по младенческим играм, предлагал ей соединиться с ним в новом краю. Предложение достигло ее по всем правилам — через обоих отцов. Лючия Санта попыталась вспомнить, как выглядит тот парень...

---

[1] Хозяева (*ит.*).

И вот солнечным итальянским деньком Лючию Санту и еще двух деревенских девиц ведут в городскую управу, а затем в церковь рыдающие родители, тетушки, сестрицы. Три девушки, вышедшие замуж по доверенности, поднимаются на борт корабля и плывут из Неаполя в Америку, уже сделавшись по закону американками.

Это время пронеслось для Лючии Санты, как во сне: она ступила на землю из камня и стали, в ту же ночь очутилась в постели с незнакомцем, приходившимся ей, впрочем, законным супругом, подарила этому незнакомцу двоих детей и была беременна третьим, когда он имел неосторожность погибнуть от случайности, без каких не может обойтись строительство нового континента. Она приняла все это, ничуть не жалея саму себя. Конечно, она горько сетовала на свою участь, но с иной целью: она просто молила судьбу быть к ней милостивой.

Даже тогда, молодой беременной вдовой, не зная никого, к кому можно было бы обратиться за помощью, она не поддалась ни ужасу, ни отчаянию. Она была наделена нередко встречающейся у женщин титанической силой, помогающей им преодолевать окружающую враждебность. И все же она не камень; судьба не ожесточила ее — зато она сделала это с друзьями и соседями, теми самыми, которые сошлись сейчас так близко, чтобы провести в дружеском единении летний вечер.

О, молодые жены и матери, все вы, итальянки, очутившиеся на чужой земле! Какими вы были закадычными подругами, как бегали друг к дружке вверх-вниз по лестницам и в соседние дома! «Cara[1] Лючия Санта, попробуй-ка вот этого!» — новой колбаски, пасхального пирога с пшеницей, топленым сыром и яичной глазурью, пышных ravioli[2] с особенной мясной начинкой и томатным соусом в честь дня семейного святого. Сколько лести, сколько похвал, сколько выпитого вместе кофе под исповедь и обещания стать крестной новому малышу, который вот-вот родится! Однако стоило произойти трагедии — и, после соболезнований и мимолетной волны жалости, мир повернулся к Лючии Санте своим подлинным ликом.

---

[1] Дорогая (*ит.*).
[2] Итальянское кушанье, напоминающее пельмени.

Приветствия встречных стали холодны, многочисленные без пяти минут крестные матери пропали из виду. Кому захочется дружить с молодой, полнокровной вдовой? Ведь она станет взывать о помощи — а мужья так слабы... Жизнь во многоквартирных домах протекает скученно; молодая женщина без мужчины — это ли не опасность? Она примется высасывать деньги и добро, подобно вампиру, сосущему кровь. Здесь крылась не злоба, а лишь предусмотрительность бедняков, которую легко предать осмеянию, если не понимаешь страха, в котором она коренится.

Лишь одна подруга выдержала испытание — тетушка Лоуке, старая бездетная вдова. Она поспешила бедняжке на помощь, стала крестной матерью сиротке Винченцо и, когда пришло время конфирмации, купила крестному сыну чудесные золотые часы, что придало Лючии Санте сил: ведь такой прекрасный подарок — знак уважения и веры в ее успех. Впрочем, примеру тетушки Лоуке никто не последовал, и, когда минуло время траура, Лючия Санта уже взирала на мир новыми, умудренными глазами.

Время лечит раны — теперь все они снова друзья. Кто знает — возможно, молодая вдова и поторопилась с резкими суждениями, ибо те же самые соседки — правда, преследуя собственные интересы, — помогли ей найти нового мужа, который кормил и одевал бы ее детей. Те же соседки устроили для нее шумную свадьбу. Но нет, теперь Лючия Санта не позволит миру ее обмануть.

К этому душному летнему вечеру одни ее дети успели вырасти и могли не опасаться больше превратностей жизни, другие уже вышли из младенческого возраста, если не считать Лену; у нее на сберегательной книжке отложены кое-какие денежки; по прошествии двадцати лет борьбы, настрадавшись вдоволь, Лючия Санта Ангелуцци-Корбо достигла, наконец, относительного благополучия, доступного беднякам, которые кладут на это столько сил, что, добившись даже немногого, приобретают уверенность, что схватка выиграна и что теперь можно чуть передохнуть, ибо жизни ничего не угрожает. Она уже прожила целую жизнь; вот и вся история.

Довольно. Вон идет тетушка Лоуке — значит, все в сборе. Лючия Санта навострила уши, готовясь нырнуть в водоворот болтовни. Тут она заметила свою дочь Октавию, шагающую к ним от угла Тридцатой стрит, мимо Panettiere с его красным стеклянным ящиком с пиццей и запотевшими чанами с мороженым. Через мгновение Лючия Санта потеряла дочь из виду: ее заслонил деревянный бочонок Panettiere, в который тот швырял медные центы, и серебряные пятаки, и десятицентовики. Ее захлестнул мимолетный, но яростный гнев: почему, спрашивается, ей не дано владеть таким богатством, почему судьба так благосклонна к этому уроду-булочнику?.. Потом она перевела взгляд на жену Panettiere — старую, усатую, уже не способную рожать, — бдительно сторожившую деревянную сокровищницу с медными и серебряными монетками, на ее морщинистое лицо и злобно поблескивающие в темноте глазки...

Лючия Санта почувствовала, как рядом с ней, бедро к бедру, усаживается на табуретку Октавия. Это неизменно раздражало мать, но Октавия может оскорбиться, если она отодвинется, так что лучше смириться. Какая же красавица ее Октавия, даже когда она одевается, как эти американки! Мать улыбнулась старухе Лоуке, и в улыбке этой была одновременно гордость и насмешка. Октавия, смиренная, молчаливая, внимательная, заметила эту улыбку, поняла ее смысл и в который раз подивилась про себя характеру матери.

Ну, разве по плечу ее матери понять, что она, Октавия, хочет стать такой, какими эти женщины не станут никогда в жизни! С глуповатой и понятной любому осмотрительностью, свойственной юности, она носила нежно-голубой костюм, скрывавший ее бюст и округлость бедер. На ее руки были натянуты белые перчатки, в подражание школьной учительнице. Брови ее были черны, густы, не выщипаны. Но напрасно она поджимала свои пухлые алые губки, изображая суровость, напрасно придавала взгляду спокойную серьезность, — от ее облика все равно веяло чувственностью, от которой захватывало дух, — погибелью для женщин, сидевших и стоявших вокруг. Удовлетворяя страшную, темную потребность, — так рассуждала Октавия, — женщина губит в себе все остальные стремления, и она чувствовала жалость, смешанную с испугом, к этим женщинам, угодившим в беспробудное рабство к собственным детям и к неведомым ей наслаждениям супружеского ложа.

Нет, не такой будет ее участь. Она сидела с опущенной головой, внимательно прислушиваясь, подобно Иуде; она притворялась правоверной, но на самом деле помышляла об измене и бегстве.

Теперь, когда ее окружали одни женщины, Октавия осмелилась снять жакет; оказавшаяся под ним беленькая блузка с тоненьким галстуком в красный горошек была куда соблазнительнее, чем она воображала. Никакие ухищрения не могли скрыть ее округлую грудь. Ее предназначенное для поцелуев лицо, завитки ее черных как смоль волос, ее огромные влажные глаза — все противоречило степенности ее одеяния. Такую привлекательность не под силу создать хитростью — здесь правила бал восхитительная невинность.

Лючия Санта забрала у нее жакет и, аккуратно сложив, перебросила через руку: она — мать, она каждым движением утверждала свою власть. Однако главной здесь была все же не властность, а стремление к примирению, ибо вечер этот начался для матери и дочери с ссоры.

Октавии хотелось поступить в вечернюю школу, чтобы выучиться на учительницу. Лючия Санта отказывала ей в родительском дозволении. Нет! Если она после работы станет еще бегать в школу, то сляжет от переутомления.

— Зачем, зачем это тебе? — недоумевала мать. — Ведь ты такая хорошая портниха, ты зарабатываешь много денег...

На самом деле причиной отказа было суеверие. Знает она эту пагубную дорожку: в жизни не найдешь счастья; стоит ступить на новую тропу — и тотчас угодишь в яму. Лучше довериться судьбе. Но дочь слишком молода, чтобы понять ее.

Неожиданно Октавия робко сказала ей:

— Я хочу быть счастливой.

При этих ее словах мать не смогла сдержать ярости и презрения. А ведь она всегда защищала дочку в ее чудачествах — пусть, мол, читает свои книжки, пусть носит щегольски скроенные костюмы, хотя появляться в них — все равно, что нацепить лорнет. Сейчас же мать передразнила дочь с ее безупречным английским и голоском недалекой пустышки:

— You want to be happy![1] — После этого, перейдя на итальянский, она со свинцовой серьезностью молвила: — Благодари Бога, что вообще жива.

Теперь, обдуваемая прохладным вечерним ветерком, Октавия приняла предложенное матерью перемирие и сидела с достоинством, сложа руки на коленях. Вспоминая недавнюю ссору, она ломала голову над загадкой: как у матери получается говорить на таком прекрасном английском языке, когда она передразнивает своих детей? Уголком глаза Октавия наблюдала за Гвидо, смуглым сыном Panettiere, который, завидя в сгущающейся тьме теплого летнего вечера светлое пятно ее блузки, приветственно помахал ей рукой. Вот он несет ей в своей смуглой, крепкой ладони высокий бумажный стакан апельсинового лимонада со льдом, вот он вручает его ей и, чуть ли не кланяясь, торопливо пробормотав что-то вроде «не испачкайся», торопится обратно к киоску, чтобы помогать папаше. Октавия улыбается, делает из вежливости несколько глотков и передает стакан матери, которая питает слабость к прохладительным напиткам и жадно, как ребенок, выпивает все до дна. Старухи тем временем продолжают жужжать.

Из-за угла Тридцать первой стрит показался ее отчим, катящий перед собой детскую коляску. Октавия наблюдала, как он прошелся по авеню от Тридцать первой к Тридцатой и обратно. Материнская ирония повергала ее в изумление, нежность же отчима к малышке смущала ее. Ведь она ненавидела его, считала жестоким, подлым, воплощением зла. У нее на глазах он бил ее мать, тиранил пасынков. В неясных воспоминаниях Октавии о раннем детстве его ухаживание за матерью слишком близко соседствовало с днем гибели ее родного отца.

Ей захотелось взглянуть на спящую малютку, сестренку, к которой она питала пылкую любовь, пусть та и была дочерью отчима. Однако тогда пришлось бы говорить с ним, смотреть в его холодные голубые глаза, угловатое лицо, а это было бы невыносимо. Она знала, что отчим ненавидит ее так же люто, как она — его, что они боятся друг друга. Он ни разу не посмел ударить ее, хотя

---

[1] Ты хочешь быть счастливой! (*англ.*)

иногда поднимал руку на Винни. Впрочем, она не возражала бы, чтобы он иногда отвешивал пощечину пасынку, при условии, если бы он проявлял отцовские чувства более разнообразными способами. Но нет, он приносил подарки для Джино, Сала, Эйлин, но для Винсента — никогда, хотя Винсент еще ребенок. Она ненавидела его за то, что он никогда не брал Винсента на прогулку или постричься, в отличие от собственных детей. Она боялась его, потому что он был ей непонятен — зловещий, таинственный незнакомец из книжки, голубоглазый итальянец с лицом Мефистофеля; а ведь ей было отлично известно, что он всего лишь неграмотный крестьянин, нищий, ничтожный иммигрант, просто напускающий на себя невесть что. Однажды она увидела в вагоне подземки, как он делает вид, будто читает газету. Она поспешила рассказать об этом матери, покатываясь от презрительного хохота. Однако мать изобразила невеселую улыбку и ничего не сказала.

Одна из женщин в черном рассказывает о мерзкой молодой итальянке (естественно, рожденной уже в Америке). Октавия не пропускает ни единого слова. «Да, да, — распаляется рассказчица, — они были женаты уже несколько недель, у них уже кончился медовый месяц. О, как она его любила! В доме его матери она сидела у него на коленях. Когда они ходили в гости, она играла с его рукой — вот так... — Искривленные руки с уродливыми пальцами любовно сплетаются у нее на коленях — и верно, какое бесстыдство! — Потом они пошли потанцевать в церковь. Какие дурни эти молодые священники, ведь они даже не говорят по-итальянски! Муж выиграл приз — он первым вошел в дверь. Он получил приз и замертво рухнул на пол. У него оказалось слабое сердце. Мать всегда предупреждала его об осторожности, всегда о нем заботилась. Но слушайте же! Молодой, танцующей с другим мужчиной, сообщили о случившемся. И что же, она мчится к любимому? Нет, она визжит! «Нет, нет, не могу!» — кричит она. Она боится смерти, как дитя, а не как разумная женщина. Любимый валяется в собственной моче, он совсем один, но она больше его не любит. «Я не стану на это глядеть», — повторяет она.

Тетушка Лоуке, лукаво облизываясь, сразу ухватывает двусмысленность.

— Ах, — говорит она, — уж когда это было живое, она на это смотрела, будьте уверены!

Авеню вздрагивает от хриплого взрыва хохота, в котором сливаются все голоса; из других женских компаний в сторону веселящихся бросают завистливые взгляды. Октавия чувствует отвращение, она гневается на мать, которая тоже не удержалась от довольной усмешки.

Но тут начались вещи посерьезнее. Лючия Санта и тетушка Лоуке завели отдельный разговор, вспоминая в подробностях старую, поросшую быльем историю о скандале, разразившемся лет двадцать тому назад, еще за морем, в Италии, и вызвали тем всеобщий интерес. Октавии было смешно наблюдать, как ее мать подчеркнуто доверяет памяти тетушки Лоуке, а та отважно вступается за мать, словно и та и другая — по меньшей мере герцогини. Мать то и дело поворачивалась к старухе и почтительно спрашивала: «E vero, Comare?»[1], а та веско подтверждала: «Si, Signora»[2], не желая фамильярничать в присутствии почтенного собрания. Октавия прекрасно знала, как относятся друг к другу две женщины: мать навсегда осталась благодарна старухе за помощь в годину страшного несчастья.

Все это выходило слишком натянуто, и Октавии стало скучно. Она встала, чтобы взглянуть на малютку-сестричку, старясь на смотреть на отчима. При виде девочки взор ее исполнился нежности; такой глубокой привязанности она не испытывала даже к Винсенту. Затем она заглянула за угол Тридцать первой стрит, увидела резвящегося там Джино и сидящего на парапете Сала. Она отвела Сала к матери. Где Винни? Она задрала голову и увидела его в окне их квартиры — темную, неподвижную фигуру, стерегущую их всех.

Фрэнк Корбо мрачно наблюдал, как его взрослая падчерица склоняется над его младенцем. Странный субъект с голубыми глазами, объект насмешек (где это видано, чтобы итальянец катал ребенка в коляске летним вечером?), неграмотный, молчаливый, он наслаждался красотой каменного города, тонущего в потемках, чувствовал ненависть, которую испытывает к нему падчерица, но не находил в своем сердце ответной ненависти. Его

---

[1] Ведь так, кума? (*ит.*)
[2] Да, синьора (*ит.*).

худое лицо с резкими чертами скрывало бессловесную, сжигающую его муку. Вся его жизнь была страданием по красоте, которую он чувствовал, не понимая, она была любовью, оборачивающейся жестокостью. Бесчисленные сокровища оставались для него недоступными, подобно теням, ибо он был не в состоянии отомкнуть для себя этот мир. Стремясь к свободе, он еще этой ночью с легким сердцем покинет город, семью. В ранний предрассветный час, в темноте, он запрыгнет в грузовик, едущий прочь из города, и исчезнет, не произнося ни единого слова, не ссорясь, не раздавая оплеух. Он станет работать в буро-зеленых летних полях, чувствуя умиротворение и восстанавливая растраченные силы.

О, как он страдал! Он страдал, подобно глухонемому, который воспел бы красоту, предстающую взору, но не может издать даже вопля боли. Он чувствовал, что любит, но не находил в себе сил расточать ласки. Слишком много людей спало вокруг него в квартире, слишком большие толпы сновали вместе с ним по улицам. Ему снились ужасные сны: из черной бездны выступали силуэты детей и жены, они кружили вокруг него, и каждый вытаскивал из собственного лба кинжал... Он вскрикивал и просыпался.

Уже поздно! Детям пора на боковую, но все еще слишком жарко. Фрэнк Корбо наблюдал за своим сыном Джино — тот носился по улице, поглощенный игрой, похожей на пятнашки, которую отцу не удавалось осмыслить, — точно так же ему не удавалось вникнуть в американский говор ребенка, в содержание книг и газет, в красоту летней ночи и в прочие радости мира, от которых он был оторван и которые окрашивались для него в болезненные цвета. О, мир — великая загадка! Бесчисленные опасности, от которых ему пока удавалось уберечь своих отпрысков и остальную семью, в конечном итоге повергнут его и его любимых в прах. Собственные дети научатся ненавидеть отца.

И все же отец, хоть и не надеялся на спасение, катал коляску по тротуару взад-вперед, взад-вперед. Он не знал, что где-то в глубине его естества, в крови, в мельчайших, загадочных клетках его мозга уже зачат новый мир. Медленно, день за днем, страдание за страданием, одна утраченная красота за другой — но стены мира, внушавшего ему безотчетный страх, обрушатся, исчезнув в безвременье его помутненного сознания, чтобы смениться спустя год новым, фантастическим миром; в котором сам он будет и богом, и властелином, враги же его обратятся в испуганное бегство; те же, кого он любит, будут бесследно утрачены, однако он не станет горевать об утрате любви. Это будет мир такого хаотического страдания, что он потонет в экстазе, навсегда забыв былые страхи. Такой будет его наконец-то обретенная свобода.

Но это придет, как по волшебству, без малейшего намека или предупреждения. Пока, этой ночью, он был готов довериться земле, был готов посвятить целое лето плугу и борозде, как когда-то, давным-давно, мальчишкой — дома, в Италии.

Мир озаряет детей особым светом, и звуки его кажутся детям волшебными. Джино Корбо метался между пятнами света, отбрасываемыми фонарями, слышал, как за его спиной хохочут девчонки, и играл до того увлеченно, что у него разболелась голова. Он бегал по Тридцать первой стрит, пытаясь поймать других детей или захватить их в плен. Кто-то уже стоял, прижавшись к стене и вытянув руку. Один раз в ловушку угодил сам Джино, но тут такси удачно отрезало от него его противников, и он стремглав выскочил на свой тротуар. Завидев отца, он устремился к нему с криком:

— Дай мне цент на лимонное мороженое!

Сжимая в ладошке монетку, он помчался по Десятой авеню, замыслив блестящий маневр: сейчас он проскочит мимо матери и ее товарок, а потом... Но нет, тетушка Лоуке ухватила его за руку и едва не опрокинула; ее кост-лявые пальцы сомкнулись, как стальной калкан.

Его расширенные глаза пробежали по женским лицам; на некоторых лицах виднелись волосы, даже усы. Страстно желая вырваться, боясь, что игра без него затухнет, он напрягся, но тщетно. Тетушка Лоуке держала его мертвой хваткой, как паук муху, приговаривая:

— Отдохни-ка. Присядь рядом с матерью и отдохни. Не то завтра сляжешь. Гляди-ка, как колотится твое сердечко.

С этими словами она положила ему на грудь свою сморщенную клешню. Он отчаянно забился. Старуха вцепилась в него и проговорила, задыхаясь от любви:

— Eh, come e faccia brutta![1]

Он догадался, что она дразнит его уродцем, и это заставило его затихнуть. Он уставился на женщин. Все они смеялись, но Джино было невдомек, что они смеются над его пылом, над его горящими глазами.

Он плюнул в тетушку Лоуке притворным плевком итальянок, которым нужно продемонстрировать во время свары безмерное презрение к сопернице. Таким путем он отвоевал свободу и тотчас набрал такую скорость, что мать, вознамерившаяся отвесить ему заслуженную оплеуху, едва задела его ладонью. Теперь за угол, по Тридцатой к Девятой авеню, по ней — до Тридцать первой, по Тридцать первой — назад к Десятой авеню — вот так-то! Описав вокруг родного квартала полный круг, он вклинится в играющих, появившись из темноты, застав их врасплох, и благодаря этому маневру рассеет противника.

Однако стоило ему рвануться к Девятой авеню, как мальчишки встали перед ним стеной. Джино ускорил бег и прорвался через заслон. Чья-то рука рванула его за рубашку, в ушах засвистел ветер. Мальчишки устремились было за ним по Девятой, но вот он нырнул в темноту на Тридцать первой — и они не посмели преследовать его здесь. Джино перешел на шаг и побрел от одного крыльца к другому. Он следовал уже вдоль четвертой стороны квадрата; ниже, у самой Десятой авеню, залитой желтым светом фонарей, носились, подобно черным крысам, его товарищи, захваченные игрой. Значит, он поспеет как раз вовремя.

Он немного передохнул и медленно пошел по направлению к ним. В одном из окон первого этажа он увидел маленькую девчонку, прислонившуюся к голубой стене; прямо над ее головой начинался белый мел. Она прятала глаза от холодного, искусственного света, озаряющего комнату, которая лежала за ее спиной совершенно пустая. Джино знал, что она не плачет, а играет в прятки и что, стоит ему немного подождать, комната наполнится визжащими девчонками. Но он не стал останавливаться; он не знал, что ему суждено навсегда запомнить эту одинокую девочку, прячущую глаза, прижавшись к бело-голубой стене; она навечно останется такой же, словно он, не остановившись, заворожил ее, и она на всю жизнь замерла у своей стенки.

---

[1] Какая ужасная рожа! (*ит.*)

Из очередного окошка струился слабый свет. Он вздрогнул. У окна комнаты, пол которой находился на уровне тротуара, сидела старуха-ирландка, положив голову на подушечку с торчащими во все стороны нитками и наблюдая, как мальчик крадется по пустой, замершей улице. В слабом желтом свете, сочащемся из окна, ее древняя голова походила на череп, а узкогубый рот казался обагренным кровью в отблеске красной свечки. Позади этого похоронного лица, в глубине комнаты чуть виднелись ваза, лампа, деревянное распятие, напоминающее обглоданный скелет. У Джино расширились глаза. Редкие старушечьи зубы обнажились в улыбке. Джино пустился во весь дух.

Теперь до него доносились голоса друзей. Он был уже совсем близко от освещенной Десятой авеню. Он сжался в комок у лестницы, ведущей в подвал, набираясь сил для решающего броска. Ему и в голову не приходило бояться темных подвальных окон, бояться, ночи. Он забыл материнский гнев. Все его существование сводилось сейчас к этому мгновению — и к следующему, когда он ворвется в круг света и разомкнет его.

Паря над Десятой авеню, единоутробный брат малолетнего Джино Корбо, тринадцатилетний Винченцо Ангелуцци хмурился, вслушиваясь в доносящийся до него шепот летней ночи. Он сидел на подоконнике в глубокой задумчивости; за его спиной тянулась длинная вереница темных, пустых комнат; дверь, ведущая из коридора на кухню, была заперта. Он сам приговорил себя к затворничеству.

Его лишили мечты о лете, свободе, играх! Мать сообщила ему, что на следующее утро он приступает к работе у Panettiere, которая продлится до самой осени, когда он вернется в школу. Он станет таскать тяжелые корзины с хлебом, обливаясь потом на солнце и завидуя остальным мальчишкам, плещущимся в реке, играющим в бейсбол и в лошадки и цепляющимся за задки трамвая, чтобы прокатиться по городу. Ему не придется больше блаженствовать в теньке, уплетая мороженое, читая книжку или играя на медяки в «банкиров и брокеров» и в «семь с половиной».

Впередсмотрящий, угнездившийся в окне, зияющем в западной стене города, он впитывал все, что представало его взору, — ширь сортировочной станции с переплетением рельсов, бесчисленными вагонами без крыш, паровозами, изрыгающими снопы искр и издающими низкие, тревожные гудки. Дальше тянулась черная лента Гудзона, а за ней угадывался неровный берег штата Нью-Джерси.

Он подремывал на своем подоконнике, гордо не замечая шума голосов. Вдали на авеню показался красный сигнал живого дорожного указателя, прокладывающего путь товарному поезду со станции Сент-Джонс-Парк. Дети в каньоне под ним продолжали игру, и Винсент с мрачным удовлетворением приготовился к их радостным крикам, находя усладу в горечи, охватившей его из-за невозможности составить им компанию. Еще немного — и до него донесся визг детей, карабкающихся на мост, чтобы стать невидимками, утонув во влажном паре, вырывающемся из паровозной трубы.

Винсент был еще слишком юн, чтобы понимать, что меланхолия — врожденное свойство его характера, расстраивающее его сестру Октавию, которая пытается рассеять его грусть подарками и сладостями. Когда он был еще малышом, делающим первые шаги, Октавия клала его с собой в постель, рассказывала ему сказки, пела песенки, чтобы он засыпал, запомнив добрую улыбку. Однако ничто не смогло переделать его характер.

Снизу доносился воинственный бас тетушки Лоуке и сильный голос его матери, не дававшей подругу в обиду. Он с неудовольствием подумал о том, что эта старуха приходится ему крестной и что за золотую монетку в пять долларов, которую она преподносит ему на каждый день рождения, он вынужден расплачиваться поцелуем — что ж, он делает это, но только для того, чтобы не печалить мать. Он считал свою мать красавицей — пусть она растолстела и никогда не снимает траура — и неизменно слушался ее.

Иное дело — тетушка Лоуке. Сколько он себя помнит, она всегда вызывала у него лютую ненависть. Давным-давно, когда он еще возился на полу у ног матери, старуха задумчиво наблюдала за ним. Женщины при этом давали волю чувствам и, забывая об учтивости, которую соблюдали при посторонних, проклинали бесчисленные невзгоды, которые обрушивались на них год за годом. Через некоторое время крик сменялся молчанием. Женщины многозначительно рассматривали мальчугана, прихлебывая кофе. Потом тетушка Лоуке тяжело вздыхала, разевая пасть с побуревшими от возраста зубами, и с безнадежной, какой-то озлобленной жалостливостью произносила: «Ах, miserabile, miserabile![1] Твой отец умер еще до того, как ты родился...»

Это было кульминацией разговора; потом старуха переходила к другим темам, мальчик же в ужасе взирал на залитое бледностью лицо матери, на ее мигом покрасневшие глаза. Она нагибалась, чтобы погладить его по голове, но никогда не произносила ни слова.

Глядя вниз, Винсент видел, как его сестра Октавия встает, чтобы взглянуть на младенца. Ее он тоже ненавидит. Она предала его, она не возвысила протестующий голос, когда матери вздумалось запрячь его в работу. Тут всадник с фонарем въехал под мост, и Винсент узнал в нем своего брата Ларри, восседающего на черной лошади, как заправский ковбой.

Даже сюда, на высоту, доносилось громкое цоканье копыт по булыжной мостовой. Дети пропали из виду, скрылся и сам мост, окутанный паром из паровозной трубы. Высекая из рельсов снопы искр, поезд медленно втянулся на сортировочную станцию.

Было уже поздно. Ночной воздух принес городу желанную прохладу. Мать и остальные женщины забрали с тротуара свои табуретки и ящики, кликнули мужей и детей. Отчим двинулся с коляской к своему крыльцу. Наступила пора готовиться ко сну.

Винсент слез с подоконника, побрел через спальни на кухню и отпер дверь, чтобы впустить семейство домой. Потом он отрезал от итальянского батона толщиной в бедро три щедрых ломтя и от души сдобрил их сперва красным уксусом, а потом желтовато-зеленым оливковым маслом. Посыпав бутерброды солью, он отступил, с удовольствием рассматривая дело своих рук. Хлеб из грубопомолотой муки стал красным, с зелеными пятнами. Джино и Сал с восторгом слопают перед сном это угощение. Они будут жевать втроем. Он замер в ожидании. С улицы ворвался через открытые окна отчаянный, долго несмолкавший крик Джино.

Этот крик заставил Лючию Санту замереть с младенцем на руках. Октавия остановилась на углу Тридцатой стрит и повернулась в сторону Тридцать первой. Ларри,

---

[1] Несчастный! (*ит.*)

уже скакавший прочь на своей лошади, натянул поводья. Отец, чувствуя, как у него волосы встали дыбом от страха, чертыхаясь, устремился на крик. Однако то был всего лишь вопль истерического триумфа: Джино выскочил из темноты, застал соперников врасплох и теперь орал:

— Город сгорел, город сгорел, город сгорел!

Игра была сыграна, но он все повторял магическое заклинание и не мог сдержать бег. Сперва он нацелился на огромную фигуру матери, принявшей угрожающую позу, но, вспомнив, какое оскорбление нанес недавно тетушке Лоуке, изменил траекторию, влетел в дверь и понесся вверх по лестнице.

Лючия Санта, только что намеревавшаяся отодрать наглеца, почувствовала неуемную гордость за сына, нежность к нему, охваченному буйной радостью. Придет время, и она отучит его от излишней жизнерадостности. Пока же он избег наказания.

Неаполитанцы покинули погрузившиеся во мрак улицы города, по которым напоследок процокали копыта лошади — Ларри Ангелуцци поскакал назад в конюшню, что на Тридцать пятой стрит.

ГЛАВА 2

Семейство Ангелуцци-Корбо обитало в самом лучшем жилом доме на Десятой авеню. На каждом из четырех этажей было всего по одной квартире, поэтому окна выходили и на запад, на Десятую, и на восток, на задний двор, обеспечивая сквозную вентиляцию. Ангелуцци-Корбо, имея в своем распоряжении целый этаж, да еще верхний, использовали коридор перед своей дверью как склад. У стены стоял ящик со льдом, письменный стол, бесчисленные банки с томатной пастой и коробки с макаронами, потому что в квартире, пусть она и насчитывала шесть комнат, места для всего этого не хватало.

Квартира походила в плане на длинную букву «Е» с отсутствующей средней черточкой. Вслед за кухней — нижней «полочкой» — шла столовая, спальни и гостиная с выходящими на Десятую авеню окнами, вытянувшиеся в линию; роль верхней «полочки» играла небольшая спальня Октавии. Джино, Винни и Сал спали в гостиной, на кровати, которая на день поднималась к стене и завешивалась шторой. Дальше шла спальня родителей, а потом — комната Ларри; дверь последней открывалась в столовую, которую они звали почему-то кухней — здесь стоял огромный деревянный стол, за которым ели и вокруг которого протекала вся жизнь; последним помещением была собственно кухня с баком для кипечения белья, раковиной, плитой. По местным стандартам, квартира была слишком просторной и служила примером непрактичности, свойственной Лючии Санте.

Октавия положила малютку Эйлин на кровать матери и юркнула в свою комнату, чтобы переодеться в домашний халат. Когда она снова вышла, все трое мальчишек уже спали на разложенной посреди гостиной кровати. Она побрела через анфиладу комнат в кухню, чтобы сполоснуть лицо. Она застала мать в столовой — та терпеливо ждала, потягивая вино из маленького стаканчика. Октавия знала, что мать обязательно захочет довести до конца их недавние препирательства, после чего они, подобно заговорщицам, станут строить планы на будущее: домик на Лонг-Айленде, колледж для самого способного ребенка...

Лючия Санта первой сделала шаг к примирению. Она сказала по-итальянски:

— Сын булочника положил на тебя глаз. Думаешь, он преподносит тебе мороженое, а сам только и мечтает, чтобы ты и дальше молчала как рыба?

Собственная ирония доставила ей немалое удовольствие. Она на мгновение умолкла и прислушалась: из спальни донесся какой-то звук.

— Ты положила Лену на середину кровати? Она не скатится на пол?

Октавия была возмущена. Она бы еще простила подтрунивание, хотя матери было отлично известно, что она не желает иметь ничего общего с соседскими молодыми людьми. Но ведь имя «Эйлин» — это она придумала его для своей единоутробной сестренки! После долгих раздумий Лючия Санта согласилась пришло время становиться американцами. Однако язык итальянца не может выговорить такое имечко. Невозможно, и все тут. Поэтому пришлось сократить его до привычного «Лена». Какое-то время Лючия Санта мужественно пыталась ублажать дочь, но в конце концов лишилась терпения и крикнула по-итальянски «Это даже не американское имя!» Так малышка стала «Леной» — для всех, кроме детей: стоило им забыться, как они получали от Октавии звонкую затрещину.

Мать и дочь приготовились к схватке. Октавия пригладила свои кудряшки и вытащила из кухонного ящика маникюрный набор. Старясь четко выговаривать слова, она презрительно произнесла по-английски:

— Я никогда не пойду ни за кого из этих торгашей. Им нужна женщина, с которой они смогут обходиться, как с собакой. Я не хочу, чтобы моя жизнь стала повторением твоей.

Сказав это, она принялась за кропотливую обработку ногтей. Сегодня она их накрасит — это еще больше разозлит мать.

Лючия Санта взирала на дочь с деланным, театральным спокойствием, тяжело сопя. В гневе они делались еще более похожими одна на другую: одинаковые влажные черные глаза, мечущие молнии, одинаковые миловидные лица, искаженные угрюмой злобой. Однако голос матери прозвучал неожиданно здраво:

— Ага! Вот, значит, как дочь разговаривает с матерью в Америке? Brava[1]. Из тебя получится превосходная учительница. — Она холодно кивнула. — Mi, mi dispiace[2]. Но мне все равно.

Девушка знала, что еще одна грубость с ее стороны — и мать бросится на нее, как разъяренная кошка, не жалея тумаков. Октавии не было страшно, однако в разумных пределах она готова была проявлять почтительность; кроме того, она знала, что мать, глава семьи, полагается на нее, уважает ее и никогда не примет сторону враждебного мира, чтобы нанести ей поражение. Она чувствовала себя виновной в вероломстве — ведь она считала, что жизнь матери проходит зря.

Октавия улыбнулась, чтобы придать резкости своей последующей тираде.

— Я хочу сказать, что не желаю идти замуж, а если пойду, то чтобы никаких детей. Не хочу отказываться от жизни только ради *этого*. — В последнее слово она вложила все свое презрение, а также страх перед неведомым.

---

[1] Отлично (*ит.*).
[2] Мне очень жаль (*ит.*).

Лючия Санта оглядела свою американскую дочку с ног до головы.

— Ах, — проговорила она, — бедное мое дитя...

У Октавии прилила кровь к лицу, и она умолкла. Мать думала о чем-то другом. Она встала, вышла в спальню и вернулась с двумя пятидолларовыми купюрами, вложенными в сберегательную книжку.

— Бери, и побыстрее — спрячь, пока не вернулись твои отец и брат. Занесешь на почту, когда пойдешь завтра на работу.

— Он мне не отец, — ядовито заметила Октавия.

Не сами эти слова, а таящаяся в них спокойная ненависть заставила ее мать тотчас разрыдаться. Ведь только она и старшая дочь помнили первого мужа Лючии Санты; только она и старшая дочь делили невзгоды прежней жизни. Он был отцом троих детей, но только Октавия, первый ребенок, сохранила память о нем. Хуже того, Октавия питала к нему пылкую любовь, и его смерть стала для нее страшным ударом. Мать знала все это; знала она и о том, что ее второе замужество уничтожило в сердце дочери былую привязанность к матери.

Мать тихо произнесла:

— Ты — молоденькая девушка, ты еще не понимаешь мира, в котором живешь. Фрэнк женился на безутешной вдове с тремя малолетними детишками. Он кормил нас, он защищал нас, когда никто не хотел даже плюнуть на наш порог — не считая тетушки Лоуке. А твой отец был вовсе не таким распрекрасным, как тебе мнится. Я многое могла бы тебе порассказать — но нет, он все же твой отец...

Слезы успели высохнуть, и Лючия Санта поспешила надеть привычную маску печали по пережитому, маску боли и ярости, которая неизменно приводила девушку в уныние. Они регулярно ссорились по этому поводу, и всякий раз оказывалось, что рана не хочет заживать.

— Какая от него помощь? — не унималась Октавия. Она была молода и не ведала жалости. — Ты заставляешь бедного мальчугана, Винни, горбатиться на этого вшивого булочника. Лето не принесет ему ни малейшей радости. А этот твой муженек только и может, что числиться привратником ради бесплатной квартиры. Почему бы ему не найти работу? Откуда такая неуемная гордыня? Кем он себя воображает, черт побери? Вот мой отец — тот работал. На работе он и погиб. Господи Боже мой!

Она помолчала, чтобы не расплакаться. Следующие слова она произнесла уже более спокойно, словно надеясь убедить мать в своей правоте:

— А этот потерял работу на железной дороге, потому что слишком умничал. Босс сказал ему: «Чего это у тебя весь день уходит на путешествие за ведром воды?» Тогда он берет ведро и больше не возвращается. Надо же, до чего забавно! Он прямо-таки гордился этим своим подвитом. А ты не сказала ему ни единого словечка, ни единого! Я бы его выгнала вон, не пустила бы его на порог, и все тут! И уж, по крайней мере, не стала бы рожать ему очередного младенца.

Последние слова она произнесла с подчеркнутым пренебрежением, и по ее взгляду было ясно, что она-то никогда не позволила бы своему мужу совершать темный акт совокупления и обладания, который происходит в ночи. Теперь уж мать потеряла всякое терпение.

— Не говори о том, чего не понимаешь! — вскипела Лючия Санта. — Ты молода и глупа, но ты, видать, останешься глупой до самой старости. Боже, надели меня терпением! — Она одним глотком допила свое вино и устало вздохнула. — Я иду спать. Оставь дверь открытой для своего брата. И для моего мужа.

— Не беспокойся за нашего красавчика Лоренцо, — прошипела Октавия. Она принялась покрывать ногти лаком. Мать с омерзением уставилась на ярко-красный лак.

— Что еще там творится с Лоренцо? — спросила она. — Его работа кончается в полночь. Почему бы ему не вернуться домой? Все девушки уже разошлись по домам, не считая этих ирландских шлюх с Девятой авеню. Хвала Иисусу Христу, он губит только хороших, достойных итальянок, — добавила она с насмешливым пылом. В ее улыбке присутствовала гордость за сына.

— Ларри может остаться у Ле Чинглата, — холодно сообщила Октавия. — Сам мистер Ле Чинглата снова угодил в тюрьму.

Матери не надо было ничего объяснять. Семейство Ле Чинглата изготовляло собственное вино и продавало его у себя на дому в розлив. Короче говоря, они были самогонщиками, нарушителями запрета на торговлю спиртным. Только на прошлой неделе синьора Ле Чинглата прислала Лючии Санте три большие фляги — вроде бы в благодарность за то, что Лоренцо помог разгрузить тележку с виноградом. Кроме того, она была одной из трех девушек, которых обвенчали по доверенности много лет назад, в Италии, — самой скромной и застенчивой из них. Что ж, ничего не поделаешь... Мать пожала плечами и удалилась в спальню.

Прежде чем лечь, она зашла в гостиную и накрыла троих сыновей простыней. Потом она выглянула в открытое окно, на темную Десятую авеню, которую все еще мерил шагами ее супруг.

— Фрэнк, уже поздно! — тихонько позвала она, однако он не поднял головы, не увидел ни ее, ни неба.

Наконец она улеглась. Но ей никак не удавалось уснуть, потому что ей казалось, что, бодрствуя, она каким-то образом держит под контролем действия мужа и сына. Ей было беспокойно, ей совсем не нравилось, что она не может заставить их покинуть мир, вернуться домой спать тогда, когда спит она.

Она протянула руку. Малютка неслышно спала у самой стенки.

— Октавия! — позвала она. — Иди спать, уже совсем поздно. Тебе завтра на работу.

В действительности все дело в том, что она не может спать, пока в доме хоть кто-то бодрствует. Непокоренная дочь прошла через спальню, не проронив ни словечка.

В душной темноте летней ночи, прислушиваясь к дыханию спящих детей, Лючия Санта задумалась о своей жизни. Выйдя во второй раз замуж, она заставила горевать своих первых отпрысков. Она знала, что Октавия винит ее за то, что она не убивалась по погибшему, как полагается. Разве можно объяснить молоденькой дочери, девственнице, что ее отец, муж, с которым ты делила ложе, с кем ты приготовилась прожить остаток жизни, на самом деле не вызывал у нее большой привязанности?

Он был главой семьи, но ему недоставало предусмотрительности, ему было свойственно воистину преступное отсутствие заботы о семье; он был не против всю жизнь ютиться в трущобах, в нескольких кварталах от доков, где трудился. О, немало слез пролила она из-за него! Он не отказывался выделять деньги на еду, однако все остальное, что могло бы превратиться в сбережения, тратил на вино и на карты с приятелями. Он ни разу не дал ей ни цента на ее собственные нужды. Он уже и так проявил верх щедрости, переправив Лючию Санту через океан, к себе в постель — побирушку, не имевшую даже белья! О какой еще щедрости могла идти речь? Одного подвига хватит на всю жизнь.

Лючия Санта вспоминала все это со смутной досадой, зная, что это еще не вся правда. Дочь любила его. Он был красивым мужчиной. Он разгрызал своими белоснежными зубами семечки подсолнечника, и маленькая Октавия брала их у него изо рта, хотя брезговала такими же семечками, если их предлагала мать. Он тоже любил дочь.

Правда проста: он был добрым, трудолюбивым, но невежественным, пристрастным к удовольствиям человеком. Она относилась к нему точно так же, как относятся миллионы женщин к своим непредусмотрительным мужьям. Доверять мужчинам распоряжение семейными деньгами, доверять им право принимать решения, определяющие судьбу детей? Безумие! Мужчины на это неспособны. Хуже того — они попросту несерьезный народ. Она уже вела борьбу, направленную на узурпацию его власти, как действуют все женщины, — но наступил тот страшный день, и он погиб.

Конечно, она рыдала. О, как она рыдала! Горе усугублял ужас. Она горевала не столько по навечно оставившим ее губам, глазам, рукам, сколько по щиту, оберегавшему ее от враждебного мира; она выла по тому, кто приносил ее детям хлеб, по тому, кто выступал защитником существу, еще находившемуся у нее во чреве. Те вдовы, что рвут на себе волосы, царапают себе щеки, выкрикивают безумные проклятия, крушат все вокруг, а потом не снимают траура, чтобы ими мог любоваться весь мир, — нет, они не подлинные плакальщицы, ибо настоящее горе пронизано ужасом. Да, они лишились близкого человека. Но если ты любила, то полюбишь снова.

Его смерть была смешной, даже гротескной. При разгрузке судна проломился высокий трап, похоронив в речном иле пять человек и сколько-то там тонн бананов. Человеческие останки смешались с банановой кожурой. Их так и не смогли поднять.

Теперь она осмеливалась додумать грешную мысль до конца: он дал им больше своей смертью, чем давал при жизни. Сейчас, спустя много лет, она угрюмо усмехалась в темноте, удивляясь несмышленности, присущей молодости. Разве она могла позволить себе в молодости такие нечестивые мысли? А суд присудил каждому ребенку по тысяче долларов — даже Винсенту, еще не родившемуся, но уже слишком хорошо заметному чужому глазу. То были опекунские деньги — в этой мудрой Америке даже родителям не позволяют распоряжаться деньгами, принадлежащими детям. Сама она получила аж три тысячи долларов, о которых не догадывался никто на ее улице, не считая тетушки Лоуке и Октавии. Выходит, не вся жизнь пошла насмарку.

Сейчас не только говорить, но и помыслить было страшно о тех несчастных месяцах, когда она вынашивала Винни. Ребенок, чей отец погиб до его рождения, — все равно, что дьявольское отродье. Даже сейчас ее не покидал суеверный страх; даже сейчас, спустя тринадцать лет, на ее глаза навернулись слезы. Она оплакивала себя прежнюю, она жалела своего не родившегося еще младенца, а не по-дурацки погибшего мужа. Об этом Октавия не могла знать, этого ей было не дано понять.

А потом случилось нечто и вовсе постыдное: минул всего год после смерти первого мужа, всего полгода назад родился сын от этого мертвого мужа, а она — взрослая женщина! — впервые в жизни воспылала страстью к мужчине — тому, кому предстояло стать ее вторым мужем. Влюбилась!.. Только это была не одухотворенная любовь девушки или святой, не чувство героини из романтической истории, о которой полезно было бы поведать молоденькой девушке. Нет, ее «любовь» означала разгоряченные тела, нестерпимое томление, горящие глаза и щеки. «Любить» значило ощущать в себе его набухшую, пружинистую плоть. О, что за безумие, что за глупость для матери семейства! Хвала Иисусу Христу, теперь все это позади.

Кто же тот, кто ее воспламенил? Фрэнку Корбо исполнилось к тому времени тридцать пять лет, но он никогда не был прежде женат. Он был худ, жилист, голубоглаз; считалось странным, что он дожил до таких лет холостяком; странной была также его молчаливость, его одинокая гордыня — разве не смешно, когда задирает нос человек, совершенно беспомощный перед обществом и судьбой? Соседки, искавшие вдове спутника жизни и кормильца для четырех голодных ртов, считали его способным на любую глупость, но все же представили его ей как самого подходящего кандидата. Он работал в утреннюю смену в железнодорожном депо, вторая же половина дня была у него свободна для ухаживаний. Скандала не предвиделось.

Соседки, проявляя доброту, но одновременно заботясь и о собственном спокойствии, свели их, не сомневаясь, что из этого дела выйдет толк.

Ухаживал он за ней как невинный юноша, чем она была несказанно удивлена. Фрэнку Корбо были знакомы только холодные, торопливые шлюхи; он ляжет в супружескую постель, сгорая от любви, с мальчишеской пылкостью. Он преследовал ее, мать троих детей, так, словно она — девушка, превращаясь в глазах окружающих в еще большее посмешище. Под вечер он приближался к ней, когда она сидела у крыльца, охраняя спящих или резвящихся детей. Иногда он ужинал с ними, но уходил еще до того, как наступала пора укладывать детей. Наконец настал день, когда он предложил Лючии Санте стать его женой.

Она бросила на него лукавый взгляд, как на расшалившегося мальчишку. «Разве вам не будет стыдно рядом со мной, когда мой сын от предыдущего мужа все еще лежит в коляске?» — спросила она его. Ответом был тяжелый, злобный взгляд — тогда она увидела этот взгляд впервые. Он выдавил, что любит ее детей и ее. Даже если она не выйдет за него, он станет давать ей деньги на детей. Он хорошо зарабатывал на железной дороге и неизменно приносил детям мороженое и игрушки. Иногда он даже давал ей денег на одежду для детей. Она пыталась отказываться, но он рассердился и сказал: «Выходит, вы не хотите, чтобы мы были друзьями? Вы думаете, что я такой же, как остальные мужчины? Мне наплевать на деньги!» И с этими словами он принялся рвать в клочки грязные зеленые банкноты. Это зрелище почему-то вызвало у нее слезы. Она забрала у него деньги, и он никогда больше не делал ей подарков, так что через некоторое время ее охватило беспокойство, не слишком ли опрометчивым был ее отказ.

Как-то весной, в воскресный день, Фрэнк Корбо явился по приглашению на обед — праздничную трапезу итальянской семьи. Он принес с собой галлон терпкого домашнего итальянского вина и коробку пирожных с кремом — gnole и soffiati. На нем была чистая рубашка, галстук, костюм со множеством пуговиц. Он сидел за столом, окруженный детьми; он стеснялся, был неуклюж, он робел куда больше, чем они.

Спагетти были заправлены самым лучшим томатным соусом, который только умела делать Лючия Санта, тефтели имели форму идеальных шариков и были щедро приправлены перцем, чесноком и свежей петрушкой. На столе стояло также блюдо с темно-зелеными салатными листьями под оливковым маслом, красный уксус, грецкие орехи под вино. Над столом витал аромат зелени, чеснока, черного перца. Все наелись до отвала. Потом дети ушли играть на улицу. Лючии Санте следовало оставить их дома, чтобы избежать скандала, но она на все махнула рукой.

Так солнечным днем, в залитой солнцем длинной квартире, принадлежащей железной дороге, загородившись от несмышленыша Винченцо подушкой, они скрепили свой союз на кушетке гостиной; мать при этом почти не обращала внимания на голоса детей, доносившиеся с улицы.

О восторг, о вкус любви! После длительного воздержания распространившийся по гостиной звериный запах только возбуждал ее пыл, действовал на нее, как звонок, оповещающий о близком наслаждении. Даже сейчас, после стольких лет, память о том дне оставалась свежей. Уже в том любовном слиянии она взяла над ним верх.

Этот угловатый, противопоставивший себя всему миру человек рыдал у нее на груди, и она поняла тогда, при быстро гаснущем солнечном свете, что он никогда за свои тридцать пять лет не ведал настоящей, нежной ласки. Вынести это оказалось выше его сил. Он слишком поздно познал любовь и запрезирал себя за слабость. Но, памятуя о том дне, она многое, хотя и не все, прощала ему; она заботилась о нем так, как никогда не заботилась о первом своем муже.

Пока не родился его первый ребенок, все шло хорошо. Потом естественная любовь к Джино стала разъедать его, как рак, убивая любовь к жене, пасынкам и падчерице. С ними он сделался злым.

Зато за первый год супружества, в любовной доверчивости, он рассказал ей все о своем итальянском детстве. Его отец был бедным арендатором. Франке часто голодал, еще чаще мерз, но главное, чего он никак не мог забыть, — это как родители заставляли его обуваться в обноски, которые были ему малы и уродовали ему ноги, грозя переломать кости, смешать их в кучу. Он показывал ей свои ноги, словно говоря: «Я от тебя ничего не скрываю; зачем тебе было выходить замуж за мужчину с такими ногами?» Она только смеялась в ответ. Но она забыла про смех, когда узнала, что он всегда покупает себе двадцатидолларовые туфли из замечательной коричневой кожи: так мог поступать только сумасшедший!

Его родители были редкостными в Италии людьми — крестьянами-пьянчугами. Они заставляли его ишачить на ферме и кормить их. Когда же он влюбился в деревенскую девушку, они запретили ему вступать с ней в брак. Тогда он сбежал и неделю жил в лесу. Когда его нашли, он превратился почти что в животное. Он был совсем не в себе, и его поместили в психиатрическую лечебницу. Выйдя оттуда через несколько месяцев, он отказался возвращаться домой. Он эмигрировал в Америку и тут, попав в самый густонаселенный город мира, жил в полнейшем одиночестве.

Теперь он следил за собой и больше никогда не болел. В одинокой жизни, заполненной тяжким трудом, он обрел покой. Пока он не попадал в душевную зависимость от другого человека, ему ничего не угрожало, как пребывающему в неподвижности предмету не страшны опасности, сопряженные с движением. Однако любовь, вернувшая его к жизни, снова заставила его взглянуть в лицо опасности, и, быть может, именно в тот день он осознал каким-то шестым, животным чувством, что проявил непростительную, роковую слабость.

Теперь, спустя двенадцать лет, прожитых вместе, муж был с ней так же скрытен, как всю жизнь со всеми остальными людьми.

Кто-то подошел к двери. Кто-то возится в кухне. Потом шаги в коридоре, на лестнице — и снова все стихло. По какой-то загадочной, ведомой ему одному причине муж снова вышел на улицу.

Ночь. Ночь... Ей хочется, чтобы муж лежал рядом с ней в постели. Ей хочется, чтобы старший сын был сейчас дома. Ей хочется, чтобы все спали в мирной квартире, как в замке, вознесенном над землей на высоту четвертого этажа, надежно защищенные от мира камнем, бетоном, сталью. Ей хочется, чтобы все спали, спали в темноте, вдали от опасностей, чтобы она могла не нести больше караул и тоже погрузиться в забытье.

Она вздохнула. Ей не дано отдохнуть. Завтра ей предстоит ссориться с Фрэнком из-за работы привратника, скандалить с Ле Чинглата, зашивать одежду детям, топить мыло для стирки. Она прислушалась к дыханию детей, спящих вокруг, — Лены на кровати рядышком, троих мальчиков в соседней комнате, Октавии, оставившей открытой дверь в свою спальню из-за духоты. Она присоединила свой вздох к еле слышной какофонии сна и тоже забылась.

Октавия вытянулась на своей узенькой кроватке. Вместо ночной рубашки на ней была надета синтетическая комбинация. Комната была слишком мала, чтобы в ней поместилась какая-нибудь мебель, кроме стола и стула, зато имелась дверь, которую она могла при желании захлопнуть.

Ей было слишком жарко, она была слишком молода, чтобы просто взять и заснуть. Поэтому она мечтала — мечтала о своем родном отце.

О, как она его любила, как обозлилась на него, что он посмел погибнуть, не оставив ей никого, кого она могла бы любить! Под конец дня она всегда встречала его у крыльца, всегда целовала его в грязную щеку, заросшую такой твердой черной щетиной, что она ранила себе губы. Она тащила наверх его пустую корзинку для еды и иногда выклянчивала у него страшный клыкастый крюк портового грузчика.

Потом, уже дома, она ставила перед ним тарелку для ужина, аккуратно клала рядом с тарелкой самую прямую вилку, самый наточенный нож, подставляла ему самую начищенную рюмку для вина, сверкающую, как алмаз. Она так суетилась, что уставшей за день Лючии Санте приходилось шлепком отгонять ее от стола, чтобы она не мешала подавать еду. Ларри, сидевший на своем высоком детском стульчике, никогда не вмешивался в этот ритуал.

Даже сейчас, по прошествии стольких лет, дожидаясь прихода сна, она едва не зарыдала. Почему он не поостерегся? Она была готова упрекнуть его в тягчайшем грехе, уподобившись матери, которая частенько повторяла: «Он не заботился о семье. Он не заботился о деньгах. Он не позаботился и о собственной жизни. Он был беззаботен во всем».

После смерти отца в их доме поселился этот тощий голубоглазый чужак с перекошенным лицом. Второй муж матери, отчим... Даже ребенком она никогда не любила его, недоверчиво принимала от него подарки, цепко держа Ларри за руку и прячась за спину матери, пока отчим, никогда не терявший терпения, не добирался до нес. Как-то раз он хотел ее приласкать, но она вся сжалась и увернулась от его руки, как зверек. Его любимым ребенком был Ларри — пока не начали появляться его собственные дети. По той же причине, что и ее, он никогда не любил Винсента — негодяй, ненавистный, ненавистный...

Однако даже сейчас она не могла винить мать за то, что она второй раз вышла замуж, не могла ненавидеть ее за причиненное ею всем им горе. Она знала, почему мать вышла за этого злого человека. Она-то знала...

То был один из самых ужасных моментов в жизни Лючии Санты; в горестях, преследовавших ее после смерти мужа, были повинны друзья, родственники, соседи. Все они в один голос убеждали Лючию Санту доверить заботу о только что родившемся малютке, Винсенте, богатой кузине Филомене, жившей в Нью-Джерси. Хотя бы ненадолго, пока мать не окрепнет. «Ты облагодетельствуешь эту бездетную пару. Ей, Филомене, можно доверять, она ведь твоя двоюродная сестра из Италии. Ребенку будет у нее хорошо. А потом богатый муженек Филомены наверняка согласится быть ребенку крестным отцом и обеспечить ему будущее». Как они щебетали, как жалели ее, какие нежности расточали: «Мы так тревожимся за тебя, Лючия Санта! Ты так исхудала! Ты еще не оправилась после родов. Ты все еще оплакиваешь любимого мужа, ты никак не можешь разделаться с адвокатами. Тебе необходим отдых. Займись-ка собой — для блага детей. Что будет с ними, если ты не выдержишь и умрешь?» К тому же они не скупились на угрозы: «Смотри, твои дети погибнут или попадут в приют. Их даже не смогут отправить назад к дедам и бабкам, в Италию. Побереги свою жизнь, единственную защиту для детей». И так снова и снова. Кроме того, ребенок вернется к ней уже через несколько месяцев — нет, уже через месяц, через несколько недель. Тут разве угадаешь? Филомена станет приезжать за ней по воскресеньям — ведь ее муженек разъезжает на «форде»! Они отвезут ее в свой расчудесный домик в Джерси посмотреть на малютку Винченцо. Она будет у них почетной гостьей. Остальные двое детей смогут отдохнуть за городом, на свежем воздухе. Ла-ла-ла!

Вот как было дело. Как она могла переспорить их всех, собственных детей, саму себя? Даже тетушка Лоуке кивала в знак согласия своей дряхлой головой.

Одна лишь маленькая Октавия рыдала, повторяя, как заведенная: «Они не вернут его нам». Все потешались над ней из-за ее страхов. Мать улыбалась, гладила Октавию по коротко остриженной черноволосой головке и уже сама стыдилась своей нерешительности.

«Только на время, пока я не оправлюсь, — пообещала она дочери. — Потом Винченцо вернется домой».

Совсем скоро мать уже недоумевала, как она умудрилась отдать ребенка. Конечно, отчаяние, охватившее ее при вести о смерти мужа, и грубость, с которой акушерка извлекала на свет Винченцо, совсем лишили ее сил. Однако мысленно она так и не смогла себя простить. Она так стыдилась своего поступка, так презирала саму себя, что потом, всякий раз, когда ей предстояло принять нелегкое решение, она вспоминала те дни, чтобы удостовериться, что больше не проявит малодушия.

Итак, крошка Винсент пропал. Чужая Филомена явилась за ним днем, когда Октавия была в школе; когда же та прибежала домой, колыбель его была пуста.

Она обливалась слезами, она голосила изо всех сил, и Лючии Санте пришлось отвесить ей пару сокрушительных пощечин — сначала левой рукой, потом правой, так, что у нее зазвенело в ушах, — приговаривая: «Вот теперь тебе есть из-за чего плакать». Да мать рада избавиться от ребенка! Октавия ненавидела ее. Какая же она бездушная, прямо как мачеха!

А потом наступил страшный и одновременно прекрасный день, когда она снова полюбила мать, снова стала ей доверять. Частично она, несмотря на малолетство, сама была свидетельницей происходящему, частично узнала из бесчисленных пересказов — во всяком случае, теперь ей казалось, что она наблюдала происходящее от начала до конца. Еще бы не рассказывать о таком! Это сделалось семейной легендой, об этом взапуски болтали вечерами и обязательно вспоминали за рождественским столом, грызя грецкие орехи и запивая их вином.

Волнения начались уже спустя неделю. Наступило первое воскресенье, а Филомена не появилась, а значит, не появился и автомобиль, на котором Лючия Санта могла бы отправиться в гости к сынишке. Филомена ограничилась телефонным звонком бакалейщику: уж на следующей неделе она непременно приедет, а пока, в знак благонамеренности, сожаления из-за неудачного стечения обстоятельств и примирения она переводит ей пять долларов.

В то мрачное воскресенье Лючия Санта не видела белого света. Что посоветуют соседки этажом ниже? Те стали подбадривать ее, призывать не воображать разных глупостей. Однако она с каждым часом становилась все угрюмее.

Ранним утром в понедельник она молвила Октавии:

— Беги! Быстро на Тридцать первую стрит, за тетушкой Лоуке.

— Я опоздаю в школу!.. — заикнулась было Октавия.

— Сегодня ты не пойдешь в свою расчудесную школу, — был ответ. Девочка расслышала в нем неприкрытую угрозу и пулей вылетела из дому.

Явилась тетушка Лоуке — платок на голове, синий вязаный жакет до колен. Угостив ее церемониальным кофе, Лючия Санта заявила:

— Тетушка Лоуке, я собираюсь к малышу. Пригляди за девчонкой и за Лоренцо, сделай такое одолжение. — Она помолчала. — Филомена вчера не приехала. Как ты считаешь, мне надо туда съездить?

Многие годы после этого Лючия Санта утверждала, что вздумай тетушка Лоуке отговорить ее, она бы в тот день никуда не поехала; теперь она на всю жизнь в долгу перед старухой за честный ответ. Тетушка Лоуке, качая дряхлой головой, как ведьма, охваченная нечаянным раскаянием, произнесла:

— Я дала вам дурной совет, синьора. Люди болтают теперь много такого, что мне вовсе не нравится.

Лючия Санта умоляла ее продолжать, но тетушка Лоуке не согласилась, сославшись на то, что слышит одни сплетни, которые не дело пересказывать взволнованной мамаше. Впрочем, кое-что наводит на размышления: обещание прислать пять долларов. Беднякам не следует доверять подобной благотворительности; лучше съездить самой, поглядеть и всех успокоить.

Серым зимним утром мать отправилась к парому

«Вихоукен» на Сорок второй стрит и впервые с тех пор, как приплыла из Италии, пересекла водную гладь. В Джерси, подойдя к автобусу, она ткнула водителю в нос клочок бумаги с адресом; потом она тащилась пешком много кварталов, пока какая-то добрая женщина не взяла ее за руку и не привела к самому дому Филомены.

До чего хорош домик — но в нем обитает дьявол! У домика была заостренная крыша — в Италии она не видела ничего подобного; можно было подумать, что это — игрушка, а не жилище взрослых людей. Домик был беленький, чистенький, с белыми ставенками и козырьком над крылечком. Лючией Сантой овладела робость. Столь зажиточные люди наверняка не станут водить за нос такую бедную женщину, как она. Мало ли по какой причине им не удалось выполнить обещание и приехать за ней в воскресенье? Помявшись, она заставила себя постучать по столбику крыльца. Потом она шагнула вперед и постучалась в дверь дома. Она стучала и стучала...

Тишина вызывала у нее страх: неужели в доме никого нет? У Лючии Санты подкосились ноги. Потом в доме раздался детский плач, и ей стало стыдно собственных дичайших подозрений. Терпение! Детский плач превратился в испуганный крик. У нее помутилось в голове. Она толкнула дверь, промчалась через коридор, взлетела по лестнице; крики доносились из спальни.

До чего же хорошенькой была эта комната! У Винченцо никогда уже не будет ничего подобного. Вся она была голубой: голубые занавески, голубая люлька, белая игрушечная лошадка на голубом столике. Красота красотой, но сынишка успел обмочиться, и некому было переодеть его, некому унять его испуганный крик.

Лючия Санта схватила его на руки. Стоило ей ощутить в руках этот теплый живой комок, самой намочить руки и платье, увидеть сморщенное розовое личико и черные волосики на головке, как ее обуяла дикая, ни с чем не сравнимая радость. Только смерть разлучит ее с родным дитя! Она огляделась в немой ярости дикого зверя и поняла, что все здесь устроено надолго. Тогда она открыла шкаф и нашла одежду, чтобы переодеть младенца. Пока она возилась с ним, в комнату ворвалась Филомена.

Вот это была драма так драма! Лючия Санта не преминула обвинить родственницу в бессердечии. Как она могла оставить ребенка одного?! Филомена гневно протестовала: она отлучилась всего на минутку, чтобы помочь мужу открыть лавку. Ее не было всего-то пятнадцать минут — какое там, всего десять! Что за злосчастное совпадение! Разве самой Лючии Санте не приходится то и дело оставлять ребенка одного? Бедняки не могут уделять детям должного внимания, даже если им этого очень хочется (Лючия Санта фыркнула, услыхав, что Филомена причисляет к беднякам и себя); им приходится позволять детям плакать вволю.

Однако для матери не существовало логики, она была ослеплена безысходной злобой, она не могла выразить переполняющих ее чувств. Ребенок надрывался один-одинешенек в доме, и его собственная плоть и кровь поспешила ему на выручку. Что бы он вообразил, если бы после стольких слез над ним склонилось чужое лицо? Но все эти блестящие доводы лишь пронеслись у нее в голове, вслух же Лючия Санта произнесла:

— Нет, тут всякий бы сказал, что раз это не ваша кровиночка, вы преспокойно оставляете его одного. Идите в лавку помогать мужу. Я забираю ребенка домой.

Филомена разбушевалась. Сразу вылезла наружу ее сварливость. Она закричала:

— Как же наш договор? Как я появлюсь на глаза подругам, раз мне нельзя доверить вашего ребенка? А все, что я накупила, — выходит, это выброшенные деньги? — Потупив взор, она добавила: — Мы обе знали, что речь идет о большем.

— О чем? О чем? — таращила глаза Лючия Санта.

Вот когда все выплыло наружу! За кажущейся добротой крылся недобрый замысел. Соседушки во весь голос уверяли Филомену, что со временем безутешная вдова, вынужденная собственным трудом добывать пропитание для своих детей, перестанет предъявлять претензии на сына и позволит Филомене усыновить его. Они изворачивались, не называли вещи своими именами, но давали ей понять, что сама Лючия Санта уповает именно на такую счастливую развязку. Открытым текстом такое, ясное дело, не скажешь — нельзя же не принимать во внимание ранимость чувств. Однако ответом Лючии Санты был всего лишь оглушительный хохот.

Тогда Филомена запела по-другому. Взгляните на новую одежду, на эту замечательную комнату! Ему предстоит остаться единственным ребенком в семье. У него будет все: счастливое детство, университет, карьера адвоката или врача, а то и профессорское звание. Лючия Санта не может и мечтать о таком будущем для сына. Кто она такая, если начистоту? У нее нет ни гроша. Она обречена до конца жизни колупаться в грязи...

Лючия Санта слушала ее, обратившись в камень, ужасаясь каждому слову. Когда же Филомена сказала: «Вы же понимаете, я стала бы каждую неделю переводить вам деньги», мать отшатнулась и, прицелившись, как ядовитая змея, плюнула в лицо Филомене, хотя та была старше ее возрастом. Потом она, сжимая ребенка в руках, бросилась прочь из этого дома. Филомена преследовала ее, осыпая проклятиями.

Так выглядело в рассказах завершение истории, неизменно сопровождавшееся смехом. Однако Октавия отлично помнила и то, о чем никогда не рассказывалось: возвращение матери домой с маленьким Винсентом на руках.

Она вошла, дрожа от холода; спящий младенец был закутан в ее пальто. Ее обыкновенно бледное лицо было багровым от злости и отчаяния. Тетушка Лоуке сказала:

— Входи. Кофе готов. Садись. Октавия, подай чашки.

Малыш Винсент разревелся. Лючия Санта попыталась его успокоить, но он только все больше расходился. Мать, снедаемая угрызениями совести, сделала отчаянное движение словно собираясь выбросить дитя, после чего сунула его тетушке Лоуке. Старуха стала ворковать с малышом своим надтреснутым голосом.

Мать присела к кухонному столу, упала лицом на ладони. Когда вошла Октавия с чашками, она произнесла, не поднимая головы:

— Вот девочка, знающая правду. Давай вместе посмеемся.

Она стала гладить дочь по голове сведенными от ненависти пальцами, делая ей больно.

— Слушай, так будут кричать в будущем и твои дети. Мы — звери. Звери!

— А-а-а... — напевала тем временем тетушка Лоуке. — Кофе, горячий кофе... Успокойся же!

Но ребенок надрывался по-прежнему.

Мать сидела неподвижно. Октавия видела, что страшная злость на весь свет, на судьбу, лишила ее мать дара речи. Лючия Санта чернела от горя и, стараясь сдержать слезы, изо всех сил терла глаза.

Тетушка Лоуке, боясь обращаться к матери, принялась журить дитя:

— Ну, плачь, плачь! Вот прелесть! Тебе так легче, да? Что ж, ты имеешь на это право. Прекрасно, прекрасно! Громче!

Но тут ребенок утих и разулыбался, глядя на беззубую, сморщенную физиономию, словно явившуюся к нему из незапамятных времен, из Зазеркалья.

— Так быстро кончились слезки? — вскричала старуха в притворном гневе. — Нет уж, давай реви! — Она слегка тряхнула малыша, но Винсент по-прежнему улыбался, словно передразнивая ее, выставив напоказ такие же беззубые десны.

И тогда старуха впервые произнесла нараспев, голосом, полным печали:

— Miserabile, miserabile. Твой отец умер еще до того, как ты родился.

Эти слова окончательно лишили мать самообладания. Она впилась ногтями себе в лицо, и кухню огласил пронзительный крик; щеки ее украсили две кровоточащие царапины.

— Приди в себя, Лючия, выпей кофе, — закудахтала старуха.

Ответа не прозвучало. Прошло много времени, прежде чем мать снова подняла почерневшее лицо. Воздев руки в черных рукавах к потолку, она произнесла проникновенным тоном, в котором сквозила неуемная ненависть:

— Я проклинаю Господа!

Наблюдая за матерью, исполненной сатанинской гордости, Октавия испытывала к ней небывалую любовь. Но и теперь, спустя много лет, ей делалось стыдно, стоило ей вспомнить сцену, последовавшую дальше. Лючия Санта забыла о всяком достоинстве и сыпала грязными ругательствами.

— Тсс! Тсс! — шипела тетушка Лоуке. — Опомнись, ведь тебя слушает твоя малолетняя дочь.

Но мать уже выскочила вон из дверей и помчалась вниз по лестнице, изрыгая оскорбления в адрес добрых соседушек, которые тотчас щелкали замками, стоило ей ударить кулаком в очередную дверь.

— Дьявольские отродья! — голосила она по-итальянски. — Шлюхи! Детоубийцы!

Она носилась вверх-вниз по лестнице, и из ее рта вылетали такие непристойности, что она сама удивилась бы, что они приходят ей на ум: она призывала своих невидимых слушательниц сожрать кишки их родителей, обвиняла их в животных побуждениях и поступках. Она была точно в бреду. Тетушка Лоуке сунула Винсента Октавии и побежала вниз по лестнице. Схватив Лючию Санту за длинные волосы, она затащила ее обратно в квартиру. Хотя та была несравненно моложе и гораздо сильнее, она страдальчески заломила руки и беспомощно рухнула на стул.

Совсем скоро она напилась кофе; совсем скоро она успокоилась, опомнилась. Ее ждало слишком много трудов. Она гладила Октавию по голове, приговаривая:

— Откуда же тебе, ребенку, было понять такое зло?

И все же, когда Октавия попросила ее не выходить второй раз замуж, напомнив, что она один раз уже знала истину, предупреждая, что Филомена попытается лишить их Винни, мать встретила ее слова смехом. Отсмеявшись, она сказала:

— Не бойся. Я — твоя мать. Никому не позволено причинять зло моим детям. Пока я жива, вам ничего не угрожает.

Мать крепко держала в руках весы власти и справедливости; ничто не могло разрушить эту семью. Чувствуя себя в полной безопасности, Октавия наконец уснула. Последнее, что пронеслось перед ее мысленным взором, — мать, вернувшаяся от Филомены с Винсентом на руках, пылающая гневом, торжествующая, но проклинающая саму себя за то, что посмела выпустить его из рук.

Семнадцатилетний Ларри Ангелуцци (одна лишь мать называла его «Лоренцо») считал себя взрослым мужчиной. У него были для этого все основания: он был широкоплеч, роста был скорее среднего, чем маленького, имел сильные загорелые руки.

Уже в тринадцать лет он бросил школу, чтобы развозить на запряженной лошадью телеге жидкое моющее средство от фирмы «Вест-Сайд Уэт Уош». Ему полностью доверяли и сбор денег, и уход за лошадью, и разбирательства с клиентами. Он таскал тяжелые бадьи на верхние этажи и никогда не задыхался. Все думали, что ему, по крайней мере, лет шестнадцать. Замужние женщины, чьи мужья с утра пораньше торопились на работу, тоже были им довольны.

Один раз, доставив заказ, он утратил невинность — радостно, с охотой, с неизменным дружелюбием, отнесясь к этому, как к обыкновенному делу, просто как к детали своей работы, наравне со смазкой колес телеги маслом; это стало для него наполовину удовольствием, наполовину обязанностью, ибо женщины чаще были не слишком молоды.

Работа живым дорожным указателем, когда он скакал на лошади по городским улицам впереди поезда, казалась ему героической; кроме того, ему платили за это хорошие деньги, хотя дело было простенькое; впереди маячила должность тормозного кондуктора или даже стрелочника — отличные места, на них можно проработать всю жизнь. Впрочем, Ларри был честолюбив; ему уже хотелось сделаться боссом.

Он приобрел очарование взрослого, прирожденного покорителя дамских сердец. Улыбаясь, он обнажал жемчужно-белые зубы. У него были крупные, но правильные черты лица, совершенно черная шевелюра, густые черные брови и длинные ресницы. Ему было присуще естественное дружелюбие — казалось, он и представить себе не может, что кто-то способен отнестись к нему плохо.

Он оставался хорошим сыном и неизменно отдавал матери зарплату. Вернее, кое-что он все же оставлял для себя, кое-что припрятывал. Но ведь ему уже семнадцать лет, и он живет в Америке, а не в Италии...

В нем не было тщеславия, но ему нравилось гарцевать по Десятой авеню верхом на черной лошади, прокладывая путь медленно громыхающему позади поезду и размахивая фонарем, чтобы предупредить мир о надвигающейся опасности. Он неизменно веселился, проезжая под пешеходным мостом из дерева и стали, нависшим над авеню там, где ее пересекает Тридцатая стрит, и оказываясь в родных местах, в родной деревне; здесь он поднимал лошадь на дыбы, чтобы порадовать детвору, дожидавшуюся его и паровоза, не скупящегося на белые облака пара. Иногда он останавливал лошадь у тротуара, и вокруг него тотчас начинала толпиться молодежь, клянча разрешения прокатиться, — особенно девушки. Братец Джино всегда наблюдал за этой сценой, подобно знатоку живописи, любующемуся картиной: он никогда не подходил слишком близко, а держался в сторонке, выставив одну ногу слегка вперед, откинув голову слегка назад, с блещущим в глазах восхищением. Он до того боготворил своего старшего брата-всадника, что лишался в такие моменты дара речи.

Несмотря на трудолюбие и редкое для столь юных лет чувство ответственности, у Ларри был один недостаток: он не мог пропустить ни одной девушки. Они сами шли ему в руки. Любительницы поскандалить приводили своих дочек к Лючии Санте и устраивали безобразные сцены, крича, что он ходит с ними до ночи и обещает жениться. Ла-ла-ла... Он славился своими успехами, он был местным Ромео, однако все пожилые дамы квартала питали к нему благосклонность. Ведь он знает, что такое настоящее уважение. Он выглядит, как юноша, получивший воспитание в самой Италии. У него прекрасные манеры, вполне естественные, как и его дружелюбие; он всегда готов оказать помощь, так необходимую беднякам с их вечными невзгодами; он пригоняет грузовик, чтобы помочь семейству переехать на новую квартиру, он навещает — пусть посещение и длится совсем недолго — старую тетушку, угодившую в больницу «Белльвю». Самое главное, он с непритворным увлечением участвует во всех событиях местной жизни — свадьбах, похоронах, крестинах, бодрствовании у постели умирающего, причастиях, конфирмациях; а ведь большинство молодых американцев презрительно относятся к священным правилам их племени. Старухи с Десятой авеню не могли на него нахвалиться; они твердили, что он всегда знает, что делать, неизменно чувствует, что по-настоящему важно. Ему даже доверили честь, какой никогда прежде не доверяли такому молодому итальянцу: попросили быть крестным отцом сыну папаши и мамаши Гаргиос, дальней родни. Правда, этому решительно воспротивилась Лючия Санта: он слишком молод для подобной ответственности; небывалая честь окончательно вскружит ему голову.

Ларри слышал, как Джино крикнул: «Город сгорел!», видел, как он несется по улице, как люди тянутся с тротуара по домам. Он затрусил в сторону Тридцать пятой стрит и вскоре перешел на галоп, наслаждаясь свистом ветра в ушах и стуком лошадиных копыт по булыжнику.

Конюх подремывал; Ларри сам поставил лошадь в стойло; теперь он свободен.

Он направился прямиком к дому Ле Чинглата, находившемуся всего в одном квартале, на Тридцать шестой. Синьора Ле Чинглата подавала страждущим анисовую водку и вино у себя на кухне, взимая плату за каждый опорожненный стакан и отпуская в кредит завсегдатаям. У нее никогда не собиралось больше пяти-шести клиентов одновременно; это были по большей части итальянцы-чернорабочие, холостяки или мужчины, чьи жены так и не приехали из Италии.

Мистер Ле Чинглата отсиживал очередной тридцатипятидневный срок — неизбежное зло при его рискованном занятии. «Ах, эта полиция, — неизменно произносила по такому случаю синьора Ле Чинглата. — Они прибивают моего мужа к кресту». Она славилась набожностью.

Когда Ларри вошел в квартиру, там сидели всего трое мужчин. Один из них, смуглый сицилиец, ободренный отсутствием мужа хозяйки, отдыхающего в тюрьме, приставал к ней, дергал за юбку, когда она шмыгала мимо, и распевал неприличные итальянские песенки. Его поведение было всего лишь незамысловатым распутством, а злонамеренность — злонамеренностью мужлана, смахивающей на ребячество. Ларри присел за столик к мужчинам. Ему нравилось разговаривать по-итальянски с солидными мужчинами. Синьора приветливо улыбнулась ему, он ответил ей лучезарной улыбкой, и его уверенность в том, что он — ровня присутствующим, показалась сицилийцу оскорбительной.

Приподняв густые брови в насмешливом изумлении, он крикнул по-итальянски:

— Синьора Ле Чинглата, неужели вы обслуживаете детей? Неужели мне придется пить вино в компании сосунка?

Женщина поставила перед Ларри стакан с вишневой содовой, и сицилиец обвел, присутствующих озорным взглядом, в котором читалась мука.

— Ах, изивините, — почтительно проговорил он на ломаном английском. — Она ваша сын? Ваша пелемянник? Она охараняет вас, пока ваша муж немного скрывается? О, изивините моего! — И он так оглушительно расхохотался, что даже закашлялся.

Синьора — пышная, пленительная, непреклонная — не усмотрела в его словах ничего забавного.

— Хватит! — прикрикнула она. — Прекрати, или ищи другое место, где выпивать. Лучше помолись, чтобы я не рассказала мужу о твоем непочтительном поведении.

— Это ты поблагодари Бога, чтобы никто не сказал твоему мужу о твоем поведении, — отозвался сицилиец с неожиданной серьезностью. — Почему бы тебе не отвергнуть ребенка и не попробовать настоящего мужчину? — Сказав это, он стукнул себя в грудь обоими кулаками, как оперный певец.

Синьора Ле Чинглата, не ведающая стыда, но потерявшая терпение, внятно произнесла:

— Лоренцо, спусти его с лестницы.

Это была неслыханная фраза, и понимать ее можно было только в том смысле, что скандалиста надо уговорить убраться подобру-поздорову. Ларри завел было примирительный разговор, дружелюбно скалясь. Однако сицилиец, не вынесший оскорбления, нанесенного его чести, вскочил и проревел на своем ломаном английском:

— Ах, ты, плюгавая американишка, дерьмо от собаки! Это *твоя* спустит *меня* с лестницы? Да я тебя съем живьем!

Широкое лицо сицилийца, украшенное бородой, было изборождено морщинами, свидетельствующими о возрасте, и не вызывало ничего, кроме почтения. Ларри испытал детский ужас, словно ударить противника значило то же самое, что поднять руку на собственного отца. Но сицилиец шагнул к нему, и Ларри нанес ему короткий удар в лицо. Сицилиец рухнул на кухонный пол. Страх тотчас оставил Ларри, и теперь он чувствовал всего лишь жалость и вину, что так унизил этого человека.

Сицилиец не собирался давать волю кулакам, он был совершенно безобиден. Он просто хотел помять его, молокососа, преподать ему урок; он напоминал медведя, лишенного и намека на кровожадность. Ларри поднял его, усадил на стул, подсунул стаканчик анисовой водки, бормоча слова примирения. Однако побежденный выбил стакан у него из рук и вышел вон.

Дальше все шло, как по писаному. Посетители приходили и уходили. Некоторые играли в бриск старой колодой карт, любезно предоставляемой заведением.

Ларри сидел в уголке, подавленный происшествием. Однако мало-помалу он стал чувствовать себя иначе. Он сделался горд собой. Люди станут думать о нем с уважением, как о человеке, с которым надо быть настороже, но вовсе не злом или подлом. Он сравнивал себя с героем ковбойских фильмов, с каким-нибудь Кеном Мейнардом, который никогда не бил поверженного врага. Он блаженно обмяк, но тут синьора Ле Чинглата заворковала с ним по-итальянски своим волнующим, флиртующим голоском, кровь снова забурлила в жилах, и он очнулся. Вот он, долгожданный момент!

Синьора Ле Чинглата извинилась, сообщив, что сходит за вином и анисовкой. Она вышла из кухни и устремилась через вереницу комнат к самой дальней спальне, которая запиралась на ключ. Ларри поспешил за ней, бормоча, что поможет ей донести бутылки, словно иначе она рассердится на него за юношескую самонадеянность. Она же, услышав, как щелкнул за спиной замок, всего лишь наклонилась, чтобы дотянуться до огромного багрового сосуда, одного из многих, выстроившихся вдоль стены. Воспользовавшись прекрасной возможностью, Ларри обеими руками задрал ей подол вместе с нижними юбками. Она повернулась к нему, не стыдясь просторных розовых трусов и голого живота, и с притворным порицанием хмыкнула:

— Eh, giovanotto![1]

Огромные пуговицы на ее платье выскользнули из петель, и она опрокинулась навзничь на кровать, подставляя ему свои роскошные груди с большими сосками и избавляясь от ненужных трусов. Ларри заработал изо всех сил. Вскоре он в изнеможении откинулся на кровать и зажег сигарету. Синьора, тщательно застегнувшись и вновь обретя респектабельность, взяла в одну руку кувшин, в другую — стройную бутылку с прозрачной анисовкой, и они вдвоем вернулись к клиентам.

В кухне синьора Ле Чинглата принялась разливать вино, хватая стаканы теми же руками, которыми она только что ласкала его. Она принесла Ларри еще одни стаканчик его напитка, но он, чураясь ее нечистоплотности — надо же, даже не помылась! — оставил стакан нетронутым.

Ларри собрался уходить. Синьора Ле Чинглата проводила его до двери и там прошептала:

— Останься на ночь!

---

[1] Но-но, парень! (*ит.*)

Он одарил ее своей широкой улыбкой и шепотом ответил:

— Мать потребует объяснений.

Он играл роль послушного сына, не распоряжающегося собой, когда это помогало ему сбежать.

Домой он не пошел. Зайдя за угол, он побрел к конюшне. Здесь матрасом ему служила солома, одеялом — попона, подушкой — седло. Беспокойное шараханье лошадей в стойлах действовало на него успокаивающе; лошади не могли помешать его мечтам.

Лежа на соломе, он которую уже ночь, подобно всякому юноше, старался разглядеть свое будущее. Он чувствовал свою силу. Он знал себя и не сомневался, что предназначен для успеха и славы. В его кругу не было ровесника сильнее или красивее его, никто не пользовался таким безоговорочным успехом у девушек. Любая, даже взрослая женщина, становилась его рабыней. А сегодня он побил взрослого мужчину! Ему было всего семнадцать лет, и мир представал его юношескому уму неподвижным. Он не станет слабее, а мир — неприступнее.

Он будет могучим! Он обогатит свою семью. В мечтах ему виделись богатые американские девушки, владелицы автомобилей и просторных домов: любая сочтет за счастье выйти за него замуж, любая полюбит его семью. Прямо завтра, еще до работы, он поедет в Сентрал-Парк и станет гарцевать вдоль дорожек для верховой езды, облюбованных богатенькими...

Он уже видел себя выступающим по Десятой авеню рука об руку с богатой девушкой. Все просто замрут в восхищении! Девушка будет обожать его семью. В нем не было ни капли снобизма: ему и в голову не приходило, что на них — на родню, мать с сестрой, братьев — кто-то вздумает смотреть сверху вниз. Он считал их всех замечательными людьми, ибо все они были частицами его самого. Засыпая в пахучей конюшне, подобно ковбою, сморенному сном в каменистой прерии, Ларри Ангелуцци, невинная душа, только что одержавший победу над мужчиной и над женщиной, не сомневался в своем счастливом предназначении. Сон его был мирным.

Во всей семье Ангелуцци-Корбо только Винсенту, Джино и Салу, спавшим в одной кровати, снились сны, имеющие отношение к реальности.

ГЛАВА 3

Когда Октавия проснулась на следующее утро, недавно вставшее августовское солнце уже успело лишить воздух ночной свежести. Она умылась у кухонной раковины и, проходя через комнаты, не увидела в постели отчима. Впрочем, он всегда ограничивался недолгими часами сна и имел обыкновение подниматься ни свет ни заря. Пустой оказалась и следующая спальня, что подтвердило ее догадки: Ларри не ночевал дома. Сал и Джино раскрылись во сне; сквозь тонкое белье проглядывали признаки их будущей мужественности. Октавия укрыла их простыней.

Торопливо одеваясь, она почувствовала знакомое отчаяние и безнадежность. Она задыхалась в разогретом летнем воздухе, от сладковатого запаха распаренных спящих тел. Утренний свет был безжалостен к бедной, обшарпанной мебели, вылинявшим обоям, линолеуму на полу, испещренному черными заплатами, скрывающими дыры.

В такие моменты она чувствовала, что обречена: ее охватывал страх, что совсем скоро, в такое же теплое летнее утро она проснется такой же старой, как ее мать, в такой же постели, в такой же конуре, что и ее детям суждено жить в грязи, что и ей, как матери, суждено проводить дни в стирке, готовке, бесконечном мытье посуды... О, как она страдала! Как же не страдать, если жизнь лишена изящества, если люди то и дело утыкаются друг в друга. А все из-за нескольких таинственных моментов в супружеской постели!.. Она сердито тряхнула головой, стараясь избавиться от страха перед собственной беззащитностью, перед участью оказаться в один несчастливый день в такой же постели.

Причесав кудрявые черные волосы и надев дешевое бело-голубое платьице, Октавия спустилась с крыльца и ступила на выложенный синей плиткой тротуар Десятой авеню. Путь ее лежал по успевшему нагреться асфальту в пошивочную мастерскую на углу Седьмой авеню и Тридцать шестой стрит; она прошла мимо дома Ле Чинглата — из чистого любопытства, надеясь, что повстречается с братцем.

Вскоре после ее ухода проснулась Лючия Санта.

Едва открыв глаза, она поняла, что муж так и не вернулся домой. Она поспешно встала и заглянула в шкаф. Его двадцатидолларовые башмаки стояли на месте. Вернется...

Она прошла через следующую комнату на кухню. Bravo. Лоренцо не ночевал дома. Лицо Лючии Санты стало угрюмым. Она варила кофе, размышляя над планами на день. Винченцо приступает к работе в пекарне — это хорошо. Джино придется помогать ей с уборкой на лестнице — тоже хорошо. Для его отца это было сущим наказанием, он всегда норовил отлынивать от мытья ступенек. Она вышла в коридор и принесла оттуда молоко в бутылках и толстый, точь-в-точь с ее бедро, итальянский батон. Нарезав его щедрыми ломтями, она намазала один ломоть маслом и стала жевать. Пусть дети выспятся.

Она любила начало дня. Утро еще не утратило свежести, малые дети еще не встали, остальные уже разошлись, а она полна сил, чтобы приняться за свой ежедневный труд.

«Que bella insalata» — «а вот отличный салат!» Слова эти донеслись до слуха детей, когда они протирали глаза. Они разом спрыгнули с кровати, и Джино выглянул в окошко. Внизу он увидел уличного торговца, залезшего с ногами на козлы своей тележки и протягивающего небу и спящим окнам жемчужный салат. «Que belle insalata!» — снова провозгласил он, даже не призывая кого-либо покупать у него товар, а просто приглашая мир полюбоваться такой красотой. Он не упрашивал жильцов становиться покупателями, в его голосе звучала гордость, и он повторял свой клич после каждого шага, который делала его ученая лошадь по булыжнику авеню. В его тележке красовались ящики с белоснежным репчатым луком, крупным бурым картофелем, кульки с яблоками, букеты зеленого лука, пучки петрушки. В голосе его звенело безнадежное восхищение, это был призыв к влюбленным, лишенный корысти. «Отличный салат!»

За завтраком Лючия Санта поучала детей.

— Слушайте! — говорила она. — Ваш отец на некоторое время ушел. Пока его не будет, вам придется мне помогать. Винченцо начинает работать в panetteria. Значит, ты, Джино, поможешь мне сегодня вымыть лестницу. Будешь таскать ведра с водой, выжимать тряпку и подметать, если не проявишь себя безнадежным дурнем. Ты, Сальваторе, можешь вытирать перила — и Лена тоже. — Она улыбнулась обоим малышам.

Винченцо уныло повесил голову. Однако Джино воззрился на нее с холодным, рассчетливым вызывом.

— Я сегодня занят, мам, — заявил он.

Лючия Санта поклонилась сыну.

— Значит, занят. Каждый день. Как и я.

Ей было любопытно, что последует за этим.

Джино решил, что выигрывает. В его тоне звучала неподкупная искренность.

— Ма, я сегодня добываю на железной дороге лед. Я обещал Джои Бианко. Прежде чем продать лед, я принесу тебе льда бесплатно. И тетушке Лоуке, — добавил он с гениальной находчивостью.

Лючия Санта окинула его влюбленным взглядом, вызвавшим ревность у Винни.

— Хорошо, — согласилась она. — Только помни: мой ящик должен быть полон льда прежде всех остальных.

Винченцо отложил свой хлеб, и она взглянула на него с угрозой. Потом, повернувшись к Джино, она продолжила:

— Но после обеда изволь быть дома и помогать мне, иначе попробуешь tackeril. — Она произнесла это через силу: ему и так недолго осталось играть.

Джино Корбо, подобно всякому десятилетнему генералу, напридумывал замечательных планов, но не обо всех он поведал матери. Выглянув из окна, он увидел, что сортировочная станция битком набита замершими товарными вагонами. Чуть подальше мерцал Гудзон. С точки зрения ребенка, воздух был кристально чист. Он пробежал сквозь комнаты, скатился по лестнице и выскочил под палящее августовское солнце.

Стояла, жара, мостовая жгла ему ступни сквозь подошвы. Линялые джинсы и латанная рубашонка сперва запузырились на ветру, а потом прилипли к телу. Он оглянулся в поисках своего приятеля и партнера, Джои Бианко.

Джои было уже двенадцать лет, но ростом он уступал Джино. Он был богаче всех остальных мальчишек на Десятой авеню: на его банковском счету скопилось уже больше двухсот долларов. Зимой он торговал углем, сейчас же, летом — льдом; и то и другое воровалось из железнодорожных вагонов. Кроме того, он торговал бумажными пакетами на уличном рынке Падди, протянувшемся вдоль Девятой авеню.

Вот и он, тащит за собой огромный деревянный ящик, превращенный в тележку — самую лучшую тележку на Десятой авеню. Джино никогда в жизни не видел ничего чудеснее: у тележки было шесть колес, и в нее можно было напихать льду на целый доллар или посадить троих детей. Маленькие колесики были обтянуты резиновыми шинами; два передних колеса были соединены деревянной осью и поворачивались; под самой тележкой бесшумно вращались еще две пары колес. Поводьями Джои служила не какая-нибудь, а настоящая бельевая веревка.

Ритуал требовал, чтобы перед началом трудового дня они съели по стаканчику мороженого. Его подал им сам Panettiere, так уважавший их за предприимчивость, что наполнил стаканчики с верхом.

Джои Бианко был весьма рад появлению Джино. Сбором и счетом денег ведал сам Джои. Джино же забирался на вагоны. Джои сам был бы рад полазить, но не оставишь же без присмотра драгоценную тележку! Сейчас Джино предложил Джои:

— Залезай, я тебя прокачу.

Джои правил, гордо восседая в ящике, а Джино толкал его через авеню, мимо будки стрелочника и дальше по щебенке между путями. Оказавшись среди вагонов, скрывших их от любопытных взоров, они остановились. Джои приметил открытый люк и вынул из тележки захваты для льда.

— Давай сюда! — скомандовал Джино, подбежал к вагону и вскарабкался по стальной лесенке на крышу, к распахнутому люку.

Стоя в вышине, на крыше вагона, Джино чувствовал себя восхитительно свободным. Вдали, среди прочих окон на фасаде дома, виднелось окошко его собственной спальни. Еще он видел магазины, людей, лошадей, телеги, грузовики. Джино казалось, что он плывет в океане товарных вагонов — бурых, черных, желтых, со странными надписями: «Union Pacific», «Santa Fe», «Pennsylvania». Из пустых вагонов для скота поднимался густой дух. Обернувшись, он увидел скалистый берег штата

Нью-Джерси с зелеными пятнами, омываемых голубой речной водой. За стадами из сотен неподвижных товарных вагонов мирно пыхтели круглые черные паровозы, и выдыхаемые ими белые клубы насыщали утренний воздух упоительным запахом горелого.

— Давай, Джино, сбрасывай лед, пока не появился «бык»![1] — поторопил его снизу Джои.

Вооружившись сияющим стальным захватом, Джино стал таскать из люка бруски льда. Вагон был завален льдом доверху, и бруски было нетрудно вытаскивать одним рывком. Дотолкав брусок до края крыши, он спихивал его вниз и смотрел, как он шлепается на щебенку. До него долетали острые серебряные осколки. Джои обхватывал брусок руками и клал его в тележку. Совсем скоро тележка заполнилась. Джино слез на землю и стал толкать тележку сзади; Джои тянул ее спереди.

Джино собирался первым делом навалить льда в мамин ледник, однако стоило им перейти через авеню, как их перехватил Panettiere, купивший содержимое тележки за доллар. Они поспешили назад на станцию. Со следующим грузом они попались на глаза бакалейщику, который тоже предложил доллар, плюс газировка и сандвичи.

Опьяненные свалившимся на них богатством, они решили, что матери могут и подождать, семейные ледники — постоять пустыми. Третья тележка предназначалась жителям второго этажа. Тем временем наступил полдень. Они сделали четвертый заход — и тут угодили в переплет.

Полицейский, сторожививший пути, приметил их еще раньше, когда они забирались все дальше вглубь станции, вскрывая все новые вагоны со льдом, словно им было зазорно черпать из разведанного источника. Они насыщались, подобно хищникам, убивающим сразу несколько жертв и пожирающим у каждой только лакомые кусочки. Дождавшись их очередного появления на путях, полицейский двинулся им наперерез, отсекая путь бегства на Десятую авеню.

Джои заметил его первым и крикнул Джино:

— Butzo[2], к нам идет Чарли Чаплин!

Джино наблюдал со своего насеста, как кривоногий

---

[1] Полицейский (*амер. жарг.*).

[2] Атас! (*амер. жарг.*)

«бык» хватает Джои за рубашку и отвешивает ему несильную пощечину.

Крепко держа Джои, «бык» крикнул Джино:

— О'кей, парень, спускайся, не то я сам до тебя доберусь и взгрею, как следует.

Джино посмотрел на него с серьезным выражением лица, словно и вправду оценивая предложение; на самом деле он обдумывал план бегства. Солнце стояло высоко и горячило ему кровь; мир выглядел по-особенному, в этом мире ему нечего было бояться. Он знал, что недосягаем. Одно плохо: «бык» вышвырнет Джои со станции и сломает его тележку. Тут Джино вспомнил рассказ о птицах, спасающих своих птенцов, и, разглядывая «быка», составил блестящий план. Он знал, как спасти и Джои, и тележку.

Он нарочито медленно свесился с крыши вагона и, улыбаясь во все свое угловатое, почти взрослое лицо, крикнул:

— Ха-ха-ха! Чарли Чаплин не умеет ловить мух!

Затем он выпрямился и стал спускаться по лесенке на противоположную сторону. Отсчитав половину ступенек, он завис и прислушался.

«Бык» свирепо бросил Джои:

— Останешься здесь!

После этого он нырнул под вагон, чтобы перехватить Джино. Однако он только и увидел, что спину мальчишки: тот взлетел вверх по ступенькам. «Бык» пополз обратно, чтобы не упустить Джои.

Теперь Джино плясал на крыше вагона, распевая:

— Чарли Чаплин не может достать конфетку!

«Бык» придал лицу мрачное выражение и с угрозой в голосе сказал:

— Паренек, я тебя предупредил! Лучше слезай с вагона, не то поймаю и душу вытрясу!

Это как будто привело Джино в чувство. Он снова задумчиво уставился вниз. Потом, показав «быку» нос, он довольно неуклюже побежал по крыше вагона; прыжок — и он уже на следующей крыше. «Бык» следовал за ним по земле, то и дело оборачиваясь и злобно зыркая глазами на Джои, чтобы тот не вздумал улизнуть со своей тележкой. В составе оказалось всего десять-одиннадцать вагонов.

Пробежав несколько вагонов, Джино сделал вид, что снова слезает по лесенке на противоположную сторону.

«Бык» опять нырнул под вагон. Правда, при этом он терял из виду Джои, но это его не слишком волновало. Он решил, что паренек, дурачащий его, поплатится за свое озорство здоровенными синяками.

Джино перескакивал с вагона на вагон, заманивая «быка» все дальше вглубь станции, время от времени замирая на очередной крыше, чтобы в задумчивой неподвижности дождаться запыхавшегося преследователя. Наконец, он увидел, как Джои припустился с тачкой к авеню, к свободе.

— Лучше слезай, парень, — позвал «бык». — Гляди, отведаешь вот этого. — Он показал ему свою дубинку. Он уже подумывал, не вытащить ли ему и револьвер — просто для подкрепления угрозы, не больше; но нет, если грузчики-итальянцы заметят его за этим занятием, то ему несдобровать. Он снова нырнул под вагон и стал свидетелем того, как Джои преспокойно пересекает авеню со своей тележкой. Это рассердило его уже не на шутку, и он заорал на Джино:

— Эй, ты, грязный щенок, итальяшка, если ты сейчас же не слезешь, я тебе хребет переломлю!

Страшная угроза как будто сработала: «бык» с облегчением увидел, как мальчишка бредет назад по крыше вагона, чтобы остановиться прямо над ним. Но через секунду серьезная смуглая мордашка скорчила рожицу, и «бык», не веря собственным ушам, услыхал злобные слова, свидетельствующие, что щенок считает его равным себе:

— Fuck you[1], Чарли Чаплин!

Мимо головы «быка» просвистел увесистый кусок льда, и мальчишка снова неуклюже побежал по крышам вагонов вглубь станции.

Потерявший всякое терпение, но не сомневающийся в успехе «бык» поднажал, чтобы не отстать; он топал внизу, смешно задрав вверх голову. Мальчишка сам себя загонял в ловушку. Преследователь рассвирепел не из-за ругательства, а из-за обидной клички «Чарли Чаплин». Он был не чужд тщеславия, и колченогость делала его чувствительным к насмешкам.

Неожиданно Джино скрылся из виду. «Бык» тут же нырнул под вагон, чтобы сцапать наглеца, спускающегося по лесенке. Однако он замешкался на рельсах и поте-

---

[1] Непристойное ругательство.

рял бесценные доли секунды. Выбравшись на свет, он сперва не увидел своей жертвы. Он залез на ступеньку, чтобы расширить поле обзора.

Его взору предстал Джино, буквально летящий над крышами, едва отталкиваясь от них, и перескакивающий через пролеты без следа недавней неловкости. Мгновение — и он снова исчез из виду.

«Бык» бежал во весь дух, но уже ничего не мог поделать: мальчишка пересек Десятую авеню и, остановившись в тенечке, купил себе заслуженное мороженое, даже не оглядываясь на посрамленного взрослого. Другого парня и вовсе не было видно.

«Бык» поневоле расхохотался. Черт с ним, с этим мальчишкой, раз он такой паршивец. Ничего, он дождется своего часа! Пусть он — Чарли Чаплин, но они у него забудут, как смеяться, они еще поплачут горючими слезами...

Перебежав авеню, Джино и не думал оглядываться. Главное было найти Джои Бианко с деньгами. Он слышал, как голосит из окна четвертого этажа мать:

— Джино, bestia, где же лед? Иди есть!

Джино задрал голову и разглядел мать, а выше нее — голубое небо.

— Через две минуты! — крикнул он в ответ и бросился за угол Тридцатой стрит. Как он и ожидал, Джои сидел тут же, на крылечке, рядом с тележкой, привязанной к чугунному рельсу, огораживающему подвал.

Джои с трудом сдерживал слезы, Но, увидав Джино, он подпрыгнул от радости и возбужденно крикнул:

— Я собирался бежать к твоей матери. Я совсем растерялся.

На Тридцатой было пыльно; улица была залита безжалостным солнцем. Джино залез в тележку и стал управлять передней осью; Джои подталкивал колесницу сзади. На Девятой авеню они купили для героя дня сандвичей, с салями и пепси. На Тридцать первой, наоборот, властвовала тень; они уселись на тротуар, привалившись спинами к стене шоколадной фабрики Ранкеля.

Они кусали свои сандвичи с наслаждением и волчьим аппетитом взрослых мужчин, проведших в высшей степени удачный день: за спиной был тяжелый труд, приключения, и хлеб был полит их собственным потом. Джои восхищался другом и все время повторял:

— Ну, ты меня спас, Джино! Здорово ты надул этого «быка»!

Джино скромно опускал голову; он-то знал, что спасительному трюку его научила книжка про птиц, но он, разумеется, не собирался признаваться в этом Джои.

Солнце зашло за облако. Небо быстро затянули темные тучи. Воздух, только что насыщенный пылью, перегретый, наполненный запахом горячей мостовой и расплавленного гудрона, мгновенно посвежел благодаря ливню, сопровождаемому раскатами грома; на какое-то мгновение повеяло свежестью, даже зеленью. Джои с Джино залезли под загрузочный помост. Дождь барабанил над их головами, из щелей в помосте падали дождевые капли, и они радостно подставляли под капли разгоряченные лица.

Здесь было темно, как в подвале, однако света хватало, чтобы сыграть в карты. Джои вытащил из кармана штанов засаленную колоду. Джино терпеть не мог с ним играть, потому что Джои постоянно выигрывал. Они сыграли в «семь с половиной», и Джино проиграл пятьдесят центов из денег, заработанных продажей льда. Дождь лил по-прежнему.

Джои, слегка заикаясь, сказал:

— Джино, забирай свои пятьдесят центов — это тебе за то, что ты спас меня от «быка».

Джино оскорбился: герои не берут денег.

— Брось, — поднажал Джои. — Ты ведь и мою телегу спас. Так что позволь мне отдать тебе пятьдесят центов.

Но Джино и впрямь не хотелось принимать от него деньги: если Джои заплатит ему, то от приключения ничего не останется. Но Джои едва не плакал, и Джино смекнул, что есть причина, по которой ему придется согласиться.

— О'кей, — кивнул Джино и забрал деньги.

Дождь все не прекращался. Они спокойно ждали в полумраке; Джои рассеянно тасовал карты. Из щелей капало. Джино бросил пятидесятицентовик на тротуар.

Джон глядел на монету, не отрываясь. Джино убрал ее в карман.

— Хочешь, снова сыграем в «семь с половиной», с удвоенными ставками? — предложил Джои.

— Не-е, — протянул Джино.

Наконец, дождь унялся, выглянуло солнышко, и

мальчики выбрались из-под помоста, полуослепшие, как кроты. Умытое солнце скатывалось на запад, к Гудзону. Джои присвистнул:

— Боже мой, уже поздно! Пойду-ка я домой. Ты идешь, Джино?

— Ха-ха! — прыснул Джино. — Вот уж нет!

Он наблюдал, как Джои торопится со своей тележкой к Десятой авеню.

С фабрики Ранкеля выплеснулась на улицу отработавшая смена. От рабочих пахло шоколадом, который они варили весь день; запах был сладкий и привязчивый, словно от цветов, и казался тяжелым в воздухе, ненадолго освеженном дождем. Джино сидел на помосте и, болтая ногами, ждал, пока из ворот не выйдет последний человек.

Он наслаждался всем, что представало его взору: окрашенными заходящим солнцем в темно-малиновый цвет кирпичными стенами жилых домов, видом детей, снова высыпавших на улицу, редкими лошадьми, влекущими по мостовой телеги; за одной из них тянулась дорожка золотистого навоза. К распахнутым окнам подходили женщины; на карнизах появлялись сохнущие после дневного сна подушки. Бледные женские лица, обрамленные черными волосами, нависали над улицей, как готические горгульи, украшающие стены замка. Вскоре взгляд Джино прирос к бурному потоку дождевой воды, несущемуся по сточному желобу. Он подобрал с тротуара плоскую дощечку, вытащил из кармана свой пятидесятицентовик, аккуратно положил его на дощечку и стал наблюдать, как она плывет по желобу. Видя, что его лодочка вот-вот свернет на авеню, он припустился за ней бегом. У самого угла он подобрал дощечку с монетой и вернулся на Девятую.

По дороге, проходя мимо четырехэтажных домов с заколоченными окнами, он увидел стайку юношей с Ларри ростом, которые раскачивались на веревке, свисающей с крыши. Прыгая с карниза второго этажа, они парили над Тридцать первой, подобно Тарзанам, долетая до окна еще одного пустого дома дальше по улице.

Белобрысый парень в красной рубахе описал полукруг, промахнулся мимо окна, оттолкнулся от стены ногами и со свистом проделал обратный путь. Джино на мгновение показалось, что он и впрямь летит. Его раздирала зависть. Однако таращиться на них не имело ни малейшего смысла: они все равно не позволят полетать и ему — он слишком мал. Он побрел дальше.

На углу Девятой авеню и Тридцать первой стрит, оказавшись в продолговатой тени надземной железной дороги, Джино снова опустил дощечку с монетой в ручей и стал наблюдать, как она несется к Тридцатой: дощечка крутилась среди пузырей, взлетала на гребни крохотных волн, грозила опрокинуться, сталкиваясь с обрывками бумаги, фруктовыми очистками, объедками, остатками лошадиного, кошачьего, собачьего помета, иногда цеплялась за дно. Потом дощечка повернула вместе с потоком за угол и устремилась по Тридцатой к Десятой авеню; монета лежала на ней по-прежнему. Джино трусил рядом, иногда поглядывая по сторонам, чтобы не пропустить мальчишек, преследовавших его прошлым вечером. Его кораблик огибал пустые банки, задерживался подле разнообразного мусора, но всякий раз умудрялся миновать ловушку и проплыть под очередной крохотной радугой, встающей над городским ручьем. Еще минута — и Джино успел подхватить свою монетку, а дощечка провалилась между прутьями канализационной решетки под мостом, нависшим над Десятой. Он задумчиво свернул за угол, вышел на авеню и тут же получил удар головой в живот: в него врезался Сал, который взапуски носился по мостовой, пиная банку. Узнав брата, Сал истошно крикнул:

— Тебя ищет мать! Мы уже поели, а тебя она прибьет!

Джино развернулся и опять отправился к Девятой авеню, высматривая радуги, дрожащие над стоком. Так он дошел до пустых домов; веревка свисала теперь неподвижно. Джино спустился в подвал и, оказавшись в доме, взобрался по шатким ступеням на второй этаж. Дом оказался полностью выпотрошенным: из него растащили все водопроводные трубы и светильники. Пол покрывал густой слой отвалившейся штукатурки, по которому было небезопасно ступать. Здесь царила тишина, крадясь по заселенным призраками комнатам с отодранными дверями, Джино ежился от страха. Наконец он добрался до окна и выглянул наружу. Каменный квадрат окна был лишен рамы. Джино вылез на карниз и дотянулся до веревки.

Оттолкнувшись от карниза, он на одно восхитительное мгновение почувствовал себя в свободном полете. Со свистом описав над улицей дугу, он долетел до другого карниза, через три дома от стартовой площадки. Он снова оттолкнулся и снова полетел, теперь в обратном направлении. Еще! Теперь полет его ускорился, он отталкивался то от карниза, то от стены и воображал, что обрел крылья; в конце концов его руки ослабли, и на середине очередной дуги он соскользнул с веревки, обжигая ладони. Еще в воздухе он принял позу бегуна и, едва коснувшись мостовой, понесся к Десятой.

Город уже окутывали сумерки. Данное обстоятельство немало подивило Джино, и он, прекрасно зная, что теперь не миновать беды, затрусил по Тридцать первой к Десятой, изо всех сил стараясь сохранять удивленное выражение на лице. Среди сидящих перед домом он не обнаружил ни одного члена своего семейства. Он устремился по лестнице к себе на четвертый этаж.

Уже на втором этаже он услышал, как ругаются Октавия и мать, и благоразумно унял свой пыл. Войдя в квартиру, он увидел их стоящими нос к носу, с красными пятнами на бледных лицах, с мечущими молнии глазами. Обе повернулись к нему и примолкли. Их молчание не сулило ничего хорошего. Однако Джино тут же отвлекся, уставившись восторженным взглядом на своего брата Винни, который уже сидел за столом. Лицом Винни походил на мертвеца — так густо оно было присыпано мукой; мука въелась во все складки его одежды. Он выглядел смертельно уставшим, и глаза его на белом лице казались особенно черными и огромными.

— Ага, вот ты и дома, — произнесла мать. — Браво.

Джино, заметив порицающий взгляд женщин, поспешил за стол в ожидании еды, поскольку был голоден. Но его настигла сокрушительная оплеуха, от которой у него из глаз посыпались искры.

— Сукин сын! Бегаешь весь день! Чем это ты был так занят? А потом синьор изволит усесться за стол, даже не умывшись. Пошел вон! Figlio de putana. Bestia[1]. Винченцо, ты тоже умойся, тогда ты почувствуешь себя лучше.

Оба мальчика умылись у кухонной раковины и возвратились за стол.

В глазах Джино сверкали слезы — не из-за затрещины, а из-за того, что такой замечательный день заканчивался так паршиво. Только что он ходил в героях, а теперь мать с сестрой гневаются на него — можно

---

[1] Сукин сын. Зверюга (*ит.*).

подумать, что они его возненавидели! Он повесил голову, забыв про голод и стыдясь своего злодейства, и не поднимал глаз, пока мать не поставила ему под нос тарелку сосисок с перцем.

Октавия обожгла Джино взглядом и сказала Лючие Санте:

— Нечего его оберегать! Почему Винни должен на него работать, а его папаша и не почешется? Если он не станет работать, Винни тоже уйдет из пекарни. Пусть и Винни повеселится на каникулах.

Еще не ведая зависти, Джино все-таки заметил, что Октавия и мать смотрят на вяло жующего Винни с жалостью и любовью. Сестра и вовсе была близка к слезам — с чего бы это? Он наблюдал, как женщины суетятся вокруг Винни, обслуживая его, как взрослого.

Джино сунул руку в карман, вынул оттуда пятьдесят центов и отдал матери.

— Я заработал это продажей льда, — объявил он. — Бери. Я стану каждый день приносить домой по пятьдесят центов.

— Лучше заставь его забыть, как воровать лед со станции, — сказала Октавия матери.

Лючия Санта раздраженно отмахнулась:

— От железной дороги не убудет, если дети возьмут немного льда. — Теперь она смотрела на Джино с любопытством и с теплой улыбкой. — Лучше своди брата на эти деньги в кино в воскресенье, — молвила она и намазала сыну хлеб маслом.

Винни смыл с лица муку, но остался бледен. При виде морщин усталости и напряжения, уродующих детское лицо, Октавия обняла брата и испуганно спросила:

— Что они заставили тебя делать? Может быть, работа оказалась слишком тяжелой?

Винни пожал плечами.

— Нет, все о'кей. Просто слишком жарко. — И он неуверенно добавил: — Я испачкался, потому что таскал мешки с мукой из подвала.

Октавия все поняла.

— Мерзавцы! — выкрикнула она. — Этот твой грязный итальяшка-paesan[1] Panettiere заставляет Винни, совсем еще ребенка, таскать свои неподъемные мешки! — напустилась она на мать. — Пусть его сынок только по-

[1] Деревенщина (*ит.*).

пробует пригласить меня на свидание — я прямо на улице плюну ему в лицо!

Во взгляде Винни появилась надежда. Октавия так здорово обозлилась, что это может избавить его от работы. Но он тут же застыдился: ведь матери нужны деньги!

Лючия Санта пожала плечами и бросила:

— Пять долларов в неделю и бесплатный хлеб для всей семьи! И бесплатное мороженое для Винни, когда он на работе. Хорошая экономия в летнюю пору. Тем более сейчас, когда ушел их отец...

Октавия вспыхнула. Спокойствие матери, безропотно сносившей это подлое дезертирство, сводило ее с ума.

— Вот именно! — крикнула она. — Ушел. Нас...ть он хотел на них!

Даже в гневе ее позабавил удивленный взгляд братьев: девушке не подобает так браниться. Однако мать не находила в этом ничего забавного, и Октавия примирительно произнесла:

— Это несправедливо. Несправедливо к Винни.

— Какая из тебя учительница, если у тебя язык уличной девки? — резко спросила мать по-итальянски и умолкла, ожидая ответа. Однако Октавия молчала, удрученно взирая на себя со стороны.

Тогда мать продолжила:

— Если ты хочешь командовать в доме, то выходи замуж, нарожай детей, кричи, когда они появляются на свет. *Тогда* ты сможешь их лупить, тогда сможешь решать, кто будет работать, когда и как. — Она окинула дочь холодным взглядом, как смертельного врага. — Хватит. Bastanza.

Она повернулась к Джино.

— Теперь насчет тебя, giovanetto. Я не вижу тебя с утра до ночи. Вдруг тебя переедет телега, вдруг тебя украдут? Это одно. Дальше: твой отец на некоторое время ушел от нас, так что теперь всем придется мне помогать. Попробуй только пропасть завтра — получишь вот этого. — Она подошла к шкафу и вытащила оттуда тонкую скалку для раскатывания праздничных ravioli. — Tackeril! — Голос ее стал хриплым и злобным. — Клянусь Господом нашим Иисусом Христом, я тебя так изукрашу, что тебя будет видно за милю. Ты у меня станешь сине-черным, и будь ты хоть бесплотным призраком — все равно никуда не денешься. А теперь ешь! Потом помоешь посуду, уберешь со стола и подметешь пол. И чтоб не сметь сегодня даже подходить к лестнице!

Материнская отповедь произвела на Джино должное впечатление. Конечно, он не испугался, но выслушал все в напряжении, опасаясь новых тумаков. Он знал, что за ними дело не станет и что он не вправе от них уклониться. Однако ничего подобного не случилось. Женщины спустились на улицу, Джино перевел дух и приступил к еде, уплетая жирные сосиски и перец в масле, не различая из-за голода вкуса еды. Буря улеглась, и он даже не помышлял дуться на старших. Завтра он с удовольствием поможет матери.

Винни сидел неподвижно, уставившись в тарелку. Джино радостно воскликнул:

— Видать, здорово тебе приходится гнуть спину на этого чертового Panettiere! Я видел тебя со здоровенной корзиной. Куда ты ее тащил?

— В другой их магазин, на Девятой. Ничего страшного. Вот мешки из подвала — это да!

Джино внимательно посмотрел на брата. Что-то с ним не так...

Но Винни уже пришел в себя и стал набивать рот едой. Он не знал, что весь день его мучил обыкновенный страх. Он стал жертвой сплошь и рядом творимой жестокости: детей вырывают из тепла семьи и посылают к чужим людям, которые взваливают на них самую нудную работу. Он впервые продавал за деньги частицу самого себя, и это совершенно не походило ни на помощь матери, ни даже на чистку за пять центов башмаков старшего брата.

Ну да ничего, осенью он пойдет в школу и снова будет свободен. Тогда он забудет, как мать с сестрой выгнали его из семьи, подчинили иным законам, нежели зов любви и крови. Сейчас он уже не просто печалился, что не сможет играть в бейсбол с самого утра и бесцельно слоняться вокруг квартала, болтая с приятелями и прячась в тени на Тридцать первой со стаканчиком мороженого, — он нестерпимо страдал, как страдают только дети, не ведающие о чужом горе, об отчаянии — уделе любого на этом свете.

Джино убрал со стола и принялся за мытье посуды. Винни вытирал вилки и тарелки. Джино рассказывал ему о своей стычке с «быком» на железной дороге, о пустом доме и замечательной веревке, о том, как играл с Джои в карты; но что он утаил — так это то, как пускал кораблик по стоку, огибающему их квартал, потому что десятилетнему парню стыдно заниматься такой ерундой.

До грязного котла, заросшего жиром и копотью, у Джино так и не дошли руки, и он спрятал его в печи. Потом братья вернулись в гостиную и выглянули на улицу. Джино уселся на один подоконник, Винни — на другой. У обоих было спокойно на душе.

— Почему мать с Октавией так на меня окрысились? — спросил Джино. — Ну, забыл — велика беда! Завтра сделаю.

— Все из-за того, что отец исчез. Они не знают, куда он делся. Может, совсем сбежал.

Оба посмеялись шутке Винни: сбежать может только ребенок.

Вдали на Десятой авеню показался красный фонарик сигнальщика, а за ним — слабый луч прожектора. Люди внизу казались тенями, существующими только благодаря горящим уличным фонарям, синим и красным огонькам на прилавке Panettiere, торгующего мороженым, освещенным витринам бакалеи и кондитерской.

Джино и Винсент дремали на подоконниках своего детства, ощущая на лицах прикосновение свежего ветерка, дующего с Гудзона. Ветерок приносил запах воды, а еще — травы и деревьев, словно долго пропутешествовал, прежде чем заплутаться среди городских улиц.

ГЛАВА 4

К концу августа все, кроме детей, уже ненавидели лето. Днем люди задыхались от вони раскаленного камня, плывущего гудрона, бензина и навоза, оставляемого на мостовых лошадьми, влекущими тележки с овощами. Над западной стеной города, где ютилось семейство Ангелуцци-Корбо, в неподвижном от жары воздухе висели клубы пара, изрыгаемого локомотивами. Из горящих топок паровозов, выстраивающих товарные вагоны в аккуратные ряды, вырывались черные хлопья. Теперь, воскресным днем, когда все живое попряталось по щелям, оставленные в покое желтые, коричневые и черные вагоны казались на солнце объемными геометрическими фигурами, нелепыми абстракциями в джунглях из стали, камня и кирпича. Серебряные рельсы змеились в бесконечность.

На Десятой авеню, которую до самой Двенадцатой, до реки, уже ничего не загораживало, было светлее, чем на любой другой авеню города, и гораздо жарче в разгар дня. Сейчас на ней было совершенно безлюдно. Воскресный отдых будет длится аж до четырех часов, наполненный треском разгрызаемых орехов, бульканьем вина и бесконечными семейными легендами. Кое-кто навещал более удачливых родственников, которые проживали теперь в собственных домах на Лонг-Айленде или в Нью-Джерси. Другие пользовались свободным от работы днем, чтобы хоронить, женить, крестить близких и, самое главное, приносить еду, а может, и облегчение, больным родственникам, угодившим в больницу «Белльвю».

Самые американизированные семьи ездили даже на Кони-Айленд[1], но такое можно было себе позволить не чаще одного раза в год. Добираться туда приходилось долго, а итальянские семьи столь многочисленны, что это требовало увеличенных расходов на франкфуртеры и содовую, даже если запастись собственной едой и питьем в бумажных пакетах. Мужчины ненавидели эти путешествия. Итальянцам было невтерпеж валяться без дела на песочке: достаточно они намучались на солнце за неделю, вкалывая на железнодорожных путях! По воскресеньям им хотелось сидеть в холодке — дома или в саду, отдыхать от напряжения, отдавшись картам, тянуть винцо и слушать болтовню женщин, не позволяющих им шевельнуть даже пальцем. Нет, тащиться на Кони-Айленд — все равно, что выйти на работу.

Самым великолепным было праздное послеобеденное время. Дети отправлялись в кино, а мать с отцом, выпив по рюмочке после сытного обеда и никем не тревожимые, могли заняться любовью. Это был единственный свободный день за всю неделю, и к нему относились, как к сокровищу. В этот день восстанавливались силы и семейные узы. Недаром сам Господь Бог отдыхал на седьмой день от праведных трудов!

В то воскресенье улицы, восхитительно пустые, разбегались от Десятой авеню под идеально прямым углом. Здешние жители были слишком бедны, чтобы владеть автомобилями, поэтому ничто лишнее не нарушало сим-

---

[1] Парк аттракционов на берегу океана, на дальней оконечности нью-йоркского района Бруклина.

метрию бетонных тротуаров с вкраплениями голубой плитки. Солнце отражалось от всего: от гладкого черного гудрона, от стальной ограды крыльца, даже от обшарпанных бурых ступенек. Ослепительное летнее солнце будто навсегда повисло в небе, заставив расступиться опостылевшие за неделю фабричные трубы.

Впрочем, Лючия Санта посвятила этот день не отдыху, а борьбе, решив застать своих обидчиков, Ле Чинглата, врасплох.

Квартира была пуста. Октавия, как и надлежит послушной итальянской дочери, повела Сала и малютку Лену на прогулку. Винченцо с Джино отправились в кино. Лючия Санта была свободна.

Старший сын, Лоренцо, опора и защита семьи, оставшейся без отца, не выказал должного уважения к матери и родне и не явился на воскресный обед. Он не ночевал дома последние две ночи, а, появившись поутру, рассказывал матери, будто работал допоздна и оставался на ночь в своей конюшне. Однако Лючия Санта не нашла в шкафу его лучшего костюма, а также одну из его двух белых рубашек и маленького чемоданчика. С нее хватит! Bastanza. Она приняла решение.

Чтобы ее сын, которому еще не исполнилось восемнадцати, неженатый, живущий у матери под крышей, осмелился ослушаться мать? Что за позор для доброго имени семьи, что за удар по ее престижу у соседей! Это вызов ее справедливому правлению, бунт! Бунт, который надо подавить в зародыше.

Одетая во все черное, воплощение респектабельности в воскресной шляпе и в вуали, с плоской сумочкой почтенной матроны, натянув на короткие ноги коричневые хлопчатобумажные чулки с врезающимися в ляжки подвязками, Лючия Санта, невзирая на палящее солнце, зашагала по Десятой авеню к Тридцать шестой стрит, на которой обитали Ле Чинглата. На ходу она распалялась, готовясь закатить им хорошенькую сцену. Эта сладкоречивая бесстыдница еще двадцать лет назад проливала в церкви горючие слезы из-за того, что ей придется спать с мужчиной, которого она в глаза не видела! Del-i-cato![1] Ах, какой ужас, ах, какой страх, ах, ах! Лючия Санта мстительно улыбнулась. Как они важничают, эти людишки! То был просто инстинктивный страх прирожден-

---

[1] Какие нежности! (*ит.*)

ной шлюхи! Клятва перед алтарем, официальные бумаги, позволяющие гордо взирать на мир, глядеть любому в глаза, независимо от того, богата ты или бедна, — вот что важно! Чтобы никакого disgrazia. Если кто-нибудь оскорбит твою честь, ты можешь с чистой совестью его прикончить. Впрочем, здесь не Италия... Она отбросила эти мысли, устыдившись кровожадности, присущей скорее свежеиспеченной иммигрантке, а не ей, американке с двадцатилетним стажем.

Вот что может натворить Америка с нормальной итальянской девушкой, когда рядом нет родителей, которые научили бы ее уму-разуму. Теперь Ле Чинглата — взрослая дама. Но сколько важности! Как высоко она себя ставит! Вообще-то ее семейка всегда отличалась лукавством.

А сын? Америка не Америка, семнадцать ему лет или чуть больше, работает он или бездельничает — главное, подчиняться матери, иначе он узнает, как тяжела ее рука. О, был бы жив его родной отец, уж он бы ему наподдал! Впрочем, из-под отцовской крыши Лоренцо и не подумал бы сбежать.

Оказавшись в тени дома, где проживали Ле Чинглата, Лючия Санта облегченно перевела дыхание. Немного передохнув в прохладном подъезде, где стоял неизменный мускусный запах от мышей и крыс, она собралась с силами, чтобы подняться по лестнице и вступить в бой. На мгновение ее охватило отчаяние, от которого даже подкосились ноги: она осознала, насколько беззащитна, насколько безжалостно помыкает ею судьба. Дети становятся ей чужими: по-иностранному ведут себя, говорят на иностранном языке, а муж и вовсе проявил склонность к бродяжничеству, так что превратился в помеху в ее борьбе за выживание.

Но нет, от таких мыслей недалеко и до поражения. Она стала подниматься по ступенькам. Она не позволит своему сыну превращаться в гангстера, в безвольную медузу, в посыльного у старой бесстыдницы. На темной лестничной площадке, вдыхая мускусный запах, Лючия Санта на минуту представила себе электрический стул, истекающего кровью сына, заколотого сицилийцем или мужем-ревнивцем... Но к тому моменту, когда дверь в квартиру Ле Чинглата распахнулась, она успела забыть все свои страхи. Теперь она была готова к сражению.

Однако ей пришлось спешно перестраивать боевые порядки. В дверях стоял супруг Ле Чинглата, седой человек с густыми усами, в чистой белой рубашке и в черных брюках на помочах, обтягивающих его раздутый живот. Несмотря на отсидку в тюрьме, он имел цветущий цвет лица.

Лючию Санту охватили сомнения. Раз муж дома, то что здесь делать ее сыну? Неужели она просто наслушалась досужих сплетен? Однако стоило ей увидеть у стола синьору Ле Чинглата, как ее покинули всякие сомнения. В выражении ее лица она прочла враждебность, вину, вызов и непонятную ревность.

Женщина тоже была во всем черном, и, хотя лицо ее было тоньше и моложе, чем у Лючии Санты, она вполне могла сойти за мать Лоренцо. Чтобы женщина ее возраста смела совращать ребенка!.. Неужели обе они были когда-то молоды и невинны?

— Синьора! — подал голос Ле Чинглата. — Присядьте, выпейте стаканчик вина. — Он подвел ее к белому столу и налил вина из полугаллонового кувшина. — В этом году созрел добрый виноград. Это вино пахнет Италией. — Подмигнув, он добавил: — Можете мне поверить, это не то вино, что я предлагаю посетителям.

Его следовало понимать так, что только такая почетная гостья, как Лючия Санта, может пригубить вино лучшего урожая.

Его супруга принесла блюдо с жесткими tarelle, посыпанными черными перчинками. Поставив блюдо на стол, она сложила руки на груди. Она не притронулась к вину.

Синьор Ле Чинглата налил себе стаканчик и сказал:

— Угощайтесь, Лючия Санта.

В голосе его звучало столько сердечности и дружелюбия, что мать почувствовала себя обезоруженной, как случалось с ней всегда, когда она сталкивалась с неожиданным радушием. Она послушно отпила вино и сказала куда более мягким тоном, чем собиралась:

— Я проходила мимо и подумала, что застану здесь Лоренцо, помогающего синьоре Ле Чинглата обслуживать клиентов.

Супруг с улыбкой ответил:

— Нет, нет. Воскресным вечером и мы отдыхаем. До ночи — никакой торговли. Не евреи же мы, в конце концов.

Лючия Санта заговорила жестче:

— Простите мне мои речи, но вы наверняка поймете материнские чувства. Лоренцо еще слишком молод для таких дел. Он не умеет взвешивать свои поступки. Однажды он уже поколотил тут у вас человека, годящегося ему в отцы, к тому же сицилийца по происхождению, который может теперь его убить. Вы, синьор Ле Чинглата, наверняка все это знаете.

Хозяин был радушен и терпелив.

— Да, знаю. Славный мальчик. Bravo, bravo вашему Лоренцо. Вы воспитали его хорошим итальянцем, уважающим старших, готовым помочь, усердным. Знаю, что неплохие деньги, которые мы ему платим, он отдает матери. Мало кому я могу так доверять, впускать к себе в дом, как Лоренцо, — с ним у меня нет сомнений. Что за честное у него лицо... — И так далее.

Лючия Санта потеряла терпение и оборвала говоруна:

— И все-таки он — не ангел, спустившийся с небес. Ему положено слушаться. Я права? Должен сын уважать мать или нет? Я не нашла дома кое-какой его одежды. Вот я и решила — может быть, вам известно, не оставался ли он как-нибудь на ночь у вас?

Тут синьора Ле Чинглата присоединилась к говорящим, и Лючия Санта только подивилась ее наглости, бесстыдству, недрогнувшему голосу.

— Видите ли, — сказала та, — ваш сын уже вырос. Он зарабатывает на хлеб себе и даже вашим детям. Мы же не в Италии! Вы правите слишком жесткой рукой, синьора.

Сказав так, Ле Чинглата совершила ошибку. Натолкнувшись на жесткость, Лючия Санта могла вспылить и высказать все, что накопилось у нее на душе. С холодной вежливостью она ответила:

— Но, синьора, вы не знаете, сколько хлопот доставляют дети. Откуда вам это знать — вам очень повезло, что вы не имеете своих. Тревоги матери — это крест, которого вам, слава Христу, не придется нести. Но позвольте сказать вам, дорогая Ле Чинглата, что не имеет значения, где мы находимся — в Америке, в Африке, даже в Англии. Главное, что мои дети до свадьбы должны ночевать под родной крышей. Мои дети не превратятся в пьяниц, они не будут драться с забулдыгами и болтаться по тюрьмам, им не должен угрожать электрический стул.

Теперь лишилась терпения ее противница. Она крикнула в ответ:

— Что? Что? Так вы говорите, что мы — не уважаемые люди? Что ваш сын слишком хорош, чтоб появляться у нас? Да вы-то кто такая? Из каких краев Италии вы сами-то родом? В нашей с вами провинции не было знати с фамилией Ангелуцци или Корбо. Что же, мой муж, самый близкий друг и коллега родного отца вашего сына, без пяти минут крестный, не годится ему в друзья? Это вы хотите сказать?

Лючия Санта почувствовала себя в ловушке. Будь проклята эта плутовка! Ответ висел у нее на кончике языка, но она не посмела, сказать вслух, что она возражает не против дружбы с мужем, а против нее, жены. На такое она не осмелилась. Ревнивый муж, узнав, что обманут, обычно мстит и жене, и ее любовнику. Она перешла к обороне:

— Почему же, пускай появляется. Но только чтобы не работал! И чтобы не засиживался допоздна, среди драчливых посетителей. И не ночевал здесь, — сухо закончила она.

Синьора Ле Чинглата улыбнулась.

— Мой муж знает, что ваш сын ночевал здесь. Он не прислушивается к досужей болтовне. Он не верит, что его жена может обмануть его с таким юнцом. Но он благодарен вашему сыну за защиту. Он вручил вашему сыну двадцать долларов в знак признательности за его добрые дела. Неужели мать мальчика думает о нем только плохое?

Чувствуя на себе пристальный взгляд хозяина, Лючия Санта через силу выдавила:

— Нет, нет! Но люди-то сплетничают... Слава Богу, что ваш муж — такой разумный человек.

Болван! Идиот! Внутри у нее все клокотало. Кто же, если не мать, вправе думать о своем сыне плохо?

И тут, даже не постучавшись, словно к себе домой, в квартиру ввалился Лоренцо. Он замер на пороге, и его вид объяснил матери все лучше любых слов.

Ларри с искренней доброжелательностью улыбнулся присутствующим — матери, любовнице, хозяину, которого он превратил в рогоносца. Они улыбнулись ему в ответ. Однако мать заметила, что в улыбке хозяина сквозит фальшь и зависть к молодости; это была улыбка человека, которого не удалось обвести вокруг пальца. А его жена — чтобы у женщины ее возраста был такой нахальный взгляд, такие выпяченные, мокрые, алые губы, чтобы ее огненные глаза так бесстыже смотрели прямо в лицо парню!..

Сама Лючия Санта разглядывала Лоренцо с мрачной иронией. Так значит, у ее красавчика-сына лживое сердце? Но он — с волосами, похожими на иссиня-черный шелк, с прямыми чертами бронзового лица, с большим мясистым носом взрослого мужчины, с кожей, не знающей изъянов юности, — он, Иуда, воззрился на мать в почтительном недоумении. Поставив на пол свой чемоданчик, он спросил:

— Ма, что ты тут делаешь? А я-то думал: как мне не повезло, что я не застал тебя дома!

Она понимала, как все произошло: он дожидался ее ухода, наблюдая за ней из-за угла. Ему и в голову не могло прийти, что она направляется именно сюда. Потом он заторопился домой, за чистой одеждой. «Figho de putana, — подумала она, — до чего же он двуличен!»

Однако она постаралась скрыть свой гнев.

— Сынок, — проговорила она, — выходит, ты переезжаешь? Синьор и синьора Ле Чинглата решили тебя усыновить? Тебя не устраивает моя стряпня? Кто-то из родных встал тебе поперек дороги? Ты решил сменить жилище?

Ларри рассмеялся и ответил:

— Что ты, ма, брось шутить. — Он умел ценить юмор. Что за умница у него мать! Он одарил ее самой радушной из своих улыбок. — Я же говорил тебе, что хочу побыть здесь, чтобы помочь по хозяйству. Хочу подкинуть тебе еще деньжат. Zi[1] Ле Чинглата должен идти в суд, а потом он поедет за город покупать виноград. Не беспокойся, ма, все деньги, что я заработаю, — твои.

— Grazia[2], — откликнулась мать.

Присутствующие, даже синьор Ле Чинглата, улыбнулись: парень хитер, если вздумал назвать мужчину, которому наставляет рога, своим «дядей».

Синьор Ле Чинглата взялся развить эту мысль.

— Лючия Санта, — сказал он с непосредственностью близкого родственника, — Лоренцо для меня все равно что сын. О, что за disgrazia, что у нас нет своих детей!

---

[1] Дядюшка (*ит.*).
[2] Благодарю (*ит.*).

Кому же защитить мою жену в мое отсутствие? Женщине тяжело вести такое дело, как наше, в одиночку. В доме обязательно должен находиться сильный мужчина. Ваш сын отрабатывает свое на железной дороге. Потом он идет сюда и находится здесь до рассвета. Днем же ему надо выспаться. Ваши малыши бегают взад-вперед, взад-вперед. Почему бы ему не отдыхать здесь, в тишине? Я полностью доверяю вашему сыну и не обращаю внимания на сплетни. Человек, зарабатывающий столько, сколько я, может не беспокоиться из-за соседских пересудов.

Теперь мать все поняла. Ее презрению к этим людям не было границ. Куда это годится, чтобы муж, итальянец в придачу, позволял жене наставлять ему рога, лишь бы были целы его денежки? Чтобы жена не возражала, когда ее муж больше заботится о своем бизнесе и деньгах, чем о ее чести и добром имени, и превращает ее в шлюху? Лючия Санта была по-настоящему потрясена, что случалось с ней крайне редко.

Что станет с ее сыном, если он будет жить под крышей у таких нелюдей? Забыв про гнев, она обратилась к Лоренцо:

— Собирай свои вещи, figlio mio[1], и ступай под родной кров. Я уйду только с тобой.

Ларри обвел всех смущенной улыбкой.

— Брось, ма! — пробормотал он. — Я уже пять лет работаю и приношу домой деньги. Я больше не ребенок.

Лючия Санта поднялась, решительная и непреклонная в своем черном платье. Слова ее прозвучали, как реплика в трагедии:

— Я — твоя мать. Как ты смеешь перечить мне в присутствии чужих?

Бесстыжая Ле Чинглата презрительно подхватила:

— Va, va, giovanotto[2]. Иди с мамой. Когда мать кличет, детям положено повиноваться.

Через загар на лице Ларри проступили красные пятна. Лючия Санта разглядела в его глазах взрослую ярость. Сейчас он походил на своего покойного папашу.

— Черта с два я пойду! — ответил он.

Мать кинулась к нему и отвесила увесистую пощечину. Он оттолкнул ее, и она отлетела к столу.

---

[1] Сын мой (*ит.*).
[2] Иди, иди, парень (*ит.*).

Ле Чинглата замерли, ошеломленные. Теперь беды не оберешься. Они встали между матерью и сыном.

— Та-а-к! — Лючия Санта удовлетворенно вздохнула. — Сын поднял руку на мать! Animale![1] Bestia! Sfachim![2] Figlio de putana! Благодари Бога, что умер твой отец! Благодари Бога, что он не видит, как его сын бьет свою собственную мать, чтобы выслужиться перед посторонними!

На щеке у Ларри красовались пять красных отпечатков, но он уже успел прийти в себя.

— Ладно, ма, — неохотно буркнул он. — Я тебя просто оттолкнул. Давай забудем об этом. — Он чувствовал себя виноватым, в нем при виде слез, навернувшихся у матери на глаза, заговорила совесть.

Лючия Санта повернулась к супругам Ле Чинглата.

— Вам так больше нравится, да? Хорошо. Пусть мой сын остается здесь. Но вот что я вам скажу: сегодня же мой сын должен быть дома. Иначе я пойду в полицейский участок. Он еще несовершеннолетний. Я отправлю его в исправительное заведение, а вас — в тюрьму. Продавать вино и виски еще куда не шло, но детей в Америке берут под защиту. Как вы правильно заметили, синьора, мы не в Италии. — Она обернулась к сыну. — А ты можешь оставаться со своими друзьями. Не хочу, чтобы меня видели с тобой на улице. Оставайся и веселись. Но, дорогой мой сынок, я тебя предупредила: эту ночь ты должен провести в моем доме. Иначе, каким бы дылдой ты ни вымахал, я тебя упрячу куда следует.

И она с достоинством проследовала вон.

Направляясь домой, она размышляла: «Так вот, значит, каким способом люди сколачивают состояние! Самое главное — деньги. Ну и подонки! Ну и зверье! Думают, что раз у них водятся денежки, то они могут смотреть в глаза честному человеку».

Вечером, уложив детей, Октавия и мать пили кофе за большим круглым столом. Ларри так и не объявился. Октавии было страшновато: она не сомневалась в серьезности намерения матери упечь Ларри в исправительную школу. Завтра она не сможет пойти на работу. Вместо этого им с матерью придется тащиться в полицейский участок и настаивать на судебной повестке. Раньше Ок-

---

[1] Животное! (*ит.*)
[2] Отродье! (*неап. диал.*)

тавии и в голову не могло прийти, что мать способна проявить такую жестокую непреклонность и так пренебречь лишними деньгами, приносимыми Ларри от Ле Чинглата.

Обе вздрогнули от стука в дверь. Октавия бросилась открывать. На пороге стоял высокий улыбчивый брюнет в костюме кинозвезды.

— Это квартира синьоры Корбо? — осведомился он на безупречном итальянском и объяснил: — Я пришел от Ле Чинглата, я — их адвокат. Они попросили меня повидаться с вами.

Октавия подала ему чашечку кофе. Гостя, будь он друг или враг, положено угостить.

— Так вот, — начал молодой человек, — напрасно вы, синьора Корбо, так расстраиваетесь из-за сына. Спиртным приторговывает любой, в этом нет ничего страшного. Даже президент время от времени опрокидывает рюмочку. Неужели вы настолько богаты, что можете пренебречь лишней парой долларов?

— Господин адвокат, — ответила мать, — мне нет дела до ваших слов. — Молодой человек внимательно слушал ее, не думая обижаться. Она продолжала: — Мой сын должен ночевать в доме своей матери, братьев, сестёр до тех пор, пока у него не появится жена. Либо это, либо — исправительная школа, если ему так больше нравится. Пусть гниет там до восемнадцати лет, а потом отпускайте его на все четыре стороны — я ему больше не мать. Но, пока он не достиг совершеннолетия, у меня нет другого выбора. Моим детям не бывать сутенерами, рецидивистами или убийцами.

Молодой человек по-прежнему сверлил ее взглядом. Потом он быстро проговорил:

— Отлично. Мы понимаем друг друга. Чудесно, синьора. А теперь послушайте меня. Ни за что не ходите в полицию. Я вам обещаю, что завтра ваш сын вернется — можете не сомневаться. Вы больше не будете знать с ним хлопот. Договорились?

— Сегодня, — уперлась Лючия Санта.

— Ну-у, — ответил молодой человек, — вы меня разочаровываете. Сам Иисус Христос не сумел бы принудить вашего сына вернуться домой уже сегодня. Вы, мать, с вашим-то жизненным опытом — неужели вы не понимаете его гордость? Он считает себя взрослым мужчиной. Позвольте ему одержать хотя бы малюсенькую победу.

Мать была довольна и польщена. Правда есть правда. Она согласно кивнула.

Молодой человек вскочил на ноги и сказал:

— Buona sera[1], синьора.

Затем он кивнул Октавии и исчез.

— Видишь? — спросила мать похоронным тоном. — Вот от чего я стремлюсь спасти твоего братца.

Октавия была поражена. Мать продолжала:

— Адвокат — ха-ха-ха! Это один из тех, кто орудует в черных перчатках. У него на лице написано, что он — убийца.

Октавия усмехнулась, не скрывая удовольствия.

— Ты с ума сошла, ма, вот уж точно, — сказала она и взглянула на мать любовным, уважительным взглядом. Ее мать, простая крестьянка, вообразившая, что к ней пожаловал опасный преступник, не заголосила и виду не подала, что испугалась! В начале разговора у нее вообще был такой вид, что она вот-вот возьмется за tackeril.

— Значит, завтра я могу выйти на работу? — спросила Октавия.

— Можешь, можешь, — ответила Лючия Санта. — Иди, не теряй дневного заработка. Мы не можем себе этого позволить. Таким людям, как мы, не суждено разбогатеть.

ГЛАВА 5

Держа на руках малютку Лену, Лючия Санта выглянула из окна гостиной, жмурясь от ослепительного солнца, жарившего вовсю в это позднее августовское утро. Улицы кишели машинами и повозками; прямо под ней разносчик самоуверенно выкрикивал: «Картошка! Бананы! Шпинат! Дешево, дешево, дешево!» Его тележка была заставлена квадратными ящиками с красными, коричневыми, зелеными, желтыми плодами; картина напоминала рисунок на линолеуме пола, выполненный беззаботным младенцем.

Дальше, посреди сортировочной станции, она увидела толпу мужчин и мальчишек. Слава Богу, что Лоренцо мирно спит в своей постели после ночной смены, иначе ее

---

[1] Добрый вечер (*ит.*).

охватил бы отвратительный страх, от которого слабеют ноги и живот. Она пригляделась.

На крыше товарного вагона маячил мальчишка, разглядывавший собравшихся на рельсах людей. Он возбужденно расхаживал взад-вперед. Его голубенькая рубашонка выгорела на груди добела. Да это Джино! Что он там делает? Что стряслось? Вблизи вагона не было заметно паровозов. Мальчишке, кажется, ничего не грозит.

Лючией Сантой владело гордое, властное чувство: она ощущала себя богиней, как всякая мать, наблюдающая, оставаясь невидимой, как играют на улице ее дети. То же самое происходит в знаменитой легенде, где Бог взирает из тучи на детей человеческих, слишком поглощенных своей возней, чтобы воздеть взоры и узреть Его.

На солнце блеснула черная кожа портупеи, и мать сообразила, что происходит: железнодорожный полицейский в форме карабкался по лестнице на крышу вагона. Она кинулась в спальню с криком:

— Лоренцо, проснись! Живее!

Она трясла его, взывая все пронзительнее, и наконец заставила его очнуться. Лоренцо скатился с кровати, демонстрируя волосатые ноги и грудь, которые было бы неприлично показывать любой женщине, не считая матери, со всклокоченной головой и потным после сна в жару лицом. Он поспешил за матерью к окну в гостиной. Они едва поспели, чтобы увидеть, как Джино спрыгивает с вагона, стремясь спастись от полицейского, добравшегося до крыши. Однако другой полицейский в черной форме, карауливший внизу, мигом сцапал мальчика. Видя, как Джино летит с вагона вниз, мать вскрикнула.

— Господи! — взревел Ларри. — Сколько раз я просил тебя, чтобы ты запретила ему воровать лед!

Он ринулся в спальню, натянул брюки, сунул ноги в тапочки и кубарем скатился с лестницы.

Выбежав на улицу, он успел услыхать, как мать кричит ему из окна:

— Быстрее, быстрее, они сейчас его убьют!

Один из полицейских уже у него на глазах двинул Джино по уху. Толпа с Джино в центре повалила к будке стрелочника на Десятой авеню. Лючия Санта видела, как Ларри перебежал на другую сторону, бросился к ним, схватил Джино за руку и вырвал его у полицейских. В этот момент она забыла оскорбления, которые претерпела от него у Ле Чинглата, забыла, как он дулся на нее на протяжении последних недель. Пусть так; зато он помнит, что такое брат, не существует более священных уз, нежели кровные, перед ними отступает страна, религия, жена, женщина, деньги. Подобно богине, она взирала на грешника, искупающего свой грех, и душа ее ликовала.

Ларри Ангелуцци перебежал через улицу с решимостью человека, вознамерившегося совершить убийство. Довольно ему сносить тумаки! Последние недели в нем копился гнев, его беспрерывно унижали, он чувствовал себя виноватым. Он начинал смотреть на себя более трезвыми глазами. Ведь он действительно ударил мать, опозорил ее в присутствии чужих! И все — ради людей, которые попользовались им, а потом выставили вон. Так поступают с несмышлеными сопляками: сперва гоняют с поручениями, а потом приводят к повиновению. Он чувствовал себя подлецом, падшим ангелом, утратившим собственный уютный рай. Порой ему даже не верилось, что он повел себя столь неподобающе, и он убеждал себя, что мать сама оступилась, а он лишь протянул руку, чтобы поддержать ее, но сделал это слишком неуклюже. Впрочем, за этой мыслью неизменно следовала волна горячего стыда. Сейчас, не ведая, что просто стремится искупить недавний грех, он, вырывая Джино из лап полицейских, чувствовал на своей спине словно прикосновение ободряющей руки, материнский взор.

Джино плакал, но не от страха или боли. До самого последнего момента он не сомневался, что сумеет улизнуть. Он даже осмелился спрыгнуть с крыши вагона на жесткую щебенку и остался невредимым. Нет, это были слезы мальчишеской ярости: ведь он опозорен, его загнали в ловушку, где он снова стал маленьким и беззащитным.

Ларри знал одного из «быков», по имени Чарли, другой же был для него чужаком. Ларри провел немало ночей в будке стрелочника в компании Чарли, толкуя о девушках и потешаясь над чванством колченого собеседника. Однако сейчас он холодно произнес, обращаясь к обоим:

— Что это вы, ребята, собрались учинить с моим младшим братишкой?

Он думал добиться примирения; он знал, что наступил момент с пользой применить свое знаменитое дружелюбие. Однако его слова прозвучали как грубый вызов.

Высокий «бык», которого Ларри видел впервые в жизни, снова потянулся к рубашке Джино и спросил Чарли Чаплина:

— Это еще кто?

Ларри оттолкнул Джино в сторону и прикрикнул на него:

— Ну-ка, домой!

Однако Джино не сдвинулся с места.

— Он — сигнальщик из ночной смены, — объяснил Чарли Чаплин напарнику. — Слушай, Ларри, — продолжал он, — твой младший братишка все лето воровал лед. Однажды он бросил в меня ледышкой и сказал: «Fuck you». Это же надо, такой сопляк! Брат он тебе или нет, но я должен нахлестать ему задницу. Так что лучше посторонись или тоже схлопочешь. Тебе тут нечего делать. Не забывай, что ты тоже работаешь на железной дороге. Не суйся не в свое дело, иначе пожалеешь!

Один из грузчиков-итальянцев, наблюдавших, как разворачиваются события, сказал по-итальянски:

— Они уже успели наподдать твоему братишке.

Ларри пятился, пока они не сошли со щебенки и не оказались на тротуаре авеню.

— Теперь мы не на территории железной дороги. Здесь вы — такие же, как все. — Он еще надеялся их вразумить; ему вовсе не хотелось лишиться работы. — Удивляюсь я на тебя, Чарли! С каких это пор ты вздумал заступаться за интересы компании? Каждый мальчишка на Десятой ворует со станции лед. Даже брат твоей девчонки. Черт возьми, не с новичком же ты имеешь дело! О'кей, ты врезал моему брату, потому что он запустил в тебя ледышкой. Теперь вы квиты. — Говоря, он поглядывал уголком глаза на толпу и на Джино, у которого уже высохли глаза и который хмурился, горя желанием отомстить, отчего его мальчишеская физиономия приобрела потешное выражение. Ларри ласково сказал своему единоутробному брату:

— Еще раз залезешь на сортировочную станцию, я сам тебя вздую. Иди!

Ларри был доволен собой: никто не ударил в грязь лицом, он никому не нагрубил, не нажил врагов, но и не отступил. Он мог гордиться своей рассудительностью. Однако незнакомый высокий «бык» все испортил. Он сказал Чарли Чаплину:

— Значит, ты напрасно заставил меня прийти сюда?

Чарли пожал плечами. Тогда высокий «бык» подскочил к Джино, отвесил ему оплеуху и прорычал:

— Тогда я сам с тобой разберусь!

Ларри стукнул его со всей силы, так что черная фуражка с кокардой откатилась под ноги толпе. Люди встали широким кругом, дожидаясь, пока «бык», утирающий хлынувшую изо рта кровь, поднимется на ноги. С непокрытой головой он выглядел гораздо старше; лысина на макушке делала его несерьезным соперником. «Бык» грозно уставился на Ларри.

Какое-то время они стояли друг против друга неподвижно. Потом «бык» расстегнул ремень с револьвером и отдал его Чарли вместе со своей черной курткой. На нем осталась желтая рубашка.

— Ладно, — спокойно произнес он. — Значит, ты парень не промах. Придется с тобой драться.

— Только не здесь! — взмолился Чарли. — Лучше зайдем за вагоны для скота.

Толпа устремилась обратно на территорию станции и встала кружком на щебенке. Полицейские не собирались заманивать Ларри с Джино в ловушку: здесь предстояло решать вопрос чести. Оба «быка» были обитателями Вест-Сайда, и воспользоваться сейчас своими служебными полномочиями значило бы для них навеки опозорить себя в глазах соседей.

Ларри скинул пижамную рубаху и заткнул ее за пояс. Несмотря на молодость, он был волосат и широкоплеч, подстать сопернику, если не повнушительнее его. Ларри боялся только одного: что мать прибежит и устроит сцену. Если она сделает это, он вообще уйдет из дому. Однако, подняв глаза на родное окно, он увидел мать, так и не покинувшую свой наблюдательный пост.

Впервые в жизни Ларри по-настоящему захотелось подраться, причинить противнику боль, показать себя хозяином жизни.

Через проезжую часть спешили люди, пожелавшие стать свидетелями драки. Из окон квартир свисали гроздья голов. Сын Panettiere Гвидо подошел к Ларри и сказал:

— Я буду твоим секундантом.

За его спиной маячил Винни с перекошенным от испуга лицом.

Ларри и «бык» сошлись. Ларри чувствовал, насколько ему помогает присутствие матери в окне и двоих младших братьев, замерших с вылупленными глазами в толпе. Он ощутил прилив сил. Теперь он не пойдет на мировую и не позволит, чтобы его побороли. Он кинулся на противника, как лев. Они стали осыпать друг друга ударами; кулаки замелькали в воздухе, звучно врезаясь в тела. Защищаясь, «бык» угодил Ларри в лицо и оставил на его щеке длинную кровавую царапину.

Сын Panettiere разнял драчунов и крикнул:

— Сними кольцо, ты, трус! Дерись по правилам!

«Бык» вспыхнул, снял золотое обручальное кольцо, съехавшее на вторую фалангу, и бросил его Чарли Чаплину Толпа радостно зашумела. «Бык» ринулся на Ларри.

Ларри, струхнувший, когда по его лицу потекла кровь, а затем налившийся злобой и ненавистью, нанес «быку» сокрушительный удар в живот. «Бык» упал. Толпа вопила. Гвидо кричал:

— Дай ему еще, Ларри, дай еще!

Но тут «бык» поднялся, и все притихли. Внезапно до Ларри донесся голос матери, взывавшей из своего окна:

— Лоренцо, прекрати, прекрати!

Некоторые в толпе стали озираться, стараясь отыскать глазами, откуда доносится крик. Ларри остервенело махнул рукой, желая дать матери понять, что ей лучше умолкнуть.

Драчуны молотили друг друга до тех пор, пока «бык» не осел во второй раз, на сей раз не от сильного удара, а просто чтобы передохнуть. Он совершенно выдохся. Стоило ему подняться, как он получил болезненный удар в лицо.

Тогда взрослый соперник, обезумев от унижения, схватил Ларри за шею и попытался лягнуть его ногой. Ларри отшвырнул его. У обоих не осталось сил, ни один не обладал достаточной ловкостью, чтобы одержать чистую победу. Чарли Чаплин обхватил сзади и оттащил своего «быка» Гвидо — Ларри. Схватка окончилась.

— Ладно, — веско произнес Чарли Чаплин. — Драка получилась что надо. Вы оба доказали, какие вы смельчаки и силачи. Теперь пожмите друг другу руки и не держите друг на друга зла.

— Точно, — поддакнул Гвидо и, подмигнув Ларри добавил голосом, полным снисхождения к «быкам»:

— Ничья.

Кто-то из толпы потряс Ларри за руку, кто-то похлопал его по плечу. Каждому было ясно, что победа осталась за ним.

Ларри с «быком» глупо заулыбались, со смехом обменялись рукопожатием и даже обнялись, демонстрируя, какие они теперь друзья. «Бык» прохрипел:

— Ну, ты даешь, парень.

Его слова были встречены одобрительным ропотом. Ларри обнял Джино за плечи и сказал:

— Пошли, братишка.

Они перешли свою авеню и поднялись по лестнице. Гвидо с Винсентом последовали за ними.

Стоило им переступить порог квартиры, как мать отвесила Джино затрещину, которую тот принял как должное. Потом мать заметила царапину у Ларри на щеке, заломила руки, заголосила: «Marrone, marrone!» и побежала смочить полотенце, чтобы обтереть им кровь, оглашая дом криком, обращенным к Джино:

— Sfachim, из-за тебя досталось твоему брату!

— Что ты, ма, — гордо возразил счастливый Ларри, — я же вышел победителем. Можешь спросить у Гвидо.

— Так и есть, — сказал Гвидо. — Ваш сын мог бы выступать на профессиональном ринге, миссис Корбо. Он из этого «быка» душу вытряс! На нем бы и пятнышка не было, если бы не кольцо.

— Ма, Ларри четыре раза сбивал этого гада с ног! — возбужденно крикнул Джино. — Значит, ты выиграл, да, Ларри?

— Конечно. Только изволь без ругани. — Ларри почувствовал прилив нежности к матери, брату, всей семье. — Никому не позволю прикоснуться к кому-нибудь из нашей семьи даже пальцем. Я бы его вообще прибил, если бы не работал на железной дороге.

Лючия Санта угостила всех кофе. Потом она сказала:

— Иди спать, Лоренцо. На забывай, что тебе вечером на работу

Гвидо с Винни ушили в пекарню. Ларри разделся и лег. Лежа в кровати, он слышал, как Джино, захлебываясь от счастья, рассказывает матери подробности схватки.

Ларри чувствовал себя усталым, но умиротворенным. Теперь с него снято клеймо мерзавца. Уже этим вечером, когда он поскачет по Десятой авеню на своей лошади, прокладывая путь черной махине, волочащей за собой бесконечный состав, люди станут разглядывать его, приветствовать его, заговаривать с ним. Он заслужил их уважение — ведь он защитил брата и честь семьи. Теперь никто не посмеет поднять руку на членов его семейства. С этой мыслью он погрузился в сон.

На кухне мать с перекошенным от ярости лицом заявила Джино:

— Еще раз пойдешь на пути — прибью!

Джино только передернул плечами.

Лючия Санта была вполне счастлива, хотя ее раздражала вся эта суета вокруг драки, мужской гордости, вся эта кутерьма, словно нет дел поважнее. Ей хотелось побыстрее забыть обо всем этом. Она втайне презирала мужской героизм — чувство, присущее многим женщинам, которые просто не смеют сказать об этом вслух: они находят страсть мужчин к героическим поступкам ребячеством, ибо ни один мужчина не стал бы рисковать своей жизнью ежедневно, год за годом, как это делают все женщины, предаваясь любви. Заставить бы их самих вынашивать детей, а потом превращать свое брюхо в развороченную окровавленную яму — и так из года в год... Тогда бы они не стали гордиться подставленным под чужой кулак носом и ерундовыми шрамами от перочинного ножика. Джино все еще разглагольствовал о драке. Она сгребла его за шиворот и выбросила за дверь, как котенка, крикнув ему вслед:

— Только попробуй опоздать к ужину!

Остаток лета Лючия Санта провела в схватках с Октавией, которые еще больше распалял жар городского бетона, раскалившегося за долгие месяцы добела. Мостовые и обочины покрылись пылью, в которую превратились высохший навоз, сажа, сор, сопровождающие жизнь миллионов людей и животных. Казалось, даже бездушные каменные громадины наполняют воздух частицами копоти, подобно псам, усиленно линяющим в жару.

Победительницей вышла Октавия. Сперва она сменила работу и стала инструкторшей по шитью в «Мелоди Корпорейшн», занимавшейся сбытом швейных машинок. Каждая новая покупательница получала от нее бесплатный урок. Ей платили на три доллара в неделю меньше, чем раньше, зато здесь была перспектива роста. Кроме того, у нее появилась возможность прямо на работе шить одежду для матери и малышки Лены. Перед последним доводом Лючия Санта не смогла устоять. Это была первая победа.

Винни за лето сильно похудел. Это тревожило и мать, и дочь. Как-то раз Октавия повела троих младших братьев в бесплатную стоматологическую поликлинику при Гудзоновой Гильдии горожан. Еще раньше ей попалось на глаза объявление о записи в Фонд свежего воздуха «Геральд Трибюн», посылающий детей на две недели в летние лагеря или в сельские семьи. Она записала Винни. Это произошло еще до того, как он пошел работать к Panettiere.

Теперь она снова завела этот разговор. Винни лишится заработка на какие-то две недели. Ему все равно придется бросить работу осенью, когда возобновятся занятия в школе. А тут — прекрасная возможность провести две недели за городом, в фермерской семье, да еще даром! Мать возражала не из-за денег, а по той причине, что никак не могла понять, зачем городскому ребенку проводить несколько недель на свежем воздухе. Это было выше ее крестьянского разумения. Кроме того, ей не верилось, что какая-то семья, совершенно чужие люди, согласится взять к себе в дом незнакомого ребенка и не заставит его вкалывать, хотя бы чтобы окупить содержание. Пришлось Октавии объяснять ей, что люди получают за это кое-какое вознаграждение. Тогда она поняла, что к чему; наверное, им перепадают неплохие денежки.

Наконец Лючия Санта уступила. Джино на две недели заменит Винни в пекарне. Винни вручили письмо, которое он мог отправить, если ему не понравится отдых: получив письмо, Октавия приедет и заберет брата. Перед самым отъездом заартачился сам Винни: его страшила перспектива жизни с чужими людьми. Но Октавия так разбушевалась, что едва не расплакалась, и он снял возражения.

Работа Джино у Panettiere разрушила репутацию семьи как надежной и трудолюбивой. Разнеся хлеб, он исчезал на долгие часы. Он поздно приходил на работу и рано убегал. Он не носил, а бросал мешки с мукой вниз в подвал, а когда надо было их перетаскивать, он волочил их по полу, так что мешки рвались, а мука просыпалась. Он пожирал тонны пиццы и мороженого. Однако сердиться на него было невозможно. Panettiere ограничился тем, что поставил мать в известность, что Джино не сможет достойно заменить Винни следующим летом; легкомыслие, с которым мать восприняла это сообщение, вывело Октавию из себя: если бы то, над чем они так весело смеются, позволил себе Винни, мать устроила бы ему хорошую взбучку.

Но Октавию ожидало вознаграждение за старания. Подкрался конец лета; до школы оставалась всего неделя, когда Винни вернулся домой. Он совершенно изменился: в руках у него был новенький чемоданчик из сверкающей коричневой кожи, на нем были новые брюки из белой фланели, белая рубашка, голубой галстук, голубая курточка. Лицо его загорело и округлилось. Он подрос по крайней мере на дюйм. Служащие Фонда, прикатившие с вокзала Гранд-Сентрал на такси, оставили у крыльца вполне светского молодого человека.

В тот вечер семейство Ангелуцци-Корбо поднялось к себе раньше обычного. Винни расписывал, как устроена жизнь за городом, а Джино с Салом внимали ему, разинув рты. Казалось, даже малютка Лена внимательно слушает его.

За городом нет ни кирпича, ни мостовых; там не улицы, а проселки; с деревьев свисают маленькие зеленые яблочки. Куда ни пойдешь, на кустах растет малина. Там можно лопать, что и когда захочешь. Там маленький деревянный домик, выкрашенный белой краской; ночью там до того холодно, что приходится укрываться одеялом. У каждого есть машина, потому что там нет ни метро, ни трамваев. Мать осталась равнодушной к его рассказу: ведь она живала за городом. Зато Джино оторопел от осознания того, какое счастье привалило брату, а не ему.

Потом Винсент продемонстрировал им свою пижаму. Он оказался первым во всей семье владельцем пижамы. Пижама была желтая, в черную полоску — он сам ее выбрал.

— Ты в этом спишь? — удивилась мать. Зимой все они спали в толстом нижнем белье, натягивая поверх вязаные свитеры, а в жаркую погоду ограничивались трусами и майками. Пусть китайцы носят пижамы.

— Но почему эти люди накупили тебе столько всего? — спросила мать. — Что, они получили столько денег от своего Funda?

— Нет, — гордо ответил Винни. — Просто я им понравился. Они хотят, чтобы я приехал к ним на следующий год; я могу прихватить с собой Джино. Я рассказал им про нашу семью. Они обещали писать мне письма и прислать подарок на Рождество. Мне тоже придется их поздравить.

— Выходит, у них нет детей.

— Нет, — ответил Винни.

Видя, что брат счастлив, Октавия неожиданно для самой себя заявила:

— Тебе уже не придется ходить в пекарню, Вин. До школы осталась одна неделя. Пускай убирается к черту!

Винни был на седьмом небе. Они с Октавий вопросительно посмотрели на Лючию Санту, но та согласно кивнула, улыбнулась и задумалась.

Как странно: получается, что на свете есть добрые люди, которые могут приносить детям счастье. Что же это за люди? Как же безоблачна их жизнь, если они осыпают деньгами и любовью паренька, которого они никогда в жизни не видели и, возможно, больше не увидят? Ее посетила смутная догадка, что вокруг простирается другой мир, непохожий на ее собственный, почти другая планета. Людям, подобным ей, жизнь там заказана. Они могут туда заглянуть, но только благодаря чужой благотворительности, а благотворительность недолговечна, как падающая звезда, она мигом сгорает. Нет, в Италии богатеи, жирные землевладельцы едят детей бедноты поедом! Впрочем, довольно и того, что в этот вечер дети ее счастливы, в их сердцах зажглась надежда. Она была готова радоваться вместе с ними.

Для Октавии лето кончилось плачевно. Ее босс, человек тучный и веселый, неизменно приветливый, както под конец рабочего дня пригласил ее к себе в кабинет.

— Мисс Ангелуцци, — начал он, — я давно за вами наблюдаю. Вы — прекрасная наставница. Женщины, покупающие у нас машинки и получающие от вас уроки, не могут на вас нахвалиться. И на машинки — тоже. В этом-то и беда, моя милая.

Октавия не поверила собственным ушам.

— Не понимаю, о чем вы говорите, — молвила она.

— Вы молодая и, наверное, неглупая. Это хорошо, даже очень. У вас есть целеустремленность. Вы отлично выполняете свою работу. Как-то я заметил, что у одной женщины ничего не получается — глупая попалась женщина, это сразу бросалось в глаза; так вы сидели с ней до тех пор, пока она не освоила машинку. Не стану ходить вокруг да около и скажу, как есть: у нас никогда не было такой хорошей работницы, как вы.

Он ласково похлопал ее по руке, и она отстранилась. Он улыбнулся; ее праведное итальянское воспитание сыграло с ней дурную шутку: если мужчина трогает тебя, то только с одной целью...

Похвала вызвала у Октавии ликование: значит, она — настоящая учительница. Она не ошиблась в себе.

— Но, Октавия, — мягко продолжал босс, — компания швейных машинок «Мелодия» занимается бизнесом не для того, чтобы давать уроки шитья. И не для того даже, чтобы продавать простенькие машинки, которые мы рекламируем, чтобы заставить людей переступать порог магазина. Мы хотим продавать хорошие машинки! Самые лучшие! Вот в чем состоит ваша истинная задача. Я повышаю вас: отныне вы — продавщица, я даю вам двухдолларовую прибавку. Будьте такой, как раньше, только пообщительнее. — При этих словах она сверкнула глазами, и он улыбнулся. — Нет, не со мной. Будьте общительной, подружитесь с дамами, которых вы учите. Пейте с ними кофе, станьте им подругой. Вы говорите по-итальянски — это только плюс. Понимаете, машинки, которые мы продаем, не приносят нам прибыли. Ваша задача будет состоять в том, чтобы убеждать людей пересаживаться за машинки новых моделей. Ясно? Делайте все, как делали раньше. Только будьте им подругой, даже ходите с ними куда-нибудь вечерами. На следующее утро можете прийти на работу позже. Если вам удастся продать больше, вы будете сами распоряжаться своим временем. — Он хотел было снова погладить ее по руке, но одумался и одарил ее веселой отеческой улыбкой.

Октавия выбежала из его кабинета польщенная, вне себя от счастья. Наконец-то у нее хорошая работа, должность с перспективой! Днем она пошла пить кофе с молодыми замужними женщинами, которые беседовали с ней так уважительно, что она почувствовала себя важной персоной, ни дать ни взять — учительницей. На вопрос, как работает машинка, одна из них ответила:

— Отлично! Ваш босс хотел убедить меня сменить ее на новенькую и дорогую. Но к чему мне это? Я просто шью платья для детей и для себя, чтобы немного сэкономить.

Только тут до Октавии дошло, что предложил ей босс.

Едва занявшись продажей, она встала перед необходимостью принимать решения, отягощенные моральной ответственностью и умственным напряжением и не имеющие отношения к ее знакомым, родне, к ее телу, полу, семье. Она поняла, что продвижение невозможно, если не обирать ближнего. Она представила себе собственную мать, ничего не смыслящую в американской жизни, обставляемую такой же пигалицей, как она. Если бы речь шла о том, чтобы подделывать счета, завышать цену, то она пошла бы на это, стремясь сохранить место. Однако она была еще очень наивна, и ей казалось, что использовать свое обаяние, улыбку, участливость — это то же самое, что торговать собственным телом. Она предприняла робкие попытки, но у нее не хватило напора, без которого нечего было и мечтать о сделке.

Прошло две недели, и ее уволили. Босс стоял в дверях, провожая ее. Напоследок он покачал головой и жалостливо произнес:

— Вы славная девушка, Октавия.

Однако она не улыбнулась в ответ, а сердито сверкнула глазами и презрительно отвернулась. Он вполне мог позволить себе проявлять понимание. Он ничего не терял, его жизнь устоялась. Это было всего лишь дешевое дружелюбие победителя к побежденному. В ее жизни не было места для безграничной терпимости.

Октавия расставалась с мечтами. Теперь ей казалось, что учителя, в которых она души не чаяла, на самом деле обвели ее вокруг пальца, осыпая комплиментами, побуждая стремиться к лучшей жизни, хотя у нее не было ни средств, ни силенок даже начать поиски такой жизни. Они сбыли ей жизненный идеал, существовать с которым в ее мире оказалось не по карману.

Октавия возвратилась в мастерские. Лишь получив там место, она поведала матери, что с ней стряслось; мать выслушала, не произнося ни слова. Она причесывала Сала, зажав его коленями.

— Таким людям, как мы, богатыми не бывать, — только и сказала она.

— Я не могу поступать так с бедняками, — сердито бросила Октавия. — Ты бы тоже не смогла набивать деньгами карманы этих мерзавцев.

— Я слишком стара для таких фокусов, — устало сказала Лючия Санта. — И таланта у меня никакого. Я не так горячо люблю людей, чтобы любезничать с ними, пусть и за деньги. Но ты молода, ты бы научилась. Это не так сложно. Но куда там! В моей семье принято читать книжки, ходить в кино и воображать себя богатым. Гордись собой и прозябай в нищете. Мне-то что! Я была бедна, пусть и дети мои будут бедны.

Она подтолкнула Сала к двери. Мальчонка обернулся и заканючил:

— Дай мне два цента на содовую, ма!

Мать, никогда не отказывавшая ему в этой просьбе, сейчас сердито буркнула:

— Разве ты не слышал, что я только что сказала твоей сестре? Мы бедняки! Вот и иди.

Сал важно взглянул на нее. Она с раздражением подумала, что все ее дети до одного слишком серьезны. И тут Сал с неопровержимой логикой, доступной только ребенку, сказал:

— Выходит, если ты не станешь давать мне по два цента, то разбогатеешь?

Октавия поневоле прыснула. Мать потянулась за кошельком и с непроницаемым лицом дала сыну монетку. Тот, ни слова не говоря, скрылся.

Лючия Санта пожала плечами и взглянула на Октавию. А все-таки, если бы я никогда не давала детям два цента на содовую, мы были бы богаче, подумала мать. Если бы никогда не отсчитывала им денег на кино и на бейсбол, если бы готовила мясо всего раз в неделю и включала электричество только тогда, когда уже не видно ни зги. Если бы круглый год заставляла детей работать, не дожидаясь, пока они выучатся в школе, если бы сажала их по вечерам пришивать пуговицы, запрещая читать и слушать радио, — кто знает, может быть, тогда...

Мелочная бережливость помогла тысячам людей приобрести дома на Лонг-Айленде. Но в ее семье такого никогда бы не получилось. Всем им суждено влачить жалкое существование, в том числе и ей. Наверное, она сама в этом виновата: недостаточно прилежно вытирала им носы, не проявила себя мудрой матерью нищих детей.

Она не питала иллюзий относительно людей. Люди не злы, сознательного злодея отыскать трудно. Но деньги — это бог. Деньги делают человека свободным. Деньги дают надежду. Деньги — это надежность. Отказаться от денег?

Это то же самое, что требовать от человека, угодившего в дикие джунгли, чтобы он бросил ружье.

Деньги охраняют жизнь твоих детей. Деньги спасают их от тьмы. Кто не оплакивал нехватку денег? Кто не рыдал, мечтая о деньгах? Кто откликается на зов денег? Врачи, священники, почтительные сыновья.

Деньги — вот новая родина. Лежа ночью без сна и думая, как растут сбережения на ее счете, Лючия Санта ощутила холодок томления, смешанный со страхом, — совсем как преступник, подсчитывающий, сколько еще дней он проведет за решеткой.

Кроме прочего, деньги — это друзья, любящие родственники. Никакой новый Иисус не смог бы упрекнуть сейчас людей, имеющих деньги.

Не обязательно богатство, просто — деньги; деньги, как стена, к которой можно привалиться спиной и бесстрашно взглянуть миру в глаза.

Октавия знала, что мать размышляет о деньгах. О деньгах, которыми надо оплачивать врачей, одежду, топливо для печки, школьные учебники, одежду для причастия. О деньгах, на которые можно будет купить дом на Лонг-Айленде и, возможно, отправить маленького Сала учиться в колледж.

И все же, думала Октавия, при всем этом мать относится к деньгам нерасчетливо. Она покупает самое лучшее оливковое масло, дорогой сыр, заморский prosciutto. Не менее трех раз в неделю она кормит их мясом. Сколько раз она вызывала врача к прихворнувшим детям, когда в другой семье обошлись бы домашними средствами и дождались, пока жар или простуда пройдут сами собой. На Пасху каждый ребенок наряжался в новый костюм или платье.

Так или иначе, каждую неделю мать дает Октавии пять-десять долларов, чтобы она положила их на счет. На сберегательной книжке, о которой не знает никто, кроме матери и старшей дочери, лежит уже полторы тысячи долларов. Октавия гадала, что же послужит для ее матери волшебным сигналом, по которому она предпримет великий шаг в жизни семьи — купит дом на Лонг-Айленде.

Наступила осень, дети пошли в школу, сидеть по вечерам на тротуаре стало зябко, к тому же накопилось слишком много дел, чтобы можно было транжирить вечера, посвящая их болтовне. Стирка, глажка, чистка башмаков, пришивание бесчисленных пуговиц ради дополнительного заработка. Из задних дворов и подвалов подняли в квартиры масляные нагреватели. Город окрасился в новые цвета: холодное солнце сделалось бледно-желтым, мостовые и тротуары — серыми. Дома словно вытянулись, стали тоньше, как бы отодвинулись друг от друга. Камень утратил запах, гудрон перестал смердеть. В воздухе больше не носилась горячая пыль. Белый дымок из паровозных труб приобрел запах вольных просторов. Утром одного такого холодного дня Фрэнк Корбо возвратился домой, к семье.

ГЛАВА 6

Старшие дети разошлись в школу и на работу. Лючия Санта пила кофе в компании тетушки Лоуке. Обе насторожились, услыхав на лестнице шаги; дверь распахнулась, и на пороге вырос Фрэнк Корбо, гордый, но в то же время напоминающий ребенка, мнущегося у входа, дожидаясь, чтобы его пригласили войти. Он хорошо выглядел, его загорелое лицо немного пополнело, взгляд помягчел.

— А-а, наконец-то вернулся, — холодно произнесла Лючия Санта.

Однако в ее голосе звучало скорее не возмущение, а приглашение. Умудренная жизнью тетушка Лоуке тоже знала, как ублажить мужчину, вернувшегося в семью.

— Фрэнк, как ты славно выглядишь! — прошамкала она. — Как приятно на тебя смотреть!

И она засуетилась, спеша подать ему кофе. Фрэнк Корбо уселся за стол напротив жены.

Они недолго смотрели друг другу в глаза. Ни он, ни она не находили нужных слов. Он сделал то, чего не мог не сделать. Он не думал извиняться, не умолял понять его. Ей приходилось принимать его таким, какой он есть, как принимают болезнь, смерть. На прощение он не надеялся. Она встала, подошла к двери, где он оставил свой чемодан, словно сомневался, сможет ли остаться, и оттащила его в дальний угол комнаты. Потом она наскоро зажарила ему омлет.

Когда она наклонилась, подавая ему еду, он чмокнул ее в щеку, и она приняла поцелуй. Эти двое предали друг друга и этим поцелуем давали обещание не помышлять о мести.

Все трое мирно хлебали кофе. Тетушка Лоуке спросила:

— Тебе понравилось работать на земле? Работа, настоящая работа — самое лучшее дело для мужчины. В Италии люди трудятся по шестнадцать часов в день и не знают болезней. Нет, ты отлично выглядишь! Значит, земля пошла тебе на пользу.

Отец семейства кивнул. Он был вежлив.

— Все было хорошо, — сказал он.

Двое малышей, Сал и малютка Лена, пришли из дальней комнаты, где только что играли. Увидав своего отца, они остановились, взявшись за руки, и уставились на него.

— Ну-ка, поцелуйте отца! — прикрикнула на них тетушка Лоуке.

Однако отец смотрел на детей с прежним выражением безнадежности, потерянности, словно стараясь вспомнить, как он любил их, и одновременно страшась чего-то. Когда они подошли к нему, он нагнулся и с трогательной нежностью поцеловал их в лобики. Однако стоило ему поднять голову — и жена с прежней тревогой заметила, какой у него затравленный взгляд.

Отец вытащил из кармана два бумажных пакетика с конфетами и вручил детям. Они плюхнулись на пол и тут же, возясь у отцовских ног, как котята, стали изучать содержимое коричневых кульков. Он снова принялся за кофе, словно забыв о них, не делая больше попыток их приласкать.

Тетушка Лоуке тихонько вышла. Когда дверь за ней затворилась, отец извлек из кармана комок из купюр, отделил от него две, а остальные отдал Лючии Санте. Сто долларов!

Лючия Санта не знала, что сказать.

— Возможно, ты правильно поступил. Ты лучше выглядишь. Как ты себя чувствуешь, Фрэнк? — В ее голосе слышалась забота и тревога.

— Лучше, — ответил муж. — А то я совсем было занемог. Мне не хотелось скандала перед уходом, поэтому я тебе ничего не сказал. Шум в городе, шум в доме... У меня постоянно болела голова. Там было, по крайней мере, спокойно. Днем я много работал, а ночью спал без сновидений. О чем еще мечтать человеку?

Оба помолчали. Наконец он произнес, словно извиняясь:

— Здесь не так уж много денег, но это все, что я заработал. На себя я не истратил ни единого цента. Хозяин дал мне чемодан, одежду, он кормил меня. Это все же лучше, чем торчать здесь и мыть твою лестницу.

Мать спокойно и примирительно ответила:

— Нет, это большие деньги. — Однако она не удержалась, чтобы не присовокупить: — Лестницу за тебя мыл Джино.

Она думала, что он вспылит, однако Фрэнк только кивнул и произнес рассудительным тоном, без всякой иронии:

— Дети должны страдать за грехи отцов.

Такие слова мог сказать только усердный прихожанин, истовый христианин. В подтверждение ее догадки он извлек из нагрудного кармана маленькую Библию с красным обрезом.

— Видишь? — молвил он. — В этой книге — вся правда, а я даже не могу ее прочесть. Вот придет из школы Джино — он мне почитает. Тут отмечены нужные места.

Мать пристально смотрела на него.

— Ты, наверное, устал, — произнесла она. — Иди ляг, поспи. Я выгоню детей поиграть на улице.

Когда она разделся и лег, она принесла ему мокрое полотенце, чтобы он обтер лицо и руки. Он не проявил намерения овладеть ею, не выказал желания близости; когда он, закрыв глаза, откинулся на постель, ей показалось, что он не хочет видеть мир, в который вернулся. Лючия Санта заподозрила, что за обличьем благополучия и здоровья скрывается какой-то чудовищный недуг. Глядя на него спящего, она чувствовала странную жалость к этому человеку, которого когда-то любила и который столько лет был ее мужем. Теперь ей казалось, что каждый день, нет, каждую минуту, каждую секунду она все разматывает и разматывает клубок его судьбы, словно он — ее пленник, умирающий в одиночной камере. Она была тюремщицей поневоле: она не преследовала его, не выносила приговора, не бросала его за решетку. Но она не могла выпустить его на свободу. Присев рядом с ним на кровать, Лючия Санта положила руку ему на голову. Он уже спал. Она еще какое-то время посидела с ним рядом, радуясь, что остальное семейство, вернувшись домой, застанет его спящим и что Октавия, Ларри,

Джино и Винни впервые в жизни увидят его беззащитным и — кто знает — возможно, пожалеют его.

Вечером, когда семья уже сидела за столом, отец встал с кровати и присоединился к остальным. Приветствие Октавии было коротким и холодным. Ларри же, напротив, обрадовался и вскричал с несомненной искренностью:

— Ты отлично выглядишь, пап! Нам тебя здорово не хватало.

Джино и Винсент с любопытством рассматривали отца. Тот спросил Джино:

— Ты хорошо вел себя с матерью в мое отсутствие?

Джино кивнул. Отец сел и, словно спохватившись, вытащил из кармана две долларовые купюры и молча вручил их Джино и Винсенту.

Октавии не понравилось, что он не спросил о поведении у Винсента. Она хорошо понимала Винсента и знала, что он уязвлен и что доллар дела не поправит. Она сердилась еще больше, потому что сообразила, что отчим поступил так без всякого умысла.

Неожиданно отец сказал нечто такое, что повергло всех за столом в изумление:

— Сегодня ко мне зайдут друзья.

Раньше он никогда не приводил в дом друзей, словно знал или чувствовал, что здесь на самом деле не его родной дом, что ему никогда не бывать главой семьи. К нему даже ни разу не наведывались приятели-картежники, чтобы пропустить по стаканчику вина. Ларри в этот вечер выходил на работу, Октавия же решила остаться дома, чтобы посмотреть, что это за люди, и оказать матери поддержку, если они окажутся союзниками отчима в его противостоянии семье.

Квартира была прибрана, посуда перемыта, на огне варился свежий кофе, на столе стоял купленный по такому случаю в магазине торт. Наконец явились гости — мистер и миссис Джон Колуччи с девятилетним сыном Джоубом.

Супруги Колуччи оказались молоды: обоим было лет по тридцать с небольшим. Мистер Колуччи был худ и угрюм, говорил с легким акцентом — единственное свидетельство того, что он не был уроженцем Америки. На нем была безупречная рубашка, галстук, пиджак. Жена его отличалась пышностью форм, хотя толстой ее трудно было назвать. У нее не было никакого акцента, однако она походила на итальянку гораздо больше, чем муж.

Семья Ангелуцци-Корбо несказанно удивилась любви, которую проявляли Колуччи к Фрэнку Корбо. Они ласково потрясли его за руку, нежно справились о его самочувствии, восхищенным тоном молвили: «А, вот и ваша жена!», а «Так это — ваши дети!» прозвучало с налетом испуга. Можно подумать, что он — их богатый дядюшка, пронеслось в голове у Лючии Санты. От ее внимания не ускользнуло, что муж не остался равнодушным к их любви. Он никогда не выставлял напоказ своих чувств, однако она могла судить об его волнении по его тону и уважительному голосу, в котором впервые с самой их свадьбы она различила нотки, указывавшие на то, что он готов прислушаться к мнению и желаниям собеседников. Казалось, впервые он встретил людей, на которых ему захотелось произвести хорошее впечатление. Он сам налил им кофе.

Все уселись вокруг огромного кухонного стола. Октавия вела себя очаровательно, в безупречном американском стиле: она расточала улыбки и разговаривала негромко и любезно. У Колуччи были прекрасные манеры. Мистер Колуччи, несомненно, работал в конторе и не ведал ручного труда. Миссис Колуччи ворковала на изысканном итальянском языке, какому не научишься в Италии. Нет, они не дети крестьян из горной местности, они происходят из чиновного класса, они — представители многих поколений итальянских государственных служащих. Сам Колуччи был редким итальянцем, чья семья эмигрировала в Америку не из-за бедности, а по религиозным соображениям. Они были протестантами и здесь, в Америке, примкнули к новой секте — «Церкви истинных христиан-баптистов».

Их встреча с Фрэнком Корбо состоялась, разумеется, по воле Всевышнего. Ферма, где тот работал, принадлежала двоюродному брату Колуччи, и семья проводила там летний отпуск, так как это шло на пользу здоровью их сына. Лючия Санта, перевоспитанная крестьянка, подняла брови, заслышав перепевы темы, так досаждавшей ей все лето. Однако, продолжал мистер Колуччи, воля Господня проявилась еще и в том, что даже в городе они живут, оказывается, в нескольких кварталах друг от друга, и каждое утро, направляясь на работу, он проходит мимо дома Фрэнка Корбо. Мистер Колуччи работает на шоколадной фабрике Ранкеля на Тридцать первой стрит! Более того, он уверен, что подыщет Фрэнку Корбо работу на фабрике; но причина их визита не в этом.

Мистер Колуччи обещал научить Фрэнка Корбо читать и писать. Учебным пособием станет для них Библия. Они пришли к ним в гости, чтобы сдержать данное обещание и начать учить его не только грамоте, но и истине об Иисусе Христе. Он станет ходить к ним на занятия в молитвенный дом Истинных христиан-баптистов. Мистер Колуччи хочет удостовериться, что миссис Лючия Санта Корбо не будет возражать и не сочтет себя ущемленной, если ее супруг станет наведываться туда трижды в неделю по вечерам. Он знает, каково почтение, которое принято оказывать у итальянцев жене, матери детей. О религиозных возражениях он не упомянул, словно знал, что таковых не возникнет.

Лючия Санта взглянула на него более благосклонно. Она сообразила, что ее муж сделается протестантом, однако это ее нисколько не тревожило. Он — взрослый человек. Но вот работа у Ранкеля! Он будет бесплатно приносить домой шоколад и какао. Да и зарплатой не стоит пренебрегать. Вот это удача так удача! Пусть муж становится хоть иудеем, если ему так больше нравится. Она не станет отвечать согласием, поскольку этого от нее и не требуется: у нее нет права вето. Однако она дает мужу свое благословение.

Теперь, когда спало первое напряжение, они принялись рассказывать друг другу о себе, о том, где жили в Италии их семьи, когда и почему они перебрались сюда. Колуччи не пили и не курили. Вся их жизнь заключалась в религии, ибо они верили в Живого Бога. Они рассказывали о чудесах, в которые их заставляла верить их религия. Во время собраний в молитвенном доме прихожане впадали в транс, валились на пол и начинали изъясняться на неведомых языках; пьянчуги превращались в твердых трезвенников, злобные невежи, постоянно украшавшие жен и детей синяками, превращались в безгрешных святош. Лючия Санта снова подняла брови, теперь в учтивом изумлении.

— Грешники становятся подобны Господу, — продолжал мистер Калуччи. — Я тоже был страшным грешником — лучше уж не стану распространяться, в чем состояли мои грехи...

Его жена уронила голову; когда она снова подняла глаза, на ее губах блуждала невеселая усмешка. Однако Колуччи говорил без бахвальства. Его и впрямь можно было принять за человека, перенесшего чудовищные невзгоды, настрадавшегося, а потом спасенного, но не собственными силами, а волей Всевышнего.

Колуччи постарался объясниться. Скажем, даже если Фрэнк еще не обрел веры, это не имеет значения. Они — его друзья, они сделают все, чтобы ему помочь. Они будут стараться из любви к нему и к Господу. Вера войдет в его душу своим чередом.

Несмотря на громкие слова «любовь» и «Бог», семья находилась под впечатлением услышанного. Они никогда раньше не встречали людей, подобных мистеру Колуччи, и даже не слыхали об их существовании. Лючия Санта все ждала какой-нибудь просьбы, какого-нибудь подвоха, который заставил бы их расплачиваться за везение, однако так и не дождалась. Она встала, чтобы сварить еще кофе и угостить гостей tarelle. Отец держал всех в поле зрения, оставался невозмутим, но, судя по всему, был доволен происходящим.

Нет, прочь сомнения: гармония достигнута. Колуччи почувствовал это и стал еще красноречивее. Он взялся объяснять новым знакомым суть своей религии. Людям надлежит любить друг друга и не мечтать о земных благах. Скоро разразится Армагеддон, Бог сотрет мир живущих с лика земли, и спасутся лишь избранные, истинные верующие. Миссис Колуччи согласно кивала. Ее красивые губы, темно-багровые, несмотря на отсутствие помады, были убежденно поджаты, ее чудесные черные глаза сверкали, скользя по комнате.

Дети, чувствуя, что на них больше не обращают внимания, покинули взрослых. Джино, Винсент и Джоуб прошли в коридор и оттуда — в гостиную. Колуччи продолжал разглагольствовать. Лючия Санта из вежливости прислушивалась к его словам. Эти люди собираются предоставить ее мужу работу. Bravo. Пусть он молится так, как им больше нравится. Все ее дети, кроме Сала и Лены, уже приведены к причастию и к конфирмации в католическом соборе, однако она делала это так же бездумно, как одевала их во все новое на Пасхальное воскресенье, — просто потому, что того требовали правила поведения в обществе. Сама она давно уже забросила мысли о Боге и лишь машинально проклинала Его имя при очередном несчастье. Как бы то ни было, после ее смерти с ней поступят так, как того требует обычай ее церкви. Сама же она не ходила к мессе даже на Рождество и на Пасху.

На Октавию новые знакомые произвели более сильное впечатление. Она была молода, и стремление творить добро вызывало у нее уважение. Ей хотелось бы быть такой же красивой, как миссис. Колуччи; на мгновение она порадовалась, что дома нет Ларри, который наверняка попробовал бы на ней свои чары.

Отец не сводил с Колуччи взгляда и слушал его самозабвенно, словно отчаянно хотел услышать что-то особенное; казалось, Колуччи вот-вот произнесет какие-то волшебные слова, которые сыграют для него роль волшебного ключика. Он терпеливо ждал этих слов.

У гостиной Джино запустил руку в дыру в стене, куда зимой вставляли трубу от печи, и нашарил там колоду карт.

— Хочешь, сыграем в «семь с половиной»? — предложил он Джоубу. Винни уже сидел на полу и выковыривал из складок кармана центы. Джино уселся напротив него.

— Играть в карты — грех, — сказал Джоуб. Он был честным малым, почти миловидным, он напоминал лицом мать, но в нем не было никакого жеманства. Он тоже сел на пол, глядя на новых знакомых во все глаза.

— Хочешь, научу? Вот тебе крест! — побожился Джино.

— Клясться грешно, — заладил Джоуб.

— Черта с два, — бросил Винни. Вообще-то он никогда не бранился, но с какой стати этот сопляк учит Джино, что ему говорить, а что — нет?

Джино наклонил голову и тоном мудреца стал внушать Джоубу:

— Если ты станешь трепаться вот так у нас в квартале, парень, с тебя снимут штаны и забросят их на фонарь. Придется тебе бежать домой с голой задницей.

Испуг на мордашке Джоуба принес ему удовлетворение. Братья увлеклись картами и забыли обо всем на свете.

— Ладно, — неожиданно молвил Джоуб, — но вы двое тоже провалитесь в ад, причем скоро.

Но Джино с Винни не так-то просто было запугать.

— Мой отец говорит, что близится конец света, — спокойно объяснил Джоуб.

Джино и Винни на минуту прервали игру. Мистер Колуччи произвел на них впечатление. Джоуб самоуверенно усмехнулся.

— И произойдет это из-за таких, как вы. Вы гневите Бога, ибо совершаете зло, играя и бранясь. Если бы вы и вам подобные поступали так, как учу вас я и мой отец, то Бог, возможно, отменил бы конец света.

Джино нахмурился. Его причастие и конфирмация состоялись год назад, но монахини, учившие его катехизису, ни о чем подобном его не предупреждали.

— Когда же это случится? — поинтересовался он.

— Скоро, — отмахнулся Джоуб.

— Скажи, когда, — настаивал Джино, пока еще уважительно.

— В небе вспыхнет пламя и загрохочут пушки, на землю обрушится потоп. Все погибнет во взрыве... Земля разверзнется и поглотит людей; они пойдут в ад, а потом все накроет океан. Всем предстоит жариться в аду. За исключением немногих, которые веруют и творят добро. Потом Господь снова будет всех любить.

— Да, но когда? — уперся Джино. Задавая вопрос, он не унимался, пока не добивался ответа, каким бы он ни оказался.

— Через двадцать лет, — сказал Джоуб.

Джино пересчитал свои монеты.

— Ставлю пять центов, — сказал он Винсенту. Винни согласился. Мало ли что случится через двадцать лет?

Винни проиграл. Возраст научил его сарказму. Он сказал:

— Если бы меня звали Джоубом[1], то я ждал бы конца света так скоро.

Братья злорадно уставились на Джоуба, и тот впервые разозлился.

— Меня назвали именем одного из величайших людей из Библии! — распалился он. — Знаете ли вы хотя бы, что совершил Иов? Он верил в Бога. Но Бог подверг его испытанию: Он убил его детей, Он сделал так, что от Иова ушла жена. Потом Бог ослепил его, наслал на него хворь, от которой Иов покрылся миллионами прыщей. Потом Бог отнял у него дом и все деньги. И знаете, что было дальше? Бог послал к Иову дьявола, и тот спросил Иова, любит ли он до сих пор Бога. Знаете, что ответил

---

[1] Имя «Job» — то же самое, что библейский Иов.

Иов? — Мальчик выдержал драматическую паузу. — «Господь дал, Господь и взял. Я люблю Господа своего».

Пораженный Винни внимательно посмотрел на Джоуба. Зато Джино возмутился:

— Он сказал правду? Или просто испугался, что и его самого убьют?

— Конечно, правду! За это Господь одарил его счастьем, чтобы вознаградить за веру. Мой отец говорит, что Иов был первым истинным баптистом. Вот почему истинные христиане-баптисты спасутся, когда наступит конец света, а все, кто не слушает нас, будут гореть в гиене огненной целый миллион лет. Или даже больше. Так что вам лучше перестать играть в карты и сквернословить.

Но Джино, упрямый мальчишка, мастерски перетасовал карты и стал проделывать с ними разные фокусы. Джоуб завороженно глядел на его ловкие руки.

— Хочешь попробовать? — небрежно спросил Джино.

В следующую секунду колода оказалась в руках у Джоуба. Тот попытался их перетасовать, но карты веером разлетелись по полу. Он собрал их и предпринял новую попытку. На его лице застыло серьезное выражение. Неожиданно на пол комнаты легла громадная тень. Над мальчиками нависла миссис Колуччи; они не слышали, как она подошла по коридору к их комнате.

Винни и Джино замерли, не в силах отвести взоры от красавицы. Она смерила сына холодным взором, приподняв одну бровь.

— Я не играл, мама! — заикаясь, пролепетал Джоуб. — Просто Джино показывал мне, как мешают карты. Я смотрел, как они играют...

— Он не врет, миссис Колуччи, — горячо вступился за него Джино. — Он смотрел, и все. Представляете, — в его голосе звучало изумление, — он отказывался играть, как я к нему ни приставал!

Миссис Калуччи улыбнулась и произнесла:

— Я знаю, Джино, что сын мне никогда не врет. Но довольно даже прикосновения к картам. Отец будет очень сердит на него.

Джино заговорщически улыбнулся:

— А вам не обязательно ему рассказывать.

Теперь в тоне миссис Колуччи прозвучал холодок:

— Я-то, конечно, не расскажу. Но Джоуб расскажет ему сам.

Удивленный Джино устремил на Джоуба вопросительный взгляд. Миссис Колуччи ласково объяснила:

— Мистер Колуччи — глава нашей семьи, подобно тому, как Бог — глава всего мира. Не станешь же ты утаивать что-либо от Бога, а, Джино?

Мальчик задумался.

Винни сердито тасовал карты. Он был зол на Джино; как брат сподобился не разобраться в этих людях? Неужели он воображает, что они питают к нему симпатию, неужели его подкупили их учтивые манеры? На красивом, дородном лице миссис Колуччи он ясно разглядел отвращение: ведь они играют в карты, а это все равно, что застать их за каким-нибудь постыдным занятием, о котором не принято упоминать.

— Не лезь в чужие дела, Джино! — брякнул он и уже занес руку для затрещины.

Джино, как всегда заинтригованный непонятными речами, сказал Джоубу:

— Ты действительно расскажешь отцу? Кроме шуток? Но ведь если ты не расскажешь, твоя мама тоже не проболтается! Верно, миссис Колуччи?

На лице женщины нетрудно было прочесть выражение сильнейшего, прямо-таки физического отвращения, но она промолчала.

Джоуб тоже ничего не ответил, но был близок к тому, чтобы расплакаться. Джино остолбенел.

— Я скажу твоему отцу, что я сам сунул тебе в руки карты, — заверил он Джоуба. — Ведь так оно и было на самом деле! Правда, Вин? Пошли, я ему все расскажу.

— Отец примет на веру любые слова Джоуба, — резко остановила его миссис Колуччи. — Спокойной ночи, дети. Попрощайся с новыми друзьями, Джоуб.

Джоуб безмолвствовал. Мать и сын направились в кухню.

Братьям расхотелось играть в карты. Джино подошел к окошку, распахнул его и залез на подоконник. Винсент подошел к другому окну и поступил так же.

На сортировочной станции царила темнота, разрезаемая прожектором единственного бессонного, но невидимого паровоза, оглашающего все вокруг стальным лязгом. Река Гудзон казалась в свете неяркой осенней луны сине-черной, а противоположный берег вставал, как нагромождение скал. Десятая авеню была темной и пустой;

холодный октябрьский ветер разогнал на ночь глядя не только людей, но даже запахи. Лишь на углу Тридцать первой стрит теплилась жизнь: здесь горел костер, вокруг которого бродили подростки.

Джино и Винсент видели, как с крыльца спускается отец, вышедший проводить семейство Колуччи до трамвайной остановки на Девятой. Вскоре он появился снова и надолго замер у костра, пристально глядя на пляшущее пламя. Мальчики не сводили с него глаз. Наконец он оторвался от огня и побрел домой.

Джино и Винсент слезли с подоконников, опустили и расстелили кровать. Винсент натянул свою драгоценную пижаму — память о загородном отдыхе. Наблюдая за ним, Джино молвил:

— Этот Джоуб — славный паренек, но его счастье, что он живет не в нашем квартале.

Мистер Колуччи оказался не только болтуном, но и человеком дела: не прошло и недели, а Фрэнк Корбо уже поступил на шоколадную фабрику Ранкеля; теперь его возвращение домой всякий раз становилось для детей праздником. От его одежды и от него самого за версту несло какао, карман топорщился от огромного куска шоколада. То был чистый шоколад, гораздо вкуснее того, что продается в лавке. Кусок вручался Джино, и тот делил его между всеми детьми следующим образом: он рубил его ножом на две части, одну брал себе, вторую отдавал Винни; обкусав каждый свою долю, мальчики передавали остатки Салу и Лене. Джино представлялось, что отец долбит на работе мотыгой огромную гору шоколада, старясь ее измельчить.

Под Пасху отец собирался принять крещение по новому обряду. Каждый вечер он отправлялся к Колуччи на урок чтения; оттуда его путь лежал в молитвенный дом, где он слушал службу и продолжал учебу. Иногда он пытался заставить Джино почитать ему Библию, но мальчик неизменно протестовал: читал он плохо и с явным отвращением, особенно излюбленные места отца, в которых речь шла о том, как разъяренный и мстительный Бог призывает человека к ответу. Джино читал эти отрывки таким безразличным и скучающим голосом, что только раздражал отца. Однажды Фрэнк Корбо сказал ему с мягкой улыбкой:

— Animale! Выходит, ты не веруешь в Господа? А ты не боишься смерти и ада?

Джино был смущен и от удивления не сразу сообразил, что ответить.

— Я прошел причастие и конфирмацию, — наконец, нашелся он.

Отец взглянул на него, пожал плечами и больше никогда не заставлял его читать.

Следующие два месяца все шло как по маслу. Ссоры отошли в прошлое.

Но мало-помалу Лючия Санта, видя, как спокоен, трудолюбив, прилежен ее муженек, стала приходить к заключению, что ему нет прощения за то, что он не ведет себя еще лучше. Она пожаловалась было, что его вечно нет дома, что дети его никогда не видят, что он не водит ее в гости к родственникам. Выяснилось, что отец как будто ждал таких жалоб, словно новая личина тяготила его самого. Разыгралась бурная сцена: он поднял на нее руку, начались вопли, Октавия угрожала зарезать его кухонным ножом — одним словом, вернулись старые времена. Отец выбежал вон и не появлялся до утра.

После этого он стал меняться. Теперь он все реже ходил в молитвенный дом. По вечерам он часто возвращался прямиком домой, где, не поев, валился на кровать. Он был способен лежать так часами, уставясь в потолок, не смыкая глаз и не требуя есть. Лючия Санта приносила ему тарелку с горячей пищей; иногда он соглашался поесть, иногда выбивал тарелку у нее из рук, пачкая накидку и не позволяя потом сменить простыню.

Потом он засыпал, но около полуночи просыпался и принимался стонать и метаться по постели. Его мучили невыносимые головные боли, и Лючии Санте приходилось смачивать ему виски спиртом. Как бы то ни было, утром он с рвением торопился на работу. Работа была важнее всего остального.

Зимой ночи превратились в сущий кошмар. Отцовские крики будили малышку. Джино, Винсент и Сал жались друг к другу — Джино и Винсент сгорали от любопытства, но робели заглянуть к родителям, Сал же просто трясся от страха. Октавия тоже просыпалась и лежала, злясь на мать, проявляющую столько терпения. Ларри пропускал это развлечение, потому что работал по ночам и приходил домой только утром.

Отец становился все невыносимее. Проснувшись среди ночи, он принимался проклинать жену — сперва медленно, потом во все ускоряющемся ритме, как будто читал Библию. Квартира, погруженная в тишину и тьму, внезапно пробуждалась, когда ее наполнял звонкий голос отца:

— Шлюха... Сука... Вшивая... грязная... лживая... мерзавка... — Потом он принимался частить фальцетом: — Дьявольское отродье! Сучье племя! Мать шлюхи! — Дальше следовал нескончаемый поток совсем уж грязной брани, неизменно заканчивавшийся жутким призывом о помощи: — Gesu, Gesu[1], помоги мне, помоги!!!

Семья просыпалась, каждый в испуге садился в кровати и ждал, не зная, что учинит отец в следующую минуту. Мать старалась его утихомирить, обращаясь к нему тихим голосом, умоляя успокоиться и позволить семье спокойно поспать. Она так щедро смачивала ему виски спиртом, что квартира наполнялась головокружительным запахом.

Октавия и Лючия Санта спорили до хрипоты, следует ли отправить отца в больницу. Лючия Санта отказывалась даже слышать об этом. У Октавии, изнуренной недосыпом и волнением, начиналась истерика, и мать приводила ее в чувство звонкими пощечинами. Как-то ночью, когда отец затянул свое «Gesu, Gesu», Октавия передразнила его из-за двери. Когда отец принялся браниться по-итальянски, Октавия ответила тем же, копируя его акцент, и грязная иностранная ругань, оглушительно-звонкая в темноте, прозвучала еще ужаснее, чем отцовское сквернословие. Сал и малютка Лена расплакались, Винни и Джино сели спросонья на край кровати, оглушенные страхом. Лючия Санта забарабанила дочери в дверь, умоляя ее угомониться. Однако Октавия уже не владела собой, поэтому отец сдался первым.

Наутро отец не вышел на работу. Лючия Санта дала ему отлежаться, пока не выгнала детей в школу, а потом вошла к нему с завтраком.

Он лежал одеревеневший, как бревно, уставившись пустым взглядом в потолок. Она тряхнула его за плечо, и он гулко забубнил:

— Я умер, не хороните меня без одежды. Обуйте меня в хорошие ботинки. Меня призвал Господь. Я умер.

---

[1] Иисусе, Иисусе (*ит.*).

Мать настолько перепугалась, что стала щупать его конечности. Они оказались холодны как лед и неподвижны. Вскоре отец снова заголосил:

— Gesu, Gesu, помилуй! Aiuto, aiuto[1].

Она схватила его за руку.

— Позволь мне вызвать для тебя доктора, Фрэнк. Ты болен!

Отец рассвирепел так, как гневается только мертвец. Гулким, угрожающим голосом он произнес:

— Пусть врач только сунется — я вышвырну его в окно.

Однако угроза ободрила Лючию Санту, поскольку его холодные синие глаза снова зажглись, пусть всего лишь яростью. Кровь хлынула в конечности, и они снова потеплели. На лестнице, а потом в квартире прозвучали шаги: Ларри вернулся домой после ночной смены.

— Лоренцо! — позвала она. — Зайди сюда и взгляни на отца.

Тон ее голоса был таким тревожным, что Ларри мигом вырос в дверях.

— Смотри, до чего он плох! — сказала она. — И еще отказывается от врача! Поговори с ним.

Вид отчима поверг Ларри в смятение. До этого момента он не замечал, как тот изменился, каким изможденным стало его лицо, как напрягся тонкий рот, как избороздили лоб и щеки морщины безумия.

— Брось, отец, — мягко произнес он. — Надо показать тебя врачу, даже если ты уже мертв. Вдруг люди скажут, что мать отравила тебя? Понял? Нам нужна справка! — Он улыбнулся отчиму.

Но Фрэнк Корбо взглянул на пасынка с презрением, как на слабоумного или безумца.

— Никаких врачей! — отрезал он. — Дайте мне отдохнуть. — С этими словами он закатил глаза.

Лючия Санта и Ларри удалились в кухню на противоположном конце квартиры. Мать велела сыну:

— Сбегай на фабрику Ранцеля и приведи мистера Колуччи. Он сумеет поговорить с Фрэнком. Ночью ему опять было совсем худо. Если это продлится — нет, лучше веди Колуччи...

Ларри смертельно устал и мечтал добраться до постели. Однако он видел, что мать, всегда полная сил и

---

[1] Помилуй (*ит.*).

уверенности в себе, на этот раз близка к слезам, от которых ее удерживает только гордость. Его захлестнула волна любви и жалости к матери, но одновременно ему было противно вмешиваться во все это, словно разразившаяся драма не имела к нему ни малейшего отношения. Он потрепал мать по руке, сказал: «О'кей, ма» — и бросился вон из дому.

Колуччи, даже будучи конторским служащим, не смог отлучиться до конца рабочего дня. Он явился только в пять вечера, приведя с собой еще троих мужчин. От их одежды пахло какао. Они застали Фрэнка Корбо безжизненно растянувшимся на кровати.

Гости встали вокруг него кольцом, словно верные апостолы.

— Фрэнк, Фрэнк! — тихонько позвал мистер Колуччи. — Что с вами? Что вы делаете? Вам нельзя покидать жену с детьми. Кто будет зарабатывать им на хлеб? Господь не станет призывать вас к себе прямо сейчас; вам осталось совершить еще немало добрых дел. Ну же, Фрэнк, вставайте, послушайте своего друга, который любит вас! Время еще не настало! — Остальные посетители хором произнесли «аминь», как во время молитвы. — Нам придется прислать к вам доктора, чтобы он излечил вас от головных болей, — закончил Колуччи.

Отец приподнялся на локте. Голос его звучал тихо, сердито, но уже не безжизненно.

— Вы говорили мне, что врачи ни к чему, потому что все решает Господь, а человеку только и надо, что верить. Значит, вы врали! Иуда вы! — Он указал осуждающим перстом на Колуччи, едва не угодив ему в глаз. Он походил на святого с картинки.

Колуччи остолбенел. Прийдя в себя, он присел рядом с Фрэнком Корбо на постели и взял его за руку.

— Послушай меня, брат, — заговорил он. — Я верую! Но, когда я вижу, что твоя жена с детьми может остаться без опоры в жизни, моя вера подвергается испытанию. Даже моя! Я не могу допустить, чтобы моя вера несла тебе гибель. Ты болен, тебя изводят головные боли. Ты страдаешь! Возлюбленный брат мой, тебе не хватает веры! Ты говоришь, что тебя призвал Господь и что ты теперь мертв. Но это богохульство! Ты должен жить! Пострадай еще немного. Наступит Армагеддон, и Господь смилостивится над тобой. Встань же, пойдем ко мне ужинать. Потом мы отправимся в молитвенный дом и вместе помолимся за твое исцеление.

По лицу Колуччи катились слезы. Трое его друзей поникли головами. Отец взглянул на них, широко распахнув глаза, словно вновь обретя разум.

— Хорошо, я встану, — согласился он и жестом выпроводил всех из спальни, чтобы спокойно одеться. Колуччи прошел вместе с остальными в кухню, где Лючия Санта подала посетителям кофе.

Мистер Колуччи безгласно уперся взглядом в деревянный стол. Видно было, как сильно он опечален. Человек, укорявший его с кровати, был карикатурой на Христа, на истинного верующего, ибо вера его была доведена до логического завершения: человек слег, чтобы умереть.

— Синьора Корбо, — обратился он к Лючии Санте, — сегодня в девять вечера ваш муж возвратится домой. Позовите врача. Не бойтесь, я буду с ним рядом. — Он положил руку ей на плечо. — Синьора, верьте мне! У вашего мужа есть преданные друзья. Он помолится и исцелится. Душа его будет спасена.

От его прикосновения Лючию Санту охватила холодная, непримиримая ярость. Кто он такой, этот человек — отец единственного ребенка, чуждый ее горю и страданиям, — чтобы брать на себя смелость утешать ее? Он смешон своей навязчивой религиозностью, это он — причина болезни ее мужа! Он и его дружки внесли сумбур в рассудок ее мужа своими глупостями, своей непристойной, раболепной фамильярностью с Господом! Кроме того, она чувствовала к мистеру Колуччи брезгливость. Что-то подсказывало ей, что он и в грош не ставит жизнь ближнего своего; что он, имея жену-красавицу, выказал глубокое недоверие к Всевышнему и даже отсутствие веры, ограничившись всего одним отпрыском. Вспоминая, как он проливал слезы, присев рядом с ее мужем на постель, она чувствовала сейчас безграничное пренебрежение к нему и ко всем мужчинам, алчущим, помимо жизни, еще чего-то, какого-то величия. Можно подумать, что недостаточно просто жизни, жизни самой по себе! Ну и высокомерие! Она отвернулась от мистера Колуччи, от его жалости, его страдания, чтобы он не видел ее обозленного лица. Она ненавидела его. Это ей пристало испытывать муку, гнев страдалицы, вынужденной покориться судьбе; что до Колуччи, то пускай он катится со своими слезами — свидетельством дешевого сострадания...

ГЛАВА 7

Врач был сыном домовладельца, имевшего в собственности много домов вдоль Десятой авеню. Отец, простой итальянский крестьянин, выбивался из сил, проливал пот, бежал без оглядки из родной страны, выжимал из съемщиков-соотечественников последний цент, сидел по четыре раза в неделю на pasta и fagioli[1], лишь бы его сын выбился в добрые самаритяне. Доктор Сильвио Барбато не питал иллюзий насчет клятвы Гиппократа. Он слишком уважал своего отца, был слишком умен, чтобы испытывать сентиментальные чувства к этим итальянцам-южанам, ютящимся, подобно крысам, вдоль западной городской стены. И все же молодость не позволяла ему относиться к страданию как к чему-то естественному. В нем еще оставалось нечто похожее на жалость к ближнему.

Он был знаком с Лючией Сантой. Мальчишкой, еще до того, как отец его разбогател, он жил на Десятой авеню и уважал ее за пол и возраст. Ему пришлось пожить так, как жила она теперь: спагетти по четвергам и воскресеньям, pasta и fagioli по вторникам, средам, пятницам и субботам, scarola[2] по понедельникам ради очистки кишечника. Он не мог внушить ей благоговейного страха и действовать при ней с холодным профессионализмом. Однако всякий раз, когда ему доводилось переступать порог подобного жилища, он благословлял про себя своего отца.

Он превратился в человека совсем иной среды. Отец мудро поступил, что сделал его врачом. Люди не могут не болеть, им никуда не деться от больниц; следовательно, ему всегда найдется работенка. Воздух в любую погоду наполнен бациллами. Рано или поздно всякому придется пройти через длительный процесс умирания. У живущего обязательно есть деньги, которые так или иначе перекочуют в карман к врачу.

---

[1] Макароны и фасоль (*ит.*).
[2] Салат-латук (*ит.*).

Он присел, чтобы выпить ритуальный кофе. Никуда не денешься, иначе они никогда больше не пригласят его. Ледник в коридоре наверняка кишит тараканами. Дочка — запамятовал, как ее зовут — созрела не только для работы, но и для замужества: ей надо торопиться, иначе у нее возникнут проблемы. Вокруг врача собрались люди, взявшиеся растолковать ему, что за недуг свалил его пациента, — слишком много людей. Друзья семьи, советчики — злостные враги врача. Хуже всех, конечно, эти несносные старухи...

Наконец он увидел пациента, распростертого на кровати. Как будто не буянит. Доктор Барбато смерил ему пульс и давление. Хватит и этого. Спокойное, заострившееся лицо скрывало чудовищное напряжение духа. Доктор слыхал о подобных случаях от старых коллег. Великолепие новой страны часто оказывалось невыносимым для мужчин, для женщин же — никогда. Мужчины-итальянцы сплошь и рядом лишались рассудка и проводили остаток дней в изоляции, словно, покидая родину, они выдирали из своей души какой-то жизненно важный корень.

Доктор Барбато знал, что надо предпринять: Фрэнка Корбо необходимо госпитализировать, ему требуется длительный покой, отдых от напряжения. Однако этому человеку надо работать, кормить детей. Что ж, придется рискнуть, причем всем. Доктор Барбато продолжил осмотр больного. Отогнув простыню, он удивленно уставился на его изуродованные ноги; его охватил почти суеверный страх.

— Как же так вышло? — спросил он по-итальянски. Голос его был вежливым, но твердым: он требовал объяснений.

Отец приподнялся и снова накрыл ноги.

— Это не ваша забота, — отрезал он. — Ноги меня совсем не беспокоят.

О, да он враг!

— Значит, все дело в головных болях? — молвил врач.

— Да, — кивнул отец.

— Как давно они вас беспокоят?

— Всю жизнь, — был ответ.

Делать здесь было нечего. Доктор Барбато прописал сильное успокоительное и стал терпеливо ждать, пока мать сходит в другую комнату и достанет там из тайника деньги. Конечно, он чувствовал себя при этом не совсем в своей тарелке. Ему всегда хотелось, чтобы люди, платящие ему деньги, были поприличнее одеты, чтобы все происходило в окружении более достойной мебели. Но тут его взгляд упал на радиоприемник, и угрызения совести мигом исчезли. Если они могут позволить себе такое излишество, значит, им по карману и хворать.

На следующей неделе Фрэнк Корбо вышел на работу. Теперь он чувствовал себя не в пример лучше. Время от времени он стонал и бранился по ночам, однако продолжалось это каких-то несколько минут; после полуночи он, как правило, опять засыпал. Но не прошло и недели, как он явился домой в разгар рабочего дня. Стоя в дверях, он объяснил жене:

— Padrone[1] отправил меня домой. Я слишком болен, чтобы работать. — Сказав это, он, к ужасу Лючии Санты, зарыдал.

Она усадила его за стол на кухне и напоила кофе. Он и впрямь донельзя исхудал. Теперь он говорил с ней так, как не говорил никогда после первого года их брака. Он испуганно спросил ее:

— Неужели я настолько болен? Padrone говорит, что у меня что ни минута, то перерыв и что я забываю про машину. Еще он сказал, чтобы я хорошенько отдохнул, а потом пришел к нему. Но я совсем не так сильно болен, мне уже лучше, я держу себя в руках. Я теперь в порядке. Разве не так?

На это Лючия Санта ответила:

— Не беспокойся о работе, тебе действительно лучше отдохнуть. Тебе надо поправиться. Сегодня сходи прогуляйся, своди Лену в парк. — Она взглянула на его понурую голову. Так лучше ему или хуже? Ей не оставалось ничего другого, кроме ожидания дальнейших событий.

Когда он уходил с малышкой Леной на прогулку, она сунула ему доллар на сладости и сигары. Она знала, что он предпочитает, чтобы у него в кармане имелись деньги, и хотела его порадовать. Он долго отсутствовал и вернулся только к ужину.

Семья в полном составе восседала за столом: Октавия, Ларри, Винсент, Джино, Сал. Все уже знали, что отец лишился работы, и были удручены этим известием.

---

[1] Хозяин (*ит.*).

Однако он вел себя спокойно, даже примерно, помогал жене, и все облегченно перевели дух. Видимо, огорчение из-за потери работы вымело у него из головы всю остальную дурь. Завязался легкий разговор. Ларри дурачил братьев, утверждая, что тараканы на стене затеяли игру в бейсбол; стоило Салу и Джино обернуться, как он стащил с их тарелок несколько картофелин. Октавия держала Лену на коленях и кормила ее с ложечки. Винни наблюдал за остальными. Его-то Ларри не проведет! Когда мать проходила мимо него, он тронул ее за платье, и она наполнила его тарелку первой.

Дождавшись, пока все поднимутся из-за стола, Лючия Санта спросила мужа, пойдет ли он в молитвенный дом. Он ответил, что больше не нуждается в мистере Колуччи. Мать изумилась: разве возможно, чтобы ее муж, которому вечно, не хватало изворотливости, отчего страдала вся семья, просто использовал Колуччи ради получения работы? Тогда при чем тут болезнь? Здесь гнездилось противоречие, не дававшее ей покоя.

Позже, когда пришло время ложиться спать, Лючия Санта устроилась на кухне и приготовилась шить до полуночи.

Теперь ей хотелось оставаться одетой и в боеготовности на случай очередного приступа у супруга. Если до полуночи ничего не произойдет, она спокойно уляжется спать: опасность миновала.

Фрэнк Корбо взглянул на нее и с неуклюжим участием, заменявшим у него нежность, сказал:

— Иди. Отдохни хоть немного. Я еще чуть-чуть пободрствую, а потом тоже лягу.

Она догадалась, что он тоже боится ложиться до полуночи. Было около одиннадцати вечера. Все остальные уснули; Ларри отправился на работу. Лючия Санта испытала громадное облегчение и гордость из-за того, что ее ожидания оправдались. Ему становится лучше. У мужчин случаются такие приступы, но со временем они проходят.

— Сейчас, только закончу, — согласилась она.

Наблюдая, как она шьет, он выкурил сигару, а потом налил ей рюмочку вина и даже сам выпил, хотя это запрещалось религией Колуччи. После полуночи оба улеглись. Крошка Лена спала между ними. В кромешной тьме, в самое глухое ночное время, Лючия Санта проснулась от того, что муж размеренно, звонко повторяет:

— Что это за кукла между нами? Скорее, не то я выброшу ее в окно.

Лючия Санта обхватила рукой спящую крошку и спросила тихо, но настойчиво:

— Фрэнк, что с тобой? Что случилось? — Она все еще не опомнилась после сна и ничего не могла сообразить.

Отец спросил ее с угрозой в голосе:

— Зачем ты положила между нами эту куклу?

Лючия Санта перешла на шепот, чтобы не переполошить семью:

— Фрэнк, Фрэнк, это же твоя дочка! Очнись, Фрэнк!

Последовала продолжительная тишина, но Лючия Санта уже не смела закрыть глаза. Неожиданно кровать заходила ходуном.

Он взвился, как ангел-мститель. Спальню и гостиную, где ночевали дети, залил свет. Отец успел одеться. Его лицо почернело от ярости, голос прогрохотал, как громовой раскат:

— ВОН ИЗ ДОМА! УБЛЮДКИ, СУКИНЫ ДЕТИ! ВОН ИЗ ЭТОГО ДОМА, ПОКА Я ВАС НЕ ПЕРЕДУШИЛ!

Мать соскочила с кровати в одной ночной рубашке, прижимая к груди дочь, бросилась в гостиную и велела перепуганным Джино и Винсенту:

— Скорее одевайтесь, берите Сальваторе и марш к тетушке Лоуке! Быстрее!

Отец бушевал и изрыгал проклятия; однако, увидев, что Винсент собрался уходить, он сказал:

— Нет, Винченцо может остаться. Винченцо — ангел.

Мать выпихнула Винсента в коридор.

Отец и мать стояли лицом к лицу. В глазах отца не было пощады. Спокойным, но полным ненависти голосом он произнес:

— Забирай свою куклу и уходи.

Лючия Санта посмотрела на единственную в квартире внутреннюю дверь, ведшую в спальню Октавии. Перехватив ее взгляд, отец сказал:

— Не заставляй меня стучать в дверь твоей дочери. Веди ее на улицу, там ей самое место.

Дверь распахнулась. Октавия успела одеться; в правой руке она сжимала свои портновские ножницы.

— Октавия, пойдем со мной, — быстро произнесла мать.

Октавия не ведала страха; она выскочила из комнаты,

готовая сражаться и защитить мать и детей. Но сейчас, когда она увидела исказившую физиономию отца гримасу жестокого удовлетворения, у нее впервые ушла в пятки душа. Она выхватила Лену у матери из рук и, не выпуская ножниц, бросилась в кухню. Там сгрудились Винни, Сал и Джино в наброшенных поверх теплого зимнего белья пальто. Она повела их вниз по лестнице, прочь из дому. Лючия Санта осталась с мужем с глазу на глаз.

Одевая поверх ночной рубашки пальто, она спросила его дрожащим голосом:

— Что случилось, Фрэнк? Ты был весь день таким добрым, что же на тебя сейчас накатило?

Его голубые глаза были мутны, но заостренное лицо разгладилось.

— Все прочь из дому, — повторил он и, шагнув к ней, подтолкнул к двери.

Тут в квартиру ворвались Ларри и Panettiere и встали между ними. Отец вцепился Ларри в горло и, прижав его к стене, заорал:

— Ты сунул мне сегодня доллар и поэтому считаешь, что можешь встревать?

В лицо пасынка полетела горсть мелочи. Но тот был начеку. Подбирая слова, он выговорил:

— Отец, я пришел помочь. Сейчас явятся полицейские. Лучше тебе утихомириться.

Внезапно на улице завыла сирена. Отец подбежал к окну и высунулся наружу. На улице стояли закутанные в пальто младшие дети, окружившие Октавию; Октавия показывала на него пальцем выскочившим из машины полицейским. Двое в форме бросились в подъезд. Тогда отец присмирел, прошел через комнаты на кухню и обратился к собравшимся там с разумной речью:

— У полицейских дубинки. С ними никому не сладить.

Сказав это, он присел на табурет.

Двое высоких здоровяков-ирландцев осторожно вошли в распахнутую дверь квартиры. Ларри подозвал их и что-то сказал вполголоса. Отец не сводил с них глаз. Ларри вернулся к нему и сел рядом. Он так переволновался, что не мог сдержать слез.

— Слушай, отец, — заговорил он. — Сейчас приедет «скорая». Ты болен, понятно? Так что прекрати буянить. Не мучай мать и детей.

Фрэнк Корбо отпихнул его. Оба полицейских бросились к нему, но мать опередила их.

— Нет, нет, подождите! — выкрикнула она.

Наклонившись к мужу, она спокойно заговорила с ним, не обращая внимания на Panettiere и полицейских. Октавия и дети успели замерзнуть на улице и поднялись назад; теперь они стояли у противоположной стены, ожидая продолжения. Мать говорила:

— Фрэнк, поезжай в больницу. Там тебе будет хорошо. Что будет твориться с детьми, если полицейские у них на глазах примутся тебя лупить и тащить вниз по лестнице? Фрэнк, Фрэнк, одумайся! Я буду ежедневно навещать тебя. Через неделю, ну, две, ты поправишься. Пойдем.

Отец послушно встал. В эту самую минуту в квартиру ввалились двое санитаров в белых халатах. Отец замер у стола, повесив голову, словно что-то прикидывал. Потом он поднял голову и объявил:

— Все должны попить кофе. Я сам его сварю.

Белые халаты шагнули было к нему, но мать загородила им дорогу. Ларри встал с ней рядом. Мать сказала санитарам и полицейским:

— Ему надо потакать. Тогда он подчинится. Но если вы примените силу, он превратится в дикого зверя.

Пока поспевал кофе, отец затеял бритье у кухонной раковины. Санитары не теряли бдительности. Полицейские поигрывали дубинками. Отец, быстро справившись с бритьем, расставил на столе чашки. Дети, охраняемые Октавией, держались с противоположной стороны огромного стола. Пока все пили кофе, не желая ему перечить, он велел жене принести ему чистую рубаху. Потом обвел собравшихся злобным взглядом.

— Figlio de putana, — начал он. — Воплощение зла! Я знаю вас обоих, господа полисмены. Поздним вечером вы приходите в пекарню и пьете там виски. Такая, значит, у вас работа? А ты, Panettiere! Ты, нарушая закон, гонишь у себя в задней комнате виски. О, я вижу вас всех поздно ночью, когда люди спят. Я все вижу. Ночью я вездесущ. Я вижу грехи мира. Чудовища, изверги, убийцы, сыновья и дочери отъявленных шлюх — я знаю вас наперечет! Вы воображаете, что можете сладить со мной? — Он перешел на крик, слова его стали трудноразличимы; неожиданно он толкнул стол, опрокинув все чашки.

Казалось, он приподнимается на цыпочки, делается выше, страшнее. Ларри и мать отодвинулись от него. Оба санитара встали в ряд с полицейскими и пошли на него стеной. Но отец внезапно повернулся и увидел по другую сторону стола побелевшую от ужаса мордашку своего сына Джино с обезумевшими, бессмысленными глазами. Стоя спиной к своим врагам, он подмигнул сыну одним глазом. Лицо Джино мгновенно обрело цвет, ибо удивление прогнало страх.

Представлению тем не менее настал конец. Четверо окружили отца, все еще не дотрагиваясь до него. Отец поднял ладони, словно призывая их остановиться и выслушать от него нечто важное, но так ничего и не сказал. Вместо этого он достал из кармана и передал жене ключ от квартиры и бумажник. Лючия Санта схватила его за руку и потащила прочь из квартиры и вниз по лестнице. Ларри подхватил отца под другой локоть. Полицейские и санитары спустились следом.

Десятая авеню была пустынна. Ветер грозил перевернуть карету «скорой помощи» и полицейский автомобиль, стоявшие перед домом. Очутившись на темной улице, Фрэнк Корбо повернулся к жене и тихо молвил:

— Лючия Санта, отведи меня обратно домой! Не позволяй им забирать меня. Они меня убьют.

С сортировочной станции донесся пронзительный паровозный гудок. Мать опустила голову и отступила назад. Санитары в белом без предупреждения накинулись на отца, скрутили чем-то его руки и, приподняв над мостовой, водворили в свою карету. Один из полицейских поспешил им на подмогу. Все происходило беззвучно. Отец сжал зубы. В воздухе мелькнули руки в белом и в синем. Мать впилась зубами в собственный кулак, Ларри и вовсе оцепенел. «Скорая» отъехала, и второй полицейский шагнул к матери с сыном.

Уже брезжила заря, звезды померкли, но до утра было еще далеко. Лючия Санта рыдала, стоя одна на мостовой, а Ларри диктовал полицейскому имена детей, отца и всех остальных, кто оказался в эту ночь в их доме; потом он принялся рассказывать ему, как все началось.

Навестить отца можно было не раньше воскресенья. После обеда Лючия Санта спросила у дочери:

— Как ты думаешь, можно забрать его домой? Он больше не опасен?

Октавия только пожала плечами, поостерегшись отвечать честно. Ее изумлял оптимизм матери.

Ларри как старший мужчина в семье принял руководство на себя. Как мужчина он не мог не презирать женскую трусость.

— Ты что же, позволишь отцу гнить в «Белльвю» и дальше только потому, что у него один раз зашел ум за разум? Надо забирать его оттуда да побыстрее! С ним все будет в порядке, можешь не беспокоиться.

— Легко тебе болтать, изображая великодушного болвана, — вспылила Октавия. — Тебя ведь вечно не бывает дома. Ты все время охотишься на этих своих безмозглых дурочек-вертихвосток. Значит, пока ты наслаждаешься жизнью, мать, дети, да и я должны поплатиться перерезанным горлом? О, ты будешь о-о-чень огорчен, когда, вернувшись, найдешь нас бездыханными. Но ты-то будешь живехонек, а мы отправимся в могилу. Ты, оказывается, не так глуп, Ларри!

— Ах, вечно ты устраиваешь проблему на пустом месте, — отмахнулся Ларри. — Стоит старику нюхнуть «Белльвю», и он никогда больше не вздумает болеть. — Посерьезнев, он искренне добавил: — Все дело в том, сестрица, что ты никогда его не любила.

— А с чего мне его любить? — не унималась Октавия. — Он никогда ничего не делал ни для Винни, ни даже для своих собственных детей. Сколько раз он бил мать? Однажды он ударил ее, когда она ходила беременная, — этого я ему никогда не забуду!

Лючия Санта слушала их спор с насупленными бровями. Нет, все их доводы — сплошное детство, вся их болтовня для нее — пустой звук. Они еще не выросли, у них пока неразвитые души и мозги.

Неграмотная, невежественная крестьянка, она, как многие ей подобные, распоряжалась жизнью своих близких. Каждый год, да что там, каждый день людям приходится осуждать и предавать своих любимых. Лючии Санте были чужды сантименты. Однако любовь и жалость что-то да стоили, они имели в жизни кое-какой вес.

Человек, ставший отцом ее детям, спасший ее от отчаяния и беспомощности вдовства, подаривший ей радость, более ничего для нее не стоил. С ним в семью пришла война. Октавия была готова сбежать из дому, раньше срока выйти замуж, лишь бы не сталкиваться с ним. В борьбе с превратностями жизни он служил всего лишь помехой. Она должна была исполнять свой долг перед детьми, большими и малыми. Она отмахивалась от любви как от чего-то сугубо личного, как от чувства, возможного лишь при жизни в роскоши и доступного тем, кто не ведает невзгод.

Однако дело не исчерпывалось любовью; здесь была замешана еще и честь, долг, союз против всего мира. Фрэнк Корбо не предавал этой чести — он всего лишь не смог соответствовать ей. Кроме того, он был отцом троим ее детям. От кровных уз никуда не денешься. Настанет срок, когда ей придется смотреть им прямо в глаза, держать перед ними отчет, они будут его должниками, поскольку он дал им жизнь. На задворках сознания маячил также первобытный страх родительницы за свою судьбу в старости, когда она превратится в дитя на руках у собственных детей и будет зависеть от их милости.

Джино, который во время разговора только и делал, что вертелся, ссорился с Салом и Винни и как будто не обращал внимания на их слова, неожиданно сказал матери:

— В тот вечер папа подмигнул мне.

Остолбеневшая мать не поняла его. Октавия растолковала ей значение английского глагола. Лючия Санта оживилась:

— Видишь? Он просто придуривался! Он сознавал, что делает, но его несло, он не мог справиться с самим собой!

— Ну, да, — поддержал ее Ларри. — Он увидел, как перепуган Джино, вот и подмигнул. Я же говорю, что с ним не случилось ничего серьезного. Немного приболел, только и всего. Пускай возвращается домой.

Мать повернулась к Октавии:

— Так как? — Она уже приняла решение и нуждалась теперь лишь в формальном согласии дочери. Октавия взглянула на Джино, который поспешно отвернулся.

— Попробуем, — вздохнула она. — Я постараюсь.

Матери помогали собираться всем семейством. Она взяла с собой еды — спагетти в кастрюльке, полбатона свежего хлеба — на случай, если его не отпустят сегодня же. Они даже снизошли до шуток.

— Когда он в ту ночь назвал Винченцо ангелом, я сразу смекнула, что он спятил, — призналась Лючия

Санта. Этой горькой шутке было суждено запасть им в память на долгие годы.

Когда она была, наконец, готова, Джино спросил:

— Папа действительно возвращается сегодня домой?

Мать взглянула на него. Его мучил страх, причину которого ей трудно было понять. Она ответила:

— Не сегодня, так завтра. Не беспокойся.

На ее глазах мальчик воспрянул духом; безграничное доверие, которое он испытывал к ней, наполнило ее знакомым теплым чувством власти и любви.

Винни, услыхав разговор матери с Джино, воскликнул с воодушевлением верного сына:

— Ура! Ура!

— Я одену детей во все чистое и выстрою их перед домом, — пообещала Октавия.

Ларри поехал с матерью. Перед уходом он наказал детям:

— Если мы вернемся вместе с отцом, не смейте его беспокоить! Пусть отдыхает. Делайте все, о чем он вас ни попросит.

При этих его словах мать почувствовала прилив сил: теперь она не сомневалась в благополучном исходе и в том, что та зловещая ночь была на самом деле не так страшна. Просто они перенапряглись и поддались слепым чувствам. Наверное, не следовало вызывать полицию и «скорую» и увозить беднягу в больницу. Впрочем, возможно, так даже и лучше. Теперь волнение улеглось, и они готовы терпеть дальше.

Гордо выступая в своем черном одеянии и неся в руке кулек с передачей, Лючия Санта, поддерживаемая под руку послушным старшим сыном, отправилась на Двадцать третью стрит, чтобы сесть там на трамвай, идущий поперек Манхэттена в «Белльвю». У регистратуры Лючии Санте и ее сыну пришлось ждать в толпе. После томительного неведения им было велено зайти к врачу, и они отправились на поиски кабинета.

Об этой огромной больнице рассказывали, что здесь работают лучшие в мире врачи, что здешние медсестры трудолюбивее и внимательнее, чем где-либо еще, что пациент получает здесь прекрасный уход. Однако в тот воскресный день все эти разговоры не значили для Лючии Санты ровным счетом ничего. Ей больница «Белльвю» представлялась адом для бедноты, местом, где несчастные, мучаясь от боли и стыда, изнывают от жизни, прежде чем умереть. Здесь теснились отбросы общества, беспомощное отребье, жертвы беспросветной нищеты. Туберкулезники сидели на безрадостных верандах, ловя ртами полный сажи воздух и взирая на каменный город, ежесекундно выделяющий яд, разъедающий их легкие. Дряхлые старики лежали без всякого ухода, терпеливо дожидаясь родню, которая принесла бы им поесть и попыталась вдохнуть в них надежду на жизнь. В других палатах выздоравливали существа, навсегда обозлившиеся на жизнь, Господа, человечество и отравившиеся щелочью или причинившие какие-нибудь страшные увечья собственным телам, стремясь уйти из жизни. Теперь, познав физическую агонию, прогнавшую прочие страдания, они отчаянно цеплялись за жизнь. Кроме того, здесь держали умалишенных, которые променяли опостылевший им мир на потемки безумия.

Что бы ни говорили об этой больнице, размышляла Лючия Санта, от правды никуда не денешься: это благотворительное заведение. Оно ничего не должно ни ей, ни подобным ей людям, и ничего не требует от них взамен. В сумрачных коридорах с кафельными стенами толпились дети, ожидавшие лекарств, процедур, наложения швов. В одной из палат дети, искалеченные автомобилистами и собственными родителями, дрались за право воспользоваться единственным на всех креслом на колесиках.

На бесчисленных койках лежали добродетельные мужья, которые тяжким трудом зарабатывали на хлеб детям и женам, а теперь боялись смерти, ибо перед их мысленными взорами стояли семьи, лишившиеся опоры.

В эту больницу родственники ежедневно приносили еду — кастрюльки со спагетти, сетки с апельсинами, а также полотенца, мыло, к которому не было бы противно притронуться, свежее постельное белье. Это была фабрика для склеивания человека, превратившегося в обломки, словно он — бездушный сосуд, не ведающий страданий; здесь ни к кому не проявляли ни нежности, ни любви. Так лечат вьючных животных, чтобы они снова могли влачить свою ношу. Здесь не обращали внимания на оскорбленные чувства. Здесь, скрипя зубами, оказывали благотворительную помощь, принципиально чуждую сочувствию. Больница была бастионом в восточной стене города, средневековой крепостью со своими башнями и стальными воротами, подлинным символом кромешного ада. Богобоязненные нищие крестились, заходя в эти ворота; тяжелобольные прощались с жизнью и готовились к смерти.

Лючия Санта и ее сын нашли кабинет врача и вошли. Мать отказывалась верить, что вот этот молодой человек в топорщащемся белом халате распоряжается судьбой ее мужа. Не успели они сесть, как он сообщил, что сегодня она не сможет повидаться с мужем; лучше ей использовать свой приход, чтобы подписать кое-какие бумаги.

Мать тихо сказала Ларри по-итальянски:

— Расскажи ему, как он подмигнул.

Доктор тоже обратился к ней по-итальянски:

— Нет, синьора, лучше вы сами расскажите.

Мать удивилась: молодой человек был вылитым американцем. Правда, он говорил по-итальянски так, как говорят богатые люди; с ней он обходился вежливо, по-джентльменски. Лючия Санта взялась растолковывать врачу, как в припадке безумия той кошмарной ночью ее муж подмигнул своему старшему сыну. Наверное, он сделал это, чтобы ободрить его и показать, что на самом деле не сошел с ума. Совершенно ясно, что он просто утратил контроль над собой, ослабев и отчаявшись — то ли из-за семьи, то ли из-за собственной плачевной судьбы. Ведь они бедны, а он слишком болен, чтобы зарабатывать на жизнь. Иногда этого бывает достаточно, чтобы мужчина повел себя странно. Кроме того, он всю зиму проходил без шляпы. Наверное, он застудил мозги. Да, чтобы не забыть: когда он работал на рытье тоннеля для новой ветки подземки на Восьмой авеню, его засыпало, он несколько минут оставался заживо погребенным, да еще ударился головой...

Она все говорила, стремясь доказать, что болезнь его — телесного свойства, это что-то внешнее, поддающееся излечению; но главным ее аргументом оставалось это подмигивание в самый критический момент. Значит, в ту ночь он только и делал, что водил их за нос. Ему удалось провести всех, даже врачей.

Доктор слушал ее с серьезным и тактичным вниманием, согласно кивая головой и признавая, что подмигивание — это очень странно и что холод и удар по голове — вещи серьезные; он поощрял ее высказаться. Мать сперва не понимала, что его вежливость свидетельствует всего лишь о жалости и сострадании. Когда она умолкла, он заговорил с ней на своем великолепном итальянском, и сразу стало ясно, что он не друг, а враг.

— Синьора, — начал он, — ваш муж очень болен. Он слишком болен даже для этой больницы. Слишком болен для того, чтобы держать его дома. Придется отправить его в лечебницу. Возможно, пройдет год-другой — и ему полегчает. Сейчас трудно дать гарантию. Такие случаи до сих пор остаются для нас загадкой.

Мать тихо сказала:

— Я не стану подписывать никаких бумаг. Я хочу видеть своего мужа.

Врач искоса взглянул на Ларри и покачал головой. Ларри сказал:

— Пошли, ма, мы приедем завтра, может быть, тогда и повидаем его.

Но Лючия Санта осталась сидеть, словно вконец отупела. Врач спокойно сказал ей голосом, лишенным всякой надежды быть услышанным:

— Синьора, будь у вашего мужа просто температура, лихорадка, вы и то не стали бы отправлять его на заработки, вы бы не выгнали его на холод, не заставили бы гнуть спину. Если бы он переломал себе ноги, вы бы не заставили его ходить. Снова окунуться в мир — это для него слишком невыносимо. Он испытывает от этого страшную боль. Эта болезнь — сигнал, что он отказывается идти на верную смерть. Если хотите проявить любовь к мужу, лучше подпишите вот эти бумаги. — Он прикоснулся к желтой папке на столе.

Мать подняла на него глаза, и ее ответ прозвучал по-итальянски отрывисто:

— Никогда не подпишу!

Врач залился краской и отчетливо проговорил:

— Как я погляжу, вы принесли для мужа передачу. Хотите отнести ее ему сами? Побыть с ним вы не сможете, но можно будет сказать ему пару слов.

Теперь уже мать покраснела от признательности за поблажку и поспешно кивнула. Доктор схватил телефонную трубку и с кем-то коротко переговорил. Потом он встал и обратился к Лючии Санте:

— Пойдемте со мной.

Она заторопилась за белым халатом по сумрачному, тюремному коридору; им пришлось несколько раз подняться по ступенькам и снова спуститься, пока, оставив позади сотни метров коридоров, они не оказались в просторном помещении с кафельными стенами, уставленном ваннами, некоторые из которых были задернуты резиновыми занавесками. Она прошла за врачом к двери в дальнем конце помещения. Неожиданно врач замер рядом с одной из ванн, скрытых от глаз занавеской, и твердо взял ее правой рукой за запястье, словно иначе она оступится и упадет. Левой рукой он отодвинул штору.

В чистой воде сидел голый человек со связанными руками. Мать вскрикнула: «Фрэнк!» Узкий череп повернулся на крик, лицо еще больше удлинилось от гримасы угодившего в западню дикого животного, обнажившей все зубы. Его голубые глаза словно остекленели и злобно мерцали; в них не было ни малейшего проблеска мысли или чувства. Глаза смотрели не на нее, а на невидимое небо у нее над головой. На лице этом лежала печать неизлечимого, сатанинского безумия. Несчастная женщина вскрикнула, и к ней на помощь устремились санитары; врач снова задернул занавеску. Коричневый бумажный пакет упал на кафельный пол и лопнул, испачкав едой чулки и туфли Лючии Санты.

Через некоторое время она снова сидела на стуле в кабинете врача. Ларри пытался унять ее слезы. Однако она оплакивала не безумца в ванне, а себя, то, что снова стала вдовой, что ей придется теперь всегда спать в постели одной; она оплакивала участь остальных своих детей, которым уготована безотцовщина; она оплакивала поражение, нанесенное ей безжалостной судьбой. Кроме того, она не могла не рыдать, ибо впервые за многие годы испытала нешуточный страх: она любила этого человека, нарожала ему детей — и вот теперь ей пришлось лицезреть его даже не мертвым, а с вырванной из тела душой.

Она подписала все до одной бумаги. Она поблагодарила доктора за его доброту. Они вышли за ворота больницы, и Ларри подозвал такси. Он беспокоился за мать. Но к тому моменту, когда они подкатили к своему дому на Десятой авеню, она уже взяла себя в руки; ему даже не пришлось поддерживать ее, когда они поднимались по лестнице. Они и думать забыли о детях — Джино, Винни и Сале, — поджидавших их на углу.

ЧАСТЬ II

ГЛАВА 8

В первую же теплую субботу новой весны Октавия решила произвести в доме генеральную уборку. Винни и Джино отправили прочь из квартиры: им было велено драить лестницы и лестничные площадки и прибираться на заднем дворе. Малышам — Салу и Лене — вручили тряпки, чтобы они протерли пыль на всех стульях и под огромным деревянным столом. У стульев оказалось множество изогнутых перекладин, под столом же изгибались загадочные арки, образующие пещеры, в которых малыши любили прятаться. Они так расточительно расходовали лимонное масло из высокой склизкой бутыли, что все поверхности не только засверкали, но и сделались страшно липкими, так что Октавии пришлось оттирать их сухой тряпкой.

Все шкафы были выпотрошены, все полки выстланы свежей газетной бумагой. На кухонном столе громоздился фарфор, который предстояло отмывать от грязевой пленки.

Не прошло и часа, как Винсент и Джино вернулись домой со щеткой, тряпками, бадьей и чайником для горячей мыльной воды.

— Мы все сделали, — объявил Джино. — Я пошел играть в бейсбол.

Октавия высунулась из шкафа с сердитым выражением лица. За последние месяцы Джино изменился к худшему. Он и прежде был безответственным созданием, но хотя бы сидел на месте, не имея возможности удрать, и исполнял поручения весело и довольно-таки добросовестно. Теперь он стал угрюмым и дерзким. Все валилось у него из рук. Октавия хмуро уставилась на братьев. О Винни тоже нельзя было сказать ничего хорошего.

— Погляди-ка, ма! — заголосила Октавия. — Они умудрились вымыть весь дом одним чайником горячей воды!

Четыре пролета, четыре лестничных площадки, мраморный пол на первом этаже — и все одним паршивым чайником! — Она презрительно усмехнулась.

— Ладно, — донесся из кухни голос Лючии Санты, — главное, чтобы стало чище, чем раньше.

— Откуда же, черт возьми, взяться чистоте — не от одного же чайника горячей воды?! — взвизгнула Октавия. Но, услыхав материнский смех, она сама прыснула. Утро было чудесное, квартиру заливало золотым светом.

Братья стояли перед ней с тряпками и щеткой и выглядели клоунами; до чего же люто они ненавидят убираться! О ненависти говорила каждая черточка на их лицах.

— Так и быть, — смягчилась Октавия. — Ты, Винни, поможешь мне убраться в шкафах, а ты, Джино, будешь мыть окна с внутренней стороны. Потом вы с Винни вынесете во двор весь мусор, а я закончу с окнами.

— Черта с два! — огрызнулся Джино.

Октавия даже не повернула головы.

— Не умничай, — только и донеслось из-за дверцы шкафа.

— Я пошел, — бросил Джино.

Винни с Салом были ошеломлены отвагой Джино. Ни один из братьев не осмеливался перечить Октавии; Ларри и то иногда повиновался ей. Ей ничего не стоило оттаскать их за вихры и отдубасить, если они дерзили и своевольничали. Однажды она стукнула Ларри по голове бутылкой из-под молока.

Октавия стояла на коленях перед шкафом.

— Не заставляй меня вставать, — бросила она через плечо.

— Мне наплевать, — заявил Джино. — Не буду я мыть эти проклятые окна! Я пошел играть.

Октавия вскочила и набросилась на него. Одной рукой она сгребла его за волосы, другой отвесила две звучные пощечины. Он попытался вырваться, но у него не хватило для этого сил. Она вцепилась в него мертвой хваткой. Удары сыпались один за другим, но он не чувствовал боли.

— Ах, ты, маленький негодяй! — неистовствовала она. — Попробуй еще раз сказать, что не станешь мыть окна, и я тебя вообще прибью!

Вместо ответа Джино рванулся с неожиданной силой и оказался на свободе. Он взглянул на сестру не столько с ненавистью или страхом, сколько с болезненным изумлением, от которого опускались руки, с недоумением совершенно беззащитного существа. Октавии никак не удавалось освоиться с этим его взглядом. Винни она порой бивала еще яростнее, поэтому чувство, которое охватывало ее от этого взгляда, нельзя было назвать чувством вины. Впрочем, как бы она ни относилась к отчиму, она никогда не думала о Лене, Сале и Джино только как о своих единоутробных сестре и братьях. Все они были ей родными.

Лючия Санта показалась из кухни.

— Хватит, — сказала она Октавии. — Джино, вымоешь два окна в гостиной — и можешь идти на все четыре стороны.

Однако худое, смуглое лицо Джино сделалось упрямым и обозленным.

— Я не буду мыть эти вонючие окна, — раздельно произнес он и стал ждать, что теперь произойдет.

Не желая скандала, Лючия Санта примирительно молвила:

— Не ругайся, ты для этого еще слишком мал.

— Октавия все время ругается! — крикнул Джино. — А ведь она — девушка. Только ей ты ни слова не говоришь! Зато с остальными она корчит из себя такую леди...

Мать улыбнулась. Октавия поспешно отвернулась, чтобы не рассмеяться. Брат был прав. Знакомые юноши, особенно сынок Panettiere, и представить себе не могли, какие только ругательства выговаривает ее язык. Они бы не посмели произнести в ее присутствии слов, которые слетали с ее уст дома, когда мать или младшие братья выводили ее из себя. Порой она впадала в такую истерическую ярость, что не верила собственным ушам. Одна из подруг окрестила ее «девицей, изрыгающей непристойности».

— Хорошо, хорошо, — сказала мать. — Помоги хотя бы до обеда, а потом иди. Скоро можно будет садиться есть. — Она подозревала, что Октавия сердится из-за того, что ей не удалось взять верх, однако в последнее время в семье царил мир, и матери не хотелось его нарушать.

К ее удивлению, Джино вызывающе отрезал:

— Я не голоден. Я уйду прямо сейчас. К черту обед!

Он выхватил из угла свою бейсбольную биту и повернулся, готовый выбежать. Однако мать успела настигнуть его и отвесить шлепок по губам.

— Animale! — свирепо кричала она. — Безмозглый осел! Точь-в-точь отец! Теперь на весь день останешься дома!

Он не доставал ей и до подбородка. Она заглянула ему в глаза — черные омуты злости и отчаяния, какое может охватить только ребенка. Он занес свою биту и метнул ее, ни во что не целясь и стараясь ни в кого не попасть. Узкая бита описала в воздухе грациозную дугу и смахнула со стола весь нагроможденный на него фарфор. Квартира наполнилась оглушительным звоном. Осколки чашек и блюдец брызнули во все стороны.

Некоторое время никто не произносил ни звука. Джино испуганно взглянул на мать и на Октавию и пустился наутек — в дверь, вниз по лестнице, на Десятую, на весеннее солнышко. Опомнившись, мать высунулась на темную лестницу и, вдыхая запах перца, жареного чеснока и оливкового масла, крикнула ему вслед:

— Figlio de putana! Зверь! Животное! Чтобы не являлся домой есть!

Шагая по Тридцать первой, Джино чувствовал себя все лучше. Пошли они все к черту — и мать, и сестрица. К черту, и все тут! Он отскочил в сторону, почувствовав чье-то прикосновение к своей руке. Но это оказался всего лишь Винни.

— Пошли домой, — сказал Винни. — Октавия велела мне привести тебя домой.

Джино отпихнул Винни и прошипел:

— Хочешь подраться, сукин сын?

Винни окинул его серьезным взглядом и проговорил:

— Идем. Я помогу тебе мыть окна. Потом мы пойдем играть в бейсбол.

Джино бросился в сторону Девятой авеню. Винни бегал лучше, чем он, однако не пустился за ним вдогонку.

Он был свободен, но его сверлило смутное беспокойство. Он не бесился, просто он отказывался кому-либо подчиняться, даже Ларри. Мысль о Ларри заставила его ускорить шаг. Надо уносить ноги: они наверняка пошлют за ним Ларри.

На Девятой авеню Джино прицепился сзади к повозке, катившей в северном направлении. Через пару кварталов возница, итальянец с огромными усами, заметил его и стегнул кнутом. Джино соскочил с повозки, подобрал камень и запустил им в сторону возницы, не целясь. Камень просвистел мимо уха возницы; послышалась ожесточенная ругань, повозка остановилась, и Джино пришлось улепетывать на Восьмую авеню. Там он примостился на заднем бампере такси. Водитель заметил бесплатного пассажира и поднажал, так что Джино смог спрыгнуть только у Центрального парка. Таксист показал Джино нос и скорчил рожу.

Впервые в жизни мальчик оказался в Центральном парке. Подойдя к фонтану, рядом с которым поили лошадей, он зачерпнул горсть теплой воды. У него не было ни цента, чтобы утолить жажду содовой. Он побрел вглубь парка, уходя все дальше на восток, пока не увидел белые каменные громады, где обитали богачи. Это зрелище не значило для него ровно ничего: в его детских мечтах еще не было места для помыслов о деньгах. Он мечтал о геройстве на поле сражения, о подвигах на бейсбольной площадке, о собственной несравненной доблести.

Джино хотелось отыскать в парке такое место, где можно было бы присесть, привалившись спиной к дереву, и смотреть на небо, не видя каменных строений, машин и повозок, мелькающих за пологом листьев. Он мечтал оказаться в лесу! Однако где он ни оказывался, как ни вертелся, ему некуда было деться от фасадов домов, громоздящихся над парком, от рекламных плакатов, взлетевших ввысь, от автомобильных гудков и цоканья лошадиных копыт. К аромату деревьев и травы примешивался запах бензина. Наконец, вконец запыхавшись, Джино прилег рядом с озерцом с бетонными берегами и, заслонив глаза ладонью, внушил себе, что дома, нависшие над парком, — всего лишь мираж, картинка из сказочной книжки. Позже ему предстоит выбраться из леса и вернуться в город. Пока же его сморил сон.

Он спал как заколдованный, чувствуя, что творится вокруг, но не имея сил открыть глаза. Он знал, что мимо проходят люди и оглядываются на него; как-то раз над его ухом просвистел мяч, и двое бездельников, коротающих время в холодке, ненадолго задержались рядом с ним. Ему казалось, что вокруг сменяют друг друга времена года, пуще того, пролетают целые года. Сперва ему было нестерпимо жарко, и он откатился в густую траву, в тень древесной кроны. Потом брызнул мимолетный дождик, и он весь вымок; потом стало холодно и темно, а потом снова засияло по-летнему яркое солнце. Однако он слишком устал, чтобы поднять голову. Накрывшись руками, зарывшись носом в свежую траву, он все спал и спал; наконец, испугавшись, что проспит всю жизнь, он очнулся — но оказалось, что минуло всего лишь несколько часов.

Остроконечные городские шпили голубели в темнеющем небе; золотые солнечные лучи померкли. Парк погружался в густо-зеленую тень. Джино сообразил, что ему надо поторапливаться, иначе он не попадет домой до темноты.

Он выбрался из Центрального парка на Семьдесят вторую стрит. Теперь его охватила тревога. Ему хотелось очутиться дома, в родном квартале; ему хотелось снова увидеть братьев, сестер, мать. Еще никогда ему не доводилось забираться в такую даль. Он прицепился к такси. Ему повезло: такси ехало на юг; через некоторое время Джино узнал Девятую авеню. Но на пересечении с Тридцать первой стрит машина разогналась; Джино все равно спрыгнул и начал перебирать ногами в воздухе еще до того, как коснулся мостовой. Он сохранил равновесие и метнулся к тротуару. Но неожиданно за его спиной раздался металлический лязг; он ощутил удар и почувствовал, что уже не бежит, а летит в воздухе. Он ударился о мостовую и снова вскочил, как мячик. Он не чувствовал боли, но здорово перепугался: ведь его сбила машина!

Большой синий автомобиль заехал передними колесами на тротуар. Из него вылез высокий мужчина. Он подбежал к Джино. У него были голубые глаза и жидкие волосы; на его лице отпечатался нешуточный испуг, так что Джино даже пожалел его и поспешил уверить:

— Со мной все о'кей, мистер.

Однако водитель принялся ощупывать его с головы до ног, боясь переломов. Он обнаружил на штанине мальчика здоровенную дыру, обагренную кровью, и произнес с нервозностью, грозившей обернуться паникой:

— Ты цел, сынок? Как ты себя чувствуешь?

— Коленка саднит, — ответил Джино. Водитель закатал ему штанину и увидал глубокую царапину, из которой медленно сочилась кровь. Тогда он взял Джино на руки, как младенца, и посадил на переднее сиденье своего автомобиля. Собравшимся вокруг людям он сказал:

— Повезу мальчишку в больницу.

Подъехав к Французской больнице на Тридцатой стрит, водитель выключил мотор и закурил. Он внимательно смотрел на Джино, изучая его лицо.

— Ну-ка, давай начистоту, парень, — проговорил он. — Как ты себя чувствуешь?

— Нормально, — ответил Джино, хотя его подташнивало. Он еще не отделался от испуга: все-таки угодить под машину — дело серьезное!

— Покажи-ка коленку, — велел водитель.

Джино снова закатал штанину. Рана уже не кровоточила, на ней образовалась корка.

— У меня никогда не течет кровь, — гордо сообщил Джино. — У меня всегда быстро образуется корка.

Водитель со вздохом сказал:

— Наверное, нам лучше обратиться к врачу.

— В этих больницах вечно приходится ждать, — затараторил Джино. — Мне пора домой, а то мать здорово осерчает. Со мной все в порядке. — Он выбрался из машины. — Кроме того, вы не виноваты. — Он говорил со взрослым, как с равным себе; он стремился подбодрить его. Помахав рукой, он захромал восвояси.

— Подожди, паренек, — окликнул его водитель и высунулся из окна, протягивая бумажку в пять долларов.

Джино смутился.

— Не стоит, — пробормотал он. — Я сам виноват. Не надо мне денег.

— Нет уж, бери, — строго сказал водитель. — Зачем же заставлять мать раскошеливаться на новые штаны — просто ради того, чтобы выглядеть взрослым? — Когда он делался серьезным, то становился как две капли воды похож на Линдберга[1]. Джино потянулся за деньгами, и мужчина пожал ему руку, улыбнулся и облегченно произнес, желая сделать мальчугану приятное: — С тобой все о'кей, парень.

До дома было теперь рукой подать: Джино осталось перейти через Девятую, пройти под мостом надземной железной дороги и спуститься по Тридцатой к Десятой авеню.

Огибая угол, он был уже на седьмом небе от счастья. Сал играл на улице, мать сидела на своем табурете перед крыльцом в компании тетушки Лоуке и еще одной женщины. Октавия стояла перед киоском с мороженым, беседуя с сыном Panettiere. Джино прошествовал мимо нее,

---

[1] Чарлз Линдберг (1902—1974) — американский летчик, совершивший в 1927 году первый беспосадочный перелет через Атлантический океан.

и оба сделали вид, что не замечают друг друга. Перед крыльцом он остановился, чтобы, не пряча глаз, выслушать, что скажет мать.

Он сразу увидел, что она не сердится на него.

— Buona sera[1], — спокойно произнесла она. — Решил вернуться домой? Ужин ждет. — Она отвернулась и снова заговорила с тетушкой Лоуке. «Даже не заметила, что случилось с моей ногой», — с горечью подумал Джино.

Он заковылял вверх по лестнице. На душе у него было легко. Кажется, все предано забвению. И тут он в первый раз почувствовал, как болит коленка. У него пересохло во рту, болели глаза, тряслись ноги.

Винни сидел в кухне и читал. Увидев Джино, он вынул из духовки тарелку с перцем, яйцами и картошкой и поставил ее на стол. Затем он принес из ледника бутылку с молоком. Джино отхлебнул молока прямо из горлышка и уселся за стол.

— Где же ты был весь день? — осведомился Винни с легким осуждением. — Мать и Октавия очень беспокоились, Ларри тебя обыскался. Мы все за тебя тревожились.

— Ясное дело, — саркастически отозвался Джино. Он чувствовал себя лучше. Правда, съев несколько ложек, он понял, что с него довольно. Он положил ногу на стул. Нога перестала гнуться. Он закатал разорванную штанину. На колене красовался огромный набухший кровью шрам; нога распухла и почернела.

— Вот это да! — покачал головой Винни. — Помажь-ка йодом. Руки и лицо тоже не мешало бы обработать. Ты что, подрался?

— Нет, — ответил Джино.

— Меня сбила машина. — Говоря это, он почувствовал, как у него наворачиваются слезы на глаза. Он подошел к раковине и умылся. Потом он побрел в гостиную, разобрал постель и улегся. Его знобило, и он залез под одеяло. Он вынул из кармана штанов пятидолларовую бумажку и зажал ее в руке. У него переворачивался желудок и горело лицо. Сейчас он видел машину, хотя тогда, на улице, не заметил ее, видел, как она сбивает его с ног и подбрасывает в воздух. Винни присел на кровать рядом с ним.

---

[1] Добрый вечер (*ит.*).

— Меня сбила машина, — повторил Джино дрожащим голосом. — Видишь? Водитель дал мне пять долларов. Классный тип! Он даже хотел, чтобы я пошел в больницу, но мне не было больно. Я ехал на бампере такси и соскочил прямо перед ним. Так что сам и виноват. — Он разжал ладонь. — Видишь? Пять долларов!

Оба мальчика впились глазами в зеленую бумажку. Целое состояние! У Винни была золотая монета достоинством в пять долларов — подарок тетушки Лоуке по случаю конфирмации, однако ему не разрешалось ее тратить.

— Здорово! — протянул Винни. — Что ты с ними сделаешь? Отдашь матери?

— Какого черта? Если она узнает, что меня сбила машина, то поколотит меня. — Он посерьезнел. — Давай лучше наделаем бутылок с шипучкой, как тебе всегда хотелось, Винни, продадим их и заработаем денег! Ну, помнишь? Вдруг с этого у нас начнется свой бизнес?

Винни был в восторге. Он всегда мечтал об этом.

— Кроме шуток? — недоверчиво спросил он.

Джино кивнул.

— Лучше отдай деньги мне, — предложил Винни. — Так будет вернее. Мать может отнять их у тебя и заставить положить на счет.

— Нет, сэр, — подозрительно ответил Джино. — Я сам припрячу свои денежки.

Винни был удивлен и обижен. Джино всегда доверял ему свои деньги — и те, что зарабатывал продажей льда, и выигрыш в «семь с половиной».

— Брось, — поднажал Винни. — Лучше отдай мне. А то потеряешь.

— Это меня сбил автомобиль, а не тебя, — злорадно сказал Джино. — Ты даже не ушел со мной. Ты был на стороне Октавии. Тебе еще повезло, что я вхожу с тобой в долю.

Он откинулся на подушку. Винни внимательно посмотрел на брата. Таким он видел его впервые.

— О'кей, — согласился он. — Оставь деньги себе.

С подушки послышался негромкий голос:

— В изготовлении шипучки я буду главным. Это мои деньги.

Винни был уязвлен: ведь он старше, да и идея принадлежит ему. Он чуть было не сказал: «Проваливай-ка ты вместе со своими пятью долларами!» Однако, спохватившись, он ответил:

— Хорошо, босс — ты. Хочешь, перевяжем твое колено?

— Нет, оно совсем не болит, — отмахнулся Джино. — Давай поговорим лучше о том, как будем делать шипучку. Запомни: чтобы никому ни слова, что меня сбил автомобиль. Мне знаешь, как попадет!

— Пойду за карандашом и бумагой, чтобы прикинуть расходы, — решил Винни. Вернувшись в кухню, он убрал со стола и вымыл посуду, хотя мать строго-настрого наказала, чтобы Джино, вернувшись и поужинав, сам убрал за собой. Потом он достал из своего школьного портфеля карандаш и блокнот.

Когда Винни вернулся к брату, было уже почти совсем темно; за окном угасал закат. На одеяле неподвижно лежала рука Джино. Смятая пятидолларовая купюра валялась на полу. Джино крепко спал.

Однако от кровати доносились странные звуки. Подойдя ближе, Винни понял, что брат, несмотря на плотно закрытые глаза и полную неподвижность, плачет во сне; по его щекам струились слезы. Винни потряс его, чтобы разбудить и оборвать кошмар, однако брат не просыпался; дыхание его было свободным и глубоким. Плач прекратился, но щеки и ресницы остались мокрыми. Винни подождал немного на случай, если брат проснется и потребует назад свои пять долларов, а потом спрятал деньги в их тайник в стене.

Потом Винни долго сидел в темноте. Вечер выдался тихий: весна началась недавно, и жители авеню еще не засиживались на тротуаре допоздна. Даже на сортировочной станции стояла тишина: оттуда не доносилось ни пыхтения паровозов, ни скрежета металла. Винни не сводил взгляда с постели, желая убедиться, что брат и впрямь легко отделался, и раздумывая, где взять бутылки для шипучки. Он знал, что Джино позволит ему быть боссом.

ГЛАВА 9

Осенью город под дымным серым небом покрывался тенями и морщинами. Было плохо видно даже мост над Десятой авеню, так что казалось, что он висит над бездонной пропастью, а не на уровне второго этажа, отбрасывая тень стальных перил на булыжную мостовую. Из-под моста выехала плоская повозка, влекомая тяжеловесной гнедой лошадью. Повозка была плотно набита плоскими дощатыми ящиками с пурпурным виноградом.

Между Тридцатой и Тридцать первой стрит повозка остановилась. Возница и подручный выставили перед крыльцом двадцать ящиков. Возница запрокинул голову и певуче воззвал, обращаясь к городскому небу:

— Ка-те-ри-на, твой виноград ждет тебя!

На четвертом этаже распахнулось окно, из которого высунулся пучок детских, женских и мужских голов. Прошло всего несколько секунд — и люди не сбежали, а слетели вниз по лестнице, высыпали на тротуар. Глава семьи заходил среди ящиков, принюхиваясь к душистым гроздьям, как пес.

— Хорош виноград в этом году? — спросил он.

Возница не удостоил его ответом. Его протянутая рука требовала денег. Глава семьи послушно заплатил.

Поставив двоих детей часовыми, жена и остальные дети, схватив по ящику, начали перетаскивать свое приобретение в чулан. Отец оторвал от одного ящика верхнюю досочку и вынул сине-черную гроздь, чтобы проверить, каков виноград на вкус. Возвратившиеся из чулана жена и дети тоже получили по грозди. Перед каждым крыльцом разыгрывалась одна и та же сцена: дети уписывали сине-черный виноград, счастливый отец наклонялся к щелям между планками и принюхивался, а собравшиеся мужчины, которым не привалило подобного счастья, желали ему хорошего винца. При этом они облизывались, воображая, будто и у них в чуланах выстраиваются батареи кувшинов.

Джино завидовал другим детям, тем счастливчикам, чьи отцы давили вино. Он стоял рядом с отцом Джои Бианко, но Джои был недостаточно богат, чтобы поделиться с ним виноградом — как и его папаша. Отец Джои был недостаточно богат даже для того, чтобы, отодрав планку от какого-нибудь ящика, дать попробовать виноград родственникам и близким друзьям.

Но вскоре настала очередь Panettiere, толстого и круглого, не снимающего своего белого пекарского колпака, принимать ящики, выстроившиеся перед магазином тремя пирамидами. Этот вскрыл сразу два ящика и угостил огромными гроздьями всех детей. Джино оказался тут как тут и не упустил своего. Panettiere прогрохотал:

— Ragazzi[1], помогите отнести — каждый получит пиццу.

Дети набросились на пирамиды с виноградом, как муравьи, и вскоре все ящики как по волшебству оказались в подвале. Джино не досталось ноши.

Panettiere окинул его осуждающим взглядом.

— Ах, Джино, figlio mio, что же с тобой будет? Работа прямо-таки, бежит от тебя, как ты ни стараешься. Ты должен уже сейчас зарубить себе на носу: кто не работает, тот не ест. Ступай!

Он собрался уходить, но сердитый вид мальчика заставил его передумать.

— Понятно, — сказал он, — на сей раз ты не виноват. Просто ты не больно расторопен, когда речь заходит о работе. Вот остался бы один ящичек, ты бы его прихватил, да?

Джино кивнул, и Panettiere жестом пригласил его в магазин. К тому времени, когда остальные дети выбрались из подвала и явились за вознаграждением, Джино уже шагал по авеню, уплетая пиццу. Горячий томатный соус моментально потеснил сладкий вкус и запах винограда.

В сгущающихся сумерках по мостовой носились крикливые дети с перепачканными виноградным соком и соусом от пиццы ртами, они взбегали на ступеньки моста и кидались обратно, подобно бесенятам, поднимающим оглушительный крик в преисподней, извивались в клубах пара, извергаемых грохочущим под мостом локомотивом, и стремглав мчались, уворачиваясь от снопов искр. Над ними громоздился каменный город, черный в предзимних сумерках. Дети хотели успеть наиграться всласть, прежде чем из окон прозвучат оклики, призывающие их возвращаться по домам. Они свалили пустые ящики из-под винограда в канаву, и мальчик постарше поджег обрывок бумаги. Десятую авеню озарили сполохи костра, вокруг которого тотчас выстроились дети. Над холодным каньоном погружающейся в сумерки улицы зазвучали материнские призывы, напоминающие протяжные возгласы пастухов, скликающих стада.

---

[1] Ребята (*ит.*).

Лючия Санта стояла в окне последнего этажа дома номер 358 по Десятой авеню и глядела вниз, подобно богине, вознесшейся над облаком; облаком служила подушка без наволочки, на которую она опиралась локтями. Она сторожила своих детей и посматривала на остальных, поглощающих виноград, шмыгающих на мост и обратно, мелькающих в отблесках костра, забегающих в холодную тень ветреного осеннего вечера. В этом году холода пришли раньше срока. Лето, благословенный сезон отдыха для городского люда, окончилось.

Теперь начнется школа, а значит, изволь стирать белые рубашки и беспрерывно зашивать и гладить штаны. Детям придется носить ботинки, а не бросовые тапочки. Их надо будет вечно причесывать и стричь. Предстоит покупка вечно теряемых зимних перчаток, а также шапок и пальто. В гостиной рядом с кухней придется ставить обогреватель; за ним нужен глаз да глаз, его надо вовремя доливать. Изволь откладывать деньги, которые пойдут зимой на врачей. Лючия Санта подумывала и о том, чтобы ради экономии посылать Сала приворовывать уголь на сортировочную станцию. Но Сальваторе слишком робок, и подобные приключения не доставляют ему удовольствия. Джино для этого уже непригоден: он вырос, и с ним могут обойтись, как с настоящим преступником. На какие только хитрости не толкала Лючию Санту беспросветная бедность!

В оранжевом отблеске костра она разглядела мальчика, который, отойдя подальше, разбежался и перепрыгнул через огонь. Джино! Что же останется от его одежды? Его примеру последовал мальчуган поменьше — этот приземлился на самом краю костра, подняв сноп искр. Когда Лючия Санта увидела, что Джино готовится ко второй попытке, она произнесла вслух: «Mannaggia Gesu Crist», забежала на кухню, вооружилась черным tackeril и ринулась вниз по ступенькам. Октавия подняла глаза от книги.

К тому моменту, когда Лючия Санта появилась на крыльце, Джино как раз перелетал через костер в третий раз. Еще в воздухе он заметил мать и, едва коснувшись земли, хотел было увернуться от удара, но черная палка со всего размаху огрела его по ребрам. Он издал жалобный крик, предназначенный для умиротворения материнской воинственности, и метнулся к родному крыльцу. Теперь над костром взвился Сал; когда он пробегал мимо нее, от его штанов пахнуло паленым. Он тоже хотел увернуться, однако tackeril настиг жертву и на этот раз. Сал взвыл и устремился домой следом за Джино. Поднявшись в квартиру, Лючия Санта увидела куртки и шапки сыновей висящими на вешалке; сами они спрятались под кровать. Что ж, по крайней мере, на полчаса покой обеспечен. Подошел к концу еще один день, еще один сезон, еще один кусок материи, из которой соткана ее жизнь.

— Отложи-ка книгу, — обратилась мать к дочери. — Лучше помоги с детьми.

Октавия со вздохом повиновалась. Она всегда помогала матери воскресными вечерами, как бы искупая грех субботнего отдыха. А ведь воскресным вечером ей всегда делалось спокойно, как никогда.

Октавия сняла с веревки одежду, сушившуюся над ванной, вымыла ванну и пустила в нее горячую воду. Потом она зашла в свою комнату и заглянула под кровать.

— Ну-ка, живо сюда! — скомандовала она.

Джино и Сал выползли наружу.

— Мама до сих пор злится? — осведомился Сал.

— Нет, — строго ответила Октавия. — Но если вы не будете вести себя как следует, она вам задаст. И не смейте драться в ванной, иначе вам несдобровать!

Лючия Санта готовила на кухне ужин. Винни вернулся домой из кино и взялся помогать ей накрывать на стол. Он примет ванну позже.

Когда Джино с Салом показались из ванны, их уже ждало толстое зимнее белье с длинными рукавами и штанинами. Из каких-то забытых потайных мест появились их школьные портфели, поношенные, но еще вполне пригодные. Их ждали также сандвичи с мясом и стаканы с содовой — мать отказывалась поить детей молоком, если они ели перед этим хоть что-то, сдобренное томатным соусом.

После ужина Октавия прочитала Салу, Джино и Винни лекцию. Знакомая песня!

— Теперь, — говорила она, — вы уже не глупые дети. В этом учебном году я хочу видеть у вас в дневниках только хорошие отметки, в том числе и по поведению. Винни, ты и в прошлом году учился неплохо, но теперь, во втором классе старшей школы, тебе придется еще поднажать. Ведь ты, кажется, намерен поступать в нью-йоркский колледж? Если у тебя будут достаточно приличные оценки, то ты сможешь учиться там бесплатно.

Об оплате колледжа не могло быть и речи. Винни повезет, если сразу после школы ему не надо будет впрягаться в лямку. Впрочем, у Октавии были собственные планы и кое-какие сбережения, приготовленные на этот случай. Винни пойдет в нью-йоркский городской колледж. Она не даст семье пропасть. Именно в этой связи она забросила мечты об учительской карьере. Она продолжала:

— Джино, если у тебя будут такие же отметки по поведению, как в прошлом году, ты у меня отправишься в больницу — так я тебя отделаю. И учиться ты бы мог гораздо лучше. Так что одумайся, иначе окажешься в исправительной школе и опозоришь всю семью.

Она, конечно, сгущала краски: Джино никогда не вел себя настолько плохо, чтобы могла зайти речь об исключении: он никогда не получал «неудовлетворительно» по поведению.

Октавия собрала внимательную аудиторию. Даже малютка Лена сначала навострила ушки у себя в кровати, а потом перебралась на стул. Октавия посадила ее себе на колени.

— Сак, ты в прошлом году показал себя молодцом. Но сейчас учиться станет труднее. Не волнуйся, я помогу тебе с домашними заданиями. Я ничем не хуже ваших школьных учителей. — Это было уже совсем детское хвастовство. — Вот еще что. Когда я прихожу с работы, извольте быть дома, а не болтаться на улице. К этому времени темнеет, и вам там нечего делать. Пусть кто-то только попробует задержаться на улице после шести вечера — душу вытрясу! И чтобы никаких карт и прочего лоботрясничания до тех пор, пока не будут сделаны уроки, и я их не проверю. Винни, Джино и Сал будут по очереди помогать матери по вечерам мыть и вытирать посуду. Дайте ей передохнуть.

Последнее ее предупреждение было нехитрым и искренним, и от того, что прозвучало оно без всяких прикрас, у слушателей кровь застыла в жилах:

— Того, кто останется на второй год, я растерзаю. — Даже Эйлин беспокойно шевельнулась у нее на коленях. — Пусть кто-то только попробует опозорить доброе имя семьи! Не хватало только, чтобы вы росли невежественными итальяшками и жили на Десятой авеню до седых волос!

Завершающий аккорд вызвал раздражение у Лючии Санты, и она вмешалась в разговор:

— Bastanza. Хватит. Не на войну же ты их собираешь! — Обращаясь к детям, она произнесла: — Но вот что запомните, mascaizoni[1] вы этакие! Я в свое время отдала бы все на свете, чтобы ходить в школу и научиться писать и читать. В Италии в школе учились только дети богатых. В вашем возрасте я пасла коз, дергала брюкву и месила навоз. Я скручивала шеи цыплятам, мыла тарелки и убиралась в чужих домах. Школа для меня была бы развлечением, все равно, что кино. Если бы ваш отец ходил в школу, у него была бы работа получше, и, может быть, он — кто знает? — остался бы здоров. Так что не забывайте, как вам повезло; того, кто запамятует, я заставлю опомниться с помощью tackeril.

Сал глядел на мать во все глаза. Джино и Винни присмирели, хотя на них уже мало действовали угрозы.

— Но, ма, — пролепетал Сал перепуганным голосом, — что же будет, если я не смогу учиться, если у меня не хватит мозгов? Ведь в этом не будет моей вины.

Мальчуган был настолько серьезен, что женщины не удержались от улыбки.

— Не беспокойся, — ласково сказала Октавия, — в этой семье у всех хватает мозгов, чтобы переходить из класса в класс. Просто старайся, вот и все. Я тебе помогу — а ведь я в выпускном классе была самой хорошей ученицей...

Винни с Джино прыснули, сочтя ее ласковый голос за приглашение к веселью. Огромные черные глаза Октавии яростно сверкнули, однако она заставила себя улыбнуться и повернулась к Лючии Санте за поддержкой:

— Ведь так оно и было, правда, ма?

Незнакомая им тоска по славе убедила лучше всяких угроз — кроме, конечно, обещания растерзать второгодника, в серьезности которого они не сомневались ни минуты.

Лючия Санта разглядывала дочь. Ей вспомнилось, с каким удовольствием ее Октавия ходила в школу и как

---

[1] Мерзавцы (*ит.*).

заставила мать смириться с американскими глупостями, с этим помешательством на образовании. Она не питала ни малейшего доверия к неутоленным амбициям и высоким целям: чем выше ожидаемое вознаграждение, тем больше риск. В случае сокрушительного поражения человек может оказаться на коленях. Лучше уж надежность, пусть скромная. Однако настойчивость дочери вынудила ее в свое время отступить.

Мать веско подтвердила:

— Да, ваша сестра могла бы стать школьной учительницей, если бы не ваш отец. — Она перехватила напряженный взгляд Джино. — Да! — поднажала она, обращаясь прямо к нему. — Если бы твой отец исполнял свой долг и поддерживал семью, Октавия могла бы не работать. Однако он никогда ни о ком не думал, и ты, figlio de putana, берешь с него пример. Сегодня вечером ты прыгал через костер. Ты портишь хорошую одежду и подаешь дурной пример младшему брату. Теперь мне придется покупать вам для школы новые штаны. Какой же ты animale! Ты никогда ни о ком не думаешь. Но я тебя предупреждаю...

Октавия поспешно перебила ее:

— Верно, ма, но сейчас речь о другом. Главное — чтобы они поняли, какое важное место в их жизни занимает школа. Научишься чему-то в школе — станешь человеком. Иначе быть тебе недотепой и потеть в порту или на железной дороге, как Ларри.

Отправив детей спать, мать принялась гладить свежевыстиранную одежду на следующую неделю и латать дыры. Перед ней стояла корзина, доверху наполненная бельем, и ей даже не приходилось нагибаться, чтобы взять следующую вещь. Октавия пристроила книжку к огромной сахарнице. В квартире было совершенно тихо, если не считать скрипа пружин, доносившихся из спальни, когда кто-нибудь из детей принимался вертеться во сне. Женщинам было спокойно, они совладали со своим племенем, добились от него послушания. Все шло как нельзя лучше; они не оспаривали друг у дружки места: дочь выступала в роли всесильной, но послушной подчиненной, мать же была неоспоримой предводительницей, уважавшей дочь и восхищавшейся ею за помощь и поддержку. Эта мысль никогда не произносилась вслух, но изгнание из семьи отца избавило их от лишнего напряжения и тревоги. Они были почти что счастливы, что его больше нет рядом, ибо теперь их власть стала абсолютной.

Мать встала, чтобы поставить кофе на огонь, зная, что Октавия, погрузившись в чтение, забывает обо всем на свете. Мать недоумевала, что такого написано в этих книжках, что повергает ее дочь в волшебное забытье. Ей так и не удастся это понять; будь она моложе, она бы завидовала грамотным, жалела о своем невежестве. Однако она — занятая женщина, у нее полно важной работы на много лет вперед, и ей недосуг убиваться из-за непознанных радостей. Удовольствия, которые она знала на вкус, и так доставили ей достаточно разочарований. Что ж, ничего не поделаешь. Она скорчила гримасу, сторонясь валящего от утюга пара и собственных невеселых мыслей.

Она отправилась через всю квартиру к леднику, чтобы достать доброй итальянской ветчины с перцем. Надо подкормить Октавию, не то она совсем исхудает. Она услыхала на лестнице шаги, но не обратила на них внимания: наверное, это на третьем этаже, ее семейство в сборе. Она оставила дверь в квартиру открытой, чтобы проветрить после глажки. Все равно никто не сможет проскользнуть мимо их ледника и сбежать — разве что через крышу. Они сидела за столом вместе с дочерью, попивая кофе и кусая prosciutto и грубый хлеб. Шаги зазвучали ближе; над лестницей показалась закутанная в платок голова тетушки Лоуке; старуха с усилием преодолела последние ступеньки и ввалилась в квартиру, изрыгая по-итальянски страшные ругательства.

Здесь жили ее близкие друзья, которые не стали тратить время на выспренние приветствия. Лючия Санта поднялась, чтобы поставить на стол третью чашку и отрезать еще хлеба, хотя отлично знала, что старуха никогда не ест в присутствии других людей. Октавия, сама учтивость, уважительно спросила по-итальянски:

— Как вы себя чувствуете, тетушка Лоуке?

Старуха отмахнулась от нее с сердитым нетерпением, подобно человеку, который ждет с минуты на минуту смерти и посему считает такие вопросы неприличными. Некоторое время они сидели молча.

— Работа, работа... — произнесла, наконец, Лючия Санта. — Школа и все эти чудеса, которые разворачиваются вокруг нее! Детям надо одеваться не хуже, чем самому президенту, а я стирай да гладь, как рабыня!

Тетушка Лоуке что-то пробормотала в знак согласия и снова сделала нетерпеливый жест, отметающий всякие надежды на плавное течение жизни. Она не спеша сняла свое ветхое черное пальто и длинный вязаный свитер с пуговицами до самых колен.

Чувствуя на себе ее буравящий взгляд, Октавия отложила книгу. Читать дальше значило бы проявить неуважение. Она встала и стала медленно проглаживать белье. Мать потянулась к книге и захлопнула ее, чтобы дочь не заглядывала в нее во время глажки. Тут Октавия смекнула, что сейчас удостоится редкой чести: тетушка Лоуке собирается обратиться непосредственно к ней.

— Ну, юная леди, — начала тетушка Лоуке с грубоватой фамильярностью, какую позволяют себе одни старики, — появлялся ли сегодня дома ваш красавчик-брат?

— Нет, тетушка Лоуке, — сдержанно ответила Октавия. Если бы к ней обратился таким тоном кто-нибудь другой, она бы плюнула обидчице в лицо; с особым удовольствием она поступила бы так с кем-нибудь из жирных самодовольных матрон — с этой неперевоспитавшейся деревенщиной, вечно обращающейся к молоденьким женщинам с хитроватой жалостью в голосе — а как же, ведь те еще не отведали сладости супружеского ложа!

— А вы его видели, Лючия Санта? — продолжала допрос тетушка Лоуке. Мать отрицательно покачала головой, и тогда старуха повысила голос: — Значит, вы не заботитесь о своем красавчике-сыне, семнадцатилетнем лоботрясе, в такой стране, как эта? Вам за него не страшно?

На глазах у Октавии лицо матери сморщилось от тревоги. Лючия Санта беспомощно передернула плечами.

— Что же делать? Disgrazia! Субботнюю ночь он всегда проводит вне дома. Что-то стряслось?

Тетушка Лоуке хрипло хохотнула.

— А как же! Разыгралась целая комедия! И, как всегда в Америке, мать узнает об этом последней. Успокойтесь, Лючия Санта, ваш сыночек жив и здоров. «Lady Killer»[1] — она с неимоверным наслаждением произнесла эту американскую фразу — наконец-то повстречал де-

---

[1] «Погубитель женщин» (*англ.*).

вушку, в которой тоже оказалось достаточно жизни. Поздравляю вас, Лючия Санта, с женитьбой сына и с невесткой — в американском стиле.

Новость была настолько ошеломляющей, что Октавия с матерью сначала не могли вымолвить ни слова. Старуха хотела раздразнить их и таким образом позволить им излить гнев на себя; теперь же она закудахтала в подобии хохота, отчего ее древние кости, обтянутые черной материей, мелко затряслись.

— Нет, нет, Лючия Санта, — проговорила она, задыхаясь, — вы уж простите меня, я здесь всецело на вашей стороне, но что за мерзавец ваш Лоренцо! Cue mascaizone. Нет, это уж слишком!

Но тут она увидела, как окаменело лицо подруги, как плотно сжаты ее губы. Выходит, она нанесла ей смертельное оскорбление. Она угомонилась и придала своему костлявому лицу серьезность, соответствующую ее преклонным годам. Впрочем, она все равно не могла относиться к их горю с должной серьезностью.

— Еще раз прошу прощения, — снова заговорила она. — Но скажите, чего еще вы ожидали от сыночка-развратника? Неужели вы предпочли бы, чтобы его поколотили или вообще прикончили? Ваш сын вовсе не глуп, Лючия Санта! Синьора Ле Чинглата, которая не была способна зачать на протяжении двадцати лет, и синьор Ле Чинглата, женатый вторично, с сорокалетним опытом супружеской жизни, которому никак не удавалось стать отцом, наконец-то осчастливлены! — Она насмешливо покачала головой. — Хвала милостивому Господу! Супруг Ле Чинглата вообразил было, что обязан счастью кое-кому поближе, и принялся точить нож, чтобы возвратить долг. Тогда бесстыжая Ле Чинглата и удумала женить вашего сынка. Представить себе только — женщина, рожденная и воспитанная в Италии!.. О Америка — страна, не ведающая стыда!

При этих ее словах Лючия Санта воздела к потолку угрожающий перст, безмолвно проклиная наглых Ле Чинглата, и тут же приготовилась слушать дальше. Тетушка Лоуке продолжала:

— Ваш сын попал в западню к тем самым тиграм, которых так бездумно приручил. Стоит Ле Чинглата шепнуть своему муженьку хотя бы словечко — и он расстанется с жизнью. С другой стороны, если он вздумает подарить этой старой шлюхе надежду, то мало ли что может случиться? Только и жди нового бесчестья. Вдруг она отравит своего старика — тогда жариться им обоим на электрическом стуле! Но вы знаете своего сына — он умен, он сделал все возможное, чтобы никто не услышал от него «нет». Он мчится в муниципалитет и женится на молоденькой невинной итальянке, которая, еще будучи в косичках, смотрела во все глаза, как он гарцует на лошади по Десятой авеню, не смея с ним заговорить. Никто не знал, что они знакомы, он никогда не разговаривал с ней при людях. Ее родители живут на Тридцать первой стрит — Марконоцци, достойные люди, но беднейшие из бедных. Ну и хитрюга ваш сынок — быть ему священником!

— У девушки хорошая репутация? — спокойно спросила мать.

Тетушка Лоуке издала непристойный смешок.

— Такие, как ваш сын, женятся только на безупречных девицах. Такова уж их философия. Кто больше развратника ценит девственниц? Но она — вот такая спичка. — Старуха продемонстрировала костлявый палец с узловатыми суставами, выглядевший хуже самой похабной картинки. — Клянусь Богом, он переломит ее надвое как тростинку. — Она истово перекрестилась.

Октавия была вне себя от гнева: она стыдилась этого брака, столь типичного среди бедняков, стыдилась скандала и мерзости, в которой барахтается брат. Что за отвратительная необузданность заразила всех вокруг? Однако она с удивлением заметила, что мать уже забыла о тревогах и даже слегка улыбается. Октавии было невдомек, что это известие, пусть удивительное и повергающее в оцепенение, новость, которую лучше было вовсе не слышать, на самом деле относится к разряду желанных. Как же иначе, если мать готовилась к тому, что станут реальностью куда худшие кошмары? Она страшилась неведомых хворей, смертоносных извержений похоти, тюрьмы, электрического стула — все было возможно, все могло обрушиться на нее в любую минуту. Лоренцо вполне мог жениться на шлюхе, неряхе, даже ирландке. Да, его женитьба поспешна, но это случается с бедняками сплошь и рядом, и в этом еще нет бесчестья; вот родители девушки — те могут считать себя обесчещенными...

— Все будут воображать худшее, — высказала Октавия общие мысли. — Проклятый плут!

Однако Лючия Санта залилась беззаботным хохотом:

ее сынок оказался хитрецом, он отменно надул семейку Ле Чинглата!

— Где он сейчас, мой расчудесный сын? — спросила она тетушку Лоуке.

Та настаивала:

— Дайте мне закончить. Теперь Ле Чинглата не сомневается, что стал отцом. Женщине достаточно взять мужчину за оба уха и заставить поползать перед ней на коленях — после этого она может делать с ним все, что ей вздумается. Нет, загвоздка в другом: надо обо всем рассказать матери девушки, то есть невесты. Вот в чем проблема! Их гордость под стать их бедности. Они сочтут свою дочь опозоренной.

Лючия Санта нетерпеливо махнула рукой.

— Я сама пойду к ним и все выложу. Мы столь же горды и уж наверняка не менее бедны. Мы поймем друг друга. Но где же они?

Старуха встала, охая и скрипя костями. Проковыляв к двери, она выглянула на лестницу и позвала:

— Лоренцо, Луиза, поднимайтесь!

Три женщины ждали появления новоиспеченных супругов и дивились фокусам судьбы. Мать внезапно сообразила, что утрата денег, приносимых старшим сыном, станет для семьи серьезным ударом. Нет уж, покуда у него нет своих детей, придется ему подкидывать кое-что своим осиротевшим братьям и сестрам. Решено! Дальше: вот-вот освободится квартира на третьем этаже; они переедут туда, и она сможет присматривать за невесткой, помогать супругам на первых порах, а потом пойдут ребятишки — она не сомневалась, что скоро станет бабушкой. А как любопытно посмотреть, кого же выбрал в конце концов ее красавчик-сынок, вернее, кому удалось его взнуздать! Октавия тоже размышляла о деньгах. Ну и негодяй этот Ларри — удрать из семьи в тот самый момент, когда ей позарез нужны деньги! Она понимала, где кроется подлинная причина его женитьбы: мать правит в семье железной рукой, отбирает у него почти все заработанное, ограничивает его свободу; вот он и пошел на крайнюю меру, чтобы освободиться от пут. Теперь, когда семья переживает трудные времена, Ларри больше не связывает с ней свое будущее. Октавия приготовилась встретить его как бесстыдного изменника и не оставить у него и у его девчонки ни малейших сомнений насчет ее места в их семье.

Тетушка Лоуке терпеливо ждала. Она искренне радовалась возможности присутствовать на таком отменном спектакле.

Сперва над лестницей появилась черная шевелюра Ларри, потом — его красивая физиономия. Девушка почти потерялась за его спиной. На губах Ларри играла смущенная усмешка, очаровавшая присутствующих: ему при его неизменной самоуверенности был весьма к лицу налет чуждой ему робости. Мать ждала его с вроде бы радушной улыбкой, в которой читалась презрительная снисходительность.

— Мама, сестра, познакомьтесь с моей женой, — поспешно проговорил Ларри. Из-за его спины выглянула тоненькая девушка. — Лу, это моя мать и сестра Октавия.

Мать обняла девушку и пригласила ее сесть. При виде этого прекрасного, но худенького и бледного личика с огромными карими глазами и еще неоформившейся фигурки Октавия прониклась к ней жалостью. Да она дитя, ей ни за что не справиться с Ларри, она не представляет, на какую жизнь обречена! Глядя на брата, его сильный торс и блестящие черные волосы, зная о его романтической уверенности в своих силах, она жалела и его: теперь его мечтам положен конец, жизнь его подошла к концу, не успев начаться. Она вспомнила, как он гарцевал по Десятой на своей черной лошади, выбивающей копытами искры из булыжника и стальных рельс, как разглагольствовал о своем будущем, словно ему была предначертана необыкновенная судьба. Она поняла, что его добродетельность — он рано начал трудиться, чтобы помогать матери, рано бросил школу, не подготовился к борьбе за жизнь — оставила его безоружным перед лицом судьбы. Теперь пойдут дети, и годы промчатся так же быстро, как лошадь под мостом, и он оглянуться не успеет, как минет добрая половина жизни. А ведь это — Ларри, ему свойственно витать в облаках. Когда они были детьми, она его очень любила, и сейчас ее пронзила жалость, заставившая ее смилостивиться над его женой, этим ребенком. Она чмокнула Ларри в щеку и обняла золовку, почувствовав, как та сжалась от испуга.

Все уселись за праздничный стол, на котором не было ничего, кроме кофе и булочек, и договорились, что супружеская пара станет ночевать у них в квартире, пока не освободится квартира этажом ниже. Ларри оживился и радостно затараторил. Все шло как нельзя лучше, и он снова обрел уверенность. Но тут Луиза закрыла лицо руками и пробормотала сквозь рыдания:

— Мне надо пойти домой и сказать обо всем матери.

Лючия Санта встала и решительно произнесла:

— Пойдем вместе. Надо ведь нам познакомиться, раз мы теперь родственники.

Ларри предпочел остаться в стороне.

— Слушай, ма, — сказал он, — мне сегодня идти в ночную смену. Ступайте туда с Лу, а я зайду к ним завтра.

Новобрачная взглянула на него с удивлением и испугом. Октавия сердито отрезала:

— Черта с два, Ларри! Брачная ночь — вполне уважительная причина, чтобы хоть раз не ходить на работу. Ты как миленький пойдешь с матерью и Луизой к ее родителям. Нечего сразу оставлять жену одну!

Луиза смотрела на нее, широко раскрыв глаза, словно услыхала богохульство. Ларри со смехом ответил:

— Ладно, сестренка, брось создавать проблему. Хочешь, чтобы я пошел, Лу? — Девушка кивнула. Он покровительственно положил руку ей на плечо и сказал: — Тогда я пойду.

— Спасибо, Ларри, — пискнула девушка.

Октавия расхохоталась. К ее удивлению, мать бросила на нее угрожающий взгляд; разве не ей, матери, надлежало призвать Ларри к порядку? Но тут мать обратилась к Ларри с такими словами:

— Думаю, лучше тебе пойти с нами, Ларри.

Теперь Октавия сообразила, что происходит: мать примеряет новую роль! Она уже не считает себя властительницей над старшим сыном, она словно бы вырывает его из собственного сердца — не гневаясь, без злого умысла, не от недостатка любви, а просто потому, что так будет проще собраться с силами и взвалить на плечи привычную ношу, прибавившую в весе. Дождавшись, пока все уйдут, Октавия, чтобы отвлечься от печальных мыслей, взялась за утюг и перегладила все оставшееся белье; она больше ни разу не открыла книгу.

Жизнь ребенка всегда переполнена неожиданностями. Поэтому Джино ни капельки не удивился, когда на следующее утро увидел на подушке брата черноволосую девичью головку. Тихо стоя над ними в своем плохоньком зимнем белье, Джино внимательно рассматривал их лица. Оба были мертвенно-бледны после сна в холодной квартире, оба казались беззащитными в своей страшной обессиленности, глубоком забытьи; они словно приготовились к смерти, если уже не умерли. У обоих были черные как смоль волосы, всклокоченные и переплетающиеся, заслоняющие лица. Через некоторое время Ларри пошевелился; жизненная сила стала возвращаться в его тело, от прихлынувшей к лицу крови порозовели щеки. Густые черные брови задвигались, черные глаза открылись и сверкнули. Ларри отодвинулся на край подушки, чтобы его волосы не переплетались с волосами жены; теперь он снова был сам по себе. Увидев рассматривающего его Джино, он осклабился.

Винни тем временем успел содрать с молочной бутылки крышечку: дюймовый слой замерзших наверху сливок был наградой тому, кто раньше встанет. Джино попытался открыть вторую бутылку, однако мать легонько кольнула его в руку острием ножа.

Джино побрел одеваться. Брат Ларри уже полусидел в кровати и затягивался сигаретой; девушка по-прежнему спала, повернувшись худенькой спиной ко всему остальному миру. Беленькие бретельки ночной рубашки подчеркивали худобу ее лопаток, торчавших на манер цыплячьих крылышек. При появлении Джино Ларри потянулся к жене и укрыл ее одеялом, чтобы она не замерзла, продемонстрировав при этом волосатую грудь и длинный рукав толстой ночной фуфайки.

Тот год прочно засел в памяти Джино: после женитьбы Ларри произошло еще много неожиданного.

Как-то раз, возвращаясь из школы, Джино увидел Джои Бианко, сидящего на помосте перед фабрикой Ранкеля; его учебники валялись на тротуаре. Джино не поверил своим глазам: Джои рыдал. Однако, несмотря на слезы, лицо его было искажено судорогой ярости. Джино осторожно приблизился к нему и спросил:

— Что случилось, Джои? Что-то с матерью или отцом?

Джои, всхлипывая, покачал головой. Джино подсел к нему на помост.

— Хочешь, сыграем в «семь с половиной»? — предложил он. — У меня есть шестнадцать центов.

— Мне не на что играть, — буркнул Джои. Его прорвало: — Я потерял все свои деньги! Отец велел мне положить их в банк, а банк потерял все мои деньги! Чертовы мерзавцы! Отцу-то что, он надо мной смеется! Все только и твердили, что я смогу взять деньги себе, когда вырасту, а теперь они меня обокрали. И еще смеются! — Он был совершенно уничтожен, он рыдал и бранился.

Джино был потрясен. Он лучше кого бы то ни было знал, как это серьезно. Сколько раз Джино, купив себе мороженое, позволял Джои лизнуть его, потому что Джои хотелось сэкономить два цента! Сколько раз Джои оставался в воскресенье дома, чтобы сэкономить деньги, выданные ему на кино, и положить их на свой банковский счет! Сколько раз Джои воротил глаза от увенчанной оранжевым зонтиком трехколесной тележки с горячими сосисками, нащупывая в кармане заветный пятицентовик, пока Джино уплетал мягчайшую длинную булку с сочной красной сосиской, кислой капустой и желтой горчицей, норовя проглотить «хот дог» в один присест! Джино чувствовал, что тоже обворован, потому что деньги эти были в какой-то мере и его деньгами. Пусть остальные мальчишки смеялись над Джои, Джино всегда уважал его и давал откусить от своей сосиски или пиццы, лизнуть мороженого, чтобы соблазн не сделался невыносимым. Даже на Пасху, когда все покупали алые и белые сахарные яйца по десять центов, Джои мужественно постился, хотя Пасха бывает всего раз в году. Джино гордился, что дружит с самым богатым мальчиком если не во всем Челси, то уж, по крайней мере, на Десятой авеню. Заикаясь и заранее боясь ответа, он спросил:

— Джои, сколько же ты потерял?

Обретя в отчаянии подобие спокойствия и достоинства, Джои произнес, не веря самому себе:

— Двести тринадцать долларов.

Мальчики посмотрели друг на друга расширенными от ужаса глазами. Джино и представить себе не мог такой суммы, а Джои впервые осознал, что за страшная трагедия с ним разыгралась.

— О Господи! — пробормотал он.

— Пойдем, Джои, — позвал Джино. — Собирай учебники и пошли домой.

Но Джои, спрыгнув с помоста, принялся яростно пинать свои книжки, пока они не разлетелись по всему тротуару.

— К черту книги! — орал он. — К черту школу! Теперь я со всеми посчитаюсь! Никогда не вернусь домой!

Он побежал в сторону Девятой авеню и затерялся в серой зимней тени надземной железной дороги.

Джино подобрал его учебники. Они изорвались, перепачкались конским навозом. Он, как мог, обтер их о собственные штаны и пошел по Десятой авеню в сторону дома 356, где обитал Джои.

Бианко жили на третьем этаже. Едва Джино постучал в дверь, как до него донесся женский плач; он хотел было удрать, однако дверь тут же распахнулась. Маленькая женщина во всем черном — мать Джои — пригласила его войти.

Джино удивился, застав отца Джои дома в столь неурочный час. Отец сидел за кухонным столом. Он был мал ростом и сутул, зато носил грандиозные усищи. На улице он никогда не снимал мятой серой шляпы; почему-то она была на нем и сейчас. Перед ним стоял кувшин с темно-красным вином и наполовину опорожненный стакан.

— Я принес учебники Джои, — сообщил Джино. — Он поможет учительнице и придет.

Он положил книжки на стол. Отец Джои поднял глаза и с хмельным радушием произнес:

— Bliono giovanetto — славный мальчик. Ты — сын Лючии Санты, приятель Джои — славный мальчик! Ты ведь никогда никого не слушаешься? Всегда идешь своим путем. Вот и хорошо. Отлично! Выпей-ка со мной винца. И благодари Господа, что у тебя нет отца.

— Я не пью, Zi' Паскуале, — ответил Джино. — Но все равно спасибо. — Ему было жаль мистера Бианко: оказывается, отец тоже убивается из-за неудачи сына. Мать сидела за столом и пристально смотрела на мужа.

— Пей, пей, — сказал дядюшка Бианко. Женщина подо двинула ему крохотную рюмочку, и он налил в нее вина. — За президентов американских банков, пусть они сожрут с потрохами собственных матерей!

— Успокойся, успокойся! — зашикала миссис Бианко.

В прежние времена Джино приходилось наблюдать, как дядюшка Бианко претерпевал ежедневное воскрешение и праздновал победу. Сперва это был согнутый, пришибленный человечек, состоящий из сплошных обид и шишек, притащившийся с сортировочной станции и с трудом перешагивающий через рельсы, протянувшиеся вдоль Десятой авеню. Он выглядел смертельно усталым, он был покрыт коростой грязи и пыли, высохший пот закупоривал все поры его измученного тела. Круглая шляпа, серая от пыли и рябая от пятен, лоснилась на солнце. Пустая корзинка для еды болталась у него на боку; он с трудом взбирался по темной лестнице и вваливался в квартиру.

Тут он сбрасывал свое рубище, залезал под струю теплой воды и принимался с ожесточением тереть мокрой тряпкой свою изломанную спину. Потом он в чистой голубой рубашке, наскоро опрокинув первый стаканчик, появлялся за столом с кувшином вина.

Сперва он заглядывал всем присутствующим в глаза, даже Джино, если тому случалось при этом находиться, и покачивал головой, словно отпуская им неведомые грехи. После этого он отхлебывал вина. Постепенно спина его выпрямлялась, словно тело снова наливалось силой. Жена наклонялась к нему с глубоким блюдом фасоли и макарон, от которого шел густой дух чеснока и бурого соевого соуса. Дядюшка твердо брался за ложку, словно это его лопата. Одно движение — и невероятная гора фасоли и макарон исчезала во рту умелого грузчика. Отправив в бездну под усами три таких порции, он откладывал ложку и отрывал от буханки здоровенный ломоть.

Держа в одной руке ложку, а в другой — хлеб, он словно возрождал собственную душу, вливая в нее энергию жизни. Каждый глоток делал его сильнее, он рос прямо на стуле и уже возвышался над остальными. Кожа на его лице приятно розовела, во рту начинали сверкать белоснежные зубы, из-под усов, пропитавшихся соусом, показывались ярко-красные губы. Он раскусывал хлебную корку с оглушительным треском, напоминавшим пушечный залп, а громадная ложка резала воздух над столом, как сабля. Он осушал свой стакан. Стол выглядел, как после побоища; над ним висел запах раздавленных виноградных гроздьев, рассыпанной муки и затоптанных в землю бобов.

Под конец дядюшка, взяв у жены нож, отрезал от огромного круга сыра с черной коркой рыхлый зернистый пласт и поднимал его к свету, чтобы все смогли насладиться ни с чем не сравнимым ароматом. Другой рукой он подбирал со стола остаток хлебной буханки и — могущественный, умиротворенный, наделенный почти сверхъестественной властью — с улыбкой спрашивал их всех на своем гортанном итальянском, выдающим южанина: «Ну, кто же счастливее меня?»

Жена издавала короткое: «Эге», словно подтверждая собственное твердое убеждение, с которым муж до поры до времени не соглашался. Мальчики же всегда внимательно наблюдали за ним, стараясь понять, что происходит.

В конце концов им открывалась правда. Кто же наслаждался трапезой больше, чем он? У кого веселее разливалось, по жилам вино? Чья плоть, чьи кости, чьи нервы успокаивались от блаженного отдыха? Дядюшка сладко постанывал, чувствуя, как улетучиваются боль и усталость. Он слегка приподнимался, чтобы освободиться от избытка газов, и серьезно вздыхал. Кто же больше, чем он, наслаждался жизнью в эту минуту?

Сегодня Джино попытался успокоить его:

— Ничего, Zi' Паскуале, Джои снова накопит денег. Я буду помогать ему продавать уголь с железной дороги, а следующим летом мы снова станем торговать льдом. Мы быстро наверстаем!

Усищи заходили ходуном, лицо покрылось морщинками смеха.

— Мой сын со своими деньгами!.. Ах, figlio mio, если бы дело было только в этом! Да знаешь ли ты, чего лишился я, знает ли мой сын, что я потерял? Пять тысяч долларов! Двадцать лет я вставал до рассвета и вкалывал, невзирая ни на холод, ни на проклятую американскую жару. Я сносил оскорбления от босса, я поменял даже фамилию, а ведь этой итальянской фамилии тысяча лет — Баккалона! — Теперь его голос гремел на всю кухню. — Мы из итальянского города Салерно. Я от всего отказался. А теперь мой сын рыдает на улице. — Он снова выпил. — Пять тысяч долларов, двадцать лет жизни... У меня ноют кости, потому что деньги эти добыты потом, вместе с которым вытекал костный мозг. Да обрушатся на них небеса, да покарает их сам Иисус Христос! Они обокрали меня без всякого револьвера, даже не пригрозив ножом, при свете дня. Как же это так?

Жена сказала:

— Паскуале, перестань пить. Завтра тебе на работу,

ведь ты сегодня не работал. В эту депрессию многие лишаются работы. Поешь немного и иди спать. Давай, давай!

— Не тревожься, женщина! — мягко сказал дядюшка Паскуале. — Завтра я выйду на работу. Не бойся. Разве я не вышел на работу, когда умерла наша малышка-дочь? Разве я не выходил на работу, когда ты рожала? Когда болела ты, когда болели дети? Пойду, пойду, не бойся. Но ты, бедная женщина, никогда не зажигающая электричества, пока не наступит кромешная тьма, лишь бы сэкономить лишний цент, — помнишь, как ты ела шпинат без мяса и носила дома свитеры, чтобы сберечь уголь? Неужели все это для тебя ничего не значит? О женщина, да ты железная! Слушай меня, малыш Джино, поберегись их!

Дядюшка Паскуале осушил еще один стакан вина и, не произнося больше ни слова, без чувств свалился на пол.

Жена, надеясь, что муж не слышит ее, принялась причитать. Потом Джино помог ей оттащить мистера Бианко в спальню; она все рыдала и заламывала руки. Он наблюдал, как она раздевает мужа, пока тот не превратился в жалкую, согбенную фигурку в старом нижнем белье с длинными рукавами и штанинами; он пьяно похрапывал в усы — ни дать ни взять персонаж комикса.

Она усадила Джино с собой на кухне и спросила, где Джои. Затем пошло-поехало: бедный муж, он был их надеждой, их спасением, он не должен клониться под ударами судьбы. Деньги пропали — да, это ужасно, но еще не смертельно.

Америка, Америка, что за мечты вселяет одно твое имя? Какие кощунственные мысли о счастье зароняешь ты в людские умы? За все надо расплачиваться, однако людям свойственно надеяться, что можно обрести счастье, не заплатив страшной цены. Здесь было, на что надеться, в Италии же жизнь была безнадежна. Они начнут все сначала, ведь ему всего сорок восемь лет. Он сможет проработать еще лет двадцать. Ведь человеческое тело — это золотая жила. Труд — руда, из которой выплавляются пища, кров, спасающий от непогоды, свадебные лакомства и похоронные венки, висящие на дверях. В этом изломанном непосильным трудом, до смешного тщедушном тельце в длинном зимнем белье, единственным украшением которому служили чудовищные усы, еще оставалось сокровище, поэтому с присущим женщинам практицизмом миссис Бианко беспокоилась скорее о муже, чем о безвозвратно канувших деньгах.

Прошло немало времени, прежде чем Джино смог уйти. Он опоздал домой: все уже сидели за столом. Как хорошо снова оказаться в теплой кухне, пропахшей чесноком и оливковым маслом, где пузырится в кастрюле томатный соус, похожий на темное вино!

Каждый накладывал себе спагетти из общего блюда, возвышавшегося над столом. В четверг им не полагалось другого мясного, кроме дешевой рубленой говядины, которая настолько размякла в соусе, что разваливалась от одного прикосновения вилкой. В разгар трапезы из квартиры этажом ниже поднялись Ларри с женой и сели с ними за стол.

Все были рады видеть Ларри, особенно младшие. Он всегда веселил их шутками и историями о железной дороге, он знал все сплетни о семьях с Десятой авеню. В его присутствии Октавия и Лючия Санта приободрялись и не ворчали на детей.

Джино заметил, что Луиза толстеет, а голова ее делается меньше.

— ...ага, — рассказывал Ларри, — Panettiere лишился на фондовой бирже десяти тысяч долларов, кое-какие деньги пропали у него в банке, но ему все равно не приходится тужить — ведь у него магазин. Многие на авеню потеряли деньги. Благодари Бога за свою бедность, ма.

Октавия с матерью улыбнулись друг другу. Их деньги были секретом от остальных; кроме того, они доверили сбережения не банку, а почте. Лючия Санта сказала Луизе:

— Ешь больше, тебе надо поддерживать силы. — Она забрала с тарелки Ларри большой кусок говядины и отдала его Луизе. — Animale, — сказала она Ларри, — ты и так силен как бык. Ешь спагетти, а мясо уступи жене.

На лице девушки появилось странное, довольное выражение. Она была воплощением спокойствия, она редко говорила, но сейчас она скромно молвила:

— Спасибо, мама.

Джино с Винсентом переглянулись. Что-то тут не так. Уж они-то знали свою мать: она неискренна, на самом деле она недолюбливает невестку, а та произнесла слова благодарности слишком горестным тоном.

Ларри улыбнулся братьям и подмигнул им. Зачерпнув ложкой соус, он удивленно воскликнул:

— Посмотрите-ка на тараканов на стене!

Это была старая игра: так он воровал по субботам жареную картошку у них с тарелок. Джино с Винни и не подумали оборачиваться, но наивная Луиза повернула голову. Ларри воспользовался этим, подцепил кусок говядины, откусил от него и поспешно положил обратно. Дети рассмеялись, но Луиза, поняв, что ее провели, расплакалась. Все очень удивились.

— Брось, — стал утешать ее Ларри, — это старая шутка нашего семейства. Просто баловство, ничего больше.

Мать с Октавией поддакнули, тоже сжалившись над ней. Однако Октавия опрометчиво произнесла:

— Не трогай ее, когда она в таком настроении, Ларри.

— Луиза, твой муж — зверь, и игры у него зверские, — сказала мать. — В следующий раз возьми да плесни ему в лицо горячего соусу.

Но Луиза вскочила из-за стола и бросилась к себе в квартиру.

— Лоренцо, ступай за ней и отнеси ей еды, — распорядилась Лючия Санта.

Лари сложил руки на груди.

— И не подумаю, — заявил он и снова принялся за спагетти. Все примолкли.

Наконец-то Джино удалось вставить словечко:

— Джои Бианко потерял двести тринадцать долларов, вложенных в банк, а его отец — целых пять тысяч.

На лице матери появилось выражение угрюмого торжества. У нее был такой же вид несколько минут назад, когда она услыхала о бедах Panettiere. Но потом Джино поведал, как дядюшка Паскуале напился, и выражение на лице матери изменилось, она удрученно произнесла:

— Даже умные люди беззащитны в этом мире — вот как обстоит дело.

Они с Октавией обменялись понимающими взглядами. Им повезло: они по чистому наитию открыли почтовый счет. Просто они постеснялись входа с белыми колоннами и просторного мраморного вестибюля — больно мало у них было денег.

С абстрактной печалью, словно пытаясь искупить вину за недавнее чувство торжества, мать сказала:

— Бедняга, уж так он любил деньги, а женился по любви, на бедной-пребедной девушке. Они были счастливы. Прекрасный брак! Однако что бы человек ни делал, все всегда идет наперекосяк.

На эти слова Лючии Санты никто не обратил внимания. Все слишком хорошо ее знали. На словах, как и в мыслях, она относилась к жизни с безнадежным пессимизмом. Однако жила она как человек, свято верующий в фортуну. Поутру она вставала с легким сердцем и вонзала зубы в хлеб, зная, что он окажется вкусен. Ее надеждой была телесная энергия, подкрепляемая любовью к детям и необходимостью вести за них постоянное сражение. Они верили, что ей неведом страх. Поэтому ее печальные слова мало что значили, они говорили только об опасении сглазить Они мирно доели свои порции. После еды Ларри откинулся на спинку стула с сигареткой в зубах, и Октавия с матерью завели с ним разговор, припоминая его юношеские проделки. Винни взял оставленную Луизой тарелку со спагетти и на минуту опустил ее кусок говядины в горячий соус. Потом он накрыл все другой тарелкой.

— Вот и молодец, — одобрила Лючия Санта. — Отнеси невестке поесть.

Винни спустился вниз по лестнице с тарелками и питьем. Через несколько минут он возвратился с пустыми руками и снова уселся за стол.

Окинув его взглядом, Ларри спросил:

— Ну, как она?

Винни кивнул, и Ларри вернулся к прерванному рассказу.

ГЛАВА 10

Субботним днем конца марта Октавия Ангелуцци стояла у кухонного окна, глядя на задний двор. Он был разделен деревянными заборчиками на множество отдельных двориков.

Октавия разглядывала эти каменные сады с бетонной почвой. Какой-то paesano, заскучавший по родине, притащил во двор ящик, напоминающий формой шляпу-треуголку, и насыпал в него пыли, воображая, что это земля; из пыли поднимался костлявый ствол. Внизу от ствола отходили маленькие отростки, похожие на пальцы, на которых дрожали мертвые желтые листочки. Из зацементированной серой клумбы торчал, озаряемый серебристым зимним светом, красный цветочный горшок. Над ним густо висели, перекрещиваясь так замысловато, что между ними не смогла бы пролететь самая хитроумная ведьма, бельевые веревки, уходящие от окон к смутно виднеющимся деревянным шестам.

Октавия чувствовала чудовищную усталость. Видимо, думала она, во всем виноват холод, эта длинная зима без единого солнечного лучика. Из-за депрессии стали хуже платить, и она работала теперь больше, а получала все равно меньше. Вечерами они с матерью пришивали на лоскутья пуговицы, порой призывая на помощь и детей. Однако мальчики фыркали из-за нищенской оплаты — цент за лоскут — и всячески отлынивали от работы. Это вызывало у нее только смех: дети могут позволить себе независимость.

У нее болела грудь, глаза, голова. Наверное, у нее жар. Из головы не выходила одна и та же мысль: что станет с ними без денег от Ларри, как они будут поднимать четверых детей? Не проходило недели, чтобы она не снимала с их с матерью почтового счета некоторой суммы. Прекрасная мечта потеряла очертания: они были отброшены назад, от владения собственным домом их снова отделяли долгие годы.

Глядя вниз на безрадостный двор, который внезапно обрел жизнь благодаря кошке, прошедшейся по забору, она думала о Джино и Сале, обреченных, возможно, на участь безмозглых грузчиков — неотесанных, грубых, увязших в трущобах, обзаводящихся детьми и обрекающих их на столь же нищенское прозябание. Ее охватила невыносимая тревога, сменившаяся страхом и настоящей тошнотой. Она уже видела, как они раболепствуют перед подлецами и клянчат подачку, подобно своим родителям. Беднякам приходится побираться — иначе не выживешь.

А как же Винни? Октавия вздрогнула: его будущее она уже и вовсе не принимала в расчет. Ему придется рано начать трудиться, чтобы помогать братьям и сестрам. Иного выхода не просматривалось.

Ах, этот проклятый Ларри — ведь он бросает семью в тот самый момент, когда она больше, чем когда-либо, нуждается в его помощи! И еще смеет приходить к ним лопать!

Впрочем, все мужчины — подлецы. Ей внезапно представился мужчина вообще — волосатый, как горилла, голый, с огромным, торчащим кверху органом для изготовления детей. Да, такие они и есть! Кровь прилила ей к лицу, и она почувствовала такую слабость, что едва добралась до кухонного стола и осела на табурет. Ее грудь раздирала боль от которой перехватывало дыхание. Она с обреченным ужасом поняла, что больна.

Октавию, упавшую лицом на стол, рыдающую от страха и от боли и пачкающую белую клеенку с голубым рисунком своей мокротой, окрашенной кровью, первым обнаружил Джино. Октавия прошептала:

— Сходи за матерью и тетушкой Лоуке...

Джино так перепугался, что, ни слова не говоря, кубарем скатился по лестнице.

Озабоченная родня застала Октавию отчасти пришедшей в себя, с выпрямленной спиной. Однако пятна на клеенке говорили сами за себя. Октавия собралась было вытереть стол, чтобы не всполошить мать, но потребность в симпатии и опасение быть обвиненной в симуляции в ближайшей же семейной ссоре вынудили ее оставить все, как есть.

Лючия Санта ворвалась к ней первой. Ей сразу бросился в глаза удрученный, болезненный, виноватый вид дочери; она перевела взгляд на кровь на клеенке, заломила руки, запричитала и разразилась слезами. Эта театральность всегда выводила Октавию из себя; даже Джино пробормотал из-за материнской спины:

— Ради Бога...

Однако сцена отняла всего минуту. Мать мгновенно овладела собой, взяла дочь за руку и повела ее через комнаты.

— Бегом к доктору Барбато! — крикнула она на ходу Джино.

Тот, чуя приключение и полный сознания собственной значительности, помчался вниз еще шустрее, чем несколько минут назад.

Уложив Октавию в постель, Лючия Санта вооружилась пузырьком со спиртом и уселась рядом с дочерью в ожидании врача. Щедро поливая спиртом ладонь, она протирала Октавии лоб и щеки. Обе успели успокоиться; Октавия видела на лице матери знакомое сердитое выражение, означавшее, что дочь и остальная семья теперь и подавно заслоняют от нее весь остальной мир. Она попробовала пошутить:

— Не волнуйся, ма. Я поправлюсь. Во всяком случае, я не собираюсь родить ребенка без мужа. Я по-прежнему хорошая итальянская девушка.

Однако в подобные моменты Лючии Санте изменяло чувство юмора. Жизнь научила ее уважительному отношению к ударам судьбы. Она сидела у изголовья дочери, как маленький Будда в черном. Дожидаясь врача, она лихорадочно размышляла, что будет означать для семьи болезнь, к каким новым лишениям она приведет. Невзгоды подступали со всех сторон: муж отнят, сын женился раньше времени, депрессия лишает работы, а теперь еще болезнь дочери. Она собиралась с силами, ибо понимала, что речь идет теперь не об отдельных неприятностях. Под ударом оказалась вся семья, самая ее ткань, жизнь. Семье грозила теперь не череда ударов, а полное уничтожение, бездна отчаяния.

Доктор Барбато поднялся следом за Джино по лестнице и прошел к кровати Октавии. Он был, как всегда, щеголевато одет, усики его были аккуратно подстрижены. Он приобрел билеты на оперу в Бруклинскую Академию музыки и теперь торопился. Он едва не отказался от посещения больной, едва не посоветовал мальчишке обратиться в «Беллльвю».

Стоило ему увидеть девушку и выслушать их рассказ, как ему стало ясно, что он напрасно пришел сюда. Девушке все равно не миновать больницы. Однако он уселся у ее кровати, видя, насколько она смущена тем, что ее будет осматривать такой молодой мужчина и что при этом будет присутствовать ее мать, не спускающая с нее глаз. «Эти итальянцы воображают, что мужчина не побрезгует женщиной даже на смертном одре», — неприязненно подумал он.

— Что ж, синьора, — произнес он, — придется мне осмотреть вашу дочь. Попросите мальчика выйти.

Мать обернулась и увидела, как расширились у Джино его любопытные глаза. Шлепнув его, она прикрикнула:

— Брысь! Раз в жизни разрешаю тебе: можешь убегать.

Джино, ожидавший похвалы за проявленную прыть, удалился на кухню, бормоча проклятия.

Доктор Барбато приложил стетоскоп к груди Октавии и, как того требовала профессия, уставился в пространство; на самом деле он прекрасно рассмотрел тело девушки. К его удивлению, она оказалась совсем худенькой. Полная грудь и широкие, округлые бедра создавали обманчивое впечатление. Она здорово потеряла в весе, но по ее крупному лицу этого невозможно было заметить, поскольку, при всей его миловидности, его трудно было представить изможденным. Ее огромные темные глаза испуганно наблюдали за ним. Врач успел отметить — не выходя, впрочем, за рамки профессионализма, — насколько созрело ее тело для любви. Она напомнила ему обнаженную красавицу с картины, которую он видел в Италии, путешествуя после окончания медицинского факультета. Она была женщиной классического типа, самой природой предназначенной для деторождения и обильных утех на супружеском ложе. Лучше бы ей побыстрее выйти замуж, не обращая внимания на болезнь.

Он встал, накрыл плечи девушки простыней и со спокойной уверенностью сказал:

— Поправитесь!

После этого он поманил мать в соседнюю комнату. Однако Октавия, к его удивлению, взмолилась:

— Доктор, прошу вас, говорите при мне! Матери все равно придется все мне рассказать. Иначе она не будет знать, как ей поступить.

Врач знал, что с такими людьми все равно не удастся соблюсти тонкостей профессии. Поэтому он безмятежно произнес:

— У вас плеврит. Несильный, но в больницу придется лечь все равно: там вам будет спокойно, там вам сделают рентген. Кровохарканье — дело нешуточное. Вдруг у вас не в порядке легкие?

Последние слова напомнили ему об опере, которую ему предстояло слушать вечером. Там героиня, умирающая от туберкулеза, станет голосить, как безумная, в огнях рампы... Она лишается всего лишь любви, то есть удовольствий; к ее смерти трудно отнестись серьезно. Стараясь, чтобы его голос звучал как можно искреннее, он сказал:

— Не беспокойтесь. Даже если задеты легкие, надеюсь, что все обойдется. Вам нет причин пугаться. Самое худшее, что может случиться, — что дочери придется несколько месяцев отдохнуть. Так что прямо завтра — в больницу «Белльвю». Пока я оставлю ей кое-каких лекарств. — Он вручил матери несколько образцов, присылаемых ему аптеками. — Запомните: не позднее завтрашнего дня — в «Белльвю». В квартире холодно, дети шумят, а ей нужен покой. И рентген. Уж не подведите меня, синьора! — И он добавил чуть ласковее: — Не беспокойтесь.

Врач ушел, чувствуя одновременно отвращение к самому себе и удовлетворение. Он бы мог заработать пятнадцать долларов, а не жалкие два: лечить ее всю следующую неделю в своем кабинете, там же сделать рентген и так далее. Однако для него не представляла тайны бедность этой семьи. Чуть погодя он уже негодовал на себя, сокрушаясь, что ему приходится так дешево продавать свое умение и что жертвы, понесенные его отцом, дают такую мизерную отдачу. В его руках находилось мощное оружие для добывания денег, но он не мог использовать его сполна. Вот ведь незадача: почему она — не дочь Panettiere? Его бы он доил и доил, от него бы он не отстал. Причем никто не был бы вправе упрекнуть его в недобросовестности. Ничего, придет время, когда он приобретет практику на таком участке, где сможет с чистой совестью сколотить настоящее состояние. Что поделаешь: он, доктор Барбато, не выносит вида и запаха бедности! Проявив сострадание и участие, он потом много дней подряд корил себя за это. Он совершенно искренне рассматривал это свое качество не как достоинство, а как крупный недостаток.

Сал и Винни, вернувшиеся домой после воскресного похода в кино, сидели на кухне и утоляли голод большущими кусками грубого хлеба, сдобренного уксусом и оливковым маслом. Джино, надувшись, забился в угол и корпел над уроками. Лючия Санта хмуро обвела взглядом свое потомство.

— Джино! — позвала она. — Возьми из моего кошелька десять центов — это тебе. Потом сходишь за своим братом Лоренцо — пускай поднимается к нам. Subito![1]

Глядя, с каким рвением он помчался выполнять ее просьбу, моментально забыв об обиде, она испытала прилив любви к сыну, подействовавший на ее напряженные нервы, как целебный бальзам.

---

[1] Сейчас же! (*ит.*)

На следующее утро Лючия Санта совершила настолько чудовищный поступок, что мгновенно утратила симпатию всей Десятой авеню и всех тех, кто сочувствовал ей в новом обрушившемся на нее горе. Доктор Барбато до того разгневался, что выругался по-итальянски — с момента поступления на медицинский факультет с ним ни разу не случалось ничего подобного. Даже тетушка Лоуке отругала Лючию Санту. Ведь это глупо, аморально, это просто поразительно; и все это говорилось всего лишь о поступке, продиктованном любовью... Лючия Санта не отдала дочь в благотворительную больницу «Белльвю»; вместо этого она велела Ларри отвезти их во Французскую больницу, что между Девятой и Восьмой авеню, всего-то в квартале с небольшим от их дома. Это была радующая глаз, чистенькая, но очень дорогая больница. Здешние медсестры будут вежливы, врачи обворожительны, секретари услужливы. Здесь не придется часами ждать в мрачных казематах. Здесь с дочерью Лючии Санты обойдутся как с человеком, то есть как с платежеспособным членом общества.

При этом Лючия Санта была удивлена своим поступком больше, чем кто-либо еще. Это был фантастически глупый шаг, грозящий поглотить сбережения целого года в момент, когда они всего нужнее. Ведь дом на время лишался основного работника! Такое можно было учудить только в полном ослеплении.

Однако у Лючии Санты были на то свои причины. Она пролежала с открытыми глазами всю ночь, и, несмотря на бодрствование, ее терзали кошмары. Она представляла себе свою молоденькую красавицу-дочь заключенной в тюремных бастионах «Белльвю», потерянно ползающей по зловещим закоулкам, собирающей презрительные плевки, как брошенный в зловонную клетку зверек. Кроме того, сыграло роль суеверие: ее муж, попав в «Белльвю», так и не вышел оттуда. Нет, эта больница — форменная покойницкая: ее дочь погибнет там, ее разрубят на мелкие кусочки и распихают по колбам...

В ранний предутренний час Лючия Санта пришла к окончательному решению и почувствовала такое облегчение, что махнула рукой на мнение друзей, родственников, соседей. В темноте, уткнувшись лицом в подушку, она горько всплакнула — одинокими, страшными слезами, не предназначенными для чужих глаз; они помогли ей справиться с тревогой лучше всяких утешений, кто бы ни утешал — пусть даже друг или любимое существо. Лючия Санта оплакивала уходящие силы, ибо ей было не у кого их черпать. Так плачут люди, которые слишком горды, чтобы показать, что нуждаются в жалости. На рассвете слезы ее высохли; когда пришло время вставать, лицо ее приняло решительное, непреклонное выражение.

Дети отправились в школу; пришел Ларри; они завернули тепло одетую Октавию в одеяла. Снеся ее вниз по лестнице едва ли не на руках, они усадили ее в машину Ларри. Сев рядом с сыном, Лючия Санта скомандовала:

— Во Французскую больницу!

Октавия пыталась возражать, однако мать прикрикнула на нее:

— Спокойно! Больше ни слова!

Формальности отняли совсем немного времени. Октавию поместили в тихую, чистую, симпатичную палату с молодой соседкой. На стенах палаты висели картины. По дороге домой Ларри, всегда ревновавший мать к сестре, объявил, что станет давать семье по пять долларов в неделю, пока Октавия снова не выйдет на работу. Мать потянулась к нему, потрепала по щеке и сказала по-итальянски:

— Ты славный мальчик, Лоренцо.

Однако тот расслышал в ее тоне отступничество: она уже не принимает его в расчет, он вышел у нее из доверия, в новом кризисе она не может на него опереться. А ведь будь он на месте Октавии, доверяй мать не ей, а ему, он никогда бы не дезертировал, как она.

ГЛАВА 11

Лючия Санта Ангелуцци-Корбо, подобно генералу, попавшему в окружение, вершила судьбу своего семейства, стараясь облегчить его муки: она просчитывала тактические ходы, размышляла над стратегией, взвешивала наличные ресурсы, определяла степень надежности союзных сил. Октавия проведет вдали от семьи, в доме отдыха, полгода. Видимо, она не будет работать в общей сложности год. Зарплату за целый год — долой.

Лоренцо давал ей в неделю по пять долларов, иногда

на два-три доллара больше. Винченцо станет подрабатывать в пекарне — еще пять долларов в неделю плюс экономия на хлебе. От Джино не было ни малейшего толку, Сал и Эйлин были еще слишком малы...

А тут еще беременность Луизы, жены Лоренцо — новая трещина в щите... Лучше, видимо, вообще не принимать в расчет деньги от Лоренцо.

А если зайти с другого конца? Винченцо осталось еще три года до окончания школы. А обязательно ли ему доучиваться до последнего класса? Джино слишком своеволен, но его придется приручить: он обязан помогать, нечего проявлять к нему столько снисходительности.

Теперь мать лучше, чем раньше, понимала, как важна для семьи Октавия, и не только в смысле денег. Ведь это она заставляла детей учиться на хорошие оценки, это она водила их в бесплатную зубную поликлинику Гудзоновой Гильдии, это она планировала экономию и взносы на сберегательный счет, независимо от того, сколько им требовалось денег на еду и одежду. Это Октавия вселяла в мать силы, это на нее та опиралась в нечастые минуты слабости.

Теперь, размышляла Лючия Санта, ей снова приходится в одиночку вести страшную битву. Однако она стала старше, закалилась в борьбе, поднакопила опыта и не ведает больше беспомощного отчаяния и ужаса, которые испытывала, когда осталась молодой вдовой. Она напоминала украшенного шрамами ветерана, прошедшего через множество невзгод; ее воинственный дух не раскисал больше от глупых мечтаний, присущих молодости. Теперь она сражалась с небывалым отчаянием, ибо понимала, что борьба идет за саму жизнь.

Лючия Санта приняла решение, подсказанное обстоятельствами: ей не оставалось иного выхода, кроме как запросить благотворительной помощи, обратиться за пособием. Прийти к такому решению оказалось непросто. Ей пришлось много о чем передумать.

О чем не шло речи, так это о совести, о сомнении, честно ли она поступает, заставляя власти брать ее семью на содержание. Ведь она родилась в стране, где народ и государство — непримиримые враги. Нет, ее мучили сомнения иного свойства.

Благотворительность — это соль, обильно присыпающая раны. Соглашаться на нее — значит причинять себе боль. Государство оказывает помощь с горькой ненавистью, какую испытывает жертва шантажа. Получатель благотворительных денег вызывает раздражение, на него сыплются оскорбления, он подвергается глубокому унижению. Газеты клеймят бессовестных типов, которые предпочитают попрошайничать, вместо того чтобы голодать вместе со своими детьми. Никто не сомневается, что бедняки, выклянчивая помощь, обводят государство вокруг пальца, испытывая от этого немалое наслаждение. Что ж, некоторые действительно поступают именно так. Ведь есть же люди, находящие удовольствие в том, чтобы втыкать себе в брюхо раскаленные иглы и глотать бутылочные осколки! О вкусах не спорят. Если же говорить о гуманности вообще, то бедняк принимает благотворительность, испытывая стыд и утрачивая уважение к самому себе — разве это зрелище не достойно жалости?

Ларри вызвал социального работника к ним домой, но сам при беседе не присутствовал — этого не выдержала бы его мужская гордость. Нет, не станет он в этом участвовать! Он не имеет к этому никакого отношения. Лючия Санта спрятала подальше импортное оливковое масло, без которого она не мыслила стряпни; стоит визитеру приметить его — и пиши пропало.

Гость явился под конец дня. Он оказался серьезным молодым человеком с круглыми, как плошки, глазами, на которого трудно было смотреть без смеха. Густыми круглыми бровями и темными кругами под глазами он напоминал сову. Однако он был отменно вежлив: он учтиво постучался, а, обследуя квартиру, то и дело извинялся; он распахивал дверцы шкафов и рыскал по квартире скорее как будущий квартиросъемщик, а не как чиновник, решающий вопрос о пособии. Он обращался к Лючии Санте «синьора», а сам именовался элегантно: Ла Фортецца.

Он внимательно выслушал рассказ Лючии Санты и записал в книжечку все подробности, кивая и шепотом сочувствуя ей по-итальянски. Он говорил по-итальянски так, словно выучил его в колледже, но понять его было можно.

Он разложил на столе формуляры и принялся задавать свои вопросы. Нет, нет, ни у нее, ни у ее детей нет банковского счета; у нее ничего нет, никакой страховки;

у нее нет на продажу никаких драгоценностей, кроме обручального кольца — впрочем, он заверил ее, что кольцо не в счет. Когда эта канитель, наконец, завершилась, мистер Ла Фортецца уселся на стул, уцепившись руками за край стола, как когтями, и устремил на Лючию Санту осуждающий взгляд своих круглых совиных глаз.

— Синьора Корбо, — начал он, — мне очень неприятно говорить вам об этом, но я вынужден уведомить вас, что у нас будут трудности. На троих ваших старших детей в связи с несчастным случаем с их отцом заведены опекунские банковские счета. Строго говоря, если вы хотите получать пособие, то вам придется отказаться от этих денег. Таково требование закона. Если я не заявлю об этих ваших деньгах, то у меня возникнут неприятности. — Он пристально посмотрел на нее.

Эти слова застали Лючию Санту врасплох. Такой вежливый итальянский юноша — а шпионит, ходит по соседям, собирая сведения, подстраивает ей ловушку! Это взбесило ее. Она с горечью произнесла:

— Хорошо, я выброшу эти деньги на улицу.

Он улыбнулся ее словам, как хорошей шутке, и стал ждать. Она почувствовала, что еще не все потеряно.

— Так вы совсем ничего не можете для меня сделать? — спросила она.

Ла Фортецца немного поерзал и улыбнулся, как сова, глотающая огромную мышь.

— Ах, синьора, — проговорил он, — знаете, как говорят, услуга за услугу. — Все еще испытывая неудобство (он был пока слишком молод, чтобы как ни в чем не бывало расписываться в нечестных намерениях), он объяснил, что рискнет служебным положением и будет приносить ей раз в две недели по шестнадцать долларов, но взамен она тоже будет платить ему — по три доллара. Дело в том, что на самом деле она не имеет на эти деньги права; помогая ей, он нарушает закон. И так далее. Сделка была заключена. Лючия Санта была так благодарна благодетелю, что угостила его кофе с пирожным, хотя законы гостеприимства настаивают на одном кофе и больше ничего не требуют. За кофе мистер Ла Фортецца поведал ей о своих горестях: как он выучился на юриста ценой самопожертвования родителей — совсем таких же, как она, бедных людей; как теперь не стало работы и он вынужден подрабатывать на городские власти, как это ни унизительно. Разве он когда-нибудь сможет отплатить отцу за все то, что тот для него сделал, если будет ограничиваться своей низкой зарплатой? Он испытывает угрызения совести, занимаясь таким делом, но если не получать дополнительных денег, то надо расстаться с мечтами о собственной практике. Кроме того, сделка выгодна им обоим: на самом деле синьора не имеет права на пособие. И так далее. Они расстались друзьями.

Мистер Ла Фортецца стал раз в две недели являться к ним с чеком. Его приход обставлялся особой церемонией. Джино посылали в бакалею оплатить долг и обналичить чек. Он приносил оттуда четверть фунта американской ветчины — розового деликатеса в оболочке белого жира, мягкого американского хлеба, нарезанного ломтиками, и желтого американского сыра: у Ла Фортецца оказался слабый желудок, и он воротил нос от славного итальянского салями с pepperoni[1], от обжигающего проволоне, от грубого итальянского хлеба, режущего десны.

Джино, широко распахнув глаза, наблюдал за разворачивающимся перед ним действом. Тоненькие розовые и желтые кусочки выкладывались на длинную церемониальную тарелку, рядом ставилась чашка с кофе; Ла Фортецца, чувствуя себя как дома и положив натруженные ноги на другой стул, жаловался Лючии Санте на свои злоключения, а мать, переживая за него, покачивала головой. Бедняжка, сколько ему приходится карабкаться по лестницам, лаяться с самыми никчемными итальянцами, скрывающими от него работу сыновей и проклинающими его за то, что он не записывает их на помощь, обзывающими его евреем — ибо какой итальянец станет служить правительству и притеснять своих соплеменников?

— Ах, — неизменно говорил Ла Фортецца, — неужели только ради этого мои несчастные родители экономили каждый цент? Довольствовались в будни scarola и pasta? Только ли ради того, чтобы их сын зарабатывал себе на хлеб ценой здоровья?

Лючия Санта при этих его словах начинала кудахтать от жалости.

Совиные глаза гостя излучали печаль. Еще бы: Ла Фортецца вынужден ковылять по улицам в любую пого-

[1] Перец (*ит.*).

ду. А ведь он слаб здоровьем... Четыре года напряженной учебы в университете!

— Синьора, — напирал он, — я был не из лучших студентов. В конце концов, мои родичи многие тысячи лет оставались неграмотными крестьянами, так что сейчас родители довольны и тем, что мне не приходится заниматься ручным трудом.

Съев ветчину и сыр, он вставал и собирался уходить. Лючия Санта с величайшим тактом совала ему три доллара: она хватала его руку и перекладывала туда деньги, словно он категорически отказывался и ей приходилось его уговаривать. Ла Фортецца изображал нерешительность и делал вид, что собирается вернуть деньги; потом он вздыхал, приподнимал одну бровь и издавал нечленораздельный звук, символизирующий отказ от борьбы.

Если вникнуть, то они были довольны друг другом. Почтенная Лючия Санта нравилась ему вежливостью, уважением к его чувствам, заботой и кофе. Она, со своей стороны, симпатизировала этому печальному юноше и благодарила Бога, что никто из ее сыновей не утратил, в отличие от него, вкуса к жизни. Необходимость делиться с ним пособием не вызывала у нее возражений.

Прошло несколько недель, и к прежнему, семейному пособию, прибавилось пятнадцать долларов ежемесячно — на квартплату. Тогда Лючия Санта, не заставляя его заводить трудный разговор, сама стала подсовывать ему пять долларов вместо трех. Их взаимопонимание зиждилось на твердой, как скала, основе.

Взаимопонимание росло вместе с размером пособия. Он накинул ей еще четыре доллара в неделю. Теперь Лючия Санта завела привычку передавать ему пакетик с лакомствами: фунтом свежей ветчинки и бутылочкой домашней анисовки, которая пойдет на пользу его пищеварению. Теперь, когда Ларри обзавелся развалюхой-фордом, с которым он копался все свободное время, мать заставляла его отвозить мистера Ла Фортецца до самого дома — а жил тот далеко, в Бронксе, на Артур-авеню.

Поездку они совершали втроем — Ларри, Ла Фортецца и Джино; они тряслись в жалкой колымаге, выискивая местечко, чтобы протиснуться между гужевыми повозками, трамваями и другими автомобилями. Джино обратил внимание, что Ларри неизменно сохраняет вежливость, однако его неуважение к плюгавому адвокатишке прорывается в невинных насмешках. Впрочем, сам Ла Фортецца не замечал, что сделался предметом издевательств, и прилежно перебирал свои невзгоды, как четки. Братья только и слышали о том, какую низкую зарплату кладет служба пособий своим работникам, как много денег приходится платить в качестве рассрочки за дом в Бронксе, как постарели его родители и как они не могут больше работать, так что ему приходится помогать им и платить рассрочку самому. Когда он заводил речь о том, как отчаянно нуждается в деньгах, в его голосе звучал неподдельный ужас, что всегда повергало Джино в недоумение. Ведь Ла Фортецца — подлинный богач! Он учился в колледже, он живет в отдельном доме на две семьи, летом его семейка уезжает на отдых. Все то, чего обитатели Десятой авеню могли мечтать достигнуть только после сорока лет тяжелого труда, у этого юнца уже имелось. Он жил в стране мечты, но испытывал куда больший страх перед жизнью, чем самый последний грузчик с Десятой.

Когда Ла Фортецца выбирался из машины, сжимая под мышкой коричневый кулек с гостинцами, Ларри прикуривал и подмигивал Джино. Джино подмигивал старшему брату. После этого они катили к себе на Десятую веселые и умиротворенные, словно были завоевателями и перед ними лежал безоружным весь мир.

Доктор Барбато, взбираясь на четвертый этаж к Ангелуцци-Корбо, скрипел зубами и убеждал себя, что уж на этот раз он с Божьей помощью заставит эту семейку расплатиться сполна. Попробуй только помочь — и деньги, которые вполне мог заработать ты сам, мигом перекочевывают в чужой карман. С какой стати ему делиться доходами с Французской больницей?

Выходит, этим невежественным итальяшкам не годится «Белльвью»? Выходит, им подавай лечение по последнему слову медицинской науки? Да за кого они себя принимают, эти miserabili, попрошайки, не имеющие даже ночного горшка, получающие семейное пособие, но содержащие дочку в санатории в Рейбруке?

Дверь на верхнем этаже была распахнута настежь. Караул нес маленький Сал, гордый почетным поручением. Стол на кухне был завален оставшейся от ужина посудой, на желтой клеенке красовались остатки жареного картофеля и яичницы. На краю стола Джино и Винни резались в карты. «Ну и бандиты!» — сердито пронеслось в голове у доктора Барбато. Но он мигом смягчился, стоило Джино оторваться от игры; мальчик провел его через комнаты, проявляя при этом естественную, застенчивую вежливость и вкрадчиво объясняя ему, что на этот раз заболела мать.

В темной спальне без окон врач увидел на кровати лежащую Лючию Санту. Рядом с матерью стояла малышка Эйлин, подставляющая ей руки и личико: мать обтирала их полотенцем, которое обмакивала в таз с водой. Эта сценка напомнила врачу картину, когда-то виденную в Италии, — и не сентиментальностью, а композицией: там мать, возлежавшая на кровати, точно так же умывала своего ребенка; та комната была точно так же освещена: здешний электрический свет был столь же тускл, на стенах лежали такие же тени.

Он попытался лучше разобраться в возникшей аналогии и понял, что стал свидетелем сцены воспитания в крестьянской семье, где ребенок всецело доверяется своей матери. Перед ним находились как раз такие люди, какие позировали когда-то великим живописцам.

Доктор Барбато остановился в ногах кровати и важно произнес:

— Ах, синьора Корбо, вам этой зимой сильно не везет!

Этими словами он намеревался не только выразить свою симпатию к заболевшей, но и напомнить ей о том, как дурно она поступила, доверив исцеление Октавии чужим людям.

Даже лежа в постели, Лючия Санта умудрилась так рассердиться, что ее глаза и щеки заметали молнии. Однако преклонение бедной женщины перед такой недосягаемой личностью, как врач, вынудило ее попридержать язык; а ведь она уже собралась напомнить ему, что он тоже принимал когда-то из ее рук кусок грубого итальянского хлеба. Она смиренно произнесла:

— Доктор, у меня отнялись ноги и спина, я не могу ни ходить, ни работать.

— Сперва отправьте ребенка в кухню, — распорядился врач.

Девочка, наоборот, пододвинулась ближе к матери и положила ручонку на ее лоб.

— Иди, Лена, — ласково сказала мать, — иди в кухню, помоги братьям вымыть посуду. — Заметив улыбку на губах врача, мать крикнула по-итальянски: — Винченцо, Джино, мерзавцы вы этакие, вы начали мыть посуду? Неужели вы показали доктору кухню в таком беспорядке? Ну, погодите, я вас обоих искалечу! Иди, Лена, потом расскажешь мне, работают ли они.

Малышка, довольная шпионским поручением, выбежала прочь.

Доктор Барбато обошел кровать и уселся с краю. Отогнув одеяло, он приставил к груди матери стетоскоп, сперва не трогая ночной рубашки. Но, когда он открыл рот, чтобы велеть ей поднять рубашку, девочка была уже тут как тут с круглыми от любопытства карими глазенками.

— Джино с Винсентом моют посуду, а Сал убирает со стола, — доложила она.

Заметив, что врач начинает нервничать, мать распорядилась:

— Хорошо, хорошо, Лена, теперь помоги им, заодно и приглядишь за ними. И чтобы сюда никто не входил, пока я не позову. Скажи им об этом.

Девочку как ветром сдуло.

Лючия Санта успела потрепать ее по головке, и врач, заметив ее распухшие запястья, понял, с чем имеет дело. Когда они остались с глазу на глаз, он велел ей перевернуться на живот и завернул на спину ее простую шерстяную рубашку. Обнаружив на пояснице шишки, он с ободряющим смешком провозгласил:

— Да у вас артрит, синьора! Месяц во Флориде — и вы бы родились заново! Вам необходимо солнце, тепло, отдых.

Он тщательно осмотрел ее, безжалостно надавливая в разных местах, чтобы выяснить, где ей больно, где нет. От его внимания не ускользнуло соблазнительное зрелище пышных ягодиц сорокалетней крестьянки. В этом она не отличалась от дочери: обе были обладательницами роскошных ягодиц, подобно чувственным нагим итальянкам, украшающим древние флорентийские стены, — широких и рыхлых; впрочем, зрелище не вызвало у него вожделения. Он никогда не вожделел таких женщин, ибо для него они были нечистыми — такими их делала бедность. Он поправил подол ее ночной рубашки.

Женщина снова повернулась на спину. Врач серьезно посмотрел на нее и сердито молвил:

— Как же так, синьора? Неужто вы не можете работать и ходить, даже по дому? Все не так серьезно. Верно, вам необходим отдых, но ходить-то вам под силу! У вас распухли суставы рук и ног, вас беспокоит поясница, но все это не слишком опасно.

Лючия Санта долго смотрела на врача. Потом она сказала:

— Помогите мне встать.

Она неуверенно спустила ноги с кровати, и он попытался помочь ей. Стоило ей попробовать распрямиться, как она издала стон и повисла на нем всей своей тяжестью. Он осторожно опустил ее на кровать. Нет, это не было похоже на симуляцию.

— Что ж, значит, без отдыха не обойтись, — заключил Доктор Барбато. — Но все пройдет. Не до конца, конечно, — какое-то беспокойство все равно останется, но скоро вы у меня опять будете стоять у плиты.

Лючия Санта встретила его шутку улыбкой.

— Большое спасибо, — сказала она.

Выйдя из квартиры Корбо на свежий воздух, он остановился на Десятой авеню и задумался над коренными вопросами мироздания. Он поймал себя на чувстве, напоминающем благоговейный трепет. Усмехнувшись про себя, он попробовал припомнить все невзгоды этой семьи: муж в доме для умалишенных, дочь, чью восхитительную грудь разъедает болезнь, погибший от несчастного случая первый муж, сын, скоропалительно женившийся на беднейшей из бедных, еще не достигшей зрелости девчонке. А теперь и сама мать, отягощенная детьми, стала инвалидом. Лежит там на своей великолепной заднице, придавив кровать своим толстым телом, как мраморной глыбой, — и еще имеет дерзость злиться на его замечания!

Он устремил взгляд вдоль вереницы домов, окна которых сейчас, на закате, подрагивали на ветру и отражали красный солнечный шар. Чувствуя головокружение, он пробормотал, сам не зная, куда заведет его эта мысль: «Какого черта, на что они надеются?» С Гудзона и с просторного пустыря сортировочной станции налетел порыв ветра: врач задохнулся и почувствовал, как пылают его щеки. Он злился, словно ему брошен вызов: с какой стати такие беды творятся у него на глазах? Это было подстать пощечине. Он помимо воли вовлекался в водоворот, закрученный сверхчеловеческими силами. Кровь его забурлила. Нет, это уж слишком. Слишком! «Ладно, — решился он, — посмотрим, что тут можно сделать». Кровь его стала такой горячей, что он, невзирая на порывы ветра, расстегнул воротник и снял шарф, любовно связанный для него матерью.

Следующие два месяца доктор Барбато, разъярившись, практиковался в искусстве исцеления. Он навещал Лючию Санту через день, делал ей уколы, ставил компрессы и минут по двадцать болтал об ушедших временах. Ей становилось все лучше, но она пока не могла подняться с постели. Тогда доктор Барбато стал развивать тему об Октавии и о том, как она расстроится, если, вернувшись из санатория, найдет мать больной. За несколько дней до возвращения Октавии он резко увеличил дозы витаминов и инъекций; накануне возвращения дочери он застал мать гладящей на кухне, хотя пока что сидя; дети сновали вокруг, поднося по ее требованию воду и складывая выглаженное.

— Вот и отлично! — радостно молвил доктор Барбато. — Если синьора снова взялась за работу, то это — верный признак выздоровления.

Лючия Санта благодарно улыбнулась ему. Впрочем, в этой улыбке, служившей признанием, что она перед ним в долгу, содержалось отрицание его решающей роли. Коли человеку есть чем заняться, он встанет со смертного одра, чтобы вновь приняться за работу, — они оба не сомневались в этом. Доктор Барбато уже готовился к очередному уколу, когда она пробормотала по-итальянски:

— Доктор, как же мне вам отплатить?

Он сам удивился, что не находит в своей душе гнева. С ласковой улыбкой он откликнулся:

— Просто пригласите меня на свадьбу вашей дочери.

Надо ведь уметь находить радость в самой жизни; страдание принесет благотворные плоды; вслед за невзгодами человек познает удачу. Все в конце концов будет хорошо: дочь поправится, вырастут дети, пройдет время...

ГЛАВА 12

Октавия отсутствовала полгода. За все это время Лючия Санта ни разу не навестила дочь — это и впрямь было невозможно: слишком дальней была бы поездка, слишком много дел ждало ее дома; кроме того, она не доверяла Ларри и его разваливающейся машине. Ей и в голову не приходило оставить детей без присмотра.

В день возвращения Октавии Ларри с Винни отправились встречать ее на вокзал Гранд-Сентрал. Остальное семейство ждало ее дома; дети оделись в воскресный наряд, Лючия Санта натянула лучшее свое черное платье. По кухне металась тетушка Лоуке, кипятившая воду и яростно помешивавшая томатный соус.

Наконец Джино, несший вахту у окна, ворвался в кухню с криком:

— Ма, едут!

Лючия Санта поспешила вытереть выступившие на глазах слезы. Тетушка Лоуке принялась вываливать равиоли в кипящую воду. Дети выбежали в открытую дверь квартиры и выстроились на лестнице, свешиваясь с перил и прислушиваясь к шагам на нижних этажах.

Появившуюся перед ними Октавию было трудно узнать. Они готовились встретить бледное, увечное создание, за которым придется долго и терпеливо ухаживать; они ожидали увидеть раздавленное судьбой существо, вставшее из могилы. Вместо этого взорам семьи предстала здоровая американская девушка. Даже кожа ее утратила прежнюю бледность. Щеки ее розовели, волосы были аккуратно завиты, как того требовала американская мода. На ней были юбка и свитер, поверх которого был надет жакет с пояском. Но больше всего их поразил ее голос, при звуке которого они почувствовали себя чужими ей, ее речь, тон, которым она приветствовала их.

Она радушно улыбнулась, продемонстрировав зубы, блеснувшие между тщательно растянутыми губами. Она испустила крик — радостный, но вполне цивилизованный, потискала Сала и Эйлин и сказала ему и ей:

— Миленькие, как я без вас соскучилась!

После этого она подошла к Лючии Санте и поцеловала ее не в губы, а в щеку, сказав приятным, кокетливым голоском:

— О, как я рада вернуться домой!

Ларри и Винченцо поднялись за ней следом, неся по чемодану каждый, и выглядели несколько смущенными.

Октавия клюнула Джино в щеку и произнесла:

— Гляди-ка, да ты становишься красавчиком!

Джино отпрянул. Все таращили на нее глаза. Да что с ней произошло?

Ее новому облику и манерам радовались только двое — маленькие Сал и Эйлин. Эти не отходили от нее, буквально пожирали ее глазами, ушами, льнули к ней, дрожали от удовольствия, когда она гладила их по головам и снова и снова тискала, приговаривая:

— Какие вы теперь большие!

Лючия Санта тут же предложила Октавии присесть. Уж она-то не обратила никакого внимания на ее изменившийся вид. Ей хотелось только, чтобы дочь передохнула после карабканья по лестнице. Тетушка Лоуке, уже подававшая обед, сказала Октавии:

— Слава Богу, что вы вернулись! Вы так нужны своей матери!

Прежде чем Октавия успела ответить, она отскочила обратно к плите.

Никогда еще трапеза в семействе Ангелуцци-Корбо не проходила в обстановке такого сильного смущения. Разговор ограничивался вежливым обменом информацией, словно они не родные, а чужие друг другу люди. Джино и Винни не дрались за столом. Сал и Эйлин и вовсе вели себя, как пара ангелочков, и даже не думали пререкаться из-за размера порций. Луиза поднялась к ним в квартиру с младенцем на руках и неуверенно поцеловала Октавию куда-то за ухо, видимо, опасаясь инфекции. Потом она уселась рядышком с Ларри, держа младенца подальше от Октавии. Та поворковала, но и не подумала притронуться к новорожденному. Ларри поел, извинился и поспешил на работу: ему предстояло выйти в четырехчасовую смену и работать до полуночи. Он торопился.

Когда Октавия хотела убрать со стола, все в ужасе вскочили. Даже Джино бросился к раковине с тарелками. Лючия Санта прикрикнула на нее:

— Ты что, снова хочешь слечь?

Октавия послушно села; малыши Сал и Эйлин прижались к ее ногам, преданно заглядывая ей в лицо.

Одна лишь мать чувствовала за улыбкой Октавии и оживленным разговором глубокую печаль. Оказавшись снова под родной крышей, обозревая комнаты, загроможденные кроватями, не закрывающимися шкафами и детским хламом, Октавия не могла не погрустнеть. День плавно сменялся вечерними сумерками; Октавия наблюдала, как мать исполняет памятный, неизменный ритуал: мытье посуды, глажение свежевыстиранного белья, зажигание керосиновой плиты на кухне и угольной — в гостиной; вечером мать зажгла газовый светильник, населивший комнату длинными тенями; наконец, мать стала укладывать детей спать. Октавия представляла себе, чем бы она занималась сейчас, в эту минуту, в санатории. Они с подругой прогуливались бы по саду; потом они возвратились бы в палату и стали дожидаться ужина, сплетничая о местных любовных интригах. Трапеза проходила сообща; потом наступал черед бриджа в комнате для игр. Октавия мучались ностальгией по жизни, которую она там вела: ведь там она могла заботиться только о себе, о собственном здоровье и удовольствиях, не ведая ни беспокойства, ни ответственности. В родном же доме ей было неуютно, семья казалась ей сборищем чужих людей. Она настолько погрузилась в свои мысли, что не заметила, с каким трудом передвигается по квартире ее мать.

Ближе к ночи, когда Джино с Винни раздевались у своей кровати, первый шепнул второму:

— Она за целый день ни разу не выругалась.

— Наверное, в больнице нельзя браниться, — задумчиво ответил Винни.

— Вот она и отвыкла.

— Надеюсь, — вздохнул Джино. — Куда это годится, когда ругается девушка, тем более сестра...

Октавия и Лючия Санта остались в кухне вдвоем. Они сидели за огромным круглым столом с неизменной желтой клеенкой. Перед ними белели кофейные чашки. В углу комнаты Лючию Санту ждала груда белья, которое еще предстояло перегладить. На плите закипала кастрюля с водой. Из комнат доносилось мерное дыхание спящих детей. В заливающем кухню бледном свете мать и дочь смотрели друг другу в глаза; мать принялась рассказывать о бедах, которые ей пришлось пережить за эти полгода: Джино стал совсем непослушным, Винни с малышами все больше становятся ему подстать. Ларри и его жена Луиза помогают ей меньше, чем могли бы, да и сама она прихворнула; впрочем, она ни словом не обмолвилась обо всем этом в своих письмах Октавии, чтобы не расстраивать ее.

Рассказ получился долгим; Октавия то и дело перебивала ее, повторяя:

— Ма, почему ты мне ничего не писала, почему не сказала?

— Я хотела, чтобы ты спокойно поправлялась, — отвечала мать.

Они никак не проявляли любви друг к другу. Наконец, Октавия произнесла:

— Не волнуйся, мам. На следующей неделе я выйду на работу. Я позабочусь, чтобы дети хорошо учились и помогали по дому.

Она почувствовала прилив сил, уверенности в себе, гордости за себя — ведь мать так нуждается в ней! От недавней отчужденности не осталось и следа. Она снова была дома. Когда Лючия Санта взялась за утюг, Октавия сходила в свою комнату за книгой, которую она станет читать, чтобы составить матери компанию.

Спустя неделю состоялась встреча Октавии с чиновником из ведомства пособий. До этого момента она оставалась воплощением любезности: она была счастлива, что вернулась домой, и, казалось, забыла о былых командирских замашках, ругани и пронзительных криках.

Но как-то раз, решительно распахнув часа в четыре вечера дверь квартиры, она с удивлением увидела мистера Ла Фортецца, закинувшего ноги на стул, попивающего кофе и заедающего его сандвичем с ветчиной. Ла Фортецца, оценив ее миловидность, отложил сандвич и учтиво приподнялся.

— Это моя дочь, — гордо сказала Лючия Санта. — Октавия, старшая.

Ла Фортецца, отбросивший по такому случаю свои итальянские замашки, сказал дружелюбным американским голосом, но скороговоркой и без лишних церемоний:

— Я много о вас слышал, Октавия. Мы с вашей матерью подолгу беседуем как старые друзья. Мы теперь и есть старые друзья.

Октавия холодно кивнула, и в ее больших черных глазах появилось неприязненное выражение, хотя она вовсе не имела в виду демонстрировать ему свою неприязнь. Лючия Санта, желая сгладить дочернюю нелюбезность, сказала:

— Выпей кофейку и поговори с молодым человеком. — Она повернулась к Ла Фортецца: — Она у нас умная, все время читает.

— Да, выпейте кофе! — подхватил Ла Фортецца. — Я с удовольствием побеседую с вами, Октавия.

Октавия почувствовала себя до того оскорбленной, что едва не чертыхнулась. Он снисходительно называет ее по имени, позволяет себе непростительную фамильярность! Она сплюнула, но все же в платок, что позволительно недавно выписавшейся пациентке легочного санатория. Мать и нахал наблюдали за ней с пониманием и симпатией. Она села и приготовилась слушать, как заискивает мать перед чиновником ведомства пособий.

Мистер Ла Фортецца, естественно, читал романы, в которых бедная девушка, ведущая скромную трудовую жизнь, довольствуется мимолетной улыбкой и снисходительностью молодого человека из привилегированного сословия и, не веря своему счастью, валится перед ним на спину, болтая в воздухе ногами, как собачонка. Происходит это, ясное дело, не из-за денег, а из почтения к его благородству. Увы, Ла Фортецца имел не столь блестящий вид, не обладал ни улыбчивостью, ни смелостью, ни очаровательным радушием подтянутого американца, ни миллионом долларов (сакраментальный миллион!) — который, впрочем, для такой героини ничего не значит. Поэтому Ла Фортецце пришлось проявить живость, словоохотливость, максимум очарования, насколько это позволяли его совиные очи. Октавия взирала на него со все большей холодностью. Джино с Винсентом вернулись домой и, увидев на лице сестры полузабытое выражение, принялись в предвкушении развлечения слоняться по комнате.

Ла Фортецца заговорил о литературе:

— О Золя! Вот кто знал, как писать о бедноте! Ну, знаете, великий мастер, француз...

— Знаю, — сдержанно кивнула Октавия.

Но Ла Фортецца не унимался:

— Хотелось бы мне, чтобы он жил сейчас! Уж он бы описал, как бедные перебиваются на грошовое пособие. Это же фарс! Вот чьи книги надо было бы прочесть вашей дочери, синьора Корбо. Это одно стоит целого образования. Тогда вы, Октавия, поймете и себя, и все, что вас окружает.

Октавия, борясь с желанием плюнуть ему в глаза, снова с достоинством кивнула.

Ла Фортецца, как и мать, принял это за одобрение. Он с важностью произнес:

— Значит, вы — умная девушка. Хотите сходить со мной в театр? Желая выразить вам свое уважение, я прошу вас об этом в присутствии вашей матери. Я — старомодный молодой человек, ваша мать может подтвердить это. Разве не так, синьора?

Лючия Санта с улыбкой кивнула. Ей уже представлялось, как дочь выходит замуж за юриста, обладателя надежного места, оплачиваемого городскими властями. Матери не витают так высоко в облаках, как их дочери, — даже книжные матери. Она благосклонно молвила:

— Он — славный итальянский юноша.

Ла Фортецца продолжал:

— Мы с вашей матерью о многом переговорили и теперь хорошо понимаем друг друга. Уверен, что она не станет возражать, если мы с вами по-дружески встретимся. Городские власти продают нам театральные билеты со скидкой. Это будет для вас новым впечатлением — не то что кино.

Октавия много раз бывала в театре с подругами. Пошивочные мастерские тоже получали билеты со скидкой. Октавия читала те же романы, что и он, и испытывала бесконечное презрение к их героиням, безмозглым девицам, обрекавшим себя на осмеяние, идя на поводу у мужчин, использующих свое состояние как безупречную приманку. Но этот безмозглый полуголодный итальяшка, кажется, вообразил, что может опозорить ее только потому, что кончил колледж! Она сверкнула глазами и, сорвавшись в конце концов на крик, ответила на приглашение следующим образом:

— Да навали ты себе в шляпу, подонок вшивый!

Забившиеся в угол Джино и Винни хором протянули:

— Ну-у, опять она за старое!

Лючия Санта, подобно невинной овечке, сидевшей на бочке с порохом и лишь в последний момент заметившей тлеющий фитиль, огляделась как во сне, словно не зная, куда бежать. К лицу Ла Фортецца прихлынула кровь, так что покраснели даже его совиные глаза. Он окаменел от ужаса.

От визга юной итальянской мегеры и впрямь может застыть в жилах кровь. Октавия продолжала поносить его своим высоким, сильным сопрано:

— Ты забираешь у моей нищей матери по восемь долларов в месяц, а ведь ей приходится кормить четверых маленьких детей и больную дочь! Ты сосешь кровь из такой забытой судьбой семьи, как наша, и еще смеешь приглашать меня? Да ты — поганый сукин сын, мерзкий, ничтожный воришка! Мои братья и сестра отказывают себе в кино и сладостях, чтобы мать могла с тобой расплачиваться, — и ты еще предлагаешь мне свое общество? — Ее голос звенел неподдельным изумлением и возмущением. — Хорошо, ты старомоден. Но знаешь ли ты, что только самая задрипанная идиотка, недавно притащившаяся из Италии, купится на всю эту твою дерьмовую болтовню насчет «синьоры»? Я, между прочим, закончила школу, я тоже читаю Золя, я бывала в театре! Так что поищи другую зеленую девчонку, только что слезшую с корабля, на которую ты произведешь такое впечатление, что она ляжет под тебя. А я тебя вижу насквозь: ты врун, полный дерьма!

— Октавия, Октавия, уймись! — крикнула потрясенная Лючия Санта и повернулась к молодому человеку, надеясь хоть что-то ему объяснить. — Она больна, у нее жар!

Однако Ла Фортецца пулей вылетел в дверь и помчался вниз по лестнице. Он не захватил с собой традиционный кулек. Перед бегством он походил на человека, застигнутого с поличным при совершении постыднейшего из грехов; больше никто в семье никогда не видел этого лица. Спустя две недели к ним пожаловал новый социальный работник, пожилой американец, урезавший им пособие, но объяснивший, что опекунские деньги не должны учитываться при назначении пособия как принадлежащие семье, поскольку они могут быть выплачены ей только по суду в случае, если в них будет остро нуждаться конкретный ребенок; на других двух детей и на саму мать потратить эти деньги невозможно.

Зато в памяти Джино и Винсента навсегда запечатлелась последняя сценка с Ла Фортецца. Страшная брань, вылетающая из девичьих уст, заставила их дружно покачать головами. В их сердцах сцементировалось убеждение, что они ни за что на свете не женятся на девушках, похожих на сестру. Впрочем, ее грубость положила конец особой атмосфере, напоминающей больничную, особой вежливости, с которой относятся к члену семьи, возвратившемуся из больницы или из длительного путешествия. Вопросов больше не возникало; перед ними предстала прежняя Октавия. Она снова была собой.

Даже мать не смогла долго укорять дочь за неприличное поведение, хотя так никогда и не поняла, что так разгневало Окатавию в мистере Ла Фортецца. В конце концов, каждый, кто хочет жить, вынужден за это платить.

ГЛАВА 13

Письмо из Рейвенсвуда Октавия прочла матери в тот же день, но только после того, как все дети улеглись спать. Это было короткое официальное уведомление о том, что отец может быть возвращен в семью на испытательный срок, если супруга подпишет все бумаги. Из текста явствовало, что ему потребуется постоянный уход и наблюдение. Вместе с письмом в конверте лежал вопросник. Требовалось ответить на вопросы о возрасте детей и доходе всей семьи и каждого ее члена в отдельности. Все свидетельствовало о том, что отец остался инвалидом, хоть и безвредным, которого можно отпустить к родным.

Лючия Санта нервно отхлебнула кофе.

— Выходит, он на самом деле не выздоровел, — заключила она. — Просто они хотят попробовать, что из этого выйдет.

Октавии хотелось избежать малейшей несправедливости.

— Физически он здоров, — объяснила она. — Просто он не сможет работать и чем-либо заниматься. За ним придется ходить, как за больным. Но, быть может, через какое-то время он снова сможет выйти на работу. Ты хочешь его забрать?

Сказав это, она покраснела и потупилась, ибо ей в голову полезли неподобающие мысли о собственной матери.

Лючия Санта с любопытством отметила про себя смущение дочери.

— Почему бы мне этого не хотеть? — пожала она плечами. — Ведь он — отец троим моим детям. Он кормил нас на протяжении десяти лет. Если бы у меня был осел или конь, работавший так же тяжко, я и то обошлась бы с ним по-доброму, когда он заболеет или состарится. Почему же мне не хотеть забрать собственного мужа?

— Я не стану тебе мешать, — пообещала Октавия.

— Тут и без тебя не оберешься хлопот, — заверила ее

мать. — Кто знает, вдруг он станет преследовать детей? Разве можно снова пережить такие же страшные годы? Всем нам придется страдать, даже рисковать жизнями, чтобы дать ему шанс начать новую жизнь. Нет, это слишком, слишком!..

Октавия промолчала. Так они просидели несколько часов — или им только показалось, что прошло столько времени? Октавия держала наготове ручку, чернильницу и лист бумаги, чтобы писать ответ в санаторий.

Мать, нахмурившись, размышляла, как поступить. Она вспоминала похожие случаи в других семьях, когда любимые всеми люди возвращались к семье и, снова впадая в безумие, совершали преступления, даже убийства. Она не могла не думать об Октавии, которой придется страдать и которая будет вынуждена раньше срока покинуть дом, рано выскочить замуж, лишь бы не жить в бедламе.

Нет, они не могут позволить себе такого риска. Полностью сознавая все последствия своего решения (ей представлялся безумный зверь, запертый в каменный карцер со стальными решетками на долгие годы), она безжалостно обрекла своего супруга, отца своих детей, на протяжении одного долгого лета делившего с ней наслаждения супружества, на гибель в безысходном отчаянии. Она покачала головой и медленно произнесла:

— Нет, я не подпишу. Пусть там и остается.

Октавия была удивлена, даже потрясена. Ей вспомнилось как наяву, горе, охватившее ее, девчонку, при вести о гибели ее собственного отца. Что, если бы каким-то чудом он вернулся к жизни, как сейчас им предоставлялась возможность вернуть к жизни отчима? Она внезапно поняла, что никогда не сможет смотреть в глаза Джино, Салу и Эйлин, если не постарается вернуть им отца.

— Мне кажется, нам следовало бы поговорить с Джино и Салом. В конце концов, речь идет об их отце. Узнаем хотя бы их отношение. Может быть, нам все же лучше взять его домой, ма.

Лючия Санта испытующе взглянула на дочь, как бы осуждая ее за несоответствие материнским ожиданиям. Этот взгляд всегда повергал Октавию в растерянность своей обезличенностью. Мать сказала:

— Что могут знать дети? Оставь их в покое, их мучения еще впереди. Мы не можем позволить себе брать домой их отца.

Октавия, глядя в свою чашку, попыталась возразить:

— Давай все-таки попробуем, ма. Ради детей. Им его недостает.

Отвечая, мать вложила в свой голос максимум презрительности, сильно удивив этим дочь. Покачивая головой, она заявила:

— Нет, дочь моя. Тебе легко быть доброй и великодушной. Но подумай: столкнувшись с настоящими трудностями, ты пожалеешь о собственном великодушии, ибо тебе придется страдать. Ты будешь злиться на саму себя, когда великодушие выльется для тебя в огромные неудобства. Со мной так уже бывало. Остерегайся добросердечных и нежных, дающих просто потому, что не знают, в какую цену выльется их великодушие. Потом они одумываются и встречают тебя пинками, когда ты начинаешь полагаться на их человечность. Уж как толпились вокруг меня соседушки, когда погиб твой отец, как я умилялась их доброте! Но, увы, мы неспособны на вечную доброту, вечное великодушие: мы слишком бедны, чтобы позволить себе такую роскошь. Даже твоя тетушка — уж такая богачка! — и та взбунтовалась. Конечно, великолепно побыть великодушной — но только недолго. Постоянное великодушие — это противоестественно, против этого восстает сама человеческая природа. Ты устанешь от отчима, пойдут ссоры, крики, проклятия, ты выйдешь замуж за первого попавшегося — ищи тебя после этого! За твое большое, доброе сердце придется расплачиваться мне. — Она помолчала. — Он останется больным на всю жизнь.

Слова эти прозвучали пожизненным приговором ее мужу.

Женщины вымыли за собой кофейные чашки. Мать задержалась в кухне, чтобы вытереть стол и подмести; Октавия отправилась к себе, размышляя о том, как она станет утром говорить с детьми; через некоторое время она поймала себя на мысли, что просто ищет способ снять с себя вину.

Уже в постели она стала думать о матери, ее черствости и хладнокровии. Потом она вспомнила, что оставила письмо на столе в кухне. Она встала и в одной ночной рубашке направилась в кухню.

Свет все еще горел. Лючия Санта сидела за кухонным

столом, окруженная мешочками с сахаром, солью и мукой и наполняя всем этим опустевшие банки и коробки. Перед ее глазами лежал строгий конверт и письмо с черной официальной печатью. Она не сводила с письма глаз, словно умела читать; Октавии показалось, что она изучает каждое слово в письме. Подняв глаза на дочь, мать произнесла:

— Пусть письмо пока побудет у меня, ты сможешь ответить на него утром.

Джино, лежа без сна рядом с посапывающим Салом, слышал каждое слово через открытое окошко под потолком, выходящее на кухню. Он не осуждал мать за ее решение, не сердился на нее, но чувствовал тошноту, как при несварении желудка. Через некоторое время свет в кухне погас, и он услышал, как мать идет мимо его кровати в свою комнату; после этого он уснул.

Лючия Санта не могла спать. Она дотронулась в темноте до спящей Эйлин, провела ладонью по ее гладкой коже, худеньким плечикам, всему детскому тельцу, привалившемуся к холодной оштукатуренной стене. Прикосновение к этой невинной, беспомощной плоти наделило ее силой: она трогала саму жизнь, полностью зависимую от нее. Она была защитницей им всем, она держала в своих руках их судьбу. От нее зависит, что ждет их в жизни — добро или зло, радость или неблагодарный труд. Именно по этой причине она не стала извлекать мужа из ямы.

Но тут было и другое. Она вспомнила, сколько раз он бил ее, как проклинал пасынков и падчерицу; как он бушевал по ночам, повергая в ужас собственных детей; как неровно трудился, как дорого обошлась семье его религиозность. Однако она отринула все эти воспоминания, вложив все свое горе в один отчаянный крик, прозвучавший у нее в душе: «Фрэнк, Фрэнк, почему же ты не поостерегся? Почему позволил себе так заболеть?!» Она вспомнила, как он рвал в клочья заработанные соленым потом деньги, оскорбленную гордыню на его лице, его доброту к ней, безутешной вдове. Тяжело вздохнув, она смирилась с горькой истиной: она слишком бедна, слишком слаба, чтобы позволить себе милосердие к человеку, которого когда-то любила. Нет, никакого милосердия, ни за что! Она снова прикоснулась к маленькому тельцу, скованному сном, к свежей кожице нового человеческого существа. После этого она сложила руки на груди и, лежа на спине, стала ждать сна. Она вынесла Фрэнку Корбо свой приговор: ему не суждено наблюдать, как растут его дети, делить с ней ложе, стать счастливым дедушкой.

— Боже, Боже, — прошептала она по-итальянски, — не оставляй меня, aiuta mi! — словно отказ несчастному в великодушии и впрямь лишил ее надежды на милость Всевышнего.

Следующим вечером, дождавшись конца ужина, Октавия поманила Сала и Джино в гостиную для серьезного разговора. Мальчики немного трусили, понимая, что Октавия неспроста так ласкова, терпелива, так подражает школьным учителям; однако стоило ей заговорить, как Джино сообразил, что сейчас последует. Он вспомнил разговор, подслушанный накануне.

Пока Октавия объясняла, почему их отец не сможет возвратиться домой, Джино вспоминал, как отец водил его стричься и как они смотрели друг на друга: мальчуган, уставившийся в зеркало прямо перед собой, чудодейственным образом видел отца, дожидающегося его в проволочном кресле; за спиной отца тоже была зеркальная стена. Отец видел лицо сына в зеркале, хотя глядел ему в затылок; так, не глядя друг на друга, они рассматривали один другого без всякого смущения, полагаясь на стекло, как на щит.

Джино всегда казалось, что эта зеркальная стена, по непонятному волшебству оставлявшая их с глазу на глаз, служит достаточной защитой, чтобы они могли спокойно заглянуть друг другу в глаза, понимая, что составляют вместе неразрывное целое.

Между ними стоял седоусый парикмахер, осыпающий полосатую простыню состригаемыми волосками и щебечущий по-итальянски, обращаясь к отцу. Джино сидел, погруженный в транс щелканьем ножниц, мягким падением прядей волос ему на плечи, видом белого кафельного пола, белого мраморного столика парикмахера с зелеными бутылочками пенных лосьонов, отражающимися в зеркалах. Отец улыбался ему сквозь стеклянную стену и пытался вызвать у него ответную улыбку, но ребенок, чувствуя себя в безопасности благодаря стеклянному щиту, отказывался подчиняться и оставался насупленным. Он не мог вспомнить, когда еще отец улыбался так подолгу.

Октавия окончила свою речь, и Джино с Салом встали, готовые бежать на улицу. Их отец болен; значит, придет время — и он вернется, а время в этом возрасте не ставится ни в грош. Октавия тщетно пыталась разглядеть на их лицах хотя бы тень горя.

— Но вам хотелось бы, чтобы он вернулся прямо теперь? — заискивающе спросила она, на что маленький Сал ответил чуть ли не со слезами в голосе:

— Я не хочу, чтобы он возвращался. Я его боюсь.

Октавия и Джино удивленно переглянулись: Сал любил отца больше, чем все остальные дети.

Джино ощущал некоторое неудобство, потому что считал себя в какой-то мере ответственным за отца. Сколько раз мать твердила ему: «Ты — вылитый отец!», когда он отлынивал от уборки, не слушался, проявлял безответственность. Как тут было не смириться с тем, что в бедах семьи виноват отец, а значит, и он, Джино! Он тихо ответил:

— Что мама ни сделает, все будет правильно. — Помолчав, он добавил: — Мне все равно.

Октавия отпустила братьев. Подойдя к окну, она увидела, как они вываливаются на улицу. Ее охватила великая печаль — не конкретного, а вселенского свойства, будто отчима постигла судьба, подстерегающая все человечество, ее — в том числе.

ГЛАВА 14

Ларри Ангелуцци стал хоть что-то смыслить в жизни только тогда, когда у него родился второй ребенок. Это совпало с переходом их депо на трехдневную рабочую неделю. Тогда же ему довелось взглянуть на себя со стороны, глазами другого человека.

Как-то раз, когда Ларри и Луиза, державшая старшего ребенка за руку, а младшего прижимавшая к груди, стояли на углу Тридцать четвертой стрит и Десятой авеню, дожидаясь трамвая, — они направлялись в гости, — Ларри заметил своего младшего брата Джино, наблюдавшего за ними с противоположной стороны авеню. На его смуглом и безжалостном мальчишеском лице застыло выражение потрясенной жалости, смешанной с отвращением. Ларри поманил Джино рукой, и пока тот переходил мостовую, припомнил Джино еще карапузом, запрокидывающим голову, чтобы полюбоваться старшим братом, восседающим на лошади. Он ласково улыбнулся Джино и сказал:

— Видишь, что получается, стоит человеку жениться?

Он думал, что шутит, и не знал, что брат никогда не забудет этих его слов.

Луиза, лицо которой уже успело высохнуть и заостриться, нахмурилась и резко спросила:

— Что, не нравится?

Ларри со смешком ответил:

— Да это я так, шутки ради.

Однако Джино взирал на них серьезно, словно они околдовали его, словно за их спинами его взгляду открылось что-то новое, доселе неведомое. Правда, уступая требованиям родственной учтивости, он дождался вместе с ними трамвая. «Как он растет! — подумал Ларри. — Я в его годы уже работал». Он спросил брата:

— Ну, как дела в школе?

— О'кей, — небрежно ответил Джино, пожимая плечами.

Забравшись вместе с семейством в трамвай, Ларри оглянулся и увидел, что Джино провожает их долгим взглядом; он видел его глаза до тех пор, пока трамвай не свернул за угол.

Покачиваясь в такт трамваю, резво бегущему этим ясным воскресным утром по стальным рельсам, Ларри ощущал невосполнимую утрату; ему казалось, что кончилась, не начавшись, вся его жизнь. Это-то утро, эта встреча, этот несвойственный для него взгляд внутрь себя и заставили его зажить новой жизнью, бросить железную дорогу, где он как-никак оттрубил восемь лет и где мог навсегда забыть о страхе остаться без работы.

На следующей неделе Ларри забежал с утра в panetteria за булочками для завтрака. Ночь перед этим он провел дома, так как железная дорога по-прежнему работала вполсилы. Сын булочника Гвидо, успевший отрастить короткие усики, приветствовал его с непритворной радостью. Они немного поболтали. Гвидо не стал заканчивать школу и посвятил себя отцовской пекарне. Уже чувствуя себя деловым человеком, он спросил Ларри:

— Хочешь получить неплохую работенку?

Ларри улыбнулся и ответил утвердительно, как всегда добродушно, но ни минуты не помышляя о том, чтобы бросить железную дорогу.

— Тогда пошли, — сказал Гвидо, и они отправились в заднюю комнату. Там перед рюмкой с анисовкой сидел Panettiere, занимавший беседой человека одних с ним лет, несомненного итальянца, но одетого по американской моде и, определенно, далеко не новичка в этой стране: у него была аккуратная прическа и узенький галстук скромной расцветки.

— Ларри, познакомься с Zi' Паскуале, мистером ди Лукка, который вырос в Италии вместе с моим отцом. Дядя Паскуале, это мой друг Ларри, о котором я вам рассказывал.

Ларри залился краской: ему доставило удовольствие, что о нем, оказывается, рассказывают. Он сомневался, действительно ли новый знакомый приходится Гвидо дядей, или он просто близкий друг семьи, которого принято именовать «дядей». Ларри широко улыбнулся всем сразу и горячо пожал новому знакомому руку.

— Садись, — велел Panettiere и налил Ларри анисовки.

Ларри со смехом ответил:

— Я не пью, лучше кофе.

Он видел, что мистер ди Лукка рассматривает его откровенным, оценивающим взглядом, как отец, впервые увидевший ухажера своей дочери: сузив глаза, придирчиво и недоверчиво.

Гвидо налил Ларри кофе и наполнил рюмку ди Лукка анисовкой.

— Па, — бросил он, — дядюшка Паскуале говорил, что ищет нового сотрудника, — верно, дядюшка Паскуале? Вот тот, кто вам сгодится, — мой друг Ларри. Помните, что я вам про него рассказывал?

Старшие мужчины повернулись к нему с терпеливыми, ласковыми улыбками. Panettiere воздел руки, как бы признавая недостатки в воспитании сына, а дядюшка Паскуале пожал плечами, как бы желая сказать: «Ничего не поделаешь — молодость!» В Италии подобные дела обставляются по-другому. Дядюшка спросил Panettiere по-итальянски:

— Как он, ничего?

— Un bravo[1], — нерешительно откликнулся Panettiere.

Мужчины понимающе улыбнулись и не спеша от-

---

[1] Славный паренек (*ит.*).

хлебнули из своих рюмок. Потом они зажгли толстые сигары «Де Нобили». Впрочем, вид мистера ди Лукка не оставлял сомнений, что молодой человек произвел на него неплохое впечатление.

Ларри привык, что на него реагируют именно так. Он давно знал, что его улыбка и манера вести себя почему-то очень приятны другим людям; как мужчины, так и женщины мгновенно проникались к нему симпатией. Однако, зная это, он вовсе не возгордился, хоть и пользовался своим преимуществом, не забывая благодарить судьбу, что только усиливало его чары.

— Как бы ты отнесся к возможности поработать со мной? — обратился к нему ди Лукка.

Вот тут-то и сыграли роль главные достоинства Ларри, его инстинкт, подсказывающий, как вести себя с теми или иными людьми. Ему задан личный вопрос: ты уважаешь меня как человека? Признаешь во мне предводителя племени, второго родителя, почтенного крестного отца? Если бы он осмелился уже на этом этапе спрашивать: что за работа, за какую плату, где, когда, как, каковы гарантии — все рухнуло бы. Надежда пропала бы, едва забрезжив.

Но Ларри, даже не стремясь по-настоящему к новой работе, и в мыслях не имея бросить железную дорогу, где он вырос за восемь лет до мастера, а всего лишь руководствуясь врожденной учтивостью и своим безусловным доброжелательством, с неотразимой искренностью сказал:

— Работать с вами было бы для меня большим удовольствием.

Паскуале ди Лукка радостно сдвинул пухлые ладони, произведя неожиданно звонкий хлопок. Глаза его вспыхнули, на лице отразилась негаданная радость.

— Боже всемогущий! — воскликнул он. — Неужто итальянцы до сих пор воспитывают здесь, в Америке, таких вот молодых людей?

Гвидо разразился счастливым смехом; Panettiere обвел всех довольным взглядом. Ларри сохранял на устах скромную улыбку.

— Сейчас я вам покажу, что я за человек, — объявил Паскуале ди Лукка. Вытащив из кармана пачку купюр, он протянул Ларри три двадцатки со словами: — Вот тебе плата за первую неделю. Придешь ко мне в офис завтра утром и сразу приступишь к работе. Наденешь костюм и галстук — не огромный, а тонкий, как у американца, — гляди на мой. Вот адрес. — Он вытянул из нагрудного кармана визитную карточку и вручил ее Ларри. После этого он откинулся на спинку стула и запыхтел сигарой.

Ларри взял деньги и визитную карточку. Он был слишком ошеломлен, чтобы вымолвить хоть что-то, кроме сбивчивых слов благодарности. На железной дороге он зарабатывал вдвое меньше, даже когда работал полную рабочую неделю.

— Что я вам говорил, дядя Паскуале? — гордо сказал Гвидо. Мистер ди Лукка согласно кивнул.

Опустевшие рюмки были наполнены вновь. Теперь Ларри мог спрашивать о новой работе. Ди Лукка объяснил, что Ларри предстоит стать агентом профсоюза пекарей по сбору взносов; у него будет спокойная, нехлопотная территория, и если он достойно проявит себя, то через годик-другой получит более прибыльный участок. Оказалось, что взносы платят не только наемные работники пекарен, но и владельцы, причем гораздо более высокие. Ларри придется вести учетные книги как страховому агенту, проявлять такт, не торопиться, поддерживать со всеми дружеские отношения, никогда не пить в рабочее время, никогда не заводить связей с женщинами из пекарен. Работа непростая, деньги он будет получать не задаром.

Мистер ди Лукка допил последнюю рюмку анисовки, пожал Ларри руку и напомнил:

— Завтра в десять утра.

Потом он по-дружески обнял Panettiere, потрепал Гвидо по щеке и вручил ему свернутую банкноту, ласково присовокупив:

— Старайся помогать отцу. Он слишком снисходителен, как настоящий американец, но гляди — стоит дяде Паскуале услышать, что что-то идет не так, и он лично явится, чтобы научить тебя быть почтительным сыном итальянских родителей. — В его голосе звучала сталь.

Гвидо по-свойски хлопнул его по плечу и ответил:

— За меня не беспокойтесь, Zi' Паскуале.

Взяв дядюшку под руку, он проводил его до двери; по пути они смеялись, довольные друг другом.

— Женись на хорошей итальяночке, которая была бы настоящей помощницей в пекарне, — сказал напоследок гость.

Вернувшись, Гвидо принялся отплясывать вокруг Ларри, восклицая:

— Получилось, получилось! — Успокоившись, он сказал: — Ларри, пройдет год-другой — и у тебя будет свой дом на Лонг-Айленде. Мой дядюшка — далеко не скряга. Верно, отец?

Panettiere медленно допил свою анисовку и со вздохом сказал:

— Ах, Лоренцо, Лоренцо, славный мой мальчик! Вот теперь ты узнаешь, что такое жизнь, и станешь настоящим мужчиной.

Теперь Ларри Ангелуцци вел завидное существование. Он спал допоздна, обедал дома, а потом обходил пекарни и булочные на своей территории. Булочники-итальянцы были лучше всех: они угощали его кофе и пирожными; поляки держались настороженно, но рано или поздно уступали его обаянию, хотя он твердо отказывался пить вместе с ними крепкие напитки. Они восторгались его успехом у польских девушек, забегавших выпить кофейку и задерживавшихся до тех пор, пока Ларри не уходил в следующую булочную. Иногда он пользовался задней комнатой, чтобы наскоро переспать с девушкой, потому что знал, что булочник, на глазах у которого произошло совращение, воспользуется этим и сам станет таскать ту же девушку в ту же заднюю комнату, причем уже регулярно.

Итальянцы платили взносы смиренно, как богобоязненные крестьяне на родине, носившие яички священнику, чтобы тот прочел им письмо, и вино деревенскому писарю, чтобы тот растолковал им заковыристый закон. Поляки платили просто за его общество и обаяние. С кем у него возникли проблемы, так это с немцами.

Эти не то чтобы вообще отказывались платить, но он чувствовал, что им не нравится платить именно ему, итальянцу. Они редко предлагали ему кофе с булочками, еще реже болтали с ним, чтобы выказать дружелюбие. Они просто платили, как платят молочнику или другому разносчику. Ларри был готов смириться с этим — он и так пил теперь слишком много кофе, — однако такое отношение заставляло его чувствовать себя гангстером.

Впрочем, все, возможно, объяснялось проще: настоящие трудности возникли только с одним булочником, а тот как раз оказался немцем. Ларри было еще больше не по себе по той причине, что именно этот булочник выпекал самый лучший хлеб, самые вкусные и пышные именинные торты и самые замысловатые печенья. Дела у него шли как нельзя лучше, но он все равно отказывался платить взносы. Он был единственным, у кого Ларри ничего не удавалось получить. Когда он доложил об этом мистеру ди Лукка, тот пожал плечами и сказал:

— Ты хорошо зарабатываешь? Так старайся! Попытайся еще месяца два, а потом расскажешь мне о результатах.

Как-то раз Ларри задержался на участке позже обычного. В одном месте он, разнервничавшись, потащил в заднюю комнату страшную, как смертный грех, особу, которая сперва отбивалась, но потом притихла. Но это ничего не дало: Он по-прежнему трясся при мысли, что сейчас ему предстоит заглянуть к Хулерману. Этот приземистый человечек с квадратной головой неизменно подтрунивал над ним, обзывал чуть ли не тупицей. Ларри в конце концов неизменно покупал у него хлеб и печенье, не только для того, чтобы продемонстрировать безобидность своих намерений, но также чтобы предоставить хозяину возможность сказать, что заведение отпускает Ларри его покупку бесплатно: вдруг это станет началом приятельских отношений?

До этого дня все шло без сучка без задоринки. Ларри отлично понимал, что к чему, но пока отказывался взглянуть правде в глаза. Правда же состояла в том, что в один прекрасный день он вынужден будет заставить Хулермана раскошелиться. Желая избежать неприятностей, Ларри пока платил за Хулермана взносы из собственного кармана. Так продолжалось до тех пор, пока ему не преподнесли сюрприз еще двое немцев: нахально улыбаясь, они предложили ему зайти через недельку. Ларри начал подумывать, не вернуться ли ему на железную дорогу...

Пройдя мимо пекарни Хулермана, Ларри заглянул за угол. Там располагался полицейский участок. Теперь понятно, почему этот мерзавец так осмелел: еще бы, ведь у него тут вся полиция в кармане! Шагая дальше по тротуару, Ларри попытался осмыслить свое положение. Если он не заставит Хулермана платить, ему придется возвратиться в депо, на паршивые пятнадцать долларов в неделю. Может быть, дождаться, пока Хулерман останется один, и объявить, что к нему явится мистер ди Лукка собственной персоной? Но он тут же вздрогнул: ди Лукка снова пошлет к несговорчивому булочнику именно его, Ларри. Оставалось взять немчуру на испуг. Если не сработает и это, придется ему расстаться с этой расчудесной работой. Гангстер!.. Октавия расхохочется до визга. Мать, вероятно, возьмется за tackeril, чтобы преподать ему урок. Надо же, все идет насмарку из-за одного чертового упрямца!

Пробродив в нерешительности добрый час, он прошел мимо витрины булочной Хулермана и обнаружил, что магазин пуст. Он вошел. Девушка, стоявшая у витрины, кивком показала ему на дверь задней комнаты. Он прошел мимо печей и пирамид из поддонов и оказался перед Хулерманом, гоготавшим в компании двоих гостей — тех самых пекарей, которые несколькими часами раньше отказались платить Ларри взносы. На столе возвышалась огромная посудина с пивом, окруженная тремя кружками с золотистым напитком.

Ларри почувствовал себя в ловушке. Ему некого было за это винить, кроме самого себя. Увидев его, булочники закатились оскорбительным смехом. Ларри почувствовал себя уязвленным до глубины души. Он понял, что они не обманываются на его счет: он никогда не сможет заставить Хулермана заплатить, ибо он — всего лишь мальчишка, корчащий из себя взрослого, потому что поторопился обзавестись женой и детьми.

Отсмеявшись, Хулерман обрел дар речи.

— О, вот и наш сборщик! Сколько же я должен дать вам сегодня? Десять, двадцать, пятьдесят долларов? Глядите, я готов! — Он встал и вывернул карманы, продемонстрировав груду мелочи и комок зеленых бумажек.

Ларри не смог заставить себя улыбнуться, он забыл о своих чарах. Он всего лишь сказал как можно спокойнее:

— Вы ничего не должны мне платить, мистер Хулерман. Я просто зашел сказать вам, что вы больше не состоите в нашем союзе. Вот и все.

Остальные двое прекратили смеяться, зато Хулерман разбушевался,

— Я никогда и не состоял в вашем союзе! — проревел он. — В гробу я видел ваш союз! Я не плачу взносов и не подаю бесплатно кофе и пирожные. Плевать я на вас хотел!

В последней, отчаянной попытке кончить дело миром Ларри сказал:

— Я сам платил за вас взносы, мистер Хулерман. Я не хотел, чтобы такой хороший пекарь, как вы, попал в беду.

Это отрезвило булочника. Он прицелился в Ларри пальцем.

— Ах ты, попрошайка! — прохрипел он. — Гангстер! Сначала ты берешь меня на испуг, а потом пробуешь говорить по-дружески? Почему бы тебе не трудиться, как это делаю я? Почему ты лодырничаешь, почему покушаешься на мои деньги, на мой хлеб? Я работаю, работаю по двенадцать-четырнадцать часов — и я еще должен отдавать тебе деньги? Проваливай, бродяга! Прочь из моего магазина!

Ларри был так ошеломлен этим решительным отпором, что развернулся и послушно вышел. Еще не опомнившись, но стараясь держать себя в руках и не показывать испуга, он остановился перед продавщицей и попросил буханку кукурузного хлеба и пирог с сыром. Девушка вооружилась тяжелой банкой с сахарной пудрой и присыпала ею пирог. В это время из задней комнаты послышался рев:

— Ничего не продавать этому жулику!

За прилавком вырос сам Хулерман. Вырвав из рук продавщицы банку с сахарной пудрой, он зарычал на Ларри с неподдельной ненавистью:

— Вон, вон отсюда! Вон!

Ларри уставился на него, скованный небывалым потрясением. Булочник потянулся над прилавком и выбросил вперед руку. Лицо Ларри покрылось сахарной пудрой, он почувствовал в ноздрях приторный запах. Полностью утратив контроль над собой, он вцепился левой рукой в правую руку булочника, а правой заехал ему со всей силы в тупую физиономию. Голова немца качнулась на плечах, как мячик на упругой резинке, и снова стукнулась о кулак Ларри. Тот убрал руку.

Кулак произвел непоправимые разрушения: из расплющенного носа хлынула на мраморный прилавок, присыпанный белой сахарной пудрой, ярко-красная кровь. Губы булочника превратились в кровавое месиво, левая сторона рта лишилась сразу нескольких зубов. Булочник бросил взгляд на лужу собственной крови, образовавшуюся на белом прилавке, обежал прилавок и, пьяно пошатываясь, встал между Ларри и дверью.

— Полиция! Приведите полицию! — промычал он.

Продавщица выскочила из магазина через заднюю дверь. Оба заглянувших к коллеге булочника последовали за ней. Хулерман, растопырив руки, загораживал собой дверь; на его изуродованном лице бешено вращались глаза. Ларри тоже бросился за прилавок, надеясь улизнуть через задний ход. Хулерман кинулся на него и, не смея бить, просто повис на нем. Ларри отшвырнул его. Понимая, что он не может больше прикоснуться к булочнику даже пальцем, что он и так опозорил семью и теперь все равно окажется в тюрьме, он изо всех сил ударил ногой по сияющему витринному стеклу. Отворачиваясь от стеклянных брызг, он нанес следующий удар — теперь по стойке с выставочными пирогами и тортами. Булочник взревел и повалил его на пол. Полиция нашла их барахтающимися среди осколков, измазанных кремом, заключивших друг друга в объятия, какие не снились самым пылким любовникам.

В полицейском участке двое детективов отвели Ларри в кабинет.

— Расскажи нам, что стряслось, парень.

— Я хотел купить пирог, а он сыпанул мне в лицо сахаром. Спросите продавщицу, — сказал Ларри.

— Ты занимался вымогательством?

Ларри отрицательно покачал головой.

В дверь просунул голову другой детектив и сказал:

— Немчура говорит, что парень собирает деньги для ди Лукка.

Полицейский, допрашивавший Ларри, встал и вышел. Вернувшись минут через пять, он закурил. Он больше не задал Ларри ни одного вопроса. Все чего-то ждали.

Ларри находился в полном отчаянии. Он представлял себе, как в газетах появится его имя, как мать сочтет себя опозоренной, как он сам будет объявлен преступником и брошен в тюрьму, как все станут его презирать. Кроме того, он нанес непоправимый вред мистеру ди Лукка.

Детектив посмотрел на часы, вышел и через несколько минут возвратился. Показав пальцем на дверь, он бросил:

— Ладно, парень, проваливай. Все в порядке.

Ларри ничего не понял; он отказывался верить собственным ушам.

— Тебя ждет на улице твой босс, — поторопил его детектив.

Ларри вылетел в предусмотрительно распахнутую для него дверь и увидел ди Лукка, стоящего у ступенек полицейского участка.

— Спасибо, спасибо, — пробормотал ди Лукка, неуклюже пожимая руку полицейскому. Потом он схватил Ларри за руку и поволок его дальше по улице к поджидающей их машине. За рулем сидел парень, которого Ларри смутно помнил по школе; с тех пор он его ни разу не встречал. Они с ди Лукка залезли на заднее сиденье.

Тут Ларри ждал второй по счету сюрприз. Ди Лукка вцепился в его руку и сказал по-итальянски:

— Bravo! Что ты за чудесный мальчик! Я видел, что ты сделал с его рожей. Отлично! Вот негодяй! О, ты славный мальчуган, Лоренцо! Когда мне сказали, что ты двинул ему, потому что он не хотел продавать тебе хлеб, я был на седьмом небе. О, если бы ты был мне родным сыном!

Они катили по Десятой авеню в южном направлении. Ларри посмотрел в окно и увидел сортировочную станцию. Ему казалось, что он с каждой секундой все больше превращается в совершенно другого человека, что в его жилы вливается совсем другая кровь, что меняется сама его плоть. Никогда больше он не станет работать на железной дороге, никогда не испытает страха, всякий раз охватывавшего его в конторе депо. Ди Лукка и детектив пожали друг другу руки — и великолепное здание нерушимой законности развалилось у Ларри на глазах; он был спасен простым мановением руки и теперь восхищенно таращил глаза. Правда, он то и дело вспоминал кровь, залившую лицо булочника, его растопыренные руки, преграждавшие ему путь, взбешенные глазки на его изуродованной физиономии, и испытывал приступы тошноты.

Ларри не удержался и сказал правду:

— Мистер ди Лукка, я не могу выколачивать из людей деньги. Я не возражаю просто собирать взносы, но ведь я не гангстер!

Ди Лукка ласково погладил его по плечу.

— Что ты, что ты! Разве кто-нибудь занимается такими делами просто ради удовольствия? Неужели я, по-твоему, гангстер? Что, у меня нет детей и внуков? Разве я — недостойный крестный отец для детей моих друзей? Да знаешь ли ты, что это такое — родиться в Италии? Там ты — всего лишь пес: ты роешься, как собака в земле в поисках кости на обед. Ты подносишь яички священнику ради спасения души, суешь писарю бутылочку винца, хотя он покатывается со смеху у тебя за спиной. Потом padrone, землевладелец, приезжает на лето в свое имение — и все деревенские девушки торопятся прибраться в его доме и украсить его цветами. Он одаривает их улыбкой и снимает с руки перчатку, чтобы они могли осыпать его пальцы поцелуями. И тут — чудо! Америка! Этого достаточно, чтобы снова уверовать в Иисуса Христа.

В Италии я был слабее других. Если я тайком брал у padrone оливку, морковку, или, не дай Бог, буханку хлеба, я должен был спасаться бегством, прятаться в Америке от его мести. Зато здесь — демократия, здесь padrone не так силен. Здесь появляется шанс обмануть судьбу. Но за это приходится платить.

Кто он такой, этот немец, этот булочник, чтобы он мог зарабатывать, выпекать свой хлеб — и ни с кем не делиться? Мир — опасное место. По какому праву он выпекает хлеб на этом углу, на этой улице? По закону? Бедные люди не могут подчиняться только закону. Тогда никто из них не выживет. По земле будут расхаживать одни padroni.

Вот ты жалеешь этого немца. И напрасно. Видел, как уважительно обошлись с тобой в полиции? Тут, конечно, главное — то, что ты мой друг, но не только. Этот булочник, обосновавшийся в двух шагах от полицейского участка, даже не присылает им кофе с булочками, не пытается с ними подружиться! Как это тебе понравится? Когда к немцу заглядывает местный полицейский, он заставляет его платить за кофе!

Ди Лукка умолк с выражением безмерного отвращения на лице.

— Этот человек воображает, — снова заговорил он, — что раз он много трудится, раз он честен и ни в чем не нарушает закон, то с ним ничего не может случиться. Дурак он! Послушай лучше меня!

Ди Лукка снова выдержал паузу, а потом продолжал уже более спокойным, вкрадчивым голосом:

— Подумай о себе. Вот ты вкалывал, был честен, тебе в голову не приходило нарушать закон. Вкалывал? Посмотри на свои руки — они у тебя, как у гориллы, от тяжелой работы!

А теперь работы не стало. Никто не придет к тебе с конвертом просто потому, что ты честен. Конечно, раз ты не преступил закон, тебя не бросят в тюрьму. Это неплохо, но разве ты сможешь прокормить этим жену и детей? Что же делать таким людям, как мы? «Ладно, — говорим мы, — работы нет. Мы сидим без гроша. Мы не нарушаем закон, мы не воруем, потому что честны; значит, нас ждет голод — каждого из нас, наших детей и жен». Верно?

Он ждал, что Ларри засмеется. Но Ларри смотрел на него во все глаза, ожидая продолжения. Тот заметил этот взгляд и веско произнес:

— Но, если взять судьбу в собственные руки, все изменится. Довольно! Так ты работаешь на меня или нет? Сотня в неделю и более приличная территория. Согласен?

— Спасибо, мистер ди Лукка, это меня вполне устраивает, — спокойно ответил Ларри.

Ди Лукка по-отечески погрозил ему пальцем.

— Больше ни за кого не плати взносов.

— Не буду, — улыбнулся Ларри.

Ди Лукка высадил его на Десятой. Ларри прошелся вдоль сортировочной станции. Теперь он смекнул, что, оставаясь неизменно обходительным, трудно ожидать от людей, что они будут поступать так, как нужно тебе, — во всяком случае, когда речь заходит о деньгах. Придется проявлять суровость. Подумать только, сколько уважения вызывает человек, совершивший жестокий поступок! Он вспомнил разбитое в кровь лицо немца и восторг ди Лукка. Вот благодаря чему у него появятся деньги, его жена и дети будут жить как семья, у главы которой есть собственное дело, он сможет помогать матери, братьям и сестрам! Если начистоту, то он ударил булочника вовсе не из-за денег. Разве он все это время не платил за него взносы?

ГЛАВА 15

Усилиями Лючии Санты семейный организм стойко выносил неизбежные в жизни невзгоды: растут дети, умирают родители, мир меняется ежеминутно. Пронеслось пять лет — а ей кажется, что минуло одно мгновение; оглянувшись, она видит длинные тени — память о былом, сущность бытия, опору духа.

За пять лет внешний мир как-то сжался. Поредели черные кучки болтушек на тротуаре, меньше стало детей, оглашающих криками вечернюю улицу. Лязгающие локомотивы вознеслись на эстакаду, поэтому конные проводники в щегольских фуражках с козырьком, поблескивающие шпорами и размахивающие яркими фонарями, отошли в прошлое. Пешеходный мостик над Десятой авеню стал лишним и был снесен.

Пройдет еще пять лет — и западная стена города исчезнет, а люди, ютившиеся в ней, будут развеяны, как пепел, — те самые люди, чьи предки добрую тысячу лет были соседями на итальянской улице, чьи деды умирали в тех же комнатах, где появлялись на свет.

Лючия Санта охраняла близких от более насущных опасностей, с которыми она вела непрестанную битву на протяжении последних пяти лет, но которые в конце концов делали свое дело: смерть, брак, созревание, бедность, затухание чувства долга, свойственное детям, воспитываемым Америкой. Ей не дано было знать, что она держит оборону против неизбывных напастей и что в этой борьбе ей суждено лишиться последних сил, ибо невозможно перечить самой судьбе.

Однако она создала собственный мир, став его краеугольным камнем. Ее дети, выбирающиеся, позевывая, из теплых постелей, неизменно находили на рассвете свой завтрак и одежду для школы, висящую на спинке стула рядом с плитой. Возвращаясь из школы домой, они всякий раз заставали ее либо с утюгом, либо с иглой, либо в борьбе с неподъемными котлами на огне. Она перемещалась в клубах пара, как милостивое божество, исчезая и снова появляясь, обдавая их запахом влажного белья, чеснока, томатного соуса, тушеного мяса с овощами. С небес на землю ее спускали сладчайшие песенки, льющиеся из старого радиоприемника, напоминавшего очертаниями готический собор, — шедевры Карло Бути, итальянского Бинга Кросби, сводившего с ума поколения итальянок, чья белая шляпа, выдающая вечного новичка на новых берегах, украшала вместе с салями витрину любой продуктовой лавки на Десятой авеню.

Дверь квартиры никогда не закрывалась, чтобы любой из детей мог свободно войти после школы или выбежать на прогулку. Ничье рождение, ничья смерть не мешали матери выставлять на стол дымящиеся блюда. Ночами Лючия Санта ждала, пока утихнет дом, и лишь потом сама отходила ко сну. Никто из детей ни разу не видел ее с закрытыми глазами, ибо сон выдает беспомощность.

В ее жизни выдавались дни, месяцы, сезоны, существовавшие только благодаря редким мгновениям, сиявшим потом в ее памяти, как драгоценные камни. Скажем, одна из зим существовала только потому, что Джино, придя как-то раз из школы, застал мать совсем одну, и они были абсолютно счастливы, в молчании проведя вместе остаток дня.

Джино понаблюдал, как мать гладит белье, пока сгущались серые, холодные сумерки. Потом он встал, приподнял поочередно крышки на всех кастрюлях и принюхался. Он остался недоволен: он не больно жаловал зеленый шпинат с оливковым маслом; еще больше расстроила его кастрюля с вареной картошкой. Брякнув крышкой, он сердито бросил:

— Ма, неужели у нас нечего толком поесть?

Потом он потянулся к радио, чтобы поймать американскую станцию. Мать замахнулась на него, и он тотчас отпрыгнул в сторону. На самом деле ему была по душе итальянская станция, особенно romanze[1] — именно их мать сейчас и слушала. Их герои всегда были на грани кровопролития, и он вполне понимал их речь. Американские «мыльные оперы» здорово им проигрывали. Здесь раздавались настоящие удары, родители не желали слушать детей и не ведали снисхождения, мужчины убивали любовников своих жен преднамеренно, а не случайно. Жены подсыпали мужьям яд, да такой, который вызывал у жертвы страшные мучения, сопровождаемые воплями. Муки радиогероев приносили отдохновение реальным людям.

Джино принес в кухню библиотечные книги и погрузился в чтение. На другом конце стола мать орудовала утюгом. Кухню заволокло паром. В квартире стояла тишина, потому что дома, кроме них, не было ни души: Сал с Леной играли на улице, Винни еще не вернулся с работы. Становилось все темнее, и Джино в конце концов пришлось отложить книгу. Он поднял голову и заметил ма-

---

[1] Драматические постановки (*ит.*).

теринский взгляд — странный и неподвижный. В воздухе сгущался аромат чеснока, горячего оливкового масла, рассыпчатого картофеля; на плите булькала закипевшая вода. Спохватившись, мать потянулась к выключателю.

Джино улыбнулся ей и снова уткнулся в книгу. Лючия Санта, догладив белье, убрала гладильную доску и засмотрелась на читающего Джино. Он редко улыбался, он превратился в очень строгого, непробиваемо-спокойного мальчика. Как меняются дети! Но в одном он не переменился: был по-прежнему упрям и несговорчив, а иногда казался безумным, как его отец. Она отнесла белье в спальню и разложила по ящикам. Потом она вернулась в кухню, очистила еще несколько картофелин, мелко порезала их и освободила на плите место для огромной черной сковороды. Ложка темного домашнего сала быстро растаяла от жара. Она зажарила картошку и полила ее двумя яйцами. Вывалив кушанье на тарелку, она молча поставила ее на книгу под самый нос Джино.

Джино издал радостный вопль.

— Ешь быстрее, — приказала она, — пока не пришли остальные, иначе никто из них не станет есть мой шпинат.

Он наскоро поужинал и помог матери накрыть стол для остальных.

Еще одна зима стала частью ее жизни, потому что в ту зиму умерла тетушка Лоуке. Лючия Санта пролила по старухе больше слез, чем пролила бы по собственной матери. Бедная ведьма скончалась в полном одиночестве, в зимнюю стужу, в квартире из двух пустых комнат, служившей ей гнездом на протяжении двадцати лет. На смертном одре она напоминала высохшего жучка: под ее холодной старческой кожей синели извилистые вены; ноги, превратившиеся в сухие былинки, скрючились. Единственным удобством в квартирке была черная керосиновая плита с водруженным на нее эмалированным ведром с водой.

Тетушка Лоуке, тетушка Лоуке, где же твои родные, которые обрядили бы твое тело? Где дети, которые проливали бы слезы над твоей могилой? Подумать только — ведь она, Лючия Санта, завидовала беззаботности гордой старухи, ее жизни, избавленной от мирских хлопот... Над этим сухоньким трупом она поняла свое счастье: ведь она создала мир, которому не будет конца. Мир этот никогда не отвернется от нее, она не умрет в одиночестве, ее не зароют в землю, как никому не нужное насекомое.

Впрочем, смерть старухи принесла им всем новое чудо — дружбу тетушки Терезины Коккалитти, ставшей в ту зиму, когда умерла тетушка Лоуке, наперсницей Лючии Санты и союзницей семьи Ангелуцци-Корбо.

Терезина Коккалитти внушала на Десятой авеню больше страха и уважения, чем кто-либо другой. Высокая, тощая, в неизменном трауре по умершему двадцать лет назад супругу, она терроризировала зеленщиков, бакалейщиков и мясников; домовладельцы и не заикались о просроченной квартплате, социальные работники подсовывали ей на подпись бумаги, не смея задавать заковыристых вопросов.

Язык ее был ядовит и безжалостен, костлявое лицо казалось дьявольски хитрой маской. Однако при необходимости она становилась и льстивой, и обольстительной, неизменно оставаясь опасной, как змея со смертельным жалом.

Четверо ее сыновей работали, не покладая рук, однако она получала семейное пособие. Оплатив дюжину плодов, она неизменно брала с прилавка тринадцатый, бесплатный. Она смешивала мясников с грязью за несвежую телятину или лишний жир на куске. Она всегда была готова дать миру достойный отпор.

Тетушка Коккалитти научила Лючию Санту, как сэкономить лишний доллар. Яйца они покупали у славного малого, воровавшего поддоны из грузовика птицефабрики; иногда у него можно было разжиться и свежими цыплятами. Костюмы и бананы они приобретали у лысых портовых грузчиков — хотя трудно было понять, откуда берутся костюмы на разгружаемых ими судах. Платьевая ткань, шелк и настоящая шерсть предлагались прямо у дверей квартир вежливыми и красноречивыми налетчиками — соседскими юнцами, воровавшими все это добро целыми фургонами. Все эти люди обходились с беднотой более честно, чем торговцы из Северной Италии, прижившиеся на Девятой авеню, как римские стервятники.

Кто жил иначе? Да никто!

Так проходил год за годом. Всего пять лет? А кажется, что гораздо больше... Хотя время несется все быстрее. Безошибочно отмеряет его только смерть.

Наступил день, когда Panettiere нашел мертвой свою

жену. Это чудовище и в смерти осталось верным себе: рядом с трупом стояла неподъемная коробка с серебряными монетами, а на лице застыло умиротворенное выражение человека, наконец-то познавшего Христа. Смерть жены полностью изменила Panettiere. Эта не ведающая усталости рабочая лошадка переложила все на плечи сына Гвидо, который вконец исхудал у горячих печей. Теперь хозяин закрывал пекарню все раньше и забросил изготовление мороженого и пиццы. Он день и ночь просиживал с другими стариками в задней комнате парикмахерской, безудержно проигрывая серебро и медь, которое при жизни ревностно хранило и преумножало покойное теперь усатое чудовище. Кроме того, он регулярно выходил подышать воздухом и совершал моцион вдоль Десятой, вышагивая, как князь, с толстой американской сигарой во рту.

Он первым и заметил, как Октавия буксирует своего будущего муженька по Тридцать первой в сторону Десятой. Он с интересом и состраданием наблюдал, как они приближаются к Лючии Санте, невинно восседавшей на своей табуретке без спинки перед родным подъездом. Достаточно было одного взгляда, чтобы понять, что семейству Ангелуцци-Корбо уготованы новые невзгоды.

Франт тащил связку книг — это взрослый-то мужчина! На голове у него была высокая копна черных волос, на носу сидели очки в роговой оправе, горбатый нос на тонком лице выдавал еврея, и не просто еврея, а с довольно-таки слабым здоровьем.

Всем мигом стало известно, что Октавия Ангелуцци собралась замуж за язычника. Скандал! Не в том дело, что еврей, а в том, что не итальянец. Хуже всего было ее своенравие. Господи, да где она нашла своего еврея? Куда ни пойди — на юг, на север, на восток, загляни за западную стену города, — на протяжении многих кварталов обнаружишь одних католиков — ирландцев, поляков, итальянцев. Впрочем, чего еще ожидать от итальянки, скрывающей грудь строгим деловым костюмом?..

Здешний люд не ведал предрассудков. Старухи, дядюшки, тетушки, крестные были счастливы, что их родственница нашла себе кормильца — лучше поздно, чем никогда. Ведь ей уже стукнуло двадцать пять, дальше можно было ждать только неприятностей.

Наконец-то, хвала Иисусу, она выйдет замуж и познает жизнь — иными словами, перестанет сжимать коленки. Ей не придется испить чашу тактичной обходительности, с какой относятся к старым девам, калекам и увечным. Как не радоваться, что Октавия теперь не сгниет, как ненадкушенный плод! Как не вспомнить, что евреи — непревзойденные мастера по части зарабатывания денег! У Октавии Ангелуцци будет все, чего только ни пожелает ее душа, и она, оставаясь хорошей итальянской дочерью, даст попробовать, что такое роскошь, своей матери, младшим братьям и сестре. Так твердили соседи, Panettiere, тетушка Коккалитти и старый ревнивый парикмахер, взиравший на пышную шевелюру еврея пылающим, алчным взором.

Лючия Санта не разделяла их оптимизма. Верно, молодой человек красив, строен и нежен, как девушка. Что до того, что он — еврей, то у нее не было никаких предрассудков, просто она не испытывала ни малейшего доверия ни к кому — ни к христианам, ни к ирландцем, ни к туркам, ни к евреям. Однако на этом типе красовалось особое клеймо: где бы он ни появлялся, при нем неизменно была книжка — либо под мышкой, либо перед глазами.

Легко высмеять предрассудки бедных людей, но их доводы — плод ни с чем не сравнимого опыта. Конечно, трудно не вспылить, услышав от вороватого сицилийца: «Если ищешь справедливости, без подношения не обойтись»; представитель достойной профессии оскорбится, услыхав от хитрой Терезины Коккалитти: «Адвокат — значит, вор». У Лючии Санты была своя поговорка: «Семьи книгочеев голодают».

Разве не наблюдала она своими собственными глазами, как Октавия засиживается до поздней ночи, глотая книгу за книгой (она не осмеливалась произнести это вслух, но разве не тут гнездится причина болезни дочери и длительного пребывания в санатории?), вместо того чтобы шить платья для созревающих дочерей Сантини, Panettiere, сумасшедшего парикмахера и зарабатывать невесть сколько долларов? Теперь и сыновья — Винни, Джино, даже Сал — бегали в библиотеку за этими своими пустяковыми книжками, забывая об окружающем их мире и о своих обязанностях в нем. И для чего? Чтобы набивать головы лживыми баснями, чтобы заглядывать в мир, в котором им не суждено жить? Что за глупость!

Она не знала грамоты и потому не подвергалась опасности совращения. Ей была чужда магия книг. И все же она чувствовала их власть и редко возвышала протестующий голос. Но как много она видела людей, уворачивающихся от превратностей жизни, уклоняющихся от каждодневной схватки за существование! Подобно тому, как бедняку не следует попусту тратить деньги на выпивку и карты, а женщине — понапрасну мечтать о счастье, так и юношам, которым предстоит великая битва, не подобает отравлять себе душу сказками и грезами, завораживающими их и заставляющими ночи напролет шелестеть страницами.

Если бы Лючия Санта знала, насколько она права, она бы выгнала Нормана Бергерона из своего дома с помощью tackeril. Ведь он оказался настоящим отступником, не пожелавшим биться с ближними ради куска хлеба. Глупец, беспомощный добряк, он не использовал сполна свой диплом об окончании колледжа и избрал долю социального работника; однако он не был наделен сильным характером, необходимым тем, кто раздает милостыню. Он напоминал скорее мясника, падающего в обморок при виде крови. Дядя устроил его клерком в свою пошивочную фирму, где он и встретил Октавию.

Подобно всем слабым людям, Норман Бергерон имел тайный порок — он был поэтом. Причем, что хуже всего, стихи он писал не по-английски, а на идиш. Этим горе не исчерпывалось: он знал в жизни толком только одно — литературу на идиш, а сей талант, по его же собственным словам, пользовался наименьшим спросом среди всех земных талантов.

Однако все это им только предстояло узнать. Несмотря на все свои опасения, Лючия Санта удивляла дочь тем, что находила некое странное удовлетворение в том, что та избрала в мужья не итальянца.

При этом она, разумеется, мечтала, чтобы все ее сыновья женились на хороших итальянских девушках, знающих с колыбели, что в семье правит мужчина, которому надо прислуживать, как князю, кормить его отменной пищей, приготовление которой отнимает много часов; такая жена ухаживает за детьми и за домом, не взывая о помощи. Да, да, все ее сыновья должны жениться на хороших итальянских девушках! Ее сын Лоренцо уже обрел счастье со своей Луизой — вот вам доказательство.

С другой стороны, какая мать, настрадавшаяся от мужского тиранства, пожелает своей нежной дочери тирана-итальяшку, деспотичного новичка, запирающего жену в четырех стенах, никуда не выводящего ее, кроме свадеб и похорон; вопящего, как дикий козел, если спагетти не дымятся на столе в тот священный момент, когда его высочество соизволит переступить порог; такой муженек и пальцем не пошевелит, чтобы помочь беременной жене, а будет сидеть сиднем как ни в чем не бывало, пыхтя своей вонючей сигарой, пока жена с раздувшимся брюхом балансирует на подоконнике и, моя грязные окна, рискует соскользнуть вниз и медленно, как воздушный шарик, поплыть навстречу мостовой Десятой авеню.

Так что слава Богу, что Октавия выходит замуж не за итальянца, а за человека, способного проявить снисхождение к женщине. Лючия Санта всего раз позволила себе оскорбительное замечание в адрес избранника дочери, и то спустя много лет. Как-то раз, судача с женщинами и проклиная детей одного за другим за неблагодарность и тупость, она, не находя за Октавией подходящего преступления, сказала, стараясь разжечь в себе злобу: «А эта, самое рассудительное мое дитя, взяла в мужья единственного из всех евреев, которому невдомек, как делаются деньги...»

Как бы то ни было, свадьба стала подходящим завершением пяти счастливым годам. Лючия Санта настояла на пышной свадьбе и церковном венчании. Норман Бергерон не стал чинить препятствий ее замыслу. В этом смысле книгочейство оказалось достоинством. Он не отказывался жениться по христианскому обряду и воспитывать детей христианами. Его семья тоже не протестовала. Он объяснил Лючии Санте, что из-за такой женитьбы родня отвернулась от него, словно его вовсе нет на свете. Столь радостная весть порадовала Лючию Санту. Это только упрощает дело: значит, Октавия и Норман будут принадлежать ей одной.

ГЛАВА 16

Лючия Санта не поскупилась на расходы. Свадьба, сыгранная в ее квартире, прошла на славу. На лестничной клетке выстроились огромные пурпурные кувшины с вином из подвала пекарни. Стол и застеленные кровати были завалены горами сочащейся жиром ветчины и кругами твердого сыра, красочные свадебные торты и длинные миндальные орехи с кремом отягощали серебряные подносы. В кухне некуда было шагнуть из-за ящиков с содовой — апельсиновой, клубничной и прочих, — громоздящихся до самого потолка.

На свадьбе перебывали все обитатели Десятой авеню; даже возгордившиеся родственнички, перебравшиеся в собственные дома на Лонг-Айленде, — и те на сей раз снизошли до болтовни с нищей деревенщиной, с которой они так спешили расстаться. Кто же не польстится на такую свадьбу, кому не любопытно взглянуть на жениха-язычника?

Молодежь отплясывала в гостиной, усыпанной серпантином, под музыку граммофона, позаимствованного у безумного парикмахера. В другом конце квартиры, в столовой и кухне, судачили старые итальянки, чинно сидя на многочисленных соседских стульях, расставленных вдоль голубых стен. Октавия передала матери огромный шелковый кошелек с презентованными конвертами с деньгами, и та любовно прижимала его к бедру. Время от времени она разжимала его серебряные челюсти, и кошелек проглатывал очередное подношение.

Для Лючии Санты это был день пожинания лавров. Однако даже самый прекрасный день никогда не проходит без неприятностей.

Школьная подружка Октавии, итальянка по имени Анжелина Ламбрекора, семейство которой жило теперь в собственном доме с телефоном, забежала ненадолго, чтобы пожелать Октавии счастья и высокомерно вручить ей дорогой подарок. Однако на эту потаскушку засмотрелись все мужчины на свадьбе, как молодые, так и не очень. На ее лице лежал прекрасный профессиональный грим, тушь была нанесена безупречно, а губная помада скрывала похотливые очертания ее большого рта, но делала его при этом пленительным, как гроздь темного итальянского винограда. Она была одета по невиданной моде — то ли в костюм, то ли в платье, выставив на всеобщее обозрение почти всю грудь. Ни один из мужчин не упустил возможности потанцевать с ней. Ларри совсем забыл из-за нее о собственной жене, так что бедная Луиза даже пустила слезу. Он расхаживал перед ней, распустив хвост, как павлин, используя все свои чары и демонстрируя ровные, белоснежные зубы в самой обезоруживающей из богатого арсенала своих улыбок. Анжелина флиртовала со всеми без исключения и виляла в танце задом так соблазнительно, что и Panettiere, и его сын Гвидо, и прищурившийся по такому случаю парикмахер, и седой семидесятилетний Анжело, вся жизнь которого заключалась в его кондитерской лавке, — все забыли о болтовне и о вине и замерли, как голодные псы, вывалив языки и согнув коленки, чтобы ослабить томление в паху, пожирая ее пылающими взглядами. В конце концов Анжелина, чувствуя, как плывет ее грим от духоты, объявила, что ей пора уходить, иначе она опоздает на свой поезд, идущий на Лонг-Айленд. Октавия быстро чмокнула ее, чтобы поскорее выпроводить, поскольку даже Норман Бергерон, забывший на один вечер о своих книгах, не сводил с Анжелины своих поэтических глаз в роговых очках.

Все понятно: потаскухам принадлежит в мире достойное место. Но настанет время, когда и у нее родятся дети, когда и она разжиреет или постареет и будет сплетничать в кухне, уступив место молодым. Пока же эта бесстыжая штучка, усыпанная блестками, холодно пренебрегая лучшими людьми Десятой авеню, молодыми и старыми, упорхнула на кухню, чтобы попрощаться с Лючией Сантой; она ворковала с ней, как прирожденная американка, словно почтенная мамаша — ровня ей, молодой и обольстительной. Лючия Санта ответила ей самой холодной и отстраненной улыбкой, какими владеют одни баронессы, и, благосклонно принимая комплименты, думала про себя, что ее маленькая Лена, родись она в такой семье, живи она в доме на Лонг-Айленде, превратись она в конце концов в такую же американскую леди, все равно не избежала бы доброй материнской порки.

Анжелина совсем уже собралась уходить, когда стряслась беда: она заметила Джино, шестнадцатилетнего юнца, но уже высокого, смуглого, сильного, красивого, в новом синем костюме с иголочки, купленном по случаю торжества у воришки-грузчика.

До сей поры Джино оставался на подхвате, открывая бутылки с содовой, выбивая пробки из винных бутылок и обнося напитками итальянцев, облюбовавших кухню. Он был спокоен и безразличен, он двигался со стремительностью ртути, придававшей ему привлекательности. Он заставил всех уважать себя, как того требовала старая итальянская традиция, — ведь он прислуживает почтенным старейшинам! Одна Лючия Санта знала, что на самом деле для него не существует людей, собравшихся в кухне. Он не видел их лиц, не слышал их голосов, не заботился об их отношении к себе, для него не имело значения, живы они или мертвы. Он перемещался в мире, которого на самом деле не существовало, но который поймал его и пленил на этот вечер. Да, он прилежно обслуживал их, но только для того, чтобы быстрее пролетело время.

Но, поскольку родственникам все это было невдомек, он произвел на них большое впечатление, особенно на дальнего родственника из Такахо[1] Пьеро Сантини — владельца четырех грузовиков, темнобородого и худого, как рельса, от упорного труда. При нем находилась его толстая и глупая жена, увешанная поддельными драгоценностями, тоннами поглощавшая печенье, а также робкая дочка семнадцати лет от роду, сидевшая между матерью и отцом и не сводившая с Джино глаз.

Пьеро Сантини заметил пылкий взгляд дочери — и не удивительно, поскольку он стерег ее, как цепной пес. Сперва он только хмурился, но потом призадумался. Его малышка Катерина была воспитана в строгости, в старом итальянском стиле. Ей не позволялись все эти дружки, свидания и танцы вне семейного надзора. «Ха-ха-ха! К черту танцы!» — говаривал он с непристойным хихиканьем.

Он неустанно бубнил дочери, чего домогаются от нее мужчины: загнать в нее свою раскаленную штуковину, обрюхатить, а потом удрать, обрекая ее на позор и на горе, а родителей — на самоубийство. С другой стороны, она уже созрела. Как долго это может продолжаться? Его жена — безмозглая тупица. Ему пришло время подкупить еще парочку грузовиков. Ему уже надоело засиживаться за полночь, подсчитывая деньги и шпионя за подручными, чтобы они не стащили у него самого кое-что между ног.

Итак, Пьеро Сантини, чья гибкость помогала ему в делах — ведь он своевременно переключался с перевозки товара на мусор, а то и на виски, если его соблазнял барыш, — задумался о другом. Не пришло ли время?

---

[1] Пригород Нью-Йорка, расположенный севернее Бронкса.

Глядя на Джино, он одобрял то, что видел. Спокойный паренек, и вовсе не ленив. Судя по тому, как он снует по дому, — силен; ему ничего не стоит загрузить грузовик в два раза быстрее, чем двоим ленивым подручным и шоферу. Да ему цены нет! (Здорово бы посмеялись Лючия Санта, все ее подруги и соседи, услыхав такое мнение о Джино — чемпионе по части потери работы на Десятой авеню, единодушно признанном совершенно безнадежным лентяем). Сантини по-прежнему разглядывал Джино. Когда его жена переместилась к еще нетронутой горке печенья, а Джино поднес ему рюмочку вина, он похлопал ладонью опустевший стул рядом с собой и сказал по-итальянски:

— Посиди со мной минутку, я хочу с тобой поговорить.

Такая благосклонность не прошла незамеченной. Пьеро Сантини, богатый родственник из Такахо, — и так мил с этим полуголодным, погрязшим в бедности юнцом? Теперь все взоры обратились на Джино. Терезина Коккалитти толкнула локтем Лючию Санту, которая, несмотря на свое простодушие, уже смекнула, о чем речь.

Взгляды всех мужчин, словно притянутые магнитом, покинули беседующих и приросли к юной деве. Катерина Сантини была легендой, мифом, нежным итальянским цветком, невинно распустившимся на зловредной американской почве. Услада родителей, она в столь юном возрасте познала все тайны кулинарии и по воскресеньям готовила горячо любимому папочке домашние макароны; она не прибегала к косметике и пренебрегала высокими каблуками, чтобы не ослаблять тазовые кости.

Но вот наступил ее день — а это, как известно, случается даже со святыми. На ее лице отпечаталось греховное вожделение. Краска залила ее лицо, бюст поднимался и опадал от прерывистого дыхания, она была готова выскочить из кожи вон. На расстоянии чувствовалось, как она распалена, и ее скромный, потупленный взор был не в силах никого обмануть.

Какой шанс для Лючии Санты и для ее сына, урода из уродов, — впрочем, он и впрямь великолепное юное животное, чего и следовало ожидать, раз он только и знает, что резвиться на солнышке, вместо того чтобы вкалывать после школы! Благословенное продолжение свадебного торжества! Лючия Санта, прыткая, как волчица, почуявшая кровь, подалась вперед, чтобы расслышать, что там шепчет хитрец Сантини ее сыну, но проклятая музыка, ворвавшаяся в дверь, заглушила слова, которые ей так хотелось услыхать.

Тем временем угрюмый Пьеро спрашивал на своем сладчайшем итальянском:

— Итак, молодой человек, что вы поделываете, как представляете себе дальнейшую жизнь — будете заканчивать школу?

Однако, как ни странно, юноша смотрел на него серьезными глазами, словно не понимал подлинного итальянского. Потом он слегка улыбнулся, и Пьеро сообразил: парень ошеломлен вниманием, проявленным к нему такой недосягаемой персоной, как он, Пьеро, и смущается отвечать. Желая придать ему смелости, он хлопнул Джино по плечу и сказал:

— Моя дочь умирает от жажды. Принеси-ка ей стакан содовой, будь умником. Катерина, ведь ты и впрямь умираешь от жажды?

Катерина не посмела поднять глаз. Происходящее с ней повергало ее в смятение. Она чуть заметно кивнула.

Джино уловил слово «содовая» и увидел кивок девушки. Он встал и направился к ней. Он совершенно не понимал, что творится вокруг, да и не мог понять, потому что всех этих людей для него попросту не существовало. Подав девушке стакан, он тотчас отвернулся и не увидел, что Пьеро Сантини снова хлопает ладонью по стулу. Пьеро, удивленный таким оскорблением, скорчил рожу и театрально пожал плечами, словно спрашивая: «Какой смысл проявлять вежливость с такими невоспитанными мерзавцами?» Все захихикали, радуясь унижению гордеца и скряги Сантини, и жалостливо вздохнули, глядя на его бедную дочку, погрузившую ненапудренный красный носик в стакан и полумертвую от страха. Что за наслаждение — наблюдать, как разъярило Лючию Санту поведение ее сына Джино, такого же безумца, как и его отец, — это каждому известно, который наверняка кончит так же, как и он, — вот вам новое тому доказательство!

Именно под конец этой комедии в кухню впорхнула красотка Анжелина, чтобы попрощаться с гостями; здесь, ко всеобщему удивлению, Джино одержал вторую по счету победу. Правда, вторая была более предсказуема, чем первая. Во-первых, Джино был единственным из всех мужчин, который, глядя на Анжелину, на самом деле не замечал ее, что не могло не возбудить у нее интереса; во-вторых, чувствуя, как не одобряют все присутствующие роль, которую она взялась играть, она наперекор всем решила доиграть ее до конца. Она метнулась к Джино и, не сводя с него глаз, обратилась к Лючии Санте:

— До чего красивый у вас сынок!

Тут Джино очнулся: он учуял аромат ее духов, почувствовал тепло ее руки, увидел ее огромные, мастерски подведенные губы, так и тянущиеся к нему. Еще не зная, что происходит, он все же испытал желание дождаться разъяснений. Стоило Анжелине попросить пальто, как все мужчины бросились исполнять ее просьбу и, более того, будучи галантными кавалерами, хором изъявили желание проводить ее до метро.

— Меня проводит Джино, — проворковала она, — он слишком юн, чтобы вынашивать черные замыслы.

Все кровати в квартире были заставлены едой, ожидающей своей очереди появиться на столе, поэтому квартира Ларри и Луизы этажом ниже использовалась как гардеробная.

— Я спущусь с ним, — сказала Анжелина, взяла Джино под руку, и оба удалились. Празднество продолжалось. Лючия Санта хотела было под каким-нибудь предлогом послать Винченцо в квартиру Ларри, чтобы удостовериться, не происходит ли там чего-нибудь неподобающего, но потом передумала. Ее сын уже достаточно вырос, чтобы попробовать женщину, а тут подвернулась прекрасная, не чреватая никакими опасностями возможность. Manga franca[1]. Ему хотя бы не придется расплачиваться. Будь что будет.

Зашел доктор Барбато — выпить стаканчик вина, попробовать пирожных и потанцевать с невестой. Он залюбовался Лючией Сантой, окруженной болтушками, как королева — фрейлинами, и подошел к ней с конвертом. Она встретила его с монаршей холодностью. Он рассердился: он-то надеялся, что после всего того, что он сделал для этой убогой семейки, вокруг него поднимется суета... Верно говорил отец: «Никогда не жди благодарности ни от осла, ни от крестьянина». Однако стаканчик доброго вина заставил доктора Барбато смягчиться, а второй и вовсе привел его в отличное настроение. Он не хотел по-

---

[1] Ну и пусть (*неап. диал.*).

нимать этих людей, не испытывал к ним симпатии — и все же понимал их. Разве может такой человек, как Лючия Санта, благодарить каждого, кто оказал ей помощь? Ей пришлось бы всю жизнь простоять на коленях! Принимать помощь от чужих — ее судьба. Она не обвиняла в своих бедах никого из живущих, но и не собиралась благодарить их за проблески удачи, к каким относилось и нечаянное великодушие доктора Барбато.

Доктор пригладил усы и одернул пиджак. Он лечил многих из набившихся в эту квартиру итальянцев, некоторые из них даже были товарищами детства его отца, однако все они относились к нему холодно, словно он — ростовщик, padrone, а то и владелец похоронной конторы. О, ему доподлинно известно, что за чувства кроются за всеми этими учтивыми речами! Signore Dottore, Signore Dottore[1]. Он кормится их невзгодами; их боль — его прямой доход; он появляется тогда, когда без него не обойтись, когда их охватывает страх смерти, и требует денег в обмен на исцеление. Им, неискушенным, его искусство кажется колдовством, небесным даром — а ведь дары небес не продаются и не покупаются. Но кому же тогда расплачиваться за колледж, за долгие годы учебы, за его выматывающий нервы, непосильный труд, пока они, невежественные болваны, неотесанная дервенщина, попивают винцо и просаживают в карты заработанные соленым потом гроши? «Пусть они ненавидят меня, — с горечью размышлял он. — Пусть идут в бесплатные больницы, ждут там часами, чтобы неумеха санитар взирал потом на них, как на скот». Пусть мрут, как мухи, в «Белльвю» — он переберется на Лонг-Айленд, где люди станут отпихивать друг дружку, торопясь оплатить счета за его услуги, зная, что получат взамен. Доктор Брабато, желая показать, что такая нищая мелкота неспособна его огорчить, расплылся в сладчайшей улыбке, попрощался на своем великолепном университетском итальянском, звучащим для них почти как иностранная речь, и, ко всеобщему облегчению, был таков.

Слыша над головой топот танцоров, Анжелина с Джино занимались поисками ее пальто в груде одежды, которой была завалена квартира Ларри. Страхи Лючии Санты оказались беспочвенными: Анжелина была вовсе не такой безрассудной девчонкой, за какую себя выдава-

---

[1] Синьор врач (*ит.*).

ла, а Джино оставался невинным дитя, неспособным воспользоваться ее слабостью. Прежде чем выйти, она наградила его долгим поцелуем, испачкав его рот своей яркой помадой. Ее тело прижалось к нему лишь на краткое мгновение, которому в снах Джино суждено было растянуться до бесконечности.

Да, свадьба прошла успешно, она затмила почти все подобные события, гремевшие прежде на авеню, она сделала честь семье Ангелуцци-Корбо и украсила шляпку Лючии Санты (если бы таковая у нее имелась) лишним пером. Но та не стала почивать на лаврах, а пригласила семейство Пьеро Сантини на воскресный обед, чтобы дать Джино возможность познакомить Катерину с городом, который девушка не могла досконально узнать, проживая в глухом Такахо.

Пьеро Сантини не был бы владельцем четырех грузовиков и контракта на вывоз городского мусора, если бы отличался чувствительностью к унижениям. Сантини явились на воскресную трапезу точно в назначенный час.

Лючия Санта превзошла саму себя. Воскресным утром она проела преждевременную плешь у Джино на голове, надеясь, что он хотя бы раз откажется от бейсбола. После этого она приготовила соус, которым не побрезговал бы сам неаполитанский король, и соорудила из домашней муки толстенные макароны. Для зеленого салата она не пожалела бутылки почти священного оливкового масла, присланного из Италии бедной сестрой-крестьянкой, — такого нигде не купишь, это первая, волшебная кровь, источаемая оливками.

Джино в новом синем костюме известного происхождения и Катерину в красном шелковом платье заставили сидеть бок о бок. Винченцо, услада пожилых дам, развлекал огромную синьору Сантини, гадая ей на картах. Сальваторе и Лена убирали со стола и мыли посуду, умелые, бессловесные и проворные, как угри. Наконец Джино, повинуясь материнским наставлениям, спросил Катерину, не желала бы та сходить в кино, и та, будучи послушной дочерью, подняла глаза на отца, ожидая дозволения.

Это был чудовищный по решительности момент для Пьеро Сантини. Он чувствовал себя так же, как в те немногие моменты помутнения, когда, отправив грузовики на перевозку виски, не видел их по несколько дней кряду и знать не знал, куда они запропастились и что с ними стряслось. Сейчас он страдал почти так же сильно. Однако ничего не поделаешь: Америка есть Америка. Он одобрительно кивнул, но напутствовал молодежь:

— Не слишком задерживайтесь, завтра рабочий день.

Уход молодой пары заставил Лючию Санту расплыться в довольной улыбке. Она стала победоносно колоть грецкие орехи и потчевать этим лакомством работящих Сальваторе и Лену. Она наполнила вином рюмку Пьеро Сантини и пододвинула под самый локоть синьоры Сантини блюдечко с мороженым. Ларри и его жена Луиза поднялись выпить с ними черного, как уголь, и масленого от анисовки кофе. Пьеро Сантини и Лючия Санта обменивались хитрыми, довольными взглядами и уже беседовали с небывалой прежде фамильярностью, свойственной без пяти минут родственникам. Однако не прошло и часа, как на лестнице застучали каблучки, и перед взрослыми появилась Катерина — с широко распахнутыми глазами и с заплаканным лицом; не говоря ни слова, она уселась за стол.

Оцепенение. Сантини выругался, Лючия Санта всплеснула руками, моля Всевышнего о снисхождении. Неужели этот animale Джино изнасиловал ее прямо на улице или в кинотеатре? Или, может быть, он затащил ее на крышу? Что же случилось, скажи, ради Бога? Сперва Катерина помалкивала, но в конце концов прошептала, что оставила Джино в кино: он смотрит фильм, который ей смотреть не хочется. Значит, ничего не случилось.

Да кто ей поверит? Никто. Сразу улетучилось недавнее дружелюбие и благодушие. Речь и взгляды превратились в лед. Что же все-таки стряслось, Господи, сохрани? О, эти невозможные молокососы, они способны на самые тяжкие грехи при невозможнейших, казалось бы, обстоятельствах. Однако никакие увещевания не могли принудить Катерину раскрыть загадку; в конце концов оглушенные Сантини покинули негостеприимный дом.

Семейство Ангелуцци-Корбо — Лючия Санта, Винни, Ларри с Луизой, напряженный Сал и Лена — собравшись вокруг стола, ждали, как судьи, когда же появится преступник. Наконец Джино, проторчавший в кино битых четыре часа и оголодавший, как волк, взлетел по лестнице, ворвался в квартиру — и замер, пригвожденный к месту осуждающими взглядами родни.

Лючия Санта грозно поднялась, не зная, впрочем, как себя вести; в ее груди клокотала беспомощная ярость. В чем, собственно, его обвинять? Она предпочла начать с вопроса:

— Animale, bestia, что ты сделал с бедной девочкой в кино?

— Ничего! — ответил Джино, широко раскрывая глаза.

Его невиновность была столь очевидной, что Лючия Санта была склонна заключить, что он окончательно спятил и уже не различает, что хорошо, а что дурно. Она постаралась взять себя в руки и спокойно, терпеливо спросила:

— Почему Катерина убежала от тебя?

Джино пожал плечами.

— Она сказала, что хочет в уборную, но забрала с собой пальто. Когда она не вернулась, я решил, что не понравился ей, — ну, и черт с ней! Я досмотрел фильм до конца. Ма, если я ей не по нраву, то какой смысл тебе и ее отцу заставлять ее гулять со мной? Она все время вела себя как-то странно, даже отказывалась разговаривать!

Слушая его, Ларри жалостливо покачивал головой. Потом он шутя обратился к матери:

— Представляешь, ма, если бы на его месте оказался я, у нас в семье уже был бы грузовик.

Луиза прыснула. Винни ласково сказал Джино:

— Брось, она от тебя без ума.

Семья почти в полном составе была готова обратить все в шутку. Однако Лючия Санта, единственная способная глядеть в корень, рассердилась всерьез. Она взаправду собиралась обрушить на голову Джино не tackeril, а что-нибудь потверже, ибо он определенно пошел в своего безумного папашу.

Говоря, что не понравился девушке, он походил на дурачка-святошу; где горечь, где хотя бы намек на уязвленную мужскую гордость? Кто же тогда Катерина для ее гордеца-сынка? Дерьмо собачье? Дочь богача, который мог бы обеспечить ему будущее и достаток; миловидная, с сильными ногами, высокой грудью, не чета этому никудышному мальчишке, неудачнику, годному только для электрического стула... Ему, значит, наплевать? Ему, видите ли, все равно, нравится он этой бесценной итальянской девушке или нет! За кого он себя принимает — за итальянского короля? Что за дурень, разве он не заметил, как бедняжка Катерина буквально пожирала его глазами? Нет, он безнадежен, безнадежен, весь в отца, его ждет неминуемая беда! Она схватила tackeril, собираясь отдубасить его — пусть беспричинно, всего лишь для собственного успокоения, чтобы унять разлившуюся желчь; но ее сын Джино, наделенный инстинктом преступника, спасающегося бегством, даже когда он невиновен, увильнул и загрохотал башмаками по лестнице. Так была развеяна красивая мечта Лючии Санты; событие это, при всей своей несуразности и смехотворности, заронило в ее душу первое зернышко ненависти.

ГЛАВА 17

Семь лет кряду Фрэнк Корбо не тревожил семью. Теперь он решил побеспокоить ее в последний раз. Далеко на Лонг-Айленде, в штатной больнице для умалишенных, он замыслил последнее бегство. Как-то темной ночью он, сжавшись в постели в комок, приказал своему мозгу размазаться о черепную коробку. Могучая волна крови, отхлынувшая от потрясенного мозга, швырнула его бренное тело на кафельный пол палаты и навечно загасила хилую искорку, в которую давно уже превратилась его истерзанная душа...

Телеграмма застала Лючию Санту за полуденным кофе, который она вкушала в компании великолепной Терезины Коккалитти. По этому случаю страшная особа, желая подчеркнуть свое дружелюбие, открыла один из своих секретов: оказывается, она умеет читать по-английски! Это поразило Лючию Санту даже больше, чем новость, содержащаяся в телеграмме, выходит, эта женщина прекрасно вооружена для противостояния окружающему миру! Теперь она смотрела на Лючию Санту холодным взглядом, не замутненным ложным состраданием.

Как это ужасно — сознавать, что другое человеческое существо, доверившее тебе свою жизнь, не в состоянии более вызвать у тебя жалость к собственной участи!

Лючия Санта была абсолютно честна с собой: смерть Фрэнка Корбо вызвала у нее чувство облегчения, освободила от отвратительного страха, что наступит день, когда ей в очередной раз придется выносить ему приговор на дальнейшее пребывание в клетке. Она страшилась его; она боялась за своих детей; она не желала идти на жертвы, на которые обрекло бы семью его освобождение.

Не останавливайся на полдороге, верь в милосердие Господне: смерть мужа снимала с ее души неподъемный камень. Стоило ей увидеть его за решетчатым окном в одно из редких посещений — и она утрачивала веру в жизнь, ее на много дней покидали силы.

Лючия Санта испытывала вовсе не горе, а огромное облегчение от спавшего напряжения. Человек, ставший отцом троим ее детям, постепенно умирал в ее сердце на протяжении долгих лет, которые он провел в сумасшедшем доме. Она уже не могла представить его себе полным жизни.

Терезине Коккалитти представилась новая возможность продемонстрировать свою железную хватку, превратившуюся на Десятой авеню в легенду. Она наставила Лючию Санту на верный путь. Зачем везти тело мужа обратно в Нью-Йорк, платить похоронному агентству, устраивать суету и напоминать всем, что ее муж умер безумным? Почему вместо этого не поехать всей семьей в больницу и не похоронить его там? У Фрэнка Корбо нет в этой стране родни, которая сочла бы себя оскорбленной или явилась оплакивать почившего. Это позволит сэкономить многие сотни долларов и усмирить болтливые языки.

Королева — и та не рассудила бы столь же холодно и мудро.

Лючия Санта приготовила обильный ужин, даже слишком обильный, учитывая летнюю жару, и усадила за стол всю семью Ангелуцци-Корбо. Весть о смерти отца никого не повергла в горе. Лючия Санта была уязвлена небрежностью, с какой воспринял эту весть Джино: он смотрел ей прямо в глаза и только пожимал плечами. Сальваторе и Эйлин, положим, могут и не помнить его, но Джино было уже одиннадцать лет, когда увезли его отца...

За едой они строили планы. Ларри уже дозвонился в больницу и договорился о похоронах в полдень следующего дня и об установке могильного камня на больничном кладбище. Он одолжил хозяйский лимузин — вернее, мистер ди Лукка сам настоял на этом — и отвезет туда всю семью. Они выезжают в семь утра, потому что поездка будет дальней. К вечеру они вернутся домой. Работающие пропустят всего один день. Октавия с мужем переночуют в материнском доме, в прежней спальне Октавии, а Лена проведет одну ночь по старинке, в одной комнате с матерью. Все устраивалось как нельзя лучше.

Джино наскоро поел, а потом надел чистую рубашку и брюки и направился к двери.

— Джино, возвращайся пораньше, — беспокойно окликнула его Лючия Санта. — Мы выезжаем в семь утра.

— О'кей, ма, — отозвался он и исчез.

— Не проходит вечера, чтобы он не бегал в свою Гудзонову Гильдию, — пожала плечами Лючия Санта. — Он там князь в клубе сопляков.

— Разве так горюют по собственному отцу? — укоризненно сказал Ларри. — Я прохожу мимо Гильдии по вечерам — Джино и его приятели любезничают там с девчонками. Нельзя разрешать ему заниматься этим сегодня.

Октавия встретила его слова хохотом. Моральные сентенции, изрекаемые Ларри, всегда веселили се.

— Болтай, болтай... — проговорила она. — Помнишь себя в его возрасте?

Ларри усмехнулся и покосился на жену. Та возилась с малышом.

— Брось, сестренка, — сказал он.

Немного погодя, словно ничего не произошло, пошли семейные истории и воспоминания о забавных приключениях; Сал и Лена прилежно убирали со стола. Норман Бергерон открыл книжку со стихами. Винни внимательно слушал, положив болезненное лицо на руки. Лючия Санта поставила на стол вазы с грецкими орехами, графин с вином, бутылки с содовой. В квартиру заглянула Терезина Коккалитти, и семейство, воодушевившись присутствием новой слушательницы, принялось пересказывать старые истории о Фрэнке Корбо. Октавия начала со знакомых каждому слов:

— Когда он назвал Винни ангелом, я поняла, что он спятил...

Темы хватило до позднего вечера.

Следующим утром Лючия Санта обнаружила, что Джино так и не вернулся домой ночевать. Жаркой летней порой он часто поступал так, болтаясь где-то с дружками и занимаясь Бог знает чем. Но чтобы сегодня, когда это грозит опозданием на похороны?.. Мать рассердилась не на шутку.

Завтрак был съеден, а Джино все не возвращался. На его кровати лежал его костюм, свежая белая рубашка и галстук. Лючия Санта выслала Винни и Ларри на поиски брата. Они проехали на машине мимо здания Гильдии на Двадцать седьмой стрит и дальше к кондитерской на Девятой авеню, где парни частенько резались в карты ночи напролет. Хозяин лавки с вечно слезящимися глазами сообщил им, что Джино еще час назад торчал поблизости, но потом отправился с дружками на утренний сеанс то ли в «Парамаут», то ли в «Кэпитол», то ли в «Рокси» — одним словом, он не уверен, куда именно...

Когда они, вернувшись, поведали об этом Лючии Санте, она была, как во сне.

— Ладно, значит, он не поедет, — только и сказала она.

Когда все садились в машину, из-за угла Тридцать первой появилась Терезина Коккалитти, чтобы пожелать им счастливого пути. В неизменном черном одеянии, с темным исхудавшим лицом и волосами цвета вороньего крыла, она походила на не желающую исчезать ночную тень. В машине теперь образовалось одно свободное место, и Лючия Санта пригласила ее присоединиться к ним. Терезина была польщена приглашением — кто же откажется провести день за городом? Она без колебаний втиснулась в машину и заняла место у окна. Вот почему она могла потом рассказывать подругам на Десятой, как семья Ангелуцци-Корбо катила на Лонг-Айленд хоронить Фрэнка Корбо, как пропал старший сын покойного, так и не удосужившийся взглянуть на лицо родного отца, прежде чем того опустят в могилу, и как проливала слезы Лючия Санта — но то были полные желчи слезы, исторгнутые душой, охваченной не горем, но гневом.

«Придет день, и она посчитается с ним, — приговаривала синьора Коккалитти, тряся черной ястребиной головой. — Он — змея, свернувшаяся клубком в материнском сердце».

ГЛАВА 18

Лючия Санта Ангелуцци-Корбо отдыхала; ее неподвижная фигура напоминала в сумерках не человека, а густую тень. Сидя за круглым кухонным столом, она дожидалась, пока на Десятую авеню придет с вечерним ветерком блаженная прохлада.

Этим днем судьба нанесла ей загадочный удар, на один вечер истощивший ее душевные силы. Она сидела теперь в пустой темной кухне, вдали от всех, глухая и слепая ко всему, что любила, чем дорожила. Ей неудержимо хотелось погрузиться в глубокий сон, не тревожимый сновидениями.

Но разве можно оставить этот мир без присмотра? Лена и Сал играют внизу, на улице, Джино прочесывает город, как дикий лесной зверь, Винченцо спит без задних ног в дальней комнате, принадлежавшей когда-то Октавии; его предстоит разбудить и накормить, прежде чем он уйдет на железную дорогу и будет работать там до полуночи. Ее внуки, дети Лоренцо, ждут, чтобы она уложила их спать. Потом она попытается развеселить чашечкой горячего кофе жену Лоренцо, больную и вечно недовольную, вдохнуть в нее веру в жизнь, напомнить, что ее мечты о счастье — всего лишь девичья сказка, на утрату которой обречена каждая женщина.

Лючия Санта не знала, что вот-вот уткнется лбом в стол. Клеенка уже приятно холодила ей лоб; она готовилась погрузиться в глубокую дрему, когда отдыхает все, кроме мозга. Мысли и тревоги вздымались все выше, как волны, пока совсем не захлестнули ее, не повергли в дрожь. Она мучалась так, как никогда не мучалась наяву. Она беззвучно взывала о пощаде.

Америка. Америка, какую разную плоть ты приютила, какая разная кровь бурлит в твоих жилах! Мои дети не понимают моей речи, я не понимаю их слез. Почему рыдает Винченцо, глупышка, почему по его щекам, заросшим бородой взрослого мужчины, стекают горькие слезы? Она только что сидела у его изголовья, гладила его по лицу, словно он так и не перестал быть младенцем, и испытывала небывалый испуг. Он трудится, зарабатывает на хлеб, у него есть семья, дом, место, где преклонить голову, — но он все равно рыдает и бормочет сквозь слезы: «У меня нет друзей». Что, что это значит?

Бедный Винченцо, чего же ты хочешь от жизни? Разве тебе недостаточно просто жить? Miserabile, miserabile, твой отец умер, прежде чем ты родился, и его призрак отбрасывает тень на всю твою жизнь. Просто живи — сначала для младших братьев и сестры, потом — для собственной жены и детей; время пролетит быстро, ты состаришься — и все превратится просто в сон, ты станешь видеть сны, вот как я сейчас.

Только не надо говорить ему, что от него отвернулась судьба, хотя так оно и есть. Винченцо и Октавия, самые лучшие ее дети, — и оба несчастливы. Как же так? Почему Лоренцо и Джино, два негодника, лживо ухмыляются ей и, радостно скалясь, живут своим умом? Где же Бог, где справедливость? О, их тоже ждет мука — разве они непобедимы? Дурные люди тоже подчиняются судьбе. И все-таки они — ее дети, и те мерзавки, которые нашептывают, что ее Лоренцо — вор и убийца, конечно же, грешат против Господа.

Нет, Лоренцо никогда не быть настоящим мужчиной, в отличие от отцов семейств с Десятой авеню, бывших крестьян, в отличие от ее отца: вот кто — настоящие мужья, защитники детей, кормильцы, творцы собственного мира, смиренно принимающие жизнь и судьбу, превращающиеся в камни, в скалу, на которую опирается семья. Ее сыновьям никогда не бывать такими мужчинами. Впрочем, с Лоренцо покончено: она исполнила свой долг, и он перестал быть частью ее жизни.

В тени, в сокровенных глубинах ее сна притаилось невидимое чудовище. Лючии Санте хотелось проснуться, прежде чем она разглядит его. Она знала, что дремлет, сидя в темноте у кухонного стола, — но ей казалось, что она уже подхватила свой стул без спинки и спускается теперь по лестнице вниз. Она снова уткнулась головой в прохладную клеенку. Чудовище выступило из тени и приняло угрожающие очертания.

«Вылитый отец!» Этими словами она всегда встречала неповиновение самого любимого из всех своих сыновей. Укоризненный взор Джино будет провожать ее до самой двери. Однако он никогда не держал на нее зла. На следующий день после стычки он всегда вел себя так, словно ничего не произошло.

Разве это не проклятие? У него те же голубые глаза, мерцающие в темноте, то же худое средиземноморское лицо; у него тот же отрешенный вид, то же нежелание говорить, такое же наплевательское отношение к тревогам самых близких людей. Он — ее враг, подобно тому, как был ее врагом его отец; она мстительно перечисляла все его преступления: он обращается с ней, как с чужой, он никогда не слушается ее приказаний. Он оскорбляет ее и всю семью. Но ничего, он еще всему научится, ведь он — ее сын; она позаботится, чтобы сама жизнь научила его уму-разуму. По какому праву он резвится на улице по ночам и весь день напролет носится по парку, пока его брат Винченцо в поте лица зарабатывает на хлеб? Ему уже скоро восемнадцать; пора ему понять, что он не сможет вечно оставаться ребенком. О, если бы это только было возможно...

В ушах дремлющей Лючии Санты зазвучал смех чудовища. Разве все эти так называемые преступления — не мелочь? Даже в Италии случается, что сыновья находят удовольствие в эгоистической праздности и забвении семейной чести. Другое дело — преступление, в котором она пока ни разу не обвинила его, за которое он еще не поплатился, но за которое не может быть прощения: он отказался взглянуть в лицо родному отцу, прежде чем тот навечно исчез в могиле. И вот сейчас, во сне, она возвысила против него гневный голос, она была близка к тому, чтобы проклясть его, обречь на адские муки...

Кухню залил свет; Лючия Санта наяву различила шаги на лестнице и поняла, что очнется, так и не провозгласив вечного проклятия. Она облегченно приподняла голову. Над ней стояла ее дочь Октавия. Значит, она не произнесла страшного проклятия в адрес Джино и не обрекла его на вечные адские муки.

— Ма! — с улыбкой воскликнула Октавия. — Ты так стонала, что я слышала тебя еще со второго этажа!

Лючия Санта вздохнула и пробормотала:

— Свари кофе. Хотя бы сегодняшний вечер я проведу у себя дома, как встарь.

Сколько вечеров они провели в этой кухне вдвоем? Наверняка не одну тысячу.

Через окошко под потолком до них всегда доносилось мерное дыхание младших детей. Джино с ранних лет был беспокойным ребенком, он еще малышом норовил спрятаться между изогнутыми ножками кухонного стола. Как хорошо знает Октавия эту квартиру! Вот гладильная доска, притаившаяся в углу у окна; вот огромный радиоприемник, напоминающий очертаниями католический собор; вот буфет с ящиками для столовых приборов, кухонных полотенец, пуговиц, лоскутьев для заплат.

В такой комнате можно было и жить, и работать, и есть. Октавии ее очень не хватало. В ее чистенькой квартирке в Бронксе стол был фарфоровым, стулья — хромированными. Раковина была белоснежной, под стать стенам. Здесь же была гуща жизни. После трапезы кухня напоминала поле боя — столько здесь было обгоревших кастрюль и липких от оливкового масла и соуса для спагетти блюд, грязных тарелок же хватило бы, чтобы битком набить ванну.

Лючия Санта сидела без движения, и все ее лицо и поза говорили о небывалом истощении духа. Октавия видела мать такой и в детстве, и тогда ее душа испуганно трепетала, но со временем опыт научил ее, что наступит утро — и мать воспрянет духом, словно родится заново.

Желая сделать ей приятное, Октавия участливо спросила:

— Ма, ты нехорошо себя чувствуешь? Может быть, привести доктора Барбато?

Лючия Санта ответила ей с наигранной горечью:

— Моя болезнь — это мои дети, это сама моя жизнь.

Однако, едва заговорив, она оживилась. Лицо ее покрылось румянцем.

— Вот чего мне не хватает! — улыбнулась Октавия. — Твоих проклятий!

— Тебя я никогда не проклинала, — вздохнула Лючия Санта. — Ты была лучшей из всех моих детей. О, если бы и остальные безобразники вели себя так же, как ты!

Сентиментальные нотки в тоне матери встревожили Октавию.

— Ма, вечно ты говоришь так, словно они из рук вон плохи! А ведь Ларри каждую неделю дает тебе денег. Винни отдает тебе конверт с получкой, даже не вскрывая его. Джино и младшие не попадают в истории. Какого же рожна тебе еще надо, черт побери?

Лючия Санта выпрямилась, от недавней усталости мигом не осталось и следа. Голос ее окреп, она была готова к ссоре, которая на самом деле будет всего лишь оживленной беседой — подлинной усладой ее жизни. Она засмеялась по-итальянски — а язык этот прекрасно приспособлен к насмешке:

— Лоренцо, мой старший сын! Он дает мне десять долларов в неделю — мне, родной матери, которая кормит сирот — его младших братьев и сестру! Остальное — все состояние, которое он загребает в этом своем союзе, — у него уходит на шлюх. В конце концов его несчастная жена прикончит его прямо в постели! Я и слова не скажу ей в осуждение в суде.

Октавия закатилась счастливым смехом.

— Твой любимчик Лоренцо? Ма, какая же ты обманщица! Вот посмотрим: стоит ему заявиться сегодня со своими десятью долларами и лживыми речами — и ты примешь его, как короля! Прямо как эти сопливые потаскушки, помирающие по его деньгам!

Лючия Санта рассеянно бросила по-итальянски:

— Я-то думала, что при муже ты прикусишь свой нечестивый язык!

Октавия залилась краской. Лючия Санта осталась довольна. Вульгарность дочери-американки всегда была поверхностной; она, мать, настоящая итальянка, умела при необходимости завернуть и что-нибудь позаковыристее.

Послышались шаги, и в кухне появился заспанный Винни в одних трусах и майке. Он превратился в невысокого, сухощавого молодого человека, без фунта лишнего веса, отчего казался даже костлявым и неуклюжим. Его смуглое лицо выглядело нездоровым; на щеках росла густая щетина. Острые скулы, большой рот и крупный нос придавали бы его облику излишнюю суровость, если бы не его широко расставленные темные глаза, беззащитные, застенчивые и не привыкшие улыбаться. Октавию больше всего удручало то, что он очень изменился характером. Раньше он был ласков и радушен, причем без капли лицемерия. Теперь же, оставаясь по-прежнему послушным сыном и проявляя учтивость к чужим, он стал каким-то язвительным и насмешливым. Октавия предпочла бы, чтобы он просто послал всех куда подальше. Она тревожилась за него и одновременно злилась. Он не мог не разочаровывать. Она угрюмо усмехнулась. Разве все они внушают что-то еще, кроме разочарования? Она вспомнила своего мужа, в одиночестве читающего и чиркающего ручкой в квартире в Бронксе, поджидая ее.

Винни бурчал в сонном раздражении по-мужски густым и одновременно по-детски срывающимся голосом:

— Ма, чего же ты меня не разбудила? Я же говорил, что мне надо будет уйти. Если бы мне надо было идти на работу, ты бы уж точно подняла меня вовремя!

— Она задремала, только и всего! — одернула его Октавия. — Тоже мне удовольствие — только и заботиться о вас, неблагодарных!

Лючия Санта повернулась к Октавии.

— Зачем ты на него набрасываешься? Он всю неделю вкалывает. Часто ли он видится с сестрой? А ты его бранишь. Пойди, присядь, Винченцо, хлебни кофейку и перекуси. Давай, сынок, — вдруг у сестры найдется для тебя ласковое словечко?

— Сколько фальши, ма! — не выдержала Октавия. Но тут она увидела в лице Винни нечто такое, что заставило ее прикусить язык. Сперва, пока мать отчитывала Октавию, Винни выглядел довольным и каким-то униженно-признательным за заступничество, но когда Октавия засмеялась, он внезапно понял, что мать к нему подлизывается. Он сперва усмехнулся при мысли, что его так легко приструнить, а потом засмеялся громче, потешаясь вместе с Октавией над матерью и над собой. Они попили кофе и поболтали с фамильярностью, знакомой дружным семьям, которая не дает им уставать друг от друга, независимо от того, занимательна ли тема разговора.

Октавия наблюдала, как замкнутое лицо Винни разглаживается и успокаивается, и вспоминала его былую жизнерадостность. Он встречал рассказы Октавии о ее работе в магазине улыбкой и даже смехом, и сам отпускал шуточки насчет своей работы в депо. Октавия поняла, что брат скучает по ней, что ее замужество нарушило жизненный ритм семьи — и чего ради? О, теперь-то она знала, ради чего! Она внимала зову плоти, тело ее познало страсть, и, обретя ее, она не могла бы снова от нее отказаться — и все же это не было счастьем.

Нет, с мужем она не была так же счастлива, как сейчас, когда ей удавалось прогнать тень одиночества и страдания с лица младшего брата, поднятого с постели и не успевшего прикрыться щитом безразличия. Ей всегда хотелось много сделать для него, но она так ничего и не сделала — что же ей помешало? Зов плоти, которому она была вынуждена повиноваться. Она нашла ласкового мужа, который помог ей преодолеть былые страхи. У них не будет детей, и благодаря этой и другим элементарным предосторожностям, оберегающим от произвола судьбы, они с мужем преодолеют бедность и обретут лучшую жизнь. Настанет день, когда она все-таки узнает, что такое счастье.

Винни оделся, и Лючия Санта и Октавия залюбовались им с особым чувством, всегда испытываемым в семье женщинами к младшим мужчинам. Обе воображали, как он пройдется по улице, разгоняя девчонок палкой. Они не сомневались, что ему предстоит приятный вечер, полный развлечений, в кругу друзей, которые наверняка восхищаются им, боготворят его, ибо он — кому, как не им, матери и сестре, знать это! — по-настоящему достоин восхищения и обожания.

Винни надел голубой костюм и тонкий шелковый галстук в красную и белую полоску. Он намочил и гладко расчесал на симметричный пробор свои черные волосы.

— Кто же твоя девушка, Винни? — поддела его Октавия. — Почему ты не приводишь ее домой?

Мать без лишней суровости, а наоборот, с американской светскостью, поощряющей шутку, подхватила:

— Надеюсь, ты нашел себе хорошую итальянскую девушку, а не ирландскую шлюху с Девятой авеню.

Глядя в зеркало, Винни удивился своей самодовольной улыбке, словно у него на счету набралась уже дюжина девушек. Повязывая галстук и дивясь своей лживой улыбке, он только огорчился и помрачнел. Он давно привык к семейной лести, к замечаниям вроде «Он — тихоня, а в тихом омуте черти водятся; за ним нужен глаз да глаз; одному Богу известно, сколько девушек он покорил в соседнем квартале». Слыша их похвалы, ему трудно было удержаться от бессмысленной ухмылки; но откуда у них эта уверенность?

Господи, да ведь он работает с четырех вечера до полуночи, со вторника по воскресенье. Где же ему видеться с девушками? Он не знаком даже с парнями собственного возраста, а только с мужчинами старше его, с которыми работает уже четыре года в грузовой конторе. Он заторопился прочь, грубо хлопнув за собой дверью.

Лючия Санта тяжело вздохнула:

— Куда это он так поздно? С кем он якшается? Чем они там занимаются? Им наверняка помыкают другие — он такая невинная овечка!

Октавия уселась поудобнее. Ей недоставало книги перед глазами; жаль, что на другом конце квартиры ее больше не ждет своя постель. Но там, далеко, в их чистенькой квартире в Бронксе, муж не уснет, пока она не вернется. Он станет читать и чиркать ручкой в уютной гостиной с застеленным ковром полом, под абажуром, чтобы потом встретить ее с любящей, но одновременно снисходительной улыбкой: «Ну что, хорошо посидела с семьей?» и поцеловать ее с мягкой грустью, делавшей их чужими друг другу.

Лючия Санта сказала:

— Ты бы не засиживалась. Не хватало только, чтобы ты ездила в подземке в поздний час, когда туда набиваются все убийцы.

— У меня еще полно времени, — успокоила ее Октавия. — Я переживаю за тебя. Может быть, мне остаться на пару дней, чтобы ты отдохнула от детей?

Лючия Санта пожала плечами.

— Позаботься лучше о муже, иначе станешь вдовой — тогда узнаешь, что довелось пережить твоей матери.

— Тогда я просто опять переберусь к тебе, — беззаботно ответила Октавия. Однако, к ее удивлению, Лючия Санта устремила на нее угрюмый вопрошающий взгляд, словно не поняв шутки. Она покраснела.

Видя, что задела чувства дочери, мать стала оправдываться:

— Ты разбудила меня в неудачное время. Я во сне как раз собралась проклясть своего чертова сынка — наверное, мне и впрямь следовало бы его проклясть.

— Ма, забудь ты об этом! — безмятежно посоветовала Октавия.

— Никогда не забуду! — Лючия Санта прикрыла глаза ладонью. — Если есть на небе Бог, не избежать ему кары. — Она потупилась и снова стала казаться бесконечно утомленной. — Отца засыпали землей, а его старший сын не пролил ни слезинки! — Ее голос звенел гневом. — Значит, Фрэнк Корбо жил на этой земле зря, напрасно страдал и обречен корчиться в аду. А ты еще заставила меня впустить Джино домой без взбучки, даже без словечка осуждения... Его никогда не беспокоили наши чувства. Я-то думала, что с ним случилось что-то страшное, что он спятил, как его папаша. А он как ни в чем не бывало заявляется и даже отказывается давать объяснения! Я сдержала гнев, но он душил и душит меня! Что он за зверь, что за чудовище? Заставляет мир презирать его отца и его самого, а потом смеет возвращаться, есть, пить, спать без малейшего стыда! Он мне сын, но в своих снах я проклинаю его и вижу мертвым в отцовском гробу!..

— К черту! К черту!!! — заорала Октавия. — Я была на похоронах, хотя и ненавидела его. Что же из того? Ты была на похоронах, но не выдавила и слезинки. За целый год перед его смертью ты ни разу не навестила его в больнице.

Эти слова успокоили обеих. Они ухватились за кофейные чашки.

— Джино возьмется за ум, — сказала Октавия. — У него хорошая голова. Может быть, из него еще выйдет толк.

Лючия Санта презрительно усмехнулась.

— Да уж, толк: лодырь, преступник, убийца! Но я точно знаю, кем ему ни за что не быть: мужчиной, приносящим домой деньги, заработанные честным трудом.

— А-а, вот почему ты бесишься — потому что Джино не работает после школы! Потому что он — единственный, кем тебе не удается помыкать.

— Кто же должен им помыкать, если не родная матушка? — подбоченилась Лючия Санта. — Или ты полагаешь, что у него никогда не будет босса? И он надеется на то же самое. Неужто он всю жизнь будет есть бесплатно? Не выйдет! Что с ним станет, когда он узнает, что такое жизнь, как она трудна? У него слишком большие ожидания, он получает от жизни слишком много удовольствий! Я тоже была такой в его возрасте — и потом страдала. Я хочу, чтобы он научился жизни от меня, а не от чужих людей.

— Ничего не получится, ма. — Октавия помялась. — Посмотри на своего любимчика Ларри: сколько ты с ним возилась — а он теперь без пяти минут гангстер, собирающий деньги для своего дутого профсоюза.

— О чем ты? — Лючия Санта презрительно отмахнулась. — Я не могла даже заставить его поколотить младших братьев — до того он был малодушный.

Октавия покачала головой и медленно произнесла, не скрывая удивления:

— Ма, иногда ты бываешь очень проницательной. Откуда же такая слепота?

Лючия Санта рассеянно отхлебнула кофе.

— Ладно, он теперь не имеет отношения к моей жизни. — Она не увидела, как Октавия поспешно отвернулась, и продолжала: — Джино — вот кто не выходит у меня из головы. Ты только послушай: ему дают прекрасное место в аптеке, но он вылетает оттуда через два дня. Два дня! Другие люди держатся за место по сорок лет, а мой сын — два дня!

— Он сам ушел или его выставили? — со смехом спросила Октавия.

— Ты находишь в этом что-то смешное? — осведомилась Лючия Санта на вежливейшем итальянском, свидетельствовавшем о крайнем огорчении. — Да его выбросили! В первый день он, отучившись, остался поиграть в футбол и только потом изволил явиться на работу. Наверняка надеялся, что магазин закроется еще до того, как он там появится, — этакий дурень! Наверное, он вообразил, что padrone пожертвует ради него своей торговлей. Конечно, нашего славного Джино не продержали там и недели!

— Я с ним поговорю, — решила Октавия. — Когда он возвращается домой?

Лючия Санта в очередной раз пожала плечами.

— Кто его знает? Король приходит и уходит, когда ему вздумается. Ты мне вот что скажи: о чем эти сопляки болтают до трех часов ночи? Я выглядываю из окошка и вижу его на ступеньках: они все болтают и болтают, хуже старух.

— Вот уж не знаю, — вздохнула Октавия и засобиралась.

Лючия Санта сама убрала со стола чашки. Мать и дочь не обнялись и не поцеловались на прощанье. Можно было подумать, что дочь уходит в гости и скоро вернется. Мать, подойдя к окну, провожала ее взглядом, пока она не свернула с Десятой авеню, направившись к входу в метро.

ГЛАВА 19

В понедельник вечером Винни Ангелуцци отдыхал от железной дороги. В этот вечер он вознаграждал свою плоть за нищую жизнь.

Подтрунивание матери и сестры смутило его, потому что на самом деле он собирался отдать кровные пять долларов за простые и эффективные услуги продажной женщины. Он стыдился этого, как свидетельства жизненной неудачи. Он помнил, с какой невольной гордостью мать упрекала Ларри за шашни с девчонками. Мать и Октавия отвернулись бы от него в отвращении, узнай они, чем он собирается заняться.

Винни выходил на работу в четырехчасовую смену с тех самых пор, как бросил, недоучившись, школу. Он никогда не бывал на вечеринке, ни разу не целовался с девушкой, ни разу не разговаривал с девушкой в тишине летней ночи. Его выходной неизменно приходился на понедельник, а в понедельник вечером делать совершенно нечего. В довершение зол он был застенчив.

Вот почему Винни согласился на эту жалкую, но честную замену — респектабельный публичный дом, рекомендованный старшим клерком грузовой конторы, который заботился о том, чтобы его подчиненные не ошивались по барам, становясь добычей вконец опустившихся шлюх. Иногда старший клерк составлял молодежи компанию.

Ради такого случая все клерки наряжались по-праздничному, словно их ждала встреча с будущим нанимателем. Все надевали костюмы, галстуки, шляпы и плащи — форменную одежду выходного, седьмого дня недели, когда наступает время порадовать душу. Винни вечно дразнили гангстером из-за его черной шляпы, хотя он был моложе остальных. Местом встречи был бар «Даймонд Джим», где подавали «хот доги», сандвичи с горячей жареной говядиной и холодное мясо, не отличающиеся цветом от цвета лица старшего клерка. Церемония требовала, чтобы каждый заказал виски, и кто-нибудь из клерков то и дело повелительно провозглашал: «Сейчас моя очередь» и выкладывал деньги на стойку. Дождавшись, пока каждый из присутствующих угостит коллег, они высыпали на Сорок вторую стрит, в неоновые сполохи кинотеатров, протянувшихся бесконечными рядами по обеим сторонам улицы. К этому часу шатающихся по тротуарам становилось такое множество, что им приходилось прикладывать немало усилий, чтобы не потерять друг друга, будто потерявшийся будет унесен волнами и уже не найдет остальных. Вдоль Сорок второй их приветствовали огромные фанерные красотки, чья нагота, подсвеченная электричеством, выглядела особенно непристойно.

Их целью был чинный четырехэтажный отель, скрывающийся за сполохами холодной фанерной плоти. Войдя, они направлялись прямиком к лифту. Им не приходилось пересекать холл, поскольку они пользовались входом, предназначенным только для таких посетителей, как они. Лифтер подмигивал им — серьезно, по-деловому, вовсе не намекая на фривольную цель посетителей, — и вез их на верхний этаж. Здесь лифтер выпускал клиентов в застланный коврами холл и совсем по-домашнему, не закрывая лифта, стучался в одну из дверей и произносил пароль; клиенты заходили в комнату, ежась под пристальным взглядом лифтера.

Теперь они толпились в гостиной двухкомнатного номера, уставленной кожаными креслами. В одном из кресел неизменно сидел ожидающий своей очереди посетитель. В кухонном закутке пряталась почти невидимая особа, попивающая кофе и распоряжающаяся людским потоком. Кроме того, в ее ведении находился буфет с бутылками виски и рюмками. Любой, испытывающий жажду, мог подойти к ней и выложить доллар, однако все обыкновенно происходило так быстро, что для этого не оставалось времени. Женщина почти не общалась с клиентами и выступала здесь скорее надзирательницей, чем барменшей.

Винни всегда помнил ее внешность и никогда — внешность девушек, трудившихся в спальнях. Она была мала ростом и имела тяжелую шапку коротких черных волос: угадать ее возраст было невозможно, но, надо полагать, она была уже стара для работы в спальне. Кроме того, у нее был совершенно нечеловеческий голос и лицо.

Голос ее был страшно хриплым, как часто бывает у проституток, словно потоки заразного семени, вливающиеся в их чрево, вредят и голосовым связкам. Чтобы произнести слово, ей требовалось немалое усилие воли. Черты ее лица, с точки зрения юного Винни, были маской порока. Бесформенные губы были плотно сжаты и почти никогда не открывали отвратительных зубов. Щеки и челюсти у нее были широкими и обвисшими, как у горюющей вдовы, погруженной в траур, нос же был сплющен не природой, а какими-то иными, неведомыми силами; черные бездушные глазки походили на два уголька. Кроме того, каждое ее слово, каждый жест свидетельствовали не о ненависти или презрении к миру, а просто о том, что она более не чувствует ничего и ни к кому. Она была совершенно беспола. Проскальзывая мимо клиента, она поводила в стороны бессмысленными глазами, как акула. Однажды она проходила мимо Винни, и он отпрянул, словно она была способна откусить кусок от его тела. Стоило выйти из спальни очередному клиенту, как она указывала на следующего, однако перед этим успевала заглянуть в спальню и прокаркать: «О'кей, девочка?» При звуке этого голоса у Винни застывала в жилах кровь.

Однако молодость брала свое. Оказавшись в спальне, он снова чувствовал себя разгоряченным. Он почти не глядел на раскрашенное лицо очередной утешительницы и вряд ли смог бы отличить одну от другой. Особа эта, чаще блондинка, перемещалась в золотом круге, отбрасываемом лампой с тяжелым абажуром, и краска на ее лице, казалось, отражает свет; Винни всякий раз видел только ярко-красный рот, длинный бледный нос, поблескивающий сквозь пудру, впалые, как у призрака, щеки и обведенные черным провалы вместо глаз с зеленым мерцанием на дне.

Последующие события неизменно повергали Винни в смущение: женщина подводила его к низенькому столику в углу комнаты, на котором стоял тазик с теплой водой. Он снимал туфли, носки и брюки, и она после тщательного, подстать врачебному, осмотра совершала омовение его полового органа.

Затем она подводила его к кровати у противоположной стены (на нем оставалась рубашка и галстук; как-то раз, дрожа от страсти, он хотел сбросить и их, но женщина простонала: «Нет, ради Бога, не на всю же ночь...») и, скинув платье, представала пред ним нагой в тусклом свете лампы, горящей у изголовья кровати.

Противоестественно красные соски, круглый живот с жирком, аккуратный треугольник черных волос, колонноподобные бедра, покрытые густым слоем пудры, — все било в одну цель. Стоило проститутке скинуть платье и продемонстрировать свое тело, как кровь приливала к голове Винни с такой силой, что головная боль не проходила у него весь остаток вечера.

Объятие было чистой формальностью и напоминало пантомиму; женщина торопливо опрокидывалась на застеленную покрывалом кровать, увлекая за собой Винни. Оказавшись зажатым ее бедрами, как тисками, он терял самоконтроль. Чувствуя под собой ее горячую плоть, он зажмуривал глаза. Ее тело напоминало теплый, податливый воск, липкое мясо без крови и нервов. Его тело впитывало, как губка, ее тело, его силуэт впечатывался в этот размягченный воск... Мгновение — и он чувствовал себя свободным, исцеленным от одиночества.

Этим все и кончалось. Приятели-клерки дожидались последнего и шли гурьбой в китайский ресторанчик, а потом на сеанс в «Парамаут» или в кегельбан; завершающим аккордом становился стаканчик кофе в автопоилке. Даже заводя постоянных девушек, а то и невест, клерки не отказывались от посещения заветного отеля, но тогда, не успев выйти, торопились к подружкам.

Для Винни это было все равно, что пища, родная постель, получка. Это превратилось в неотъемлемую часть жизни, без которой он не смог бы существовать. Но с течением времени он замечал, что все больше отрывается от окружающего мира и населяющих его существ.

ГЛАВА 20

Куда подевались все подлецы, проклинавшие Америку и американскую мечту? Кто теперь может в ней усомниться? Теперь, когда в Европе разгорелась война, когда англичане, французы, немцы, даже Муссолини миллионами посылают людей на смерть, вдоль западной стены города не осталось ни одного итальянца с пустыми карманами. Страшная Депрессия отошла в прошлое, людям больше не приходится побираться, социальных работников теперь дружно посылают к черту, не пуская на порог. Планы приобретения домов на Лонг-Айленде снова обрели реальность.

Конечно, новое благосостояние опирается на смертоубийство. Новые рабочие места появляются только благодаря войне в Европе. Так ворчали те, кому хотелось неприятностей. В какой другой стране мира люди могут богатеть благодаря невзгодам остального мира?

Выходцы с Юга — из Сицилии, Неаполя, Абруццо, — заселившие Десятую авеню, не переживали за Муссолини и не желали ему победы. Они никогда не любили родину, которая ровным счетом ничего для них не значила. На протяжении долгих веков власти там были худшими врагами их отцов, отцов их отцов и так далее до десятого колена. Богатые там неизменно плевали на бедных. Негодяи из Рима и с Севера всегда пили их кровь. Что за удача — оказаться здесь, в Америке, в полной безопасности!

Недовольна была одна Терезина Коккалитти: в эти благословенные времена она не могла больше записывать сыновей безработными, поэтому ее исключили из списка получателей семейного пособия. Теперь она кралась вдоль стен, как тень, и мешками закупала сахар, десятками банок — жиры, рулонами — ткани. Лючии Санте она загадочно шептала: «Придет день — обязательно придет...» Тут она хваталась за рот и умолкала. Что она хотела этим сказать? Конечно, был объявлен призыв в армию, однако с Десятой авеню пока забрали всего одного юношу. Ничего серьезного до сих пор не произошло.

Лючия Санта была слишком занята, чтобы уделять время словам тетушки Коккалитти. На жителей авеню пролился золотой дождь. Дети, придя из школы, тут же спешили на работу. Сал и Лена работали неполный рабочий день на новой фабрике медикаментов на Девятой авеню. Винни работал семь дней в неделю. Пусть европейцы убивают друг друга на здоровье, раз так им больше нравится. Деревня, где жили родители Лючии Санты, была так мала, а земля так бесплодна, что никому из ее родни не могла грозить опасность.

Один мерзавец Джино отлынивает от работы. Впрочем, и он бездельничает последнее лето. В январе он окончит среднюю школу, и его праздность лишится всякого оправдания. Лючия Санта тщетно упрашивала знакомых найти ему работу: его неизменно выбрасывали за дверь.

Вот, впрочем, дело, которое можно поручить даже этому mascaizone: Винни снова забыл дома сумку с обедом; пусть Джино отнесет ее ему. Лючия Санта загородила Джино дорогу, когда тот, вооружившись бейсбольной битой и нацепив на руку свою чертову акушерскую перчатку, пытался проскочить мимо ее грузной фигуры. Ни дать ни взять князь с тросточкой!

— Отнесешь это брату на работу, — распорядилась она, протягивая ему замасленный бумажный пакет и скрывая усмешку при виде его брезгливой гримасы. Как же он горд — подобно всем тем, кому не приходится проливать пот, зарабатывая на хлеб! Какая неженка!

— Я опаздываю, ма! — буркнул он, не замечая пакета.

— Куда же это, интересно? — нетерпеливо осведомилась Лючия Санта. — Жениться? Положить в банк все заработанное тобой за эту неделю? На встречу с приятелем, обещавшим пристроить тебя на достойное место?

— Ма, Винни может поесть в буфете! — взмолился Джино.

Это уж слишком!

— Твой брат гробит себя ради тебя! — горько упрекнула мать сына. — Он-то никогда не играет и не носится в парке. Ты никогда не приглашаешь его составить тебе компанию — а ведь ему так одиноко! Куда там, ты даже не можешь отнести ему еду! Ты позоришь семью! Иди, играй, околачивайся с дружками! Я сама схожу к нему.

Пристыженный Джино взял у нее пакет. В глазах матери зажегся победный огонек, но ему не было до этого дела: просто ему захотелось хоть что-то сделать для Винни.

Он легко затрусил по Десятой в сторону Тридцать седьмой стрит, а потом по ней — к Одиннадцатой авеню. Ему нравилось, как стремительно движется его тело, рассекая жаркое летнее марево. В детстве он совершал гигантские прыжки, чтобы удостовериться, может ли он летать — ему казалось, что это возможно; теперь то время прошло. У самого здания конторы он подбросил пакет высоко в воздух и тут же развил бешеную скорость, чтобы поймать пакет, прежде чем он ударится о тротуар.

Он медленно ехал на последний этаж в забранном решетками лифте, вдыхая крысиную вонь. Лифтер в пыльной серой форме с какими-то желтыми червяками в петлицах распахнул перед ним дверь с загадочной презрительностью, с какой относятся к юношам многие взрослые, и Джино оказался в зале, занявшем весь этаж.

Зрелище напоминало кошмар — такой видится тюрьма человеку, который не сомневается, что в конце концов окажется в неволе. Зал был заставлен рядами столов, на которых лязгали печатные машинки, выстреливавшие целые мили погрузочно-разгрузочных накладных. Клерки, склонившиеся над машинками, были все как один в пиджаках, белых рубашках и галстуках с ослабленными узлами. Все они были старше Винни годами и работали, как метеоры. Машинки тарахтели, как одержимые. На каждом столе стояло по желтой лампе; остальной зал был погружен в темноту, свет горел только над длинным стеллажом, заваленным отпечатанными бланками. Вдоль этого стеллажа перемещался скрюченный, тощий человечек с устрашающе серой физиономией. В зале не было слышно человеческих голосов, снаружи не просачивалось ни единого лучика света. Казалось, все эти люди заперты в небывалой гробнице, громоздящейся над путями, по которым грохочут бесчисленные товарные составы. Джино долго крутил головой, прежде чем заметил Винни.

Винни был тут единственным, на ком не оказалось пиджака; кроме того, на нем была цветная рубашка, которую можно носить несколько дней, не меняя. Его кудрявые черные волосы казались влажными в желтом свете лампы на стальной ножке. Джино видел, что брат работает медленнее остальных, хотя лицо его выражало крайнюю степень сосредоточенности. Прочие клерки, напротив, напоминали сомнамбул.

Неожиданно Винни поднял глаза, без всякого выражения скользнул взглядом по Джино и зажег сигарету. Джино удивился: оказывается, Винни не видит ни его, ни других сидельцев в зале; Джино стоял в темноте, вне желтого мирка у стола брата. Он обогнул несколько столов и подошел к Винни. Клерки приподнимали головы, когда он проходил мимо, словно он затмевал им солнце. Винни снова поднял глаза.

На его лице отпечаталась такая радость, что у Джино защемило сердце. Улыбка Винни была необыкновенно радушной, как когда-то, в детстве. Джино прицелился и метнул в него бумажным пакетом. Винни ловко подхватил пакет. Джино неуверенно остановился у его стола.

— Спасибо, братишка, — сказал Винни. Ближайшие клерки прервали работу, и Винни сказал им:

— Это мой младший брат Джино.

Джино покоробила гордость, с которой Винни произнес эти слова. Двое клерков отозвались, окинув его холодными оценивающими взглядами:

— Привет, парень!

Джино стало стыдно своих спортивных штанов и белой майки, он почувствовал себя глупо, словно явился в легкомысленном наряде на собрание серьезных мужей. Тут подал голос censored серолицый:

— Эй, ребята, пошевеливайтесь, не то отстанете.

После этого он приковылял к Винни и вручил ему пачку счетов. Он походил на старую исхудавшую крысу.

— Ты задерживаешься, Винни, — пожурил он его.

Винни нервозно бросил в удаляющуюся спину:

— Наверстаю в перерыве.

Джино собрался уходить. Винни встал и вышел из своего желтого круга, чтобы проводить брата до лифта. Они ждали, слушая, как скрипят стальные тросы и дребезжит ползущая вверх кабина.

— Ты можешь срезать, если пройдешь через сортировочную станцию, — посоветовал ему Винни. — Только будь осторожен, следи за локомотивами. — Он положил руку Джино на плечо. — Спасибо за ланч. Ты играешь в субботу?

— Ага, — откликнулся Джино. Лифт полз наверх еле-еле. Ему не терпелось унести отсюда ноги. Он видел, как озабоченно оглядывается Винни на тарахтящие машинки; через секунду старший брат вздрогнул, увидев, как серая крыса подслеповато вглядывается в потемки, пытаясь высмотреть их у лифта.

— Если успею встать, приду посмотреть, — пообещал Винни. Тут с ними поравнялся лифт. Стальные двери распахнулись, Джино сделал шаг вперед. Начался томительно-медленный спуск. От запаха плесени, крыс и старых испражнений у Джино подступила тошнота к горлу. Выйдя на волю, он задрал голову, наслаждаясь теплыми лимонными лучами сентябрьского солнца. Он радовался свободе.

Он больше не вспоминал Винни, а припустился бегом через сортировочную станцию — необъятное поле разбегающихся во все стороны серебристых рельс, которые то и дело сходились, чтобы снова разойтись. Он согнул правую руку, словно сжимая мяч, и стал еще быстрее перепрыгивать со шпалы на шпалу, стараясь не касаться рельсов, которые, смыкаясь, грозили поймать его ногу в западню. Он ловко уворачивался от черных мастодонтов-паровозов, отпрыгивая то вправо, то влево и все больше набирая скорость. За его спиной раздался свисток, и Джино пустился наперегонки с паровозом; через несколько минут машинист, окинув его безразличным взглядом, пришпорил своего мастодонта, который загрохотал еще оглушительнее и обогнал Джино. Когда соперник замер поблизости от гурта коричневых и желтых товарных вагонов, Джино тоже остановился, с трудом переводя дыхание. Его белая майка намокла от пота, он чувствовал, что его мучают голод и жажда, но зато он обрел прежнюю силу и свежесть. Он снова припустился бегом и в конце концов выскочил с территории сортировочной станции неподалеку от Челси-парка. Здесь его уже поджидали приятели, пинавшие мяч.

ГЛАВА 21

Спустя неделю Лючия Санта, проснувшись поутру, почувствовала смутную тревогу. Сал с Леной все еще нежились в постелях. На рассвете Лючия Санта слышала, как вернулся домой Джино: она знала, как беспечно и шумно он раздевается. Прихода же Винни она так и не расслышала. Потом она припомнила, что в понедельник у него выходной, и в этот день он иногда является даже позже, чем Джино.

Зная, что никто не может проникнуть в квартиру так, чтобы ей не стало известно об этом, она все же заглянула в комнату Винни. Теперь он спал в прежней спальне Октавии, единственной комнате во всей квартире с закрывающейся дверью. Кровать осталась нетронутой, однако Лючия Санта не торопилась начинать волноваться по-настоящему. Позже, отослав детей в школу, она облокотилась о лежащую на подоконнике подушку и принялась ждать, когда сын появится на авеню. Время шло; когда через мостовую потянулись железнодорожники, торопящиеся домой на обед, она смекнула, что наступил полдень. Тут уж она забеспокоилась не на шутку. Облачившись в толстый вязаный жакет, она спустилась к Лоренцо.

Она знала, что старший сын всегда пребывает с утра в дурном настроении, однако слишком нервничала, чтобы ждать и дальше. Она застала Ларри с чашкой кофе; из-под старенькой майки выбивались густые черные волосы, покрывающие всю его грудь. Прихлебывая кофе, он, не скрывая раздражения, отрезал:

— Ма, он больше не дитя, Господи Боже мой! Наверное, где-то задержался, и было уже поздно возвращаться. Вот проспится — и пожалует домой как миленький.

— Вдруг с ним что-то случилось? — продолжала тревожиться Лючия Санта. — Как мы узнаем об этом?

— Не беспокойся, полицейские повсюду суют нос, — сухо ответил Ларри.

Луиза налила матери кофе. На ее отяжелевшее, но все еще красивое лицо, обычно безмятежное, тоже легла тень волнения. Она симпатизировала Винни, поскольку знала его лучше, чем кто-либо еще, исключая мать, и тоже отказывалась воспринимать его отсутствие как нормальное явление.

— Пожалуйста, Ларри, поезжай и попробуй разузнать о нем, — обратилась она к мужу.

Слышать от нее такое было настолько необычно, что Ларри сдался. Он погладил мать по плечу.

— Я загляну к Винни в контору, ладно, ма? Дай только допью кофе.

Лючии Санте пришлось возвратиться наверх и ждать там, сгорая от беспокойства.

К трем часам из школы вернулись Джино и младшие, а Ларри все не было. Мать попыталась задержать Джино дома, чтобы не так убиваться, но тот так ничего и не понял и улизнул с мячом, ни о чем не спросив. Сал и Лена делали уроки, примостившись у круглого кухонного стола, и мать дала им по бутерброду с оливковым маслом и уксусом. Наконец в пять вечера вернулся Ларри: Винни нет на работе, о нем никто ничего не слышал. Она видела, что теперь и Ларри встревожен; она принялась заламывать руки и взывать по-итальянски к Господу.

Луиза поднялась к матери вместе с детьми и попыталась ее успокоить. В суматохе никто не расслышал прозвучавших на лестнице шагов. Внезапно в дверном проеме вырос черный силуэт железнодорожного «быка», позади которого маячил посеревший Panettiere. Последний шагнул вперед, словно не желая, чтобы Лючия Санта увидела «быка» и расслышала его слова, и инстинктивно поднял вверх обе руки, ладонями к Лючии Санте; в его жесте было столько невысказанной скорби, что Лючия Санта утратила дар речи. Первой заголосила Луиза.

Джино как ни в чем не бывало сидел на крыльце Гудзоновой Гильдии вместе с друзьями, когда к нему подошел Джои Бианко. Джои сказал:

— Шел бы ты домой, Джино, у вас там большой переполох.

Теперь Джино редко виделся с Джои. Они переросли

былое приятельство, как часто бывает с детьми, и теперь чувствовали в обществе друг друга смущение. Джино не стал окликать Джои, когда тот продолжил путь, и не спросил его, в чем, собственно, дело. Сперва он даже не хотел идти домой, но потом все-таки решил взглянуть, что там еще стряслось.

Он пересек Челси-парк по диагонали и легко побежал по Десятой авеню. От угла Тридцатой стрит он увидел перед своим крыльцом большую толпу и перешел на медленный шаг.

В толпе не оказалось ни одного родного лица. Джино бегом преодолел лестницу и ворвался в квартиру. Она была забита соседями. У окна в углу стояли Сал с Леной, одинокие и побелевшие от страха. Толпа расступилась, и взору Джино предстала мать, усаженная на стул. Над ней возвышался доктор Барбато, держащий наготове шприц. Ларри крепко обнимал мать обеими руками, не давая ей биться в конвульсиях.

Вид матери был ужасен: казалось, порвались все мускулы ее лица, которое утратило какое-либо выражение. Рот ее странно кривился, словно она хотела что-то сказать. Глаза ее уставились в одну точку, как у слепой. Внезапно она сделала резкое движение, словно собираясь соскочить со стула, но тут доктор Барбато нанес ей удар шприцем в руку и стал ждать последствий.

Черты лица Лючии Санты постепенно разгладились, приобретая выражение покоя. Веки ее закрылись, тело расслабилось.

— Отнесите ее на кровать, — распорядился доктор Барбато. — Пусть поспит часок. Позовите меня, когда она проснется.

Ларри и несколько женщин понесли мать в спальню. Джино обнаружил, что стоит рядом с Терезиной Коккалитти. Он впервые в жизни заговорил с ней — тихим, почти неслышным голосом:

— Что случилось с матерью?

Тетушка Терезина была рада удовлетворить его любопытство: хоть в чем-то она наведет порядок в этот несчастливый день.

— О, с матерью ничего не случилось, — произнесла она, взвешивая каждое слово. — А вот твоего брата Винченцо нашли на сортировочной станции — его переехал паровоз. Что до твоей матери, то так всегда бывает с родителями, оплакивающими детей. Пожалел бы ее хоть сейчас!

Джино навсегда запомнил выражение ненависти на ее черном, ястребином лице; ему было не суждено забыть, как мало горя доставила ему смерть брата и каково было его удивление, что кто-то, даже мать, способен так убиваться.

Выйдя из спальни, Ларри подозвал Джино. Они вместе спустились по лестнице и залезли в машину Ларри. Опускались сумерки; они доехали до угла Тридцать шестой стрит и Девятой авеню, где остановились у дома из бурого камня. Ларри впервые обратился к Джино:

— Ступай на третий этаж и вызови Левшу Фея. Я хочу с ним поговорить. — Но тут на ступеньках крыльца появилась мужская фигура, и Ларри, опустив стекло, позвал: — Эй, Левша! — Обращаясь к Джино, он приказал: — Пусть сядет на твое место. Лезь назад.

Левша Фей был высоким, широкоплечим ирландцем; Джино помнил, что они выросли с Ларри вместе и что Фей был единственным, кто мог победить Ларри в кулачной схватке. Пока мужчины прикуривали, Джино перебирался на заднее сиденье. Жестокие слова тетушки Терезины до сих пор оставались для него набором слов. Он еще не почувствовал, что Винни не стало.

Голос Ларри прозвучал в темноте вполне спокойно, хоть и устало:

— Боже, какой плохой сегодня день — для всех!

— Это точно, — вздохнул Левша Фей. Его голос был грубым от рождения, но сейчас в нем прозвучала неподдельная печаль. — Я вышел опрокинуть рюмочку. За ужином мне кусок не лез в горло.

— Как же получилось, что ты не знал, что твой паровоз сбил именно моего брата? — В голосе Ларри не было слышно осуждения, но Левша Фей взвился:

— Боже, Ларри, в чем ты меня обвиняешь? Это произошло в самой глубине сортировочной станции, недалеко от Сорок второй стрит... — Ларри ничего не ответил, и Фей заговорил спокойнее: — Я видел его только ребенком, когда мы с тобой были приятелями. С тех пор он здорово изменился. У него не было никаких документов.

— Да не обвиняю я тебя... — Голос Ларри был очень

усталым. — Но «бык» говорит, будто ты написал в докладной, что мой брат прыгнул тебе под самые колеса. Как же так?

Джино замер в темноте, дожидаясь ответа Фея. Молчание затянулось. Наконец зазвучал грубый голос — но уже совсем по-иному:

— Ларри, клянусь Господом, так мне в тот момент показалось! Если бы я знал, что это твой брат, я бы ни за что не написал этих слов. Но так мне показалось!

Теперь Джино расслышал в тоне брата напор.

— Брось, Левша! — процедил он сквозь зубы. — Ты же знаешь, что мой брат Винни никогда бы не сделал ничего подобного. Еще ребенком он пугался даже собственной тени. Может, он был выпивши или просто растерялся? Словом, ты еще можешь переделать докладную.

— Не могу, Ларри! — торопливо ответил Фей. — Ты же знаешь, что не могу! Иначе копы примутся за меня как следует. Я мигом лишусь работы.

Ларри безапелляционно произнес:

— Я гарантирую тебе работу.

Ответа не последовало.

Ларри поднажал:

— Левша, я знаю, что ты не прав. Если ты оставишь все как есть, знаешь, что случится с моей матерью? Она лишится рассудка! Она кормила тебя, когда мы были мальчишками. Неужели ты так поступишь с ней?

Голос Фея дрогнул.

— Я тоже забочусь о жене и детях. — Ларри ничего не ответил. — Если я изменю текст, то железной дороге, возможно, придется выплачивать твоей матери компенсацию. Значит, они меня наверняка взгреют. Не могу я этого сделать, Ларри! И не проси.

— Получишь половину компенсации, — пообещал Ларри. — И потом, я тебя прошу!

Фей нервно хохотнул.

— Раз ты работаешь на ди Лукка, то считаешь, что можешь меня заставить? — Это прозвучало, почти как вызов, призванный напомнить былые деньки, когда они были мальчишками и Левша играючи поколачивал Ларри.

Внезапно в машине раздался голос, которого Джино не узнал и при звуке которого его кровь застыла от животного страха. Говорящий преднамеренно пропитал свои слова всем ядом, всей безжалостностью, всей ненавистью, какие только можно почерпнуть в самых низменных закоулках души. Голос принадлежал Ларри.

— Я тебя распну! — молвил он. Это была даже не угроза, а смертельное по серьезности обещание, в котором не было ни капли человечности.

Теперь в спертом воздухе салона разлился страх, от которого Джино стало по-настоящему дурно. Он распахнул дверь и выбрался на свежий воздух. Он хотел уйти от них пешком, но его остановило опасение, что без него Ларри что-нибудь сделает с Феем. Потом он увидел, как Фей вылезает из машины и Ларри протягивает ему в окно несколько свернутых бумажек. Проводив Фея взглядом, Джино снова плюхнулся на переднее сиденье. Он не мог заставить себя взглянуть на брата. Крутя руль, Ларри произнес прежним утомленным голосом:

— Не верь его болтовне, Джино. Всякий раз, стоит произойти несчастному случаю, кто-нибудь начинает врать. Никому не хочется брать вину на себя. «Бык» сказал мне, что Винни был пьян — от него разило виски. Ладно, пусть он виноват — но не прыгал же он под паровоз! — Помолчав, он закончил, словно испытывая потребность объясниться до конца: — Я беспокоюсь за нашу старушку. Господи, как я за нее беспокоюсь!

Ни тот ни другой не могли говорить о Винни.

ГЛАВА 22

Даже смерть приносит немало хлопот: изволь варить кофе самым близким среди скорбящих, обносить их вином, благодарить и баловать вниманием горюющих родственников и друзей.

Изволь оповестить родственников почившего, всех до одного: крестных, обитающих в Нью-Джерси, ершистую родню, роскошествующую в собственных замках на Лонг-Айленде, старых друзей из Такахо... Всех их придется обхаживать, как князей: ведь убитые горем люди привлекают к себе всеобщее внимание, поэтому поведение их должно оставаться безупречным.

Кроме того, только вновь прибывшая на новые берега зелень оплакивает своих умерших под родной крышей; здесь же положено нести вахту в траурном зале, и кому-то из семьи обязательно надо находиться при усопшем, чтобы приветствовать новых скорбящих. Пока тело бедняжки Винченцо не предано земле, его нельзя оставить ни на минуту. Смерть подарила ему куда больше попутчиков, чем за весь его жизненный путь.

В первый вечер траура по Винченцо, лишь только начали сгущаться сумерки, семья Ангелуцци-Корбо сошлась в кухне квартиры на Десятой авеню. Здесь было зябко: намечалось долгое отсутствие, поэтому было решено не зажигать керосиновую плиту.

Лючия Санта восседала за столом очень прямо, но фигура ее в черном облачении выглядела обрюзгшей, глаза заплыли от слез, лицо приобрело болезненно-желтый оттенок. Она прихлебывала кофе, потупив взор. Октавия сидела рядышком, то и дело поглядывая на мать, готовая исполнить любое ее поручение. Необычная неподвижность матери повергала дочь в смятение.

Наконец Лючия Санта обвела комнату взглядом, словно впервые узрев собравшихся, и сказала:

— Накормите Сальваторе и Лену.

— Я все сделаю, — поспешно встрял Джино. На нем был черный костюм, левый рукав был перехвачен черной шелковой повязкой. Он маячил у матери за спиной, у подоконника, чтобы не попадаться ей на глаза. Сейчас он заторопился к леднику в передней, радуясь возможности хоть минуту побыть вне тоскливой кухни.

Он провел дома целый день, помогая матери. Он подавал кофе, мыл тарелки, приветствовал посетителей, занимал их чад. За весь день мать не сказала ему ни единого словечка. Один раз он спросил ее, не хочется ли ей перекусить. Она окинула его долгим, но по-прежнему холодным взглядом и отвернулась, так и не разомкнув уста. Больше он с ней не заговаривал и вообще старался держаться в тени.

— Кто-нибудь чего-нибудь хочет? — взвинченно спросил он. Мать оторвалась от созерцания клеенки и посмотрела ему прямо в глаза; на ее щеках разгорелись красные пятна.

— Налей маме еще кофе, — попросила его Октавия тихим голосом, почти шепотом — все они в этот день стали шептунами.

Джино схватил кофейник и долил чашку матери до краев. Занимаясь этим, он ненароком прикоснулся к матери, но она отпрянула, окинув его испепеляющим взглядом, от которого он врос в пол, застыв с по-дурацки воздетым кофейником.

— Кажется, пора, — сказал Ларри. Он выглядел писаным красавцем в черном костюме, черном галстуке и белоснежной рубашке. Траурная повязка сползла у него на рукаве с локтя на кисть. Лючия Санта взялась укрепить ее на локте булавкой.

— Ты не забыл о тетушке Коккалитти? — спросила его Октавия.

— Я заеду за ней позже, — ответил Ларри. — Заодно захвачу Panettiere и родителей Луизы.

Октавия озабоченно молвила:

— Надеюсь, в траурном зале не будет слишком много шалящих детей. Сообразили бы они оставить малышей дома!

Ей никто не ответил. Все ждали, пока встанет Лючия Санта. Джино свесился в окно, вобрав голову в плечи, чтобы ни на кого не смотреть и не мозолить матери глаза. Октавии первой изменило терпение: она встала и принялась натягивать пальто. Потом она занялась траурными повязками на рукавах Сала и Лены. Второй поднялась Луиза. Ларри уже нетерпеливо переминался у двери. Однако Лючия Санта никак не двигалась с места. Все слегка перетрухнули, видя ее спокойствие. Октавия шепнула:

— Джино, подай матери пальто.

Джино сходил в спальню и вернулся оттуда уже одетым, держа в руках пальто для матери, и встал у нее за спиной. Он держал пальто широко распахнутым, чтобы матери не составило труда продеть руки в рукава. Однако мать не удостаивала его вниманием.

— Давай же, ма! — не вытерпел он. В его ласковом голосе впервые прозвучала жалость, которую он все-таки испытывал к ней.

Только тогда она повернулась, не вставая со стула, и устремила на него до того безжалостный и холодный взор, что Джино отшатнулся. Наконец она спокойно произнесла:

— Так на эти похороны ты пойдешь, да?

На какое-то мгновение все замерли, как громом пораженные, не понимая смысла ее слов, а потом — не в силах поверить в их жестокость; побелевшее лицо потрясенного Джино все же убедило их, что они не ослышались. Теперь распахнутое пальто, которое он все так же держал в руках, стало щитом, загораживавшим его от матери. Он казался завороженным.

Однако мать словно вознамерилась уничтожить его своим страшным, безжалостным взглядом. Голос ее звучал по-прежнему спокойно:

— За что нам такая честь? Ты же не соизволил взглянуть на собственного отца в гробу! Пока твой брат был жив, ты и не думал помогать ему, у тебя не хватало времени, чтобы оторваться от возлюбленных друзей и сделать приятное самому близкому человеку. Ты не проявлял к нему ни малейшего снисхождения, ты был для него никем. — Она помолчала, чтобы придать тону оскорбительную нотку снисходительного презрения. — Тебе захотелось продемонстрировать свое горе? Ты наливаешь кофе, подаешь мне пальто. Значит, ты по большому счету не такой уж бесчувственный зверь. Значит, даже от тебя не ускользнуло, как любил тебя твой брат, какой безграничной была его доброта. — Она еще помолчала, словно давая ему время для ответа, а потом заключила просто: — Уходи. Не хочу тебя видеть.

Он заранее знал, что она скажет все это. Он инстинктивно огляделся, словно взывая о помощи, однако на лицах близких отразился только сочувственный ужас людей, лицезреющих искалеченную жертву несчастного случая. Потом он словно ослеп. Выронив пальто, он стал пятиться, пока не уткнулся спиной в подоконник.

То ли он зажмурятся, то ли просто отвернулся, но он не видел лица матери, когда она наконец повысила голос:

— Я не хочу, чтобы ты шел на похороны. Снимай пальто! Оставайся дома, прячься, как зверь, — ведь ты и есть зверь!

Но тут Октавия, вопреки ее натиску, тоже крикнула, вложив в свой крик мольбу:

— Ма, ты в своем уме? Замолчи, ради Бога!

Лена уже начала скулить от страха. Наконец раздалось шарканье ног: кухня стала пустеть. Джино узнал нелепый материнский смех, заглушивший неуклюжий шорох новой одежды. Потом до него донесся шепот Октавии:

— Не обращай внимания на маму. Немного подожди и приходи в траурный зал. На самом деле она хочет, чтобы ты пришел. — После паузы она встревоженно спросила: — Джино, ты себя хорошо чувствуешь?

Он растерянно кивнул, все еще не открывая глаз.

В кухне стало тихо. К Джино постепенно вернулось зрение. Электрическая лампочка отбрасывала круг грязно-желтого света, в котором казался еще более неуклюжим, чем на самом деле, огромный круглый стол, заставленный кофейными чашками и залитый кофе, просачивающимся в порезы на древней клеенке. Чтобы не бездельничать, дожидаясь, когда можно будет отправиться в траурный зал, он принялся прибираться в кухне и мыть посуду. Потом он надел свой пиджак с черной повязкой и вышел из дому. Перед этим он, заперев дверь огромным ключом, подсунул его под ледник. Выходя из подъезда, он зацепил рукавом венок с успевшими почернеть цветами.

Джино побрел вниз по Десятой авеню, мимо того места, где раньше вздымался пешеходный мост, вдоль рельсовой эстакады, пока ее не проглотил огромный домина. Ему в глаза бросилась табличка «Сент-Джон-парк», хотя здесь не росло ни единого деревца. Он вспомнил, что его брат Ларри, работая живым дорожным знаком, всегда выезжал на свою конную тропу в Сент-Джон-парке; маленький Джино воображал тогда, что это настоящий парк — с деревьями, травой, цветами.

Траурный зал находился на Малберри-стрит, и Джино знал, что ему надо свернуть на восток. Оставив позади Десятую, он зашел в кафе за сигаретами.

У прилавка сидели рабочие ночных смен и клерки в поношенной одежде. Прокуренный воздух был насквозь пропитан неизбывным одиночеством; посетители были безнадежно отчуждены друг от друга. Джино поспешил на улицу.

На улице было темно; Джино шагал от одного круга света, отбрасываемого уличным фонарем, к другому. В отдалении показался маленький неоновый крест. Внезапно Джино почувствовал, как слабеют и трясутся его ноги, и присел на ступеньку, чтобы выкурить сигарету. В первый раз за все время он понял, что сейчас увидит Винни мертвым. Он вспомнил, как детьми они с Винни клевали носами на подоконнике, считая звезды, мерцающие над штатом Нью-Джерси.

Он уронил лицо в ладони, удивляясь своим слезам. По темной улице промчалась от одного пятна желтого света к другому ватага ребятишек. Завидев на ступеньках

Джино, они остановились рядом с ним с бесстрашным смехом. Ему пришлось встать и продолжить путь.

От двери траурного зала тянулся через весь тротуар черный навес, призванный защитить скорбящих от стихии. Джино вошел в небольшую прихожую, а оттуда, через сводчатый проход, — в огромный заполненный людьми зал, напоминающий размерами и убранством церковь.

Даже знакомые казались здесь чужими. Panettiere в своем старом черном костюме казался неуклюжим, как кусок угля; на подбородке его сына Гвидо успела отрасти за день траурная щетина. Даже парикмахер, безумец-одиночка, сидел на этот раз спокойно, со смягчившимися в присутствии умершего зоркими очами.

Вдоль стен сидели чинными рядами женщины с Десятой авеню; клерки из вечерней смены Винни собрались несколькими кучками. Здесь же был Пьеро Сантини из Такахо с успевшей выйти замуж дочерью Катериной; живот Катерины походил на барабан, щеки розовели, глаза же были холодны и спокойны, свидетельствуя о познанной и удовлетворенной страсти. Луиза с искаженным неподдельным горем красивым лицом забилась со своими детьми в угол, откуда наблюдала за своим мужем.

Ларри стоя беседовал с группой мужчин с железной дороги. Джино был поражен, как они могут вести себя как ни в чем не бывало, улыбаться, вести свои обычные разговоры о сверхурочных и о покупке домов на Лонг-Айленде. Ларри разглагольствовал о бизнесе хлебопеков, и его добродушная улыбка помогала собеседникам забыть о напряжении. Можно было подумать, что они собрались попить кофейку в уютной булочной.

Приметив Джино, Ларри жестом подозвал его и представил своим друзьям, которые стали торжественно и крепко жать ему руку, демонстрируя уважение и симпатию. Потом Ларри отвел брата в сторонку и прошептал:

— Пойди взгляни на Винни и поговори с матерью.

Джино поразили его слова «взгляни на Винни», словно тот жив и здоров. Ларри повел его в глубь зала, где оказался еще один сводчатый проход, поменьше, загороженный толпой.

Два маленьких мальчугана проехались мимо Джино по черному полированному паркету; их мамаша гневно шикнула, но дети не угомонились. Девочка-подросток не старше четырнадцати лет перехватила их, деловито отшлепала и, не произнеся ни слова, потащила к стульям у стены. Джино, пригнув голову, прошел во второй зал. У противоположной стены он увидел гроб.

Винни лежал на белой атласной простыне. Скулы, брови, тонкий нос вздымались над его запавшими глазами, как холмы. Лицо знакомое, но разве это — его брат? Здесь не было и следа от Винни. Где его неуклюжая фигура, его вечно оскорбленный взгляд, где осознание неудачи, где мягкость и уязвимая доброта? Джино видел в гробу только статую, лишенную души, и не ощущал к ней интереса.

Однако поведение женщин, набившихся в эту маленькую залу, все равно показалось ему оскорбительным. Они сидели вдоль стен, повернувшись к гробу в профиль, и разговаривали хоть и вполголоса, но на общие темы. Мать была сейчас не слишком говорлива, но голос ее показался ему спокойным и вполне естественным. Желая сделать ей приятное, Джино подошел к гробу и застыл над братом, глядя больше на белый атлас, чем на мертвое тело, и ничего не чувствуя — ведь перед ним лежал совсем не Винни, а лишь доказательство его смерти в форме безжизненного тела.

Он уже собрался выйти, но Октавия, поднявшись со стула, взяла его за руку и подвела к матери. Обращаясь к соседке, Лючия Санта сказала:

— Это — мой сын Джино, старший после Винченцо.

Подразумевалось, что Джино — ее сын от второго мужа.

Одна из женщин, старуха с морщинистым, как грецкий орех, лицом, произнесла почти сердито:

— Eh, giovanetto, видишь, как страдают матери из-за своих сыновей! Смотри, не доставь ей еще горя!

Она приходилась им близкой родственницей и поэтому могла говорить, что ей вздумается, не опасаясь отповеди, хотя Октавия гневно прикусила губу. Джино опустил голову.

— Ты что-нибудь ел? — спросила его Лючия Санта.

Джино кивнул. Он не мог ни говорить с ней, ни глядеть на нее. У него поджилки тряслись от страха, что она отвесит ему оплеуху в присутствии всех этих людей. Однако голос ее звучал ровно. Она разрешила ему удалиться:

— Ступай, помоги Лоренцо: участвуй в беседе и делай все, что он говорит. — И тут мать вымолвила нечто такое, что Джино не поверил собственным ушам. Обращаясь к женщинам, она удовлетворенно произнесла: — Как много здесь людей! У Винченцо было столько друзей!

Джино не мог вытерпеть такого: никто из присутствующих знать не знал Винни и не дал бы за него ломаного гроша.

Мать увидела выражение его лица и все поняла. Это было ребячество, невежественное презрение к притворству, свойственное юности. Что ж, молодость не ведает горькой необходимости заслоняться от ударов судьбы. Пусть идет; придет время — и он прозреет.

В сумрачном зале время остановилось. Джино приветствовал новых гостей и вел их по зеркальному черному полу в следующую залу, где их встречали мать и Винни. Он наблюдал, как мать принимает утешения от всех этих людей, не значащих ровно ничего ни для нее, ни для мертвого брата. Тетушка Лоуке — вот кто искренне оплакивал бы крестного сына. Но тетушка Лоуке сама уже в могиле. Даже Октавия горевала на так сильно, как он ожидал.

Джино, двигаясь, словно во сне, показывал всем этим незнакомым людям, где лежит книга для росписей и где висит ящичек для пожертвований. После этого он выпускал их, словно голубей, чтобы они, преодолев, как на крыльях, пространство черного блестящего паркета, предстали перед родней, с которой не виделись с прошлых похорон.

Впервые в жизни Джино исполнял роль члена семьи. Он подводил людей к гробу и выпроваживал их восвояси. Он вел легкую беседу, справлялся о членах семьи, вежливо качал головой, выслушивая соболезнования по случаю постигшей его семью трагедии, все больше входя в роль старшего сына своей матери от второго мужа и наблюдая, как собеседники мысленно присваивают ему ярлык «disgrazia». Члены семейства Сантини не могли скрыть облегчения, что не породнились с этой семейкой и ее бедами. Доктор Барбато заглянул всего на пару минут: он с неожиданной лаской потрепал Джино по плечу, в кои-то веки не чувствуя вины и отчуждения. Panettiere, более близкий для семьи человек, почти родной (ведь усопший какое-то время работал у него), сказал Джино:

— Слушай, так это несчастный случай или все-таки нет? Бедный мальчик всегда был так печален!

Джино ничего не ответил.

Тетушка Терезина Коккалитти, эта акула в человеческом обличье, ни с кем не обмолвилась даже словечком. Она сидела рядом с Лючией Сантой, парализованная страхом, будто смерть, оказавшаяся в непосредственной близости от нее, вот-вот обнаружит, что существует также и она с четырьмя сыновьями, продолжающая обманом получать семейное пособие и таскающая домой все новые мешки с сахаром и мукой и все новые коробки с жирами, которым суждено заложить основу ее грядущему процветанию.

Гвидо, сын Panettiere, явился в военной форме. Он был одним из первых молодых людей квартала, угодивших под призыв, да еще в первом своем увольнении. В искренности его скорби трудно было усомниться: когда он наклонился, чтобы поцеловать Лючию Санту в щеку, в глазах его блестели слезы. Пришел также дон Паскуале ди Лукка, чтобы засвидетельствовать свое уважение Ларри и его семье; не приходилось сомневаться, что стодолларовая бумажка в ящике для пожертвований была его вкладом, хотя, будучи истинным джентльменом, он положил ее в конверт, не сопроводив запиской. В огромном переднем зале теперь было тесно от людей; на стульях вдоль стен спали дети.

Часов в одиннадцать вечера, когда поток людей схлынул, Ларри взял Джино за руку и сказал:

— Пойдем выпьем кофе. Я попросил Гвидо приглядеть здесь за всем.

Они вышли в одних пиджаках. Сидя за кофе в небольшом кафе, Ларри ласково проворковал:

— Не беспокойся из-за того, что старушка так на тебя раскричалась. Завтра она обо всем забудет. Можешь не тревожиться, братишка, мы с Октавией поможем тебе тащить груз. И она, и я станем давать вам по пятьдесят долларов в месяц.

Сперва Джино не мог сообразить, что имеет в виду Ларри. Но потом он понял, что его мир становится отныне совсем другим. Теперь от него зависят мать, сестра, брат. Все эти годы прошли только для того, чтобы подвести его к тому, что так или иначе было для него уготовано. Его ждет работа, сон, сон и работа; между ним и матерью отныне не будет стены. Семья втягивает его в себя; судьба семьи отныне превращается и в его судьбу. Ему уже не удастся сбежать... Однако, как ни удивительно, он с ходу согласился с новым положением и даже испытал что-то вроде облегчения. Кажется, это — неплохая новость.

— Придется мне найти работу, — сказал он Ларри.

Ларри кивнул:

— Я уже обо всем договорился: ты заменишь Винни на его месте. Ты собираешься заканчивать школу?

Джино усмехнулся:

— А как же!

Ларри одобрительно похлопал его по руке.

— Ты всегда был славным парнем, Джино. Только теперь тебе придется подтянуться. Ты понимаешь, что я хочу сказать?

Джино отлично понимал его: настала пора подумать о семье; прежней беззаботности и своеволию пришел конец; надо стараться угождать матери; хватит вести себя, как безответственное дитя. Он кивнул и тихо спросил:

— Ты считаешь, что Винни действительно сам полез под паровоз?

Лицо Ларри изменилось с пугающей стремительностью. Он остался по-прежнему красив, лицо его напоминало цветом начищенную бронзу, которая теперь, казалось, дымилась ядовитой яростью.

— Все это — пустая болтовня. Я уже разобрался и с инженером, и с пожарником. Если ты снова услышишь хоть от кого-нибудь — неважно от кого — такие ехидные слова, дай знать мне — я с ним с удовольствием разберусь. — Он помолчал. — Кстати, не вздумай разболтать, как прошел наш разговор с Левшой Феем. — Кровь отхлынула от его лица, оно снова прояснилось, — Если старушка о чем-нибудь таком спросит, клянись на кресте, что с Винни произошел несчастный случай.

Джино согласно кивнул.

Они побрели назад, в траурный зал. Крепко держа Джино за руку, Ларри говорил:

— Главное, не волнуйся. Через пару годиков я огребу кучу денег — война здесь очень кстати; тогда я возьму семью на буксир, а ты сможешь заняться тем, что тебе больше понравится. — Он заговорщически подмигнул. — Я сам был в свое время таким же, как ты.

Под черным навесом их поджидала Октавия, дрожащая от холода.

— Куда вы подевались? — сварливо спросила она. — Мать страшно переполошилась — она решила, что Джино опять пропал.

— Господи! — закатил глаза Ларри. — Ладно, я с ней поговорю. Ты со мной не ходи, Джино.

Джино снова почувствовал уже знакомый страх и понял, что выглядит, наверное, очень испуганным. Ничего, Ларри его отстоит; он устал за вечер от накатывающихся на него одна за другой волн страха.

Вернувшись через несколько минут, Ларри с улыбкой сказал:

— Октавия, как всегда, шумит без причины. Просто старушка хотела убедиться, что мы здесь, — ведь скоро конец церемонии.

Люди потихоньку расходились. Появился хозяин похоронной конторы и, словно близкий родственник умершего, помог Ларри и Джино выпроводить последних скорбящих; наконец в зале остались только члены семьи и самые близкие им люди. Теперь, когда зал опустел, Джино услышал, как в меньшем помещении задвигали стульями: мать и ее подруги решились расстаться с гробом. Длительное бдение подошло к концу. До Джино не доносилось ни единого слова; он уже подумывал, не отправиться ли домой впереди всех, чтобы не сталкиваться с матерью. В этот день она внушала ему такой страх, какой он не испытывал еще ни разу в жизни.

Страшный вопль застиг Джино врасплох и заставил похолодеть от ужаса. За первым воплем раздался второй, сменившийся душераздирающим воем, в котором уже можно было различить слова: «Винченцо, Винченцо!..» В голосе матери звучало столько горя, что Джино еле справился с собой, чтобы не пуститься наутек: ему очень хотелось оказаться там, куда не сможет проникнуть этот тоскливый вопль. Хозяин похоронной конторы, не утративший спокойствия, покровительственно положил руку на плечо Джино, словно, понимая его чувства, только и дожидался этого момента.

Неожиданно в сводчатом проходе возникла группа в черном: там неровно, словно извиваясь, двигались четыре женщины. Октавия, Луиза и тетушка Терезина пытались вывести Лючию Санту и прилагали к этому немало усилий. Несколько минут назад они уже пробовали воздействовать на нее словами и лаской, но это ни к чему не привело. Напрасно они напоминали Лючии Санте о ее долге — как-никак, она остается матерью пяти детей: она только крепче впивалась ногтями в сыновний гроб. Тогда они отбросили приличия и поволокли ее силой. Они не позволят ей оставаться там, не позволят спятить от горя. Еще чего: отвернуться от жизни, от долга! Они действовали безжалостно. Октавия волокла ее за одну руку, Луиза — за другую, однако у них не хватало сил, чтобы преодолеть сопротивление Лючии Санты, которой в данном случае помогал собственный вес. Оставалось надеяться на тетушку Терезину, которая изо всех сил тянула Лючию Санту за плечи. Это давало плоды: безутешная мать поневоле скользила по натертому до зеркального блеска черному паркету.

Минута — и мать, подобно упрямому животному, собралась в комок — это был довольно-таки массивный комок — и отказалась двигаться дальше. Она не протестовала, не закатывалась в визге; ее черная шляпка и вуаль вульгарно съехали на бок; на ее разбухшем от нечеловеческого страдания лице лежала печать непоколебимого упрямства. Ни разу еще она не выглядела столь несокрушимой скалой, о которую обречен разбиться вдребезги мир смерти, не выдержавший ее властного горя.

Все три женщины отступились от нее. Луиза расплакалась. Октавия закрыла лицо ладонями, из-под которых донесся ее искаженный голос:

— Ларри, Джино, помогите нам!

Братья бросились на зов и вместе с женщинами предприняли решающее наступление. Однако Джино не посмел притронуться к матери. Лючия Санта подняла голову и обратилась к Джино с такими словами:

— Не оставляй брата одного. Пусть хоть в эту ночь ему не будет одиноко. Он никогда не был храбрецом. Он был слишком добр, а это мешает смелости.

Джино согласно опустил голову.

— Ты никогда меня не слушался, — упрекнула его мать.

— Я пробуду здесь всю ночь, — еле слышно проговорил он. — Обещаю. — Он заставил себя протянуть руку и поправить на ней шляпку. Движение было стремительным. Впервые в жизни он сделал для нее что-то в этом роде. Мать неуверенно подняла руку, чтобы одернуть вуаль, но вместо этого сняла ее вместе со шляпкой. Шагая к двери, она держала головной убор в руке, словно ей было невыносимо иметь перед лицом помеху в виде вуали; с непокрытой же головой она снова могла взглянуть в лицо жизни, ее непреклонной справедливости, неизбежным на протяжении жизни поражениям.

Хозяин конторы предложил принести Джино кушетку и, извиняясь, уведомил его, что будет вынужден запереть входную дверь; он показал Джино колокольчик, за который тому надо будет дернуть — тогда дежурная выпустит его на волю. Сам хозяин ночевал этажом выше. Джино усердно кивал, демонстрируя понимание, пока хозяин не оставил его в покое.

Оставшись совсем один в темном траурном зале, отделенном стеной со сводчатым проходом от лежащего в гробу брата, Джино чувствовал себя в полной безопасности — впервые с тех пор, как брат погиб. Он составил деревянные стулья рядком, чтобы можно было на них растянуться, и, скатав пальто, подложил образовавшуюся подушку себе под голову. Лежа и покуривая, чувствуя локтем холодную стену, он размышлял о том, как изменился для него мир.

Он обдумывал все, что успел узнать. Значит, Ларри — настоящий гангстер, и люди боятся, что он может их убить. Вот так фокус! Это Ларри-то, который и пальцем не мог тронуть никого из младших братьев... Впрочем, Левша Фей выдумывает, будто Винни сам бросился под паровоз — Винни был настолько робок, что уже давно опасался сидеть на подоконнике. А мать?! Кричит, бранится, всех заводит... Он сонно отпустил вожжи и позволил внутреннему голосу произнести то, что он чувствовал на самом деле: что горе ее чрезмерно, что она превращает смерть в помпезную церемонию. Но тут он припомнил, как сам проливал слезы на крыльце. Но нет, он-то оплакивал Винни-мальчишку, товарища по играм и соратника по бдениям на залитом звездным светом подоконнике. Постепенно он пришел к заключению, что в горе содержится очень мало жалости к самому умершему. Конечно, близкие голосят, убиваясь по утраченному, но в этом слишком мало подлинного чувства; поэтому-то смерть и превращают в такую церемонию — чтобы скрыть то, в истинности чего никто не сомневается: смерть человека — не столь уж важное событие...

Бедный Винни! Кто же на самом деле станет о нем горевать? Он давно превратился в хнычущего зануду, общества которого никто не мог выдержать. Даже мать порой теряла с ним терпение. Так что и она оплакивает множество малышей-Винсентов, прошедших перед ней чередой, прежде чем сын вырос. Их же будет не хватать и Джино. Потом-то ему было уже наплевать на него. Как и Ларри. Даже Октавия махнула на него рукой. Вот о Луизе этого не скажешь, почему-то участь Винни была ей не безразлична. Старая тетушка Лоуке тоже всплакнула бы по нему. Прежде чем погрузиться в сон, Джино всерьез собирался наведаться в соседнее помещение и приглядеться к мертвому лицу брата, чтобы заставить себя страдать; однако усталость взяла верх. Сигарета выпала из его пальцев; красная точка на блестящем черном полу походила на уголек в аду. Во сне он подтянул колени к подбородку, чтобы спастись от холода, которым так и веяло от стены. Ему очень хотелось проснуться; помимо воли он испустил крик, разбудивший хозяина похоронной конторы в комнате этажом выше.

Это неправда! Не убивал он брата! Он держал пальто матери у нее перед лицом, но его руки все больше немели. Ее осуждающий взгляд заставлял его пятиться все дальше, и, моля о пощаде, он шептал: «Я плакал на ступеньках там, на улице! Гляди, мое лицо до сих пор мокро от слез». Однако мать только фыркала и бурчала: «Это всего-навсего очередной твой трюк. Animale, animale, animale...»

И тут она улыбнулась ему. Что за ослепительная улыбка, совсем как у молоденькой девушки! Джино едва не угодил в ловушку, которая обрекла бы обоих на неминуемую гибель, едва не заговорил о том дне, когда он ждал у родных ступенек, что она привезет домой его отца. Но, вовремя опомнившись, он поспешно повесил голову, радуясь собственной осмотрительности. Раз она не обвиняла его вслух наяву, он тоже не станет упрекать ее, даже во сне. Содрогаясь от обреченности, он обещал себе и ей, что станет новым Винни, что будет, как и он, трудиться на железной дороге, женится, совьет гнездо в одном из домов на их авеню, станет ждать на остановке трамвая, сжимая в объятиях собственное дитя, прикует себя цепями к знакомой до тошноты бесцветной жизни, для которой, выходит, рожден и он.

ГЛАВА 23

Старухи с Десятой собрались как-то летним вечером в кружок и принялись перечислять горести семьи Анге-луцци-Корбо. Их завывания звучали как заклинания.

Сперва они жалостно взывали:

— О, какая страшная жизнь! Бедняжка Лючия Санта, она похоронила первого мужа, второй загубил свою и ее жизнь, а теперь удар пришелся по взрослому сыну, уже успевшему стать кормильцем! Что за трагедия, что за беда! Будь проклят Создатель, Его мир, все Его святые и праздники!

Седые головы согласно кивали. Но тут взяла слово другая пострадавшая от житейских бед — особа, снискавшая уважение чередой неудач.

— Все верно! И все-таки, у нее осталась взрослая дочь, уважаемая приказчица — умная, вышедшая замуж за трезвого человека. У нее есть сыновья, какими могла бы гордиться любая мать. Лоренцо — женатый, уже одаривающий ее внуками, набредший на клад в профсоюзе пекарей, Джино теперь — почтительный сын, глава семьи, работающий, не покладая сил, как примерный итальянец, на железной дороге и совершенно не связывающийся с полицией, Сальваторе, завоевывающий медали отличной учебой в школе — быть ему профессором! Наконец, у нее есть Лена — итальянская дочь в добром старом стиле, безотказно выполняющая всю работу по дому, послушная, неизменно почтительная. Поглядите только, как все они чтут Лючию Санту! Двое детей, создавшие собственные семьи, по-прежнему дают ей деньги, Джино приносит домой конверт с получкой ненадорванным.

Пятеро прекрасных детей! Верно, у нее нет мужа, но если взглянуть, что за мужья бывают на Десятой, то не такое уж это несчастье. На радость Лючии Санте, у нее теперь небольшая семья. Даже смерть бедняжки Винченцо не запятнала семью как disgrazia. Он заболел и свалился под паровоз — несчастный случай, что поделаешь! Он похоронен в освященной земле. Бедный Винченцо, он родился под несчастливой звездой, ему с самого начала была уготована печальная судьба.

Равновесие было восстановлено. Немало женщин страдали не меньше, а то и поболее. Гибнут на работе мужья, рождаются уродцами младенцы, умирают от безобидной простуды и ерундовых травм дети. В этом кружке не было ни одной женщины, которая не похоронила бы хотя бы одного ребенка.

А представьте себе только, каких невзгод Лючии Санте посчастливилось избежать! Сколько вокруг дочерей беременеют без малейшего намека на присутствие мужа; сколько сыновей превращаются в завсегдатаев тюрем, а то и умудряются кончить свои непутевые дни на электрическом стуле; как часто вырождаются в пьяниц, распутников, пропащих картежников самые благочестивые мужья!

Нет, нет! Лючии Санте еще повезло, она очень долго могла не подносить к устам горестную чашу, которую иная в ее положении принуждена была бы испить до дна. Теперь ее дети сильны, здоровы, красивы, у их ног лежит целый мир. Скоро она пожнет плоды своего самоотверженного труда. Крепитесь! Америка — это вам не Италия, в Америке человек может обмануть судьбу. Сыновья здесь вырастают верзилами и сидят себе в конторах в воротничках да галстучках, не задыхаясь на ветру и не ковыряя землю; дочери обучаются грамоте, щеголяют в туфельках и шелковых чулочках, вместо того чтобы резать свиней и таскать хворост на собственных спинах, чтобы дать передохнуть разлюбезному ослу.

Разве застрахован от невзгод даже самый расчудесный рай? Разве вправе кто-нибудь зарекаться от горя? Кому выпало пройти по жизни, не пролив ни слезинки? Не ведают страданий одни мертвецы. Вот кто счастливцы! Старухи дружно всплеснули руками: да будет благословен тот день, когда они покинут бренную землю, злосчастную юдоль горьких слез. Да, да, мертвый счастлив: ведь он больше не ведает страданий!

Глаза их гневно пылают, фигуры, обернутые в черную ткань, источают энергию и силу. Пусть они заняты увлекательной беседой — от их взоров не ускользает ничего из творящегося на авеню. Они обрушивают громовые проклятия на головы шалунов-ребятишек, жадно поглощают лимонное мороженое из мятых стаканчиков, откусывают огромные куски от дымящейся пиццы, впиваясь несокрушимыми коричневыми зубами в лаву томатного соуса, перемешанного с брызжущим из глубин дрожжевого теста упоительным сыром. Они готовы растерзать любого, кто посмеет протянуть хотя бы ниточку поперек жизненного пути их детей и их самих. Они — непримиримые враги смерти, они — воплощение жизнелюбия. Величественные камни города, вся его сталь и стекло, вымощенные синей плиткой тротуары и булыжные мостовые — все обратится в прах, они же пребудут вечно.

ГЛАВА 24

Неужто даже дьявол способен обернуться ангелом? Panettiere, безумный парикмахер, доктор Барбато, даже хитроумная тетушка Терезина Коккалитти — все восхищались переменой, происшедшей с Джино Корбо. Подумать только: катастрофа превратила мальчика в мужчину, и он теперь вкалывает, как бессловесный крестьянин, на железной дороге, жадно прихватывая сверхурочные и вручая матери нераспечатанный конверт с получкой.

Лючия Санта была так довольна происходящим, что выделяла Джино в два раза больше денег на карманные расходы, чем прежде Внnни. Октавии она клялась, что поступает так потому, что Винни оставлял деньги за сверхурочные себе. «Вот видишь! — твердила она Октавии, когда та наведывалась по пятницам с традиционным визитом. — Джино всегда был хорошим мальчиком». Октавия была вынуждена соглашаться с ней: ведь несмотря на работу по ночам и даже по воскресеньям, Джино не оставил школу; в январе он станет выпускником. Более того, впервые в жизни Джино попал в список лучших учеников. Это вызывало у Лючии Санты безудержное ликование. «Разве я была не права? — спрашивала она Октавию. — У ребенка устают мозги от беспрерывных игр на улице, а не от честного труда».

Октавия, которой никак не удавалось окончательно оправиться после смерти Винни, была поражена, как быстро пришла в себя мать. Она стала спокойнее, разрешала Салу и Лене куда больше, чем прежде, в остальном же осталась прежней. Лишь однажды она обнаружила свои истинные чувства. Как-то раз, во время воспоминаний о том, каким был Винни в детстве, Лючия Санта горько упрекнула саму себя:

— Если бы я оставила его в Джерси, у Филомены, он был бы сейчас жив.

Она не пожалела самого горделивого своего воспоминания; однако она продолжала жить, всецело полагаясь на судьбу и веруя в удачу.

А впрочем, так ли это удивительно? Никогда раньше жизнь не проявляла к семейству Ангелуцци-Корбо такой благосклонности: Джино огребает состояние в депо, Сал прекрасно учится и наверняка поступит в колледж, Лена — тоже прекрасная ученица, мечтающая об учительской карьере. Оба подрабатывают теперь в panetteria после школы, торгуя хлебом и неплохо зарабатывая, благодаря чему по вечерам в пятницу Лючия Санта с Октавией могут удовлетворенно рассматривать сберегательную книжку. Единственной трезвой нотой, способной умерить опасный оптимизм Лючии Санты, служило ее напоминание самой себе, что всего через несколько месяцев, перед самым Рождеством, закончится год армейской службы Гвидо, сына Panettiere, и он займет место Сала и Лены за прилавком. Она не могла рассчитывать, что поток денег будет изливаться на семью бесконечно.

Даже муж Октавии теперь работал. Бедняга Норман Бергерон, презирая себя, писал памфлеты по заказам правительственных служб — а это означало, что, став государственным служащим, он получил надежное место и неплохие деньги. Октавия знала, как он страдает, но полагала, что это его личные трудности. Пусть возвращается к своим стихам, когда европейцы перестанут убивать друг друга и разразится новая депрессия.

Но больше всего радовало Лючию Санту то, что Джино становится мужчиной, вливается в живую жизнь. Ей больше не придется с ним ссориться, и она почти простила ему все оскорбления, которые терпела от него раньше. Он заметно посерьезнел. Неужели ей не придется больше бороться? В это Лючия Санта ни капельки не верила, однако ни на минуту не могла допустить, чтобы кто-нибудь назвал ее безвольной тряпкой, отказывающейся воспользоваться удачей, плывущей ей в руки.

Каждый вечер, приходя на службу, Джино ловил себя на том, что не верит собственным глазам и ушам. Поднимаясь на лифте, а потом вступая в круг света и слыша лязг машинок, выплевывающих накладные, он чувствовал себя как во сне. Однако мало-помалу он начинал понимать, что это и есть реальность.

Его смена начиналась в полночь и длилась до восьми

утра; все эти часы пыльный зал вовсе не кишел призраками, стеллажи с бумагами и черные машинки не думали покидать своих мест; в темноте становилась незаметной стальная сетка, за которой обычно прятался кассир. В этой обстановке Джино, как одержимый, колотил по клавишам. Он прекрасно справлялся с обязанностями — сказывалась спортивная координация движений и зоркий глаз. Норма составляла триста пятьдесят счетов за ночь, но он легко перевыполнял ее. Иногда у него выдавался свободный часок, который он посвящал чтению; потом снизу, где грузились и разгружались вагоны, поступали новые счета.

Он никогда не вступал в разговоры с людьми, в обществе которых работал, никогда не участвовал в их беседах. Главный по ночной смене поручал ему самые трудные счета, но он никогда не возмущался. Все это не имело для него никакого значения — слишком он ненавидел окружающее: само здание, пропахший крысами зал, грязные на ощупь стальные клавиши печатной машинки; ненавидел тот момент, когда входил в желтый круг света, где работали, согнувшись, шестеро клерков и главный по смене.

Это была настоящая, физическая ненависть; иногда она становилась настолько невыносимой, что по его телу пробегал холодок, волосы вставали дыбом, а во рту делалось до того кисло, что он отбрасывал стул, выходил из круга света и торопился к темному окну, за которым тянулись напоминающие тюремные коридоры узкие улицы, освещаемые фонарями со столбов, смахивающих на караульные вышки. Когда главный по смене, молодой человек по имени Чарли Ламберт, окликал его: «Займись-ка счетами, Джино!», причем в голосе его звучало нескрываемое осуждение, он никогда не отвечал, никогда не торопился назад к машинке. Даже узнав, что числится в черном списке, он не нашел в душе и отдаленного подобия ненависти к Чарли Ламберту. Он испытывал к нему такое холодное презрение, что вообще не считал его человеком и не мог поэтому питать к нему каких-либо чувств.

Гнуть спину только ради того, чтобы выжить; тратить жизнь только на то, чтобы остаться живым — это было для него ново. Не то что для матери, Октавии, разумеется, отца. Наверное, и Винни провел у этого темного окна не одну тысячу ночей, пока сам Джино прочесывал улицы города в компании дружков или безмятежно спал в своей кровати.

Однако шли месяцы, и ему становилось все легче мириться с такой жизнью. Об одном он не мог думать — что такая жизнь может затянуться. Однако холодный рассудок подсказывал ему, что она может длиться бесконечно.

Как и подобает матери семьи при столь благоприятных обстоятельствах, Лючия Санта правила своим домом, как истинная синьора. В квартире было неизменно тепло, независимо от того, сколько денег приходилось тратить на уголь и керосин. На плите всегда оставалось достаточно спагетти для друзей и соседей, которые заглядывали к ней поболтать. Никто из детей не мог припомнить случая, чтобы, вставая из-за стола, они не оставили на блюдах достаточно еды в дымящемся соусе. По случаю воскресной трапезы на столе раскладывалось особенно много вилок и ложек, чтобы полакомиться могли все члены семьи — и несемейные, и семейные, — хотя уговаривать никого никогда не приходилось.

В первое воскресенье декабря готовилось особое peranze[1]. Старший сын Ларри дорос до первого причастия, и Лючия Санта приготовила по этому случаю ravioli. Она рано поставила тесто, и теперь они с Октавией возводили на просторной доске крепость из муки. Сперва они разбили дюжину яиц, потом еще дюжину, и еще, пока четыре белые стены не рухнули в море белка, расцвеченное желтками Перемешав все это, они изготовили груду рыхлых золотистых шариков. Раскатывая эти шарики, Октавия и Лючия Санта кряхтели от напряжения. Сал с Леной поднесли им большой сосуд с сыром ricotta, куда они, заранее облизываясь, добавили перца, соли и яиц.

Пока варились ravioli и булькал густой томатный соус, Лючия Санта перетаскивала на стол блюда с prosciutto и сыром. Затем настал черед блюд с говядиной, фаршированной яйцами и луком, и огромного куска свинины, темно-коричневого и до того размягшего от долгого кипения в соусе, что достаточно было одного прикосновения вилкой, чтобы нежнейшее мясо тотчас отделилось от кости.

За едой Октавия, вопреки обыкновению, шушукалась

---

[1] Застолье (*ит.*).

с Ларри и с готовностью отзывалась на его рассказы и шуточки. Норман расслаблено тянул вино и беседовал с Джино о книгах. После еды Сал и Лена убрали со стола и приступили к мытью огромной груды посуды.

Воскресенье выдалось чудесным для декабря; подошли и гости: Panettiere с Гвидо, наконец-то расквитавшимся с армией, неутомимый парикмахер, рассматривающий сквозь пелену красного вина головы присутствующих, ревниво отыскивая следы от чужих ножниц. Panettiere мигом умял целую тарелку горячих ravioli: он питал слабость к этому блюду, на которое его жена — почившее чудовище — вечно жалела времени, целиком уходившего у нее на подсчитывание денег.

Даже тетушка Терезина Коккалитти, превратившая свою жизнь в тайну для окружающих и извлекавшая из этого немалую прибыль, преспокойно накапливая жирок и огребая семейное пособие при четырех здоровенных работящих сыновьях — никто не догадывался, как это у нее получается, — даже она отважилась на несколько стаканчиков вина, добрую порцию вкусной еды и беседу с Лючией Сантой о тех счастливых деньках, когда они девчонками разгребали в Италии навоз. Пусть правило тетушки Коккалитти состояло в том, чтобы немедленно запирать рот на замок, услыхав от кого-либо личный вопрос, — сегодня она изменила себе и благодушно улыбнулась, когда Panettiere поддел ее на предмет махинаций с пособием. Две рюмки вина сделали свое дело: раскрасневшись и расчувствовавшись, она посоветовала всем присутствующим отхватывать у государства все, что только можно, ибо, в конце концов, все равно придется отдать ему, проклятому, вдесятеро больше, независимо от прежней прыти.

Джино, уставший от болтовни, уселся на пол перед фасадом соборoподобного радиоприемника и включил его. Ему хотелось послушать спортивный репортаж. Лючия Санта насупилась, сочтя это грубостью, хотя радио верещало так тихо, что никто ничего не слышал. Потом она оставила его в покое.

Норман Бергерон первым заметил странную перемену в поведении Джино. Тот, припав к радио ухом, внимательно смотрел на сидящих за столом. Отложив книгу, Норман понял, что Джино смотрит на мать. На его губах играла улыбка — но не радостная, а какая-то жестокая. Октавия, проследив взгляд мужа, повернулась к радио.

Она так ничего и не расслышала, но в глазах Джино горело такое оживление, что она не вытерпела и спросила:

— Джино, в чем дело?

Джино отвернулся от них, чтобы спрятать румянец.

— Японцы напали на Соединенные Штаты, — сказал он и крутанул ручку громкости. Взволнованный голос диктора заглушил все голоса в комнате.

Джино ничего не предпринимал, пока не прошло Рождество. Потом ранним утром, сразу после смены, он отправился на призывной пункт. В тот же день он позвонил мужу Октавии на службу и попросил передать Лючии Санте, где он находится. Вскоре его послали в учебный лагерь в Калифорнии, откуда он регулярно писал и слал домой деньги. В первом письме он объяснял, что пошел добровольцем, чтобы спасти от призыва Сала, однако впоследствии не упоминал об этом.

ГЛАВА 25

— Aiuta mi! Aiuta mi!

Надрываясь от горя, преследуемая призраками троих погибших сыновей, Терезина Коккалитти металась по кромке тротуара. Туловище ее нелепо раскачивалось, утренний ветерок трепал ее черные одежды. Добежав до угла, она развернулась и устремилась назад, восклицая:

— Aiuto! Aiuto!

Однако при первых же звуках ее голоса все окна на Десятой авеню мигом захлопывались.

Несчастная стояла теперь на мостовой, широко расставив ноги. Задрав голову, она проклинала всех и вся. Ради этого она вспомнила вульгарный говор родной итальянской деревни. Страдание стерло с ее худого ястребиного лица все следы хитрости и алчности.

— О, я знаю вас всех! — вопила она, обращаясь к закрытым окнам. — Вы хотели меня надуть — вы, шлюхи и дочери шлюх! Хотели обвести меня вокруг пальца, все хотели, но я вас перехитрила!

Она раздирала себе лицо острыми, как когти, ногтями, пока кожа на щеках не повисла кровавыми клочьями. Воздев руки к небесам, она взывала:

— Только Бог! Он один!..

Она вновь припустилась бегом, норовя лишиться своей черной шляпки, опасно вздрагивавшей у нее на голове. Тут, на счастье, из-за угла Тридцать первой стрит показался ее единственный оставшийся в живых сын, поймал ее и потащил домой.

Все это происходило уже не впервые. Сначала Лючия Санта выбегала на улицу, стремясь помочь старой подруге, теперь же она только наблюдала за ней из окна, как и все остальные. Кто мог предположить, что судьба нанесет Терезине Коккалитти подобный сокрушительный удар? Всего за один год война отняла у нее троих сыновей — это у нее-то, такой хитрюги, всегда соблюдавшей крайнюю таинственность, всегда способной на любой подлог! Значит, тут уж ей ничто не смогло помочь? Значит, все обречены? Раз самое совершенное зло оказывается бессильным против рока, то откуда взяться даже слабой надежде на спасение?

ГЛАВА 26

Пока над миром свирепствовала война, итальянцы, ютившиеся вдоль западной стены города, наконец-то сумели взять осуществление великой американской мечты в свои мозолистые руки. На их убогие дома пролился золотой дождь. Мужчины работали на железной дороге сверхурочно и даже сверх того; те, чьи сыновья пали или получили ранения, работали усерднее прочих, ибо знали, что горе проходяще, бедность же может отнять всю жизнь.

Для клана Ангелуцци-Корбо наступили чудодейственные времена: наконец-то был приобретен вожделенный дом на Лонг-Айленде — по дешевке, у людей, для которых война каким-то загадочным образом обернулась разорением. Дом на две семьи, чтобы Ларри с Луизой и их дети оставались под бдительным оком Лючии Санты. В этом доме для каждого будет отведена отдельная спальня со своей дверью — даже для Джино, когда он вернется с войны.

В последний день Лючия Санта уже не помогала детям паковать вещи, набивая скарбом огромные дощатые ящики и оставляя сиротливо оголенными углы и стены квартиры. В последнюю ночь, лежа в одиночестве в постели, она не смогла сомкнуть глаз. Ветер тихонько посвистывал в трещинах оконных рам, которые были прежде всегда закрыты шторами. На стенах, в тех местах, где долгие годы висели картины, белели светлые пятна. Квартира полнилась странными звуками: в шкафах шла потусторонняя жизнь, словно разом ожили все призраки, побывавшие здесь за сорок лет.

Глядя в потолок, Лючия Санта наконец задремала. Она протянула руку, чтобы поймать ребенка, скатывающегося к стенке. Погружаясь в сон, она слушала, как ложатся спать Джино и Винченцо, как возвращается домой Фрэнк Корбо. Куда снова задевался Лоренцо? Не бойся, сказала она маленькой Октавии, пока я жива, с моими детьми ничего не случится; еще минута — и она предстала перед собственным отцом и стала с дрожью клянчить у него белье для своей супружеской постели. Потом разразилась слезами, но отец не стал ее утешать, обрекая на вечное одиночество.

Она никогда не собиралась становиться странницей, не собиралась переплывать через внушающий ужас океан.

В квартире стало холодно, и Лючия Санта очнулась. Одевшись в темноте, она положила подушку на подоконник. Нависнув над Десятой, она стала ждать рассвета и впервые за многие годы услышала, как трутся друг о дружку паровозы и товарные вагоны на сортировочной станции напротив ее окна. В темноту летели искры, в воздухе стоял отчетливый металлический лязг. Вдали, на джерсийском берегу, не было света — как-никак война, — и звезды были бессильны рассеять ночную мглу.

Утром они нетерпеливо ждали фургонов. Лючия Санта общалась с соседями, заходившими пожелать им счастья. Впрочем, среди них не оказалось старых друзей, ибо таковых на Десятой уже не осталось. Panettiere продал свою пекарню, когда его сын Гвидо вернулся с войны израненным и не смог работать, и забрался далеко на Лонг-Айленд — все равно что в Вавилон. Безумный парикмахер с целым выводком дочерей тоже забросил ремесло; теперь, когда ему из-за войны не хватало мужских голов, он тоже переехал на Лонг-Айленд, в городок под названием Массапека, достаточно близко к Panettiere, чтобы они могли встречаться по воскресеньям, чтобы переброситься в картишки. Разъехались и все остальные — по местам со странными названиями, столько лет бередившим их мечты.

Доктор Барбато, ко всеобщему удивлению, пошел добровольцем в армию, служил в Африке и сделался там чуть ли не героем — во всяком случае, журналы пестрели его фотографиями, а рассказы о его подвигах оказались настолько устрашающими, что его отца хватил удар — он не смог вынести сыновьей безмозглости. Бедная Терезина Коккалитти так и осталась в своей квартире, бдительно охраняя бесчисленные банки с оливковым маслом и жирами, которые в один прекрасный день станут выкупом, способным вернуть ее сыновей к жизни. Друг детства Джино Джои Бианко каким-то хитрым способом уклонился от армии — никто так и не понял, как это ему удалось, — разбогател и купил матери с отцом настоящий дворец в Нью-Джерси. Значит, пришло время сниматься с места и семейству Ангелуцци-Корбо.

Наконец-то Пьеро Сантини сам пригнал из Такахо свои грузовики. Из-за военного времени такие услуги стали безумно дороги, однако Сантини сделал поблажку своей родственнице и землячке по итальянской деревушке. Кроме того, он за последнее время смягчился сердцем и только радовался возможности посодействовать счастливому завершению давней истории.

Лючия Санта предусмотрительно не стала прятать кофейник и несколько чашек. Она угостила Сантини кофе, и они смиренно примостились с чашками на подоконнике. Октавия и Лена носили вниз свертки помельче, в то время как двое старых мускулистых итальянцев, покрякивая, как терпеливые ослики, взваливали себе на спины огромные шкафы и кровати.

Настала минута, когда в квартире не осталось ничего, кроме видавшего виды кухонного стула без спинки, признанного негодным для чудесного дома на Лонг-Айленде и приговоренного к свалке. Луиза и трое ее малолетних детей поднялись к Лючии Санте, и маленькие проказники затеяли возню в груде отбракованной одежды, негодных ящиков и старых газет.

Наконец наступил торжественный момент. Лимузин мистера ди Лукка, уже перешедший к Ларри, просигналил у крыльца. Октавия с Луизой выволокли малышей через опустевшие комнаты на лестницу. Октавия позвала мать.

— Пойдем, ма, бросай эту свалку.

Но тут, ко всеобщему удивлению, на лице Лючии Санты появилось недоверчивое выражение, словно она всегда сомневалась, что ей придется когда-либо навечно покинуть эти стены. Вместо того чтобы шагнуть к двери, она плюхнулась на свой стул без спинки и залилась слезами.

Октавия выгнала Луизу с детьми на улицу, а потом занялась матерью. Голос ее был резким, она потеряла всякое терпение.

— Ма, какого черта, что ты придумала? Пошли, доплачешь в машине. Все ждут одну тебя.

Однако Лючия Санта только закрыла лицо ладонями. Ей никак не удавалось унять слезы.

Тут раздался сердитый голос Лены:

— Оставь ее в покое!

Сал, который никогда не открывал рта, поддержал сестру:

— Мы сами приведем ее! Спускайся!

Октавия сбежала по лестнице. Мать подняла голову. Младшие дети почтительно встали рядом с ней. Впервые за все время она увидела, что они уже выросли. Лена очень миловидная, темноволосая, с голубыми отцовскими глазами; впрочем, лицом она напоминает Джино. На плечо матери легла рука Сальваторе. У этого глаза человека, совершенно не способного сердиться. Мать припомнила, как Сал с Леной, забившись в угол и храня молчание, следили за их жизнью, верша свой суд. Ей было невдомек, что они воспринимали мать как героиню тяжелой пьесы. У них на глазах на нее обрушивались удары судьбы, отцовский гнев; они со страхом наблюдали за ее безнадежной борьбой сначала с Ларри, потом с Джино, вместе с ней безутешно горевали по погибшему Винни. Прикоснувшись к ним, она поняла, что юные судьи вынесли ей оправдательный приговор.

Тогда почему Лючия Санта рыдает в опустевшей квартире? Кто, в конце концов, счастливее ее?

Ей предстоит зажить в собственном доме на Лонг-Айленде, нянча внуков. Сальваторе и Лена станут врачами или учителями. Ее дочь Октавия — старшая приказчица в магазине одежды, сын Лоренцо — президент профсоюза, величественно дарующий другим людям работу, как итальянский князь. Ее сын Джино остался жив, когда миллионы других погибли. У нее всегда будет довольно еды и денег, она будет окружена в старости почтительными, любящими детьми. Кто же счастливее ее?

Сорок лет назад, в Италии, даже в самых безумных мечтах она не покушалась на такое. Теперь же миллион никому не слышных голосов твердил ей: «Лючия Санта, Лючия Санта, ты обрела в Америке счастье!» Но Лючия Санта, рыдая на своей табуретке без спинки, гневно возражала им: «Я хотела достичь всего этого, но не ценой таких страданий! Я не хотела оплакивать двоих мужей и любимого сына! Я не хотела, чтобы меня возненавидел сын, зачатый в любви! Я не хотела греха, не хотела скорби, не хотела страха смерти и дрожи в ожидании Судного дня. Я мечтала остаться чистой!»

Америка, Америка, богохульная мечта! Ты даруешь так много — почему же не все? Лючия Санта оплакивала преступления, которых она не могла избежать и которые совершила против тех, к кому питала любовь. В прежней жизни, ребенком, она лелеяла всего одну безумную мечту: избавиться от страха голода, болезней, беспомощности перед беспощадностью естества. Тогда мечталось об одном: как бы остаться живой. О большем не помышлял никто. Однако здесь, в Америке, становились реальностью совсем уже дичайшие грезы, о существовании которых она и не подозревала. Оказалось, что человеку недостаточно хлеба и крыши над головой.

Октавии захотелось стать учительницей. Чего хотелось Винни? Ей уже не суждено об этом узнать. А Джино — о чем мечталось ему? Наверняка о чем-то таком, что никому из них не могло прийти в голову. Даже теперь, несмотря на слезы и муку, в ее душе вспыхнула неуемная ненависть: больше всего на свете ему хотелось удовольствий для самого себя! Ему хотелось жить, как живут сыновья богачей... Но тут она вспомнила, как в свое время нанесла удар в самое сердце своему собственному отцу, отказавшись добиваться белья для супружеского ложа так, как этого хотелось ему.

Ей стало как никогда ясно, что Джино ни за что не вернется домой после войны, что он ненавидит ее так же люто, как она ненавидела своего отца. Он тоже станет странником и будет искать неведомую Америку своих грез. И впервые за всю жизнь Лючия Санта взмолилась о пощаде. *Позволь мне услышать его шаги у двери — и я проживу все эти сорок лет сначала. Я обреку на слезы родного отца, превращусь в странницу и устремлюсь поперек страшного океана. Я переживу первого мужа, осыплю проклятиями Филомену вместе с ее домом в Нью-Джерси, сжимая Винченцо в объятиях, — чтобы спустя годы рыдать у его гроба. Если надо, я еще и еще раз пройду через все это!*

Мысленно произнеся этот зарок, Лючия Санта почувствовала, что с нее хватит. Подняв голову, она обнаружила, что Сальваторе и Лена внимательно наблюдают за ней. Серьезность их лиц вызвала у нее улыбку. К ней вернулись силы. «Как красивы мои младшие дети!» — подумала она. Впрочем, они выглядели настоящими американцами, и это позабавило ее, словно этим двоим удалось-таки оставить с носом и ее, и всю остальную семью.

Сальваторе распахнул у нее за спиной пальто, чтобы она, вставая, легко могла продеть руки в рукава. Лена пробормотала:

— Как только мы переедем, я пошлю Джино письмо с новым адресом.

Лючия Санта метнула на нее удивленный взгляд: кажется, она не произнесла вслух ни единого словечка! Однако лицо девушки так напоминало лицо Джино, что у нее снова защипало глаза. Она взглянула напоследок на голые стены и навсегда покинула дом, где прожила сорок лет.

На Десятой ее поджидали, сложив руки на груди, три женщины, старые знакомые. Одна подняла дряхлую руку, чтобы помахать ей, и крикнула:

— Buona fortuna[1], Лючия Санта!

Пожелание прозвучало искренне, в нем не было задней мысли, однако оно содержало предупреждение, словно старуха хотела сказать: «Берегись, тебе еще жить и жить, жизнь не кончена». Лючия Санта склонила голову, благодаря ее за мудрое напутствие.

Ларри нетерпеливо барабанил пальцами по рулю, пока они забирались к нему в лимузин. Наконец он медленно тронулся с места, прокладывая дорогу двум фургонам. Путь их лежал на восток, к мосту Квинсборо. Сначала все молчали, удрученные материнскими слезами, но вскоре трое малышей подняли визг и затеяли возню.

---

[1] Удачи (*ит.*).

Луиза прикрикнула на них и стала раздавать шлепки. Напряжение спало, завязался разговор — конечно, о новом доме. Ларри предупредил, что дорога займет час. Не проходило и двух минут, чтобы кто-нибудь из малышей не пристал с вопросом:

— Мы уже на Лонг-Айленде?

— Еще нет, — терпеливо отвечали либо Сал, либо Лена.

Лючия Санта опустила стекло, чтобы глотнуть воздуху. Она усадила себе на колени одного из мальчуганов, и Ларри, обернувшись к ней, с улыбкой сказал:

— Здорово будет жить всем вместе, а мам?

Лючия Санта покосилась на Лену, но та пошла в Джино и, значит, — слишком простодушна, чтобы понять материнскую ухмылку. Октавия тоже усмехнулась. Они с матерью всегда видели Ларри насквозь. Ларри радовался тому, что у Луизы с детьми будет с кем коротать время, пока он, бесстыжий хищник, станет домогаться девушек, страдающих в военное время без мужчин.

Тем временем лимузин уже мчался по мосту Квинсборо, стремительно отсчитывая тени, отбрасываемые толстыми стальными тросами. Дети приподнялись, чтобы разглядеть стальную воду Ист-ривер; не прошло и минуты — а они уже съехали с моста и понеслись прочь по широкому, обсаженному деревьями бульвару. Дети радостно заголосили, и Лючия Санта, заразившись их настроением, молвила:

— Вот мы и на Лонг-Айленде.

СОДЕРЖАНИЕ

МАРИО ПЬЮЗО

АРЕНА МРАКА

СЧАСТЛИВАЯ СТРАННИЦА

Редактор И. Шурыгина
Художественный редактор И. Сайко
Технический редактор Г. Шитоева
Корректор Е. Командина
Компьютерная верстка А. Мынко

ЛР № 030129 от 23.10.96 г.
Подписано в печать 03.06.97 г.
Гарнитура Журнальная. Печать офсетная.
Уч.-изд. л. 29,34. Цена 30 700 р.
Цена для членов клуба 27 900 р.

Издательский центр «ТЕРРА».
113184, Москва, Озерковская наб., 18/1, а/я 27.

Оригинал-макет подготовлен
Гуманитарным центром «ЭНРОФ»

В Издательском центре «Терра»
в серии
«Библиотека литературы США»
вышла в свет книга:

Лот № 645

Джером Д. Сэлинджер
ИЗБРАННОЕ

Джером Дэвид Сэлинджер — один из ярчайших представителей современной американской литературы. Он стал настоящим кумиром читателей всего мира, однако сознательно избрал положение «писателя-невидимки», а с 1965 года перестал публиковать свои произведения. Почему? Остается строить гипотезы.
В сборник включены все произведения автора, переведенные на русский язык. Они пронзительно искренни и поэтичны, по-философски глубоки и реалистичны.

Цена 23 000 р.

Книги можно заказать по адресу:
109033, Москва, а/я 66.
В открытке не забудьте указать название книги,
количество экземпляров и ваш адрес
(обязательно с почтовым индексом).

Книги издательства «ТЕРРА»
можно купить в магазинах по адресу:

113399, Москва, ул. Мартеновская, 9/13,
«ТЕРРА»—книжный клуб» № 1.
Тел. 304-57-98, 304-61-13

113216, Москва, б-р Дмитрия Донского, 14 б,
«ТЕРРА»—книжный клуб» № 2.
Тел. 712-34-54

123022, Москва, ул. Красная Пресня, 29,
«ТЕРРА»—книжный клуб» № 3.
Тел. 252-03-50

129110, Москва, пр. Мира, 79, стр. 1,
«ТЕРРА»—книжный клуб» № 4.
Тел. 281-81-01

или заказать по адресу:

109033, Москва, а/я 66.